Harrison Shepard

Auf der Spur der Paramur

Raumakademie Paluran II

Harrison Shepard

19.7.2022

Harrison Shepard

Auf der Spur der Paramur

Raumakademie Paluran II

Originalausgabe

Covergestaltung Beate Rocholz
Lektorat Elsa Rieger

Inhalt

Zur Erinnerung

Wir befinden uns im Myrthonischen Sternenreich, dessen Entstehungsgeschichte mit der derzeit gültigen Religion einhergeht.
Hellon selbst hat demnach die Menschen aus dem Weltraum errettet und durch seine Kinder, die Licht- und Schattenfunken, zur paradiesischen Welt *Reskate* geleitet.

Imonar-Hel, die Lichtinkarnation Hellons, gab ihnen die Gesetze des Lichts als Lebensgrundlage. Doch sie frevelten.

Myrathon-Hel, die Schatteninkarnation, kam über sie, vertrieb sie vom Planeten und erschuf für sie *Myrthon*, die Welt des Schmerzes. Sie gab ihnen die Schattengesetze und bestimmte als obersten Hüter der Qualen den Myrth. Im Lichtzyklus 8561 wird das Schattengespinst erneut erscheinen, um über die Menschen zu richten.

Inzwischen schreiben wir 8553. Myrth Velorn IV. hat 8548 die *Raumakademie Paluran* ins Leben gerufen und damit den beherrschenden Adel brüskiert. Denn hier werden nicht nur Söhne und Töchter des Kernweltadels als Offiziere der Sternenflotte ausgebildet, sondern auch die des Randweltadels sowie die der Gilden von Zerk und der Sternenhändler. Die Raumakademie wird von den ehemaligen Gardeoffizieren Antor und Vorcass geleitet.

Tranthar, Sohn des Oberhaupts der Tanlar-Sternenhändlerfamilie, meldet sich dort an. Bereits bei seiner um eineinhalb Monate verspäteten Ankunft wird er zu einem Duell genötigt, das am 6. Tag des 3. Monats mit einem Auflösungsstab ausgetragen werden soll. Er lernt die Stufe-2-Kadettin Vynga kennen und verliebt sich in sie. Das beruht aber nicht auf Gegenseitigkeit. Mit dem Anwärter Kerasor, der von der Randwelt *Alandor* stammt, versteht er sich gut. Charrut, der dem Adel der

Kernwelten angehört, hat nach einem gemeinsamen Raumjägermanöver jedoch große Vorbehalte gegen Tranthar. Alle drei sind mit achtundvierzig anderen Anwärtern zu einem Straftraining ins Tal der Tränen entsendet worden. Gelingt es ihnen dort, den Makel auszugleichen, der an ihnen haftet?

Die Höchst-Erleuchtete Chyra aus dem Haus Valura überprüft die Raumakademie im Auftrag der *Myrthonischen Verwaltung*. Sie trifft dort auf Antor, mit dem sie einst ein gemeinsames Leben geplant, ihn dann aber aus den Augen verloren hat. Aus einer frostigen Begrüßung wird zum Ende des Besuchs eine Annäherung an alte Zeiten. Denn beide erkennen, dass sie einer Intrige Serpons, Chyras gegenwärtigem Ehemann, zum Opfer gefallen sind. Doch bis zum Ende des nächsten Monats muss sie ihre repräsentative Rolle im Valurapalast auf *Myrthon* zu Ende spielen. Kann sie Serpon entkommen, der schon einen neuen Ehevertrag für sie bereithält?

Ein Unbekannter setzt auf Serpons ältesten Sohn, Cormet, den Attentäter Meteor an. Dahinter verbirgt sich der Kopfgeldjäger Loryk. Danora und ihre Tochter Saira gehören zu seiner kleinen Mannschaft. Durch die beiden kommt Loryk mit seinem Schüler Eris in das Valura-Anwesen auf Eloym. Er entführt Cormet. Unter dem Einfluss seines Amuletts, eines Artefakts, verzichtet er darauf, ihn zu töten. Stattdessen setzt er ihn, Danora und Saira mit überspielter Identität als kleine Familie auf *Torfin* im *Finnan-System* ab.

Doch eine Stimme in Cormet/Entro warnt ihn bereits am ersten Abend, dass alles falsch ist. Wird er seine wahre Identität wiedererlangen? Und was geschieht dann mit Danora und ihrer Tochter?

Auf der Suche nach einem Ansprechpartner bei der Untergrundorganisation *Bol-mot-Ut* fällt Urpas, zweiter Sohn Serpons, einem alten Kontrahenten seines Vaters in die Hände. Er lernt dort Tarr-Mocay kennen, eine junge Frau, die eine Para-Gabe besitzt und ihn auf das Äußerste fasziniert. Sie soll ihn foltern, um ihm den Freigabecode zu entreißen, damit fünfzig leichte

Kreuzer von der Valura-Nordwerft der *Bol-mot-Ut* überstellt werden können. Dabei stellt sie fest, dass Urpas ebenfalls über eine Para-Gabe verfügt. Er droht ihr, sich damit selbst zu töten, und presst ihr damit einen Kuss ab. Dabei verbinden sich jedoch ihre Para-Sinne. Sie können sich nicht mehr als zweihundert Meter voneinander entfernen. Tarr-Mocay flieht mit ihm zu einer Station der *Bol-mot-Ut.* Kann Urpas sich mit ihrer Hilfe dort etablieren? Hat der Kontrahent seines Vaters genug Macht in dieser Organisation, um ihre Auslieferung zu verlangen?

PROLOG

Die Prophezeiung des Untergangs
Stufe 1

von Malcos aus dem Damant Montaphyn, Hohepriester Hellons,
Tempel des Imonar-Hel auf Myrthon, Mathuma-System
12. Tag, 1. Monat, 6339. Lichtzyklus sME

»Wisset: 2222 Lichtzyklen liegen noch vor uns, dann wird Myrathon-Hel, das Schattengespinst, über den Welten des Sternenreichs erscheinen. Es wird prüfen, ob ihr im Sinne der Gesetze von Licht und Schatten wandelt. Geschähe das schon in den nächsten Wochen, so gäbe es keinerlei Hoffnung. Ihr müsstet mit dem Allerschlimmsten rechnen. Denn zu viele Frevler gibt es bereits in diesen Tagen. Unverhohlen verspotten sie die Götter. Hellon und seine Licht- und Schattenfunken bezeichnen sie als Mythen längst vergangener Zeiten. So würdet ihr alle scheitern. Myrathon-Hel käme über euch, um euch mit Schmerz und Finsternis vom Antlitz des Universums zu tilgen.

Wie nur konnte es so weit kommen? Ich werde es euch sagen. Bereits vor Tausenden von Lichtzyklen begann die Abkehr von den Göttern. Einst schlugen die Vorfahren den letzten ernsthaften Feind, die Squor, in der entscheidenden Schlacht. Von da an schwamm das Sternenreich auf der Welle des Siegs. Denn nichts gefährdete es von da an mehr. Lange Zeit strebte es dem Höhepunkt entgegen. Dann jedoch, als alle Welten von den Schäden des Kriegs befreit worden waren, folgte die Stagnation. Tausende Lichtzyklen der Selbstzufriedenheit schlossen sich an. Sie fraßen sich wie ein Geschwür in die Eingeweide des Reichs.

Der Zusammenhalt der Bevölkerung, einst der Grundstock des unaufhaltsamen Aufstiegs, schwindet nun mehr und mehr. Der Wille zum gemeinsamen Aufbau weicht dem Drang nach Selbstverwirklichung. Wie lang, glaubt ihr, kann das Sternenreich das noch verkraften?

Ich warne euch. Nur noch wenige Schritte stehen wir vor dem Abgrund. Tut etwas dagegen, ihr Narren! Fangt endlich an zu zweifeln! Zweifelt an euch! Zweifelt an allem, was euch umgibt. Aber zweifelt nie an Hellon, seinen Gesetzen, den Inkarnationen sowie den Licht- und Schattenfunken, die ihn begleiten. Nur das kann unsere Zivilisation noch retten.

Schlagt ihr diese Warnung in den Wind, so offenbare ich euch eines: *Es kommt eine Zeit, da werden sich im Verborgenen Schatten eurer selbst formen und sich wider das Reich erheben.* Nehmt das als die erste Stufe des Untergangs.«

Gedanken zur Prophezeiung des Untergangs

aus dem Tagebuch von Tamrin aus dem Torma Montaphyn,
medizinische Ausbilderin auf der Raumakademie Paluran,
Eugnith-System
21. Tag, 2. Monat, 8553. Lichtzyklus[1] sME[2]

Kopfschüttelnd schließe ich das Buch. Es handelt sich um einen Wälzer von zweitausend Seiten. Er ist in einem monströsen juwelenverzierten und mit Mathumastahl beschlagenem Einband gefasst. Wie ein Fremdkörper liegt er vor mir auf dem Tisch. Zweifellos eine Rarität, denn er wurde mir als das persönliche Exemplar von Malcos, meinem Vorfahren, übergeben.

Alle Ausgaben der Auflage waren damals auf Befehl des Myrths Lessot II. verbrannt worden. Dieses Buch ist als Einziges der Vernichtung entgangen. Der Hohepriester gab es kurz vor seinem Tod einem weiteren Angehörigen derer von Montaphyn. Seitdem wird es vom Oberhaupt des Hauses an dessen ältesten Sohn vererbt.

Doch ich bin eine Frau. Mein Vater weilt noch unter den Lebenden. Außerdem habe ich zwei Brüder. Es ist mir schleierhaft, wieso ich es nun in den Händen halte. Vorsichtig streiche ich mit den Fingern über die Buchstaben des Titels. Sie scheinen Wärme auszuströmen. Als ich an die Beschläge komme, spüre ich die Kälte des Stahls.

Ich begreife die Gedanken von Malcos nicht, die ihn dazu brachten, diesen Text zu formulieren. Und ich frage mich, warum platzierte er seine Verheißung auf den letzten drei Seiten des Werks, statt sie als Einleitung zu verwenden. Das erschiene mir passender. Denn der Rest des Bands beschreibt mit wissenschaftlicher Akribie den Niedergang des Reichs.

Hatte es ihm nicht ausgereicht, die *Prophezeiung des Untergangs* in ein Buch zu integrieren, das den damals regierenden Myrth als unfähig dastehen ließ? Nein! Malcos hatte die Bevölkerung gar mit *Ihr Narren* beschimpft und sie aufgefordert,

[1] Lichtzyklus ist das Jahr im *Myrthonischen Sternenreich.*
[2] sME bedeutet seit *Myrthons Erschaffung.*

an allem zu zweifeln, außer an Hellon und seinem Gefolge. Das war Hochverrat. Nur die Zugehörigkeit zur Priesterschaft hatte die sofortige Hinrichtung verhindert. Aber er verlor das Amt des Hohepriesters. Fortan musste er in den untersten Rängen den Dienst verrichten. Dem Herausgeber des Buchs war das Glück nicht so hold.

Da der Myrth einen der Verursacher der Blamage nicht zu fassen bekam, wandte er sich gegen unser Haus. Er degradierte es vom Damant[3] zum Torma[4] und entzog ihm damit das Recht auf das Lichttränenbrot[5]. Dann verbannte er es von *Myrthon* auf eine kalte und düstere Welt namens *Loxarth*, durch deren dicke Wolkendecke niemals ein Sonnenstrahl dringt. Er belegte es in den Annalen des Reichs für zweitausend Lichtzyklen mit dem Begriff *Verräterhaus*. Verbindungen zu anderen Adelshäusern wurden dadurch mehr als schwierig.

Ich horche in mich hinein und fühle, wie ich diesen Malcos zu hassen beginne. Er hat aus purem religiösem Eifer das Schicksal der Montaphyn besiegelt. Der Argwohn, der jedem von uns auf Schritt und Tritt entgegenschlägt … überall … auch auf *Paluran*. Das ist sein Werk. Auch wenn das Haus inzwischen vom Verrätertitel befreit ist, so gibt es immer noch Sprichwörter, die seinen Namen in den Schmutz ziehen.

Wieder streicht meine Hand über den Umschlag. Dann wird mir bewusst, ich habe nur die erste Stufe des Untergangs gele-

[3] Damant ist die Bezeichnung für ein Haus des Hochadels. Sie wird nur in geschriebenen Texten verwendet. Gesprochen wird sie: *aus dem lichtdurchfluteten Haus derer von*. Diesen Adelsrang können nur Myrthonen der Kernwelten erhalten.

[4] Torma ist die Bezeichnung für ein Haus des unteren Adels. Sie wird nur in geschriebenen Texten verwendet. Gesprochen wird sie: *aus dem licht- und schattenlosen Haus derer von*. Diesen Adelsrang erhalten nur Myrthonen der Randwelten oder Kernweltmyrthonen deren Haus vom Myrth degradiert und in die Verbannung geschickt wurde.

[5] Der Myrth lässt das Lichttränenbrot einmal im Lichtzyklus an den Kernweltadel verteilen. Wer davon isst, erhält silberweißes Haar, orangegoldene Augen und ein deutlich längeres Leben. Wer es allerdings innerhalb von zwei Lichtzyklen nicht erneut zu sich nehmen kann, verfällt mit einer Wahrscheinlichkeit von sechsundsechzig Prozent dem Wahnsinn.

sen. Vermutlich war dort mit den *Schatten unserer selbst, die sich wider das Reich erheben,* ein Aufstand aus den eigenen Reihen gemeint. Zum Glück war das in der Vergangenheit nie der Fall, zumindest nicht in nennenswerter Größe. Auch heute hat es nicht den Anschein, als ob die Prophezeiung greifen würde. Es dauert lediglich noch acht Lichtzyklen bis zum Erscheinen von Myrathon-Hel. Die Wahrscheinlichkeit, dass in der kurzen Zeitspanne etwas in dieser Richtung geschieht, halte ich für eher gering.

Trotzdem interessieren mich die weiteren Stufen des Untergangs. Ich schlage das Buch auf und blättere zu der Stelle, die ich gerade gelesen habe. Wie vorhin steigt ein seltsamer Duft von den Seiten empor, an den ich mich jedoch schnell gewöhnt habe. Ich versuche, umzublättern. Aber das funktioniert nicht. Die Buchseiten scheinen miteinander verklebt zu sein. Sie lassen sich nicht voneinander trennen. Da ich nicht weiß, aus welchem Material sie bestehen, befürchte ich, sie werden zerreißen, wenn ich zu viel Kraft aufwende.

Enttäuscht schließe ich das Buch und sitze für einen Moment reglos da, während mein Blick sinnend auf dem Umschlag verweilt. Ich kann mich des Gefühls nicht erwehren, dass die *Prophezeiung des Untergangs* mich noch tagelang beschäftigen wird. Und ich hoffe, nicht noch wesentlich länger.

KAPITEL I

Verehrter Merlot, Ihr hattet recht. Euer Kind hat dasselbe Leiden wie Eure Ehefrau. Wenn es Euer Wunsch ist, dass Chyra eine unbeschwerte Kindheit erleben darf, dann ist eine Behandlung mit Medikamenten nicht zu umgehen. Ihr erinnert Euch, Ihr habt keinen Para-Spezialisten gefunden, der Serane helfen konnte. Eurer Tochter wird es nicht anders ergehen. Gebt ihr deshalb jeden Morgen eine der Pillen, die ich Euch aufgeschrieben habe. Vergesst es niemals. Psychosomatische Störungen bis zum Abdriften in den Irrsinn wären andernfalls die Folgen.

Queron aus dem Karrak[6] *Chin-Tossan*
im Dienste der Gilde der Mediker von Anderfa, Talura
13. Tag, 4. Monat, 8525. Lichtzyklus sME

[6] Karrak ist die Bezeichnung für ein Haus des mittleren Adels. Es wird nur in geschriebenen Texten verwendet. Gesprochen wird es: *aus dem schattenumwobenen Haus derer von*. Diesen Adelsrang können nur Myrthonen der Kernwelten erhalten.

Abschied von Antor

Raumjacht Ovasa, Raumhafen von Paluran-Stadt, Eugnith-System
22. Tag, 2. Monat, 8553. Lichtzyklus sME, 6. Stunde, 3. Minute

Chyra

Sie genoss diesen Tag. Die morgendliche Sonne schien und erwärmte allmählich die Umgebung. Über Chyra spannte sich ein wolkenloser blauer Himmel.

Zu einem goldfarbenen Kleid, das ihre Figur betonte, trug sie hochhackige schwarze Schuhe. An ihren Schultern war ein dunkelblauer, mit feinen Goldlinien durchsetzter Umhang befestigt, der sich leicht im Wind bewegte. Antor stand neben ihr. Er war in eine schwarzgoldene Paradeuniform gekleidet.

Heute war der Tag, den sie sich beide so lang herbeigesehnt hatten. Ihr Bräutigam lächelte erwartungsfroh. Sie warteten auf dem mit Steinplatten ausgelegten Vorplatz des Hellon-Tempels in *Talura*[7] auf den Priester.

Langsam kam er auf sie zu. Sein Haupt war geschoren. Er trug ein festliches weißes Gewand. Mit sonorer Stimme leierte er die Glückseligkeiten Imonar-Hels herunter, während er mit den Händen symbolische Gesten vollführte. Gleich würde er sie in die Tempelhalle begleiten, um am Hauptaltar die Ehezeremonie zu vollziehen.

Verblüfft bemerkte Chyra, der Priester bewegte sich nicht gemessenen Schrittes auf sie zu, sondern mindestens einen halben Meter über dem Boden schwebend. Sie sah in sein Gesicht. Die Augen mit den violetten Iriden schienen sie zu mustern und gleichzeitig durchbohren zu wollen. Um diesem Blick zu entgehen, wandte sie sich um.

Sie stutzte. *Wohin waren die zahlreichen Gäste entschwunden, die der Ehezeremonie beiwohnen wollten?* Der gesamte Vorplatz hatte sich geleert. Der Wind war abgeflaut und es herrschte Totenstille. Ein Schatten legte sich über den Platz. Etwas Merkwürdiges ging hier vor sich.

[7] Talura ist die Hauptstadt des Planeten *Myrthon*.

Antor schien nichts davon zu bemerken. Sie öffnete ihre Lippen, um ihm ihre Beobachtung mitzuteilen. Aber sie brachte keinen Ton hervor.

Der Priester hatte sie erreicht. »Folgt mir und bleibt dicht hinter mir. Sonst kann ich nicht für Eure Sicherheit garantieren.« Seine Stimme war dunkel, fast hypnotisch.

Chyra runzelte die Stirn. *Hatte sie sich verhört?* Sie wollte die Ehe mit Antor eingehen, damit sie ein für alle Mal zusammengehörten. Was, bitte schön, gefährdete daran ihre Sicherheit? Sie folgte dem Priester, ohne dass sie etwas dagegen tun konnte. Das verwirrte sie. Es gelang ihr nicht, stehen zu bleiben.

Links und rechts von ihr verschwand der Boden. Es ging auf beiden Seiten mindestens zwanzig Meter in die Tiefe. Unten aber wimmelte es von käferartigen Insekten. Sie schienen so groß wie Myrthonen zu sein. Mit ihren Fresswerkzeugen verursachten sie einen ohrenbetäubenden Lärm.

Was sie sah, machte ihr Angst. Das Gewimmel ordnete sich. Zuerst klommen einige der Käfer zum Pfad empor, dann immer mehr. Schon schoben sich die ersten Insekten über die Kante, da erhöhte der Priester das Schritttempo. Sie erreichten das Tor des Tempels.

Gleich darauf schloss es sich mit einem hallenden Schlag hinter ihnen.

Die Tempelhalle war in eine alles verschluckende Finsternis gehüllt. Nur entlang des Wegs leuchtete ein Strahl violetten Lichts. Umrisse schälten sich vor Chyra aus der Dunkelheit. Doch es war nicht der Altar Hellons, sondern der von Myrathon-Hel, der Inkarnation des Schattens und des Schmerzes. Der dunkle Stein glänzte matt im violetten Schein und erhellte in wenigen Metern Umkreis die Umgebung.

Sie hielten an. Müdigkeit schwappte über Chyra. Sie sah, wie Antor einen Schritt neben ihr stehen blieb. Die Vorfreude stand ihm ins Gesicht geschrieben. Er schien von den seltsamen Vorgängen keinerlei Notiz zu nehmen.

Vor ihnen schwebte der Priester. Er wandte sich um. Sie wurden in Licht getaucht, doch der Altar versank in der Dunkelheit. Es waren seine Augen, die den violetten Strahl aussandten. Gleich darauf eröffnete er die Zeremonie mit sonoren Worten, die an Chyra so schnell vorbeirauschten, dass sie absolut nichts verstand. Es war eine Tonlage, die sie nur noch mehr ermüdete. Es mochten Minuten vergangen sein oder Stunden.

Da hörte sie den abschließenden Satz: »Ein Kuss zwischen den zwei Ehepartnern schließt den Bund bis zum Ende ihres Lebens.«

Die Müdigkeit fiel von ihr ab. Antor trat an sie heran und neigte den Kopf zu ihr. Sie schloss die Augenlider, denn sie wollte möglichst intensiv seinen Kuss spüren, doch die seltsamen Geschehnisse ließen ihr keine Ruhe. Sie öffnete die Augen wieder. Sein Gesicht war jetzt ganz nahe. Da wandelte es sich. Sekündlich verlor es an Konsistenz. Kurz bevor seine Lippen die ihren erreichten, sah ihr das Antlitz von Serpon entgegen. Es war bis auf die Knochen abgemagert.

Ihr ehemaliger Ehepartner hielt inne und schnarrte krächzend: »Scheue dich nicht vor mir, Ehefrau. Die ewige Verjüngung hat ihren Preis. Er muss bezahlt werden.«

Verzweifelt schrie Chyra auf. Angewidert stieß sie ihn von sich.

Doch als er zurücktaumelte, verwandelte er sich wieder in Antor. »Warum hast du das getan? Wieso stößt du mich zurück?« Sie hörte den Schmerz in seiner Stimme, sah den verständnislosen Blick, mit dem er sie bedachte.

Bevor ihr eine Antwort möglich war, barst krachend das Tempeltor. Über die Trümmer ergoss sich eine Flut von Käfern ins Innere des Tempels. Gleichzeitig lief ein Beben durch die Halle. Kreischen erfüllte die Luft. Teile des Tempeldachs stürzten hernieder. Sie begruben einen Großteil der krabbelnden Masse unter sich. Chyra war sich bewusst, dass es nur eine Frage der Zeit sein würde, bis sie zusammen mit Antor starb. Entweder wurden sie von Insekten zerrissen oder von herabfallenden Trümmern begraben. Mit einem Schrei machte sie ihrer Angst Luft. Einer der Käfer tauchte vor ihr auf. Seltsamerweise trug er einen Kampfanzug und hielt in einer der vier Greifzangen eine Strahlwaffe. Ehe er abdrücken konnte, verschwamm alles um sie herum.

Dann umgab sie nur noch Halbdunkel. Es dauerte Minuten, bis sie ihre Umgebung erkannte.

Sie befand sich im Schlafraum ihrer Raumjacht und saß dort auf dem Bett. Neben ihr lag die zerwühlte Bettdecke. Chyra spürte, wie ihr das Herz bis an den Hals klopfte. Ihr Körper war schweißbedeckt. Erleichtert ließ sie sich zurücksinken. *Nur ein Traum,* dachte sie. *Aber einer, der sich wahnsinnig real angefühlt hat.* Dergleichen hatte sie in dieser Intensität noch nie erlebt. Sie würde einige Minuten der Ruhe benötigen, um sich vom Schock des Erlebnisses zu erholen, bevor sie die Nasszelle aufsuchte.

Chyra saß in der Zentrale der OVASA. Auf dem Holoschirm beobachtete sie das Landefeld des Raumhafens von *Paluran-Stadt*. Es war nahezu leer. Nur in weiter Ferne löschten Entladeteams die Ladung zweier Delta-Raumer der Sternenhändler. In dreißig Minuten würde sie die Raumjacht starten. Das Kurierschiff, auf dessen Außenhülle ihre Jacht beim Herflug verankert gewesen war, befand sich bereits auf dem Weg zurück nach *Myrthon*.

Nun musste sie selbst durch die Sonnentunnel navigieren. Das war kein Problem. Schließlich war sie darin in ihrer Ausbildungszeit auf der *Raumakademie Linano* bis aufs Blut gedrillt worden. Trotzdem beschlich sie immer ein Gefühl der Unsicherheit, wenn sie die Raumjacht in ein ST[8]-Portal steuerte.

Ihr Gefährt war elegant, voll automatisiert und mit äußerst kompakten Maschinen bestückt. Doch im Vergleich zu den kleinsten regulären Einheiten, die einen ST-Antrieb besaßen, war es winzig. Die Jacht verfügte über keine Reserven. Sollte es Komplikationen beim Einflug in den Sonnentunnel geben, würde sie sehr viel Glück benötigen, um das zu überstehen.

Pünktlich zur siebten Stunde landete ein Schweber in nächster Nähe. Eine Kurznachricht ging ein. Antor kündigte seinen Besuch an. Sie öffnete das Außenschott und fuhr den energetischen Landesteg aus. Dann verließ sie die Zentrale.

Auf dem Weg zur Messe traf sie auf ihn. Er trug, wie sie, eine weiße Uniform. Doch bei ihm waren die Schultern und alle Magnetverschlüsse schwarz und mit goldener Verzierung unterlegt. Ihr Blick ruhte liebevoll auf seinem markanten, sonnengebräunten Gesicht, das sie so lang hatte vermissen müssen.

[8] ST ist die Abkürzung für Sonnentunnel.

Sie empfing ihn mit einem Lächeln. »Ich danke dir, dass du mich aufsuchst, bevor ich nach *Myrthon* abreise.«

Er strich kurz über sein stufig geschnittenes silberweißes Haar. »Es versteht sich doch ganz von selbst, dass ich die Frau verabschiede, die ich liebe.«

Chyra war es, als ob Traurigkeit in seinen Worten mitschwang. »Nur noch wenige Wochen«, erwiderte sie, um ihn zu trösten, »dann müssen wir uns nicht mehr trennen.«

»Leicht wird es für dich nicht werden. Wir reden hier von Serpon. Er ist noch im nächsten Monat dein Ehemann und wird alle Register ziehen, um dich weiterhin an sich zu binden. Zum Glück ist der gegenwärtige Ehevertrag zeitlich begrenzt und deine Pflichten liegen allein darin, sein Haus zu repräsentieren.«

Das Schott zur Messe öffnete sich vor ihnen. Sie traten ein und nahmen an einem der Tische Platz. Dann bestellte Chyra bei der Bord-KI zwei Lyrkos.

»Der Status der geheimen Person wurde inzwischen von mir genommen. Aber ja«, gab sie nachdenklich zurück, »es könnte in den nächsten Tagen ziemlich spannend werden.« Während sie das sagte, fuhr ihr ein eiskalter Schauder den Rücken hinab. Sie durfte Serpon nicht unterschätzen. Wenn sie nur eine Sekunde in ihrer Aufmerksamkeit nachließ, würde er einen Weg finden, sie auszutricksen. Aus eigener Erfahrung wusste sie, er bekam immer das, was er wollte.

»Sei vorsichtig. Und nimm jede Hilfe an, die du kriegen kannst, Chyra. Ich wäre zum Beispiel in der Lage, dir …«

Sie unterbrach ihn mit einer ablehnenden Handbewegung. Die Falten auf Antors Stirn zeigten ihr, er sorgte sich ernsthaft um sie. Sie musste ihn ablenken, sonst bot er ihr wer weiß was an, um ihre Sicherheit zu gewährleisten. Seine Hilfe war aber der falsche Weg. Im schlimmsten Fall geriet er damit in Serpons Fadenkreuz. Ihr Ehemann würde dann einen ausgeklügelten Racheplan gegen ihn entwickeln.

Sie wollte gar nicht daran denken, was er Antor und seinem Haus anzutun vermochte. Doch noch wusste er nicht, dass sie bei der Überprüfung der *Raumakademie Paluran*, die sie als Kommissarin der *Myrthonischen Verwaltung* geleitet hatte, wieder auf ihre große Liebe gestoßen war. Und so sollte es auch bleiben.

»Die Reise zum Valurapalast ist momentan nicht mein größtes Problem«, sagte sie seufzend.

Verwundert sah er sie an. »Was könnte dich noch mehr unter Druck setzen als eine Begegnung mit deinem Ehemann? Immerhin hat er dir gedroht, euren speziellen Ehevertrag durch einen weitreichenderen zu ersetzen. Dann wärst du wirklich seine Frau, mit allen Konsequenzen, und nicht nur eine reine Repräsentantin des Hauses.«

Chyra erschauerte. Bis jetzt war Serpon zu alt und ausgelaugt gewesen, um sich mehr als ihre Repräsentationskünste zu wünschen. Aber nun war den Medikern auf *Anderfa* ein wahres Wunder an ihm gelungen. Er schien um mindestens zwanzig Lichtzyklen verjüngt worden zu sein. Sein Verlangen nach ihr hatte er schon offen zum Ausdruck gebracht, kaum dass er zurückgekehrt war. Sollte sie sich dem verweigern, hatte er ihr bereits Maßnahmen gegen ihren Vater angedroht. Doch eher wollte sie sterben, als sich ihm hingeben zu müssen.

Ein ovaler Servierroboter schwebte mit einem Tablett heran. Er stellte zwei Tassen mit dampfendem Lyrko vor ihnen ab und verschwand wieder in Richtung Bordküche.

Sie umfasste das Trinkgefäß, blies über die schwarzgrüne Oberfläche, um das anregende Getränk abzukühlen. Dann nahm sie einen Schluck.

»Es ist ein Traum, der mich momentan beschäftigt«, antwortete sie. »Ein sehr intensiver Traum.« Als sie Antors verständnislosen Blick sah, berichtete sie ihm von ihrem Erlebnis. Dabei spürte sie, wie es sie immer noch innerlich aufwühlte. Die Bilder standen klar vor ihren Augen.

»Hast du schon öfter so realistisch und dennoch wirr geträumt?«, fragte er. Dann nippte er ebenfalls vom Lyrko.

»Nein, nicht, soweit ich mich erinnern kann.« Sie stutzte. »Als kleines Mädchen hatte ich manchmal Albträume, ja. Aber bei Kindern ist das wohl völlig normal.«

Seine Stimme klang betont beruhigend, als er ihr antwortete. »Ich bin weder Mediker, noch kenne ich mich mit der Psyche des Geists aus. Jedoch könnte meine Verwandlung zu Serpon bedeuten: Du verarbeitest dein gegenwärtiges Problem im Schlaf und solltest dich deswegen nicht unnötig quälen. Bei dem

Stress, dem du in letzter Zeit ausgesetzt warst, würde ich mich wundern, wenn du keine Albträume hättest.«

Sie blickte nachdenklich vor sich hin. »Mag sein. Trotzdem verstehe ich manches nicht. Was bedeutet ein schwebender Priester mit violetten Augen? Und was haben diese Heerscharen von Insekten, die uns nach dem Leben trachteten, mit uns zu tun? Es handelte sich um käferähnliche Lebewesen, die erst im Tempel mit Kampfanzügen und Waffen ausgerüstet waren.«

Antor zuckte mit den Schultern. »Keine Ahnung! Wir wissen nur, das Wesen der Albträume ist es, Probleme in einen Wust von surrealen Ereignissen zu verpacken. Ich erkenne darin nur den Hochzeitswunsch und Serpon als gewaltiges Hindernis. Alles andere scheint mir Beiwerk zu sein. Du wirst sehen, sobald du dich im Valurapalast befindest, verschwinden die inneren Ängste. Zu wissen, bald einer Gefahr gegenüberzustehen, ist meist schlimmer, als ihr direkt ins Antlitz zu blicken.«

Sie nickte. »Ich hoffe, deine Voraussage trifft ein.« Zu weiteren Worten kam sie nicht mehr.

Antors Armbandkommunikator, auch *ArmKomm* genannt, vibrierte. Gleichzeitig baute sich ein Holo darüber auf, das Asata, seine Adjutantin zeigte.

»Wir brauchen Euch hier, Lichtträger[9]!« Die Dringlichkeit in ihrer Stimme war nicht zu überhören.

Sein Gesicht verlor alle Freundlichkeit. »Weswegen?«

»Darf die Höchst-Erleuchtete Kommissarin der *Myrthonischen Verwaltung* mithören?«

»Nicht in dieser Eigenschaft!« Dabei warf er Chyra einen bittenden Blick zu. »Aber als Familienmitglied aus dem lichtdurchfluteten Haus derer von Valura geht das in Ordnung.« Sie gab ihm nickend ihr Einverständnis.

Asata atmete tief durch. »Eines unserer Raumschiffe wird vermisst! Es handelt sich um die Korvette PARAMUR. Sie sollte sich vor acht Stunden melden und einen Statusbericht abgeben. Nachdem auch in der Stunde darauf keine Meldung einging, hat Stufe-3-Kadett Serat im Fünf-Minuten-Takt versucht, den Kon-

[9] Die militärische Auszeichnung bedeutet eine enorme Erhöhung des Rangs. Es sind bis zu drei Lichtkristalle möglich. Antor trägt einen.

takt herzustellen. Aber vergeblich. Der Schulungsraumer meldet sich nicht mehr.«

»Von wo kam die letzte Nachricht? Wer ist an Bord? Nur die wichtigsten Angaben bitte!«

Überrascht stellte Chyra fest, wie schnell sich Antor umstellen konnte. Eben noch war er bemüht gewesen, ihr die Angst vor ihrem Traum zu nehmen. Nun agierte er als Leiter der Raumakademie rasch und verantwortungsbewusst. Eiskalt forderte er die nötigen Informationen ein, um eine Entscheidung treffen zu können. Das Schaben von Folien drang an ihr Ohr. Asata schien sich die markanten Daten notiert zu haben. »Ihre letzte Statusmeldung«, las sie nun von einem Blatt ab, »stammt aus dem *Rikay-System*. Von hier aus wollte die PARAMUR den Sonnentunnel ins *Malek-System* nehmen. An Bord sind Ausbilder Wenar, Ausbildungsleiter und Schattenträger Jewon, siebzig Stufe-2-Kadetten sowie Kommandant Borsan und seine vierzigköpfige Besatzung.«

»Wieso kümmert sich nicht Vorcass um die Angelegenheit? Es ist seine Aufgabe.«

Asata seufzte. »Der zweite Leiter der Raumakademie ist leider die nächsten Tage nicht zu erreichen. Entschuldigt, Lichtträger, aber wir sind auf Eure Unterstützung angewiesen!«

»Ich bin schon unterwegs!« Dann schaltete Antor den ArmKomm ab, ohne eine Entgegnung von seiner Adjutantin abzuwarten.

Antor

Mühsam unterdrückte er den Zorn, der ihn zu übermannen drohte. Er hatte Chyra zum Abschied noch so viel sagen wollen. Aber die Ereignisse nahmen keine Rücksicht auf seine Wünsche. Es blieb ihm nichts anderes übrig, als sofort zur Akademie zurückzufliegen. Nur von dort aus konnte er die Rettungsmaßnahmen für den vermissten Raumer einleiten.

Hoffentlich gelang es ihm, ihn aufzuspüren. Ein Misserfolg war gleichbedeutend mit einer Katastrophe. Niemand brächte dann noch genug Vertrauen auf, um seinen Nachwuchs auf die *Raumakademie Paluran* zu entsenden. Der Verlust von siebzig Kadetten wog zu schwer. Er musste mit einem Raumschiff ins

Rikay-System fliegen, um an Ort und Stelle nachzusehen. Ein Schlachtkreuzer wäre die richtige Wahl. Sollten Piraten ihre Finger im Spiel haben, war ein derartiger Raumer bestens dafür gerüstet. Gerade kam ihm eine Idee, wen er zusätzlich zur Besatzung mitnehmen könnte. Da wurden seine Gedanken von Chyra unterbrochen.

»Du wirst die PARAMUR finden!« Die Sicherheit, die in ihren Worten mitschwang, ließ ihn aufatmen.

Antor entließ den ArmKomm aus seinem Blick, den er immer noch im Visier gehabt hatte, obwohl das Holo von Asata längst in sich zusammengefallen war. Nun richtete er die Augen auf seine große Liebe und sah in ihr wundervolles Gesicht. Sie trug keinen Haarknoten mehr wie in den ersten Tagen auf der Raumakademie. Ihr herrliches silberweißes Haar umrahmte das Antlitz und fiel bis auf ihre Schultern herab. Jegliche Strenge war dadurch aus ihren Gesichtszügen entschwunden. Er seufzte. Vor knapp einer Woche waren sie sich nach fünf langen Lichtzyklen wieder begegnet. Eine vergeudete Zeit, die sie Serpons Intrige verdankten. Nun mussten sie sich erneut voneinander trennen und umeinander bangen. »Ich hoffe, du hast recht! Ich werde selbstverständlich alles tun, um sie aufzuspüren. Trotzdem hätte ich gern deinen Optimismus.«

Sie lächelte und ihre orangegoldenen Augen schienen ihn liebevoll zu mustern. Dann wurde ihr Blick hart. »Ich weiß, du musst gehen!« Sie streckte ihm die Hände entgegen.

Antor nahm sie in die seinen. »Ich wollte dir noch so vieles sagen. Dir gestehen, dass ich …«

»Nein«, unterbrach sie ihn abrupt. »Wir sehen uns wieder!« Ihre Stimme ließ keinen Zweifel daran aufkommen, dass sie mit Zuversicht in ihrer beider Zukunft blickte. »Und wenn ich mich nicht in den ersten drei Tagen des übernächsten Monats bei dir melde, dann suche mich! Aber nicht vorher!« Sie drückte seine Hände. »Und nun lebe wohl.«

»Alles Glück des Universums, Chyra!« Als er bemerkte, wie brüchig die eigene Stimme klang, stand er rasch auf und verließ die Messe.

Bald darauf saß er wieder im Schweber, ließ die Triebwerke anlaufen und startete den Flug zur Raumakademie.

Chyra

Noch einen Augenblick saß sie wie gelähmt da. Sie konnte es nicht glauben. Eine lange Zeit würde sie Antor nicht mehr sehen. Dann gab sie sich einen Ruck, eilte in die Zentrale ihrer Raumjacht und traf alle Vorbereitungen, um den Planeten zu verlassen. Ihre Uniform wechselte sie gegen eine gleichfarbige Bordkombination.

Pünktlich zur achten Stunde hob die Jacht ab. Mithilfe von Schwebefeld und Planetenantrieb flog sie auf der Route, die ihr vom Kontrollturm des Raumhafens zugewiesen worden war. Außerhalb der Atmosphäre aktivierte sie den Gravo-Pulsantrieb[10] und hielt auf die Sonne zu.

Sie hatte es nicht eilig. Es vergingen Stunden, in denen ihre Gedanken bei Antor verweilten oder sich mit ihrer Zukunft im Palast der Valura beschäftigten.

Dann reduzierte sie die Geschwindigkeit auf 0,003 Licht. Sie steuerte auf das ST-Portal 2 zu, das etwa zweitausend Kilometer außerhalb der Korona über dem Sonnennordpol lag.

Die Bord-KI errichtete das Abstoßfeld um die Raumjacht, sobald diese in den Sonnentunnel eindrang.

Bald darauf umgab Chyra Schwärze. Lediglich die ST-Ortung zeigte ihr eine virtuelle Umgebung. Sie spürte die Vibrationen, die der Stoßfeldgenerator durch die Schiffszelle jagte. Er war es, der die Jacht in diesem höher dimensionalen Raum vorwärtsbewegte.

Da ertönte die Stimme der Bord-KI. »Höchst-Erleuchtete! Jemand hat gerade den Öffnungsmechanismus des Schotts zur Zentrale betätigt. Soll ich einschreiten?«

Reflexartig griff Chyra nach der Waffe, die in einer Armlehne des Kommandantensessels verborgen war.

Sie drehte sich dem Eingang zu und zielte darauf. »Nein!«, sagte sie. »Aber aktiviere das interne Sicherheitsprotokoll.«

»Wie ihr befehlt, Höchst-Erleuchtete!«

[10] Mit dem bewährten Gravo-Pulsantrieb ist eine maximale Geschwindigkeit von 0,67 Licht möglich. Geräte zur Massen- und Zeitkontrolle verhindern unerwünschte Effekte.

Die beiden Schottflügel glitten langsam auseinander. Und herein kam ein Wesen, das sie niemals hier an Bord vermutet hätte.

Abholung vom Tal der Tränen

Landefeld, Trainingslager Ost, Paluran, Eugnith-System
22. Tag, 2. Monat, 8553. Lichtzyklus sME, 8. Stunde, 55. Minute

Tranthar

Er befand sich am Rande des Raumlandefelds. Kerasor stand schräg vor ihm. Sein Gesicht wirkte müde. Die kurzen dunkelbraunen Haare reckten sich an manchen Stellen eigenwillig in die Stirn, die von der Höhe her mit der von adligen Kernweltmyrthonen nicht konkurrieren konnte.

Tranthar ließ den Schwebesack mit den Utensilien rechts neben sich niedersinken. Dann schaltete er das Schwebefeld ab. Um sie herum warteten die anderen neunundvierzig Anwärter auf ihre Abholung. Sie alle trugen hellblaue Bordkombinationen.

Kerasor wandte sich ihm zu. »Das war mit Abstand die schlimmste Zeit, die ich je mitgemacht habe. Die drei Tage im Tal der Tränen hätten dem Schmerzenspfuhl Myrathon-Hels alle Ehre gemacht.«

Tranthar kniff etwas die Augen zusammen. Er folgte mit den Blicken dem Transportschweber, der sie hergebracht hatte. Das Fahrzeug flog über das Landefeld der aufgehenden Sonne entgegen. Bald darauf verschwand es hinter dem Kontrollturm.

»Ihr seht das völlig richtig«, entgegnete er. »Besonders, da der Aufenthalt um einen Tag länger war, als man es uns gesagt hatte. Aber Ihr wisst auch, es war eine Strafe dafür, dass wir alle im Auditorium übereinander hergefallen[11] sind. So betrachtet sind wir mit der dreitägigen Schinderei mehr als gut bedient.«

Kerasor seufzte. »Ja, ich weiß. Trotzdem! War es denn erforderlich, uns derart nahe an den körperlichen und seelischen Zusammenbruch zu führen?«

Irgendetwas kitzelte Tranthar an der rechten Hand. Es war ein harmloses Insekt mit großen Flügeln. Er blies es in die Luft in Richtung der Landefeldbegrenzung. Jenseits davon wuchsen blumendurchsetzte Wiesen, Büsche und kleinere Bäume. Erst

[11] Siehe Buch 1, Kapitel IV, *Provokationen.*

jetzt bemerkte er den betörenden Duft, der von dort herüberströmte.

»Wir haben es doch durchgestanden, oder nicht?«, antwortete er. »Keiner der Anwärter hat sich eine Blöße gegeben. Gut, wir wurden bis an den Rand der Erschöpfung getrieben, aber nicht darüber hinaus. Und was noch viel wichtiger ist, ich habe den Mienen der Trainingsleiter etwas Wesentliches entnommen. Sie schienen mit unserer Leistung zufrieden zu sein. Ihr Bericht dürfte Antor und Vorcass beweisen, dass wir nicht zu Unrecht auf dieser Raumakademie sind.« Tranthar merkte an der Mimik Kerasors, dass er noch nicht bereit war, sich seiner Meinung anzuschließen. Deshalb ergänzte er: »Selbst die weiblichen Anwärter konnten die Trainingsleiter überzeugen.«

Natürlich wusste er, es ging Kerasor vor allem um die Frauen in ihrer Gruppe. Denn schließlich kam er von *Alandor,* einer überaus gefährlichen Welt. Dort war jeder Mann verpflichtet, einer Frau in Notlage sofort beizustehen. Dementsprechend missfiel es ihm, wenn Anwärterinnen im Rahmen der Ausbildung gequält wurden.

Tranthar deutete auf Elie. Sie saß mit untergeschlagenen Beinen auf dem harten Metallbelag im Wartebereich des Landefelds. Zusammengedrehte schwarze Haarbüschel umrahmten ihr dunkelbraunes Gesicht. Ihr Blick war nach oben gerichtet. Er wusste nicht, wonach sie Ausschau hielt. Sie waren von einem Truppentransporter hergebracht worden. Also würden sie auch von einem solchen abgeholt werden. Und der fiel nicht vom Himmel.

»Sie sieht zufrieden aus«, sagte er. »Findet Ihr nicht? Ihre Schürfwunden, ihre überlastete Muskulatur und sonstige Schmerzzentren in ihrem Körper hat das Regenerationsbad getilgt. Strafe sieht wirklich anders aus.«

Kerasor nickte. Zu mehr kam er nicht.

Elie war aufgesprungen und deutete nach oben. »Seht!«, rief sie. »Wir werden abgeholt.«

Tranthar folgte ihrer Geste. Er sah einen schwarzen Punkt, der schnell anwuchs. Es war kein Truppentransporter, sondern ein Raumschiff. Ein Pyramidenraumer, wie sie in der *Myrthonischen Raumflotte* zu finden waren. Auch die Raumakademie verfügte über einige. Es war beeindruckend, wie rasch er an Größe zunahm.

»Das ist bestimmt ein Schlachtkreuzer«, hörte er jemanden sagen.

»Es ist die TIRKUM«, antwortete ein anderer. »Ich kann die Aufschrift erkennen.«

Tranthar wusste, ein solches Raumschiff wies eine Grundfläche von zweihundertvierzig Meter mal zweihundertvierzig Meter auf. Es maß vierhundertachtzig Meter in der Höhe. Das quadratische Landefeld verfügte über eine geschätzte Seitenlänge von vierhundert Metern. Der Wartebereich war auf jeder Seite zwanzig Meter breit. Das bedeutete, wenn die TIRKUM mithilfe ihres Schwebefelds mittig aufsetzte, war sie sechzig Meter von ihnen entfernt. Er hoffte, die Planetentriebwerke blieben stumm, sonst würden sie alle pulverisiert werden.

Ein Berg wuchtete sich zwischen die Anwärter und dem Kontrollturm. Obwohl der Koloss sich die letzten Meter nur noch langsam senkte, warf sie die verdrängte Luft fast um. Dann war der Raumer gelandet.

Kerasor

Die TIRKUM ruhte auf einem energetischen Stützfeld nur zwanzig Meter vor ihnen. Er konnte sich gut an diesen Raumer erinnern. Und er erinnerte sich auch an die Anomalie, die Tranthar am 15. Tag des Monats entdeckt hatte. Sie war zusammen mit einem Kurierboot der *Myrthonischen Verwaltung* in das *Eugnith-System* eingedrungen[12]. Der Schlachtkreuzer unter Kommandant Celur führte damals den Abfangverband an.

Kerasor konnte es nicht glauben. Dieser riesige Kampfraumer sollte sie zur Raumakademie zurückbringen? Sie lag nicht einmal einen halben Planetenumfang von hier entfernt? Das war eine Verschwendung von Material und Ressourcen.

Hatten Antor und Vorcass nicht eine bessere Verwendung für ihre Raumflotte, als einundfünfzig aufmüpfige Anwärter abzuholen? Er wollte sofort seinen Schwebesack zum Frühstück verspeisen, wenn da nicht noch etwas anderes im Busch war. Er

[12] Siehe Buch 1, Kapitel I, *Die Anomalie*.

drehte sich zu Tranthar, um mit ihm den Gedanken zu erörtern. Die Frisur des Sternenhändlers, die rotbraun gefärbt, nach neuester Myrthonmode stufig geschnitten war und die er schulterlang trug, hatte den Windstoß gut überstanden. Die obersten Haarspitzen streckten sich wie immer keck in die Höhe. Mit den tief liegenden blauen Augen, die unter seiner hohen Stirn lagen, fixierte er den Schleusenbereich des Raumers. Die schmale Ober- und die breite Unterlippe hatte er in Erwartung des Kommenden zusammengepresst und das Kinn etwas nach vorn geschoben, was seinem Gesicht einen Anflug von ungebändigter Kraft verlieh.

Zischend öffnete sich das große Außenschott. Der Landesteg wurde ausgefahren, klackte auf den Metallbelag des Landefelds und verband sich energetisch mit ihm. Zwei Offiziere in dunkelblauen Bordkombinationen schritten würdevoll nach unten und blieben fünf Meter vor dem Ende stehen. Sie standen noch hoch genug über dem Terrain, um die Lage gut überblicken zu können.

»Fünferreihen bilden!«, brüllte der linke Schiffsoffizier und deutete auf einen Fleck vor dem Landesteg. »Und zwar ohne Schwebesäcke!«

Unter den Kadettenanwärtern kam Bewegung auf. Im *Tal der Tränen* waren sie bis zur Erschöpfung im Aufstellen gedrillt worden. Kerasor hatte nun alle Hände voll zu tun, damit er die richtige Position in der zweiten Reihe einnehmen konnte. Dann stand er wie zu einer Salzsäule erstarrt mit hocherhobenem Kopf vor dem Offizier.

Der trug einen lässigen Gesichtsausdruck zur Schau. Er schien jung an Jahren zu sein. Doch Narben an Stirn und Wangen zeigten, dass er schon etliche Kampfeinsätze hinter sich gebracht haben musste. Sein silberfarbenes Haar reichte ihm bis zu den Schultern.

Der rechte Offizier war älter und sein Kopf mit einer silberweißen, lockigen Mähne bedeckt. Er sah mit gelangweilter Miene auf die Reihen der Anwärter. Dann quälte sich ein müdes Lächeln über sein Gesicht. Umso überraschender war die schneidende Stimme, mit der er bekannt gab: »Die Aufstellung ist zwar keine Katastrophe. Aber sie ist weit davon entfernt, perfekt zu sein.«

Kerasor sah, wie Pereth, der links vor ihm stand, sich mit der flachen rechten Hand auf eine Stelle über der linken Brust schlug. »Ehre für Myrthon und dem Myrth, Höchst-Erleuchteter! Pereth aus dem lichtdurchfluteten Haus derer von Derlengar!« Damit stellte er sich im militärisch knappen Ton vor. Dabei hielt er den Kopf demütig gesenkt. Er belegte die erste Position in der vordersten Reihe und war damit Ansprechpartner für alle Vorgesetzten. »Wir haben verstanden und geloben Besserung.«

Der ältere Offizier nickte. »Um ehrlich zu sein, Anwärter«, ein süffisantes Lächeln glitt über seine Lippen, »hatte ich Schlimmeres erwartet. Ich konnte es kaum glauben, als ich von den Trainern des Straflagers erfuhr, dass ihr die drei Tage in Anbetracht der Kürze eurer Dienstzeit zu ihrer Zufriedenheit gemeistert habt. Vielleicht ist noch nicht jede Hoffnung für euch verloren. Nun also, mein Name ist Arthon aus dem lichtdurchfluteten Haus derer von Orpenbor. Ich bin der 1. Offizier an Bord der TIRKUM.« Er hob seine Stimme. »Areghnatha, Charrut, Kerasor, Pereth und Tranthar. Tretet vor!«

Tranthar

Vor Überraschung biss er sich fast auf die Lippen, folgte dem Aufruf aber sofort. Er sah auch, wie sich der Alandorer aus der Aufstellung schob. Dann standen sie zu fünft vor dem 1. Offizier der TIRKUM.

Der Sternenhändler spürte ein seltsames Gefühl in der Magengegend. Er fragte sich, was das schon wieder bedeuten mochte? *Ist unsere Leidenszeit doch noch nicht zu Ende?*

»Ihr begleitet mich in die Zentrale«, befahl Arthon. »Die restlichen Anwärter folgen Torgar aus dem lichtdurchfluteten Haus derer von S'dapa! Er ist der Kommandant der Kampftruppen an Bord. Eure Schwebesäcke werden von Robotern an Bord gebracht.« Dann wandte er sich um und schritt den Landesteg hinauf zum offenen Außenschott.

Tranthar ließ die anderen vor und schloss sich als Letzter an. Sie gingen durch die Schleuse und danach durch menschenleere

Gänge. Schotts zweigten in regelmäßigen Abständen zu beiden Seiten ab. Nur ab und zu war ein Reinigungs- oder Wartungsroboter zu sehen. Er vermutete, dass die Raumer der Raumakademie lediglich über die Mindestbesatzungsstärke verfügten. Die monatlichen Kosten für die kleine Flotte durften auch so schon horrend sein.

Das schattenlose Licht war für seine Augen zu grell. Sie begannen zu tränen. Er wusste aus Erfahrung, dass dies nicht lang anhalten würde. Stille umgab ihn. Die Schiffsmaschinerie war geräuschmäßig abgeschirmt, im Normalbetrieb nicht zu hören. Nur bei Überlastung wurde die Abschirmung durchbrochen. Der Boden dämpfte zudem ihre Schritte. Keiner der Anwärter wagte es, ein Wort von sich zu geben. So war es ein schweigender Marsch.

Sie erreichten den Schwebeschacht im Zentrum des Schiffs und ließen sich nach oben treiben. Er führte sie bis vor die Zentrale. Dort schwangen sie sich heraus. Das Schott glitt auf.

Tranthar sah einen großen runden Saal vor sich, der am anderen Ende von einem riesigen Holoschirm dominiert wurde. Die Steuerpulte von Navigation, Ortung, Waffen, Funk und Lebenserhaltungssystemen gruppierten sich in mehreren Reihen halbkreisförmig um den Schirm. Jede der Stationen war doppelt besetzt. Die Offiziere trugen dunkelblaue, die Mannschaftsmitglieder, auch Schiffsfunken genannt, dunkelgraue Bordkombinationen. Demnach befand sich kein einziger Kadett darunter. Dahinter stand auf einer Erhöhung in der Raummitte der leere Kontursessel des Kommandanten.

Eine Zentrale in dieser Größenordnung hatte Tranthar noch nie gesehen. Selbst die im Raumer seines Vaters sah dagegen mickrig aus.

Sie traten ein. Hinter ihnen verschlossen die beiden Schotthälften den Eingang. Arthon führte sie auf die linke Seite neben dem Schott. Dort waren ein Dutzend Kontursitze angebracht.

»Setzt euch!«, befahl er, »und rührt euch nicht von der Stelle! Es braucht mehr als einen triftigen Grund, damit ihr eure Sitze verlassen dürft.«

Tranthar und die anderen Anwärter folgten dem Befehl. Danach ging der 1. Offizier ihre Reihe entlang. Bei jedem Einzelnen berührte er auf der rechten Armlehne eine blauumrandete Sensorfläche. Automatisch glitten Gurte aus den Rückenlehnen und schnallten sie fest. Ihre Bewegungsfreiheit blieb dabei weitgehend erhalten.

»Ihr werdet in wenigen Minuten noch genauer instruiert. Bis dahin habt ihr nichts weiter zu tun.« Mit diesen Worten wollte sich Arthon abwenden, doch ein Räuspern ließ ihn innehalten. »Was gibt es?«, fragte er barsch.

»Wenn wir uns …«, begann Pereth mit zaghafter Stimme, um sofort abzubrechen. Eine leichte Röte huschte über sein Gesicht. »Entschuldigt, Höchst-Erleuchteter! Ich habe im Moment nicht an die Kampfanzüge gedacht, die wir statt unserer Uniformen im … im Straflager erhalten haben. Selbstverständlich sind wir unterrichtet worden, dass jene Vorrichtungen besitzen, die dafür geeignet sind … äh … die es uns erlauben … äh …«

»Redet nicht um den heißen Brei herum«, unterbrach ihn Arthon rüde. »Hier handelt es sich auch nicht um Kampfanzüge, sondern um Bordkombinationen. Sie enthalten Serviceboxen zur Aufbereitung von Ausscheidungen, die sie zu geruchlosem Staub verarbeiten. Sie können geleert oder gewechselt werden. Untersteht Euch, jemals in Eurer Laufbahn bei der Flotte Eure zugewiesene Station zu verlassen, nur weil Euch ein menschliches Bedürfnis plagt. Damit könnt Ihr Euch in der Tat selbst aus den angestrebten Rängen katapultieren. Dasselbe gilt, wenn Ihr Fragen stellt, deren Antwort Ihr wissen würdet, sobald Ihr nur nachdenkt.«

»Verstanden, Höchst-Erleuchteter!«, erwiderte Pereth mit hochrotem Kopf, der nun einen deutlichen Kontrast zu dem silberweißen Haar bildete. Die Klimaanlage seiner Kombination sprang an und schnurrte leise vor sich hin.

»Ich werde an mir arbeiten. Bitte vermerkt bei unserer Beurteilung Folgendes, wir sind davon ausgegangen, ein Transporter würde uns zur Raumakademie zurückbringen. Für uns alle ist es sehr verwirrend, plötzlich an Bord eines Schlachtkreuzers zu sein.«

Arthon knurrte etwas unwillig vor sich hin. Dann fixierte er jeden Einzelnen von ihnen. Tranthar fühlte sich unwohl dabei. Er verstand nicht, wieso Pereth ein Problem mit den Serviceboxen hatte. In der Jägersimulation schien er mit einem Raumjäger umgehen zu können. Als Pilot trug man den Raumanzug über der Bordkombination. Denn auch in einem Jäger gab es keine andere Möglichkeit, sich zu erleichtern. Richtig fand er, den 1. Offizier darauf hinzuweisen, dass sie keinerlei Informationen wegen der Änderung ihres Transports zur Akademie erhalten hatten.

»Ihr alle«, sagte Arthon eindringlich, »solltet euch etwas hinter die Ohren schreiben. Natürlich nur dann, wenn es euch ernst damit ist, in der Flotte zu dienen. Es gibt nichts, was sicher ist. Ihr müsst allzeit bereit sein. Ihr legt euch schlafen, da ertönt der Alarm. Innerhalb von Sekunden solltet ihr in der Lage sein, euch anzukleiden und euer ArmKomm abzuhören, um die Instruktionen zu empfangen. Heute dachtet ihr, ihr werdet von einem Transporter abgeholt. Nun ist es ein Schlachtkreuzer. Na und? Ein Fingerschnippen sollte eigentlich reichen und schon seid ihr der neuen Situation gewachsen. Das und die unbedingte Disziplin, diese beiden Dinge müsst ihr euch dringendst aneignen, sonst sehe ich kein Land für euch.« Er drehte sich um und ging am Sessel des Kommandanten vorbei zu den Stationen.

»Bin ich froh, wenn wir wieder in der Raumakademie sind«, Tranthar atmete auf, als Arthon außer Hörweite war.

»Das könnt Ihr laut sagen«, sagte Kerasor gedämpft. Der Sternenhändler sah an den Falten auf dessen Stirn, dass ihn Zweifel plagten. Pereth nickte nur. Charrut brummte etwas Unverständliches in sein Kinnbärtchen. Mit der Hand strich er sich dabei die langen silberweißen Haare aus dem Gesicht.

»Das darf doch wohl nicht wahr sein!« Areghnatha schüttelte in stiller Verzweiflung den Kopf, während sie ihre orangegoldenen Augen nach oben drehte. »Seid ihr wirklich so naiv oder tut ihr nur so? Ihr glaubt nicht allen Ernsts, die TIRKUM wird uns zur Raumakademie zurückbringen? Oder? Dieser Schlachtkreuzer hat ganz sicher einen anderen Auftrag. Und wir werden nun dabei mitmachen, ob es uns passt oder nicht. Warum denkt ihr, haben wir statt der Uniformen der Akademie die Bordkombinationen erhalten?«

Sie zupfte mit ihren Fingern die in die Stirn gekämmten silberweißen Haare zurecht. Dann strich sie über ihren langen

Zopf und setzte eine Miene auf, die jedem zeigte, dass sie sich nicht weiter an dem Gespräch beteiligen wollte.

Tranthar erschrak bei ihren Worten. Sprach sie die Wahrheit oder war es nur ihre Absicht, ihnen zu zeigen, wie tief sie außerhalb der Akademie unter ihr standen? Ja, sie klang nicht nur überheblich, passend dazu trug sie arrogant wirkende Gesichtszüge zur Schau. Außerdem war sie schlank, besaß große ausdrucksstarke Augen und entstammte einer der Kernwelten. Sie war eben eine Myrthonin des Hochadels. Das war genug Potenzial, um auf andere herabsehen zu können.

Allerdings hatte er auch erlebt, wie sie sich die Lippen blutig gebissen hatte, nur um nicht dem Schmerz nachzugeben, der sie alle nach dem Erwachen aus dem geschockten Zustand peinigte. Sie waren damals von Kampfrobotern in die Wartehalle getrieben worden[13]. Während andere Beteiligte der Massenschlägerei leise vor sich hin gestöhnt hatten, war von ihr nichts dergleichen zu hören gewesen. Deswegen respektierte er Areghnatha.

Nun wog er ab, ob sie recht haben könnte. Es war tatsächlich nicht glaubhaft, ein Schlachtkreuzer wäre zu dem einzigen Zweck gesandt worden, um einundfünfzig Anwärter zur Akademie zurückzubringen. Aber weshalb sonst befanden sie sich an Bord dieses Raumers?

Kerasor und Pereth diskutierten über das Für und Wider. Da glitt das Schott abermals auf.

»Achtung!«, ertönte die Stimme der Bord-KI. »Der Kommandant betritt die Zentrale.«

Tranthar richtete den Blick auf den Eintretenden. Er trug eine dunkelblaue Bordkombination mit rotem Umhang. Es war Celur. Die orangegoldenen Augen und das silberweiße, schulterlange Haar kennzeichneten ihn als einen Myrthonen der Kernwelten. Er erhielt das Brot der Lichttränen und durfte so auf eine verlängerte Lebenszeit von zweihundert Lichtzyklen und mehr hoffen. Und er war ein Veteran, wie man schon an den zerfurchten Gesichtszügen sehen konnte. Langsam schritt er zum Kommandantensessel und setzte sich. Augenblicke später

[13] Siehe Buch 1, Kapitel IV, *Der Zug der stählernen Kolosse.*

tönte seine dunkle Stimme durch die Halle: »Wir starten in exakt fünfzehn Minuten in Richtung *Fernan-System*. Bereitet euch vor. Weitere Instruktionen erhaltet ihr während des Flugs!«

Es ging also nicht zurück zur Raumakademie, sondern in ein anderes Sonnensystem. Das war eine Nachricht, die Tranthar erst verdauen musste.

Dann sah er noch jemanden die Zentrale betreten. Es war Antor, einer der beiden Akademieleiter.

TESTFAHRT IN DEN DSCHUNGEL

Karason, Torfin, Finnan-System
22. Tag, 2. Monat, 8553. Lichtzyklus sME, 9. Stunde, 25. Minute

Entro

Die *Schweber- und Robotik-Fabrik,* auch kurz *SURF* genannt, blieb unter ihm zurück. Sein Ziel war das Nordtor. Dort sollte er einen Fahrgast einsammeln und danach mit dem Testfahrzeug in die blaublättrige Dschungelhölle vorstoßen. Sie umschloss nicht nur die Siedlung, sondern bedeckte große Teile des Planeten.

Millionen verschiedenster Lebensformen krochen, schlichen, sirrten oder sprangen durch den Dschungel. Nur wenige Arten waren bekannt. Die meisten davon konnten Menschen verletzen, wenn nicht gar töten.

Rund um den energetischen Wall, der *Karason* umgab, führte ein schmaler Streifen. Er war vor Kurzem brandgerodet worden. Durch die verbrannte Erde schoben sich nach einigen Tagen erneut die Triebe unzähliger Pflanzen. Eine wöchentliche Nachbehandlung war damit Pflicht und verursachte Kosten. Ebenso kostenintensiv gestaltete sich die Abschirmung der Stadt durch den Energiewall. Hinzu kam der Betrieb einer Vielzahl von Sendemasten, die mittels Ultraschall Insekten und andere geflügelte Wesen von den Bewohnern fernhielten. Der größte Posten aber war die Rückzahlung für den Aufbau der Siedlung an die *Myrthonische Verwaltung*. Innerhalb von dreißig Lichtzyklen musste sie getilgt werden. Die monatlichen Ausgaben fraßen das Einkommen durch die beiden Kupferminen im Gebirge und die Besteuerung der Stadtbewohner fast auf. Es waren keine Myraths[14] mehr in der Kasse, um *Karason* zu erweitern.

So zumindest hatte es ihm Tellan Prosar, der Direktor der *Schweber- und Robotik-Fabrik,* erklärt.

Entro war von ihm eingestellt worden, weil er über die Kenntnis verfügte, wie man eine weitere Produktionslinie von Allzweckfahrzeugen einrichtete. Die neuen Fahrzeuge wurden

[14] Zahlungsmittel im Sternenreich

dringend gebraucht. Sie sollten in der Lage sein, in den Dschungel jenseits der Randgebiete einzutauchen. So war es endlich möglich, Pflanzen und Tiere zu klassifizieren sowie Bodenschätze zu finden. Denn das Blätterdach blockierte jede Art von Taststrahlen und verhinderte damit eine Suche vom Schweber aus.

Nun saß Entro in dem Prototyp. Er sah die Wohngebäude der Siedlung unter sich vorbeiziehen. Ihr Grundriss war kreisförmig. Die Höhe betrug zwischen fünfzehn und zwanzig und der Durchmesser zehn Meter. Es handelte sich um eine Stadt des Typs C aus dem Siedlungskatalog der *Myrthonischen Verwaltung*. Sie hatte gerade einmal zehntausend Einwohner und bestand hauptsächlich aus Wohnhäusern und dem riesigen Verwaltungsbauwerk im Zentrum. Am Stadtrand schlossen sich einige Dutzend Firmengebäude, eine hermetisch abgeschlossene Tier- und Pflanzenzuchtanlage, eine große Freizeitkuppel und mehrere Kraftwerke an.

Nirgends konnte man Pflanzen sehen. Die Gärten mit Gewächsen ferner Planeten befanden sich abgeschirmt innerhalb der Gebäude. Ebenso fehlten die Paläste des Adels. Die Welt war zu neu besiedelt. Es gab hier weder große Aussicht auf lohnende Investitionen noch auf extravagante Freizeitgestaltung. Selbst die Jagd auf die heimische Tierwelt war mit zu viel Risiko behaftet. Es würden noch etwa fünfzig Lichtzyklen vergehen, bis die Aristokratie den Planeten für sich entdeckte.

Er näherte sich dem Stadtrand. Der energetische Wall wuchs langsam vor ihm auf. Er strahlte bläulich in der Sonne und reichte gegenwärtig bis in eine Höhe von dreißig Metern, konnte aber bis auf fünfzig Meter hochgefahren werden.

Die Bord-KI drückte das Allzweckfahrzeug nach unten. Seitlich vor dem Nordtor setzte es zur Landung an. Das Tor war nichts anderes als eine Art Energieschleuse, die Fahrzeuge durchließ, die den gültigen Code besaßen. Ein sanfter Ruck war zu spüren. Gleich darauf schob sich die Fahrertür nach hinten und gab den Ausstieg frei. Entro löste die Gurte und stieg die beiden Stufen hinab. Dann stand er auf dem grauen, unverwüstlichen Belag aus Metallplastik, der überall Straßen und Gehwege bedeckte. Es war fast Mittagszeit auf *Torfin*. Die Sonne brannte unerbittlich herunter und ließ die Luft über dem Boden flimmern. Von seinem künftigen Fahrgast war weit und breit nichts zu sehen. Er umrundete das Allzweckfahrzeug, dessen Chassis komplett aus Mathumastahl bestand. Die Seiten- und Frontscheiben waren aus einem transparenten, äußerst widerstandsfähigen Material gefertigt. Bevor er wieder in die Fahrgastzelle stieg, strich er mit der Hand über die bullige Schnauze, auf der ein schwenkbares Auflösungsgeschütz saß.

Statt untätig zu warten, beschloss Entro, sich die Innenräume des Fahrzeugs anzusehen. Er quetschte sich hinter der Sitzbank vorbei, die für den Fahrer und zwei Passagiere ausgelegt war. An deren Ende ließ er rückseitig die Schiebetür aufgleiten und betrat den Technikbereich. Sein Blick glitt über die grauummantelten Generatoren, die Motoren für den Kettenantrieb, den bläulich schimmernden Reparaturroboter, der mit Waffen bestückt war, und über einige Sonden. Er prüfte kurz die Luke, die zum Dach führte. Dann öffnete er eine weitere Tür und schob sich in den Laderaum. Der war nur zu einem Drittel mit Ersatzteilen gefüllt, die fest magnetisch verankert waren. Der restliche Platz stand für das Ladegut des Fahrgasts zur Verfügung. Per Knopfdruck ließ er die große Laderaumtür aufgleiten. Dann sprang er aus dem Fahrzeug, das zehn Meter lang, dreieinhalb Meter breit und drei Meter hoch war.

Er sah der Testfahrt mit gemischten Gefühlen entgegen. Bei diesen Abmessungen dürfte es schwierig werden, den Prototyp durch das Unterholz zu manövrieren.

Das Geräusch eines Schwebers drang an sein Ohr. Nur wenige Atemzüge später senkte der sich herab und landete keine zehn Schritte von ihm entfernt. Es war ein Standardfahrzeug, wie es fünfundneunzig Prozent der volljährigen Einwohner flogen. Doch die Lackierung sah keineswegs standardmäßig aus. Statt des sonst verwendeten farbenfrohen Designs war dieses Fahrzeug tiefschwarz. Wer immer auch darin saß, er schien der *Myrthonischen Verwaltung* anzugehören. Sogar hier, am Rande des Sternenreichs, lenkte sie die Geschicke der Menschen.

Der Ausstieg öffnete sich und ein alter Adliger der Kernwelten in einer schwarzen Montur kletterte heraus. Furchen zogen sich über die Stirn. Seine Haut war gebräunt, aber sehr grobporig. Die silberweißen Haare trug er halblang und linksgescheitelt. »Seid Ihr der Expeditionsleiter, den mir Tellan Prosar von der *SURF* versprochen hat?« Seine Stimme klang befehlsgewohnt.

Entro verbarg die Überraschung, die er aufgrund der Frage empfand. »Ich wurde beauftragt, das Allzweckfahrzeug im Dschungel zu testen«, antwortete er. »Dabei soll mich jemand begleiten. Der Namen wurde mir aber nicht bekannt gegeben. Ich kenne nur den Treffpunkt. Vermutlich seid Ihr diese Begleitperson. Jedoch würde ich die Testfahrt nicht als Expedition bezeichnen wollen.«

»Streiten wir uns nicht über Begriffe!« Der Myrthone lächelte abgründig. »Tatsache ist, ich konnte Tellan einst einen Dienst erweisen. Nun bat er mich, nach *Torfin* zu kommen, um die Tier- und Pflanzenwelt zu klassifizieren. Ich bin Hobby-Biologe. Seine Bitte zu erfüllen, heißt für mich, meinen Wunschtraum zu leben. Das weiß er natürlich. Er scheint sich viel davon zu versprechen. Ich hingegen habe keine Ahnung, inwieweit die Ergebnisse unserer Fahrt die Entwicklung der Fahrzeuge der nächsten Generation beeinflussen könnten. Bei ihm war jedoch nicht die geringste Spur eines Zweifels darüber zu entdecken. Aus diesem Grund bin ich mir seiner Unterstützung ziemlich sicher.« Er machte eine Kunstpause.

Wahrscheinlich, dachte Entro, *gibt er mir nur Zeit, mich mit dem Unvermeidlichen anzufreunden.*

»Der Sprung«, fuhr der ältere Myrthone nach wenigen Sekunden fort, »von einer Testfahrt zu einer Expedition ist denkbar gering. Ich benötige nur hie und da eine Probe. Da verlange ich doch nicht zu viel von Euch, oder? Ach übrigens: Mein Name ist Imnar aus dem lichtdurchfluteten Haus derer von Xartay.«

»Freut mich, Euch kennenzulernen, Höchst-Erleuchteter. Ich bin Entro aus dem schattenumwobenen Haus derer von Santoral. Wenn Ihr Euch über mich erkundigt, werdet Ihr feststellen, dass ich der letzte männliche Nachkomme dieser Abstammung bin. Und ich habe eine Familie: eine Frau und eine Tochter. Ihr könnt versichert sein, ich gedenke nicht mein Leben aufs Spiel zu setzen. Das bedeutet, keiner von uns beiden wird den Dschungel betreten, um Proben zu sammeln.«

Entro hielt inne. Es hatte sich so komisch angefühlt, als er sein Haus erwähnte. Der Name war ihm so fremd vorgekommen, als hätte er ihn noch nie mit sich in Verbindung gebracht. *Du bist nicht der, der du bist,* wisperte da eine Stimme in seinem Geist. Diesmal war sie nicht weiblich wie am Tag der Ankunft. Es war die Stimmlage eines Kinds. Und er verstand deutlich, was es sagte. *Befreie dich,* riet es ihm. *Befreie dich aus der Umklammerung.*

Ehe er die Überraschung darüber zur Seite schieben und über das Gehörte nachdenken konnte, sprach Imnar: »Lasst das bitte mit dem Höchst-Erleuchteten. Ich mag die Anrede nicht. Und noch etwas. Niemand muss das Fahrzeug verlassen, um Proben zu sammeln, es ist mit Robotsammlern ausgestattet. Das Steuern der Sammler übernehme ich.«

»Gut«, erwiderte Entro einigermaßen beruhigt. »Ihr kennt Euch anscheinend besser mit diesem Prototyp aus als ich. Worauf warten wir dann noch? Laden wir Euer Gepäck in den Laderaum um. Und es kann losgehen.«

Zehn Minuten später saßen sie im Cockpit. Entro startete das Fahrzeug. Die Automatik steuerte es auf das Nordtor zu und übermittelte den Code für das Durchschleusen auf die andere Seite. Der Bug des Testfahrzeugs verschwand in dem energetischen Wall. Gleich darauf folgte die Fahrgastzelle. Bläulich leuchtende Energie waberte über die Scheiben. Dann waren sie hindurch.

Ein schwarzbrauner Streifen breitete sich vor ihnen aus. Nur zaghaft streckten sich wenige Triebe aus dem Boden. Es musste erst gestern brandgerodet worden sein.

Nun übernahm Entro das Steuern. Während das Fahrzeug in einigen Metern Höhe über die verbrannte Erde hinwegschwebte, wandte er sich an seinen Mitfahrer. »Ihr sagt, Ihr seid Hobby-Biologe und in dieser Eigenschaft auf *Torfin*. Was macht Ihr hauptberuflich? Gehört Ihr zur *Myrthonischen Verwaltung*?«

»Das habt Ihr vermutlich daraus geschlossen, da sowohl die Montur, die ich trage, als auch mein Schweber schwarz sind«, antwortete Imnar. »Trotzdem stimmt es nicht ganz. Bis vor einem Lichtzyklus war ich tatsächlich Mitglied der *MV*[15]. Doch nun bin ich im Ruhestand. Ich ernähre mich von den Ersparnissen des langen Arbeitslebens. Ab und zu nehme ich einen Auftrag an, der meinen Neigungen entgegenkommt, wie zum Beispiel diesen hier.«

»Wofür hat man Euch in der *Myrthonischen Verwaltung* eingesetzt?«

»Das ist leider geheim. Ich kann nur so viel sagen, ich habe mich um Menschen gekümmert, die unter einem speziellen Problem litten.«

»Das hilft nicht wirklich weiter«, sagte Entro enttäuscht. »Angefangen von einem Meister der Psychoanalyse bis zu einem Fachmann zur Anpassung gezüchteter Gliedmaßen ist da alles möglich.«

Er registrierte, dass Imnar lächelte. »Das bringt so ein Wörtchen wie *geheim* eben mit sich.«

»Könnte ich so eine Person sein?«

»Unter Umständen. Ich gebe Euch Bescheid, wenn ich mir sicher bin!« Sein Lächeln wurde breiter.

Entro sagte nichts darauf.

Die Maschine hatte inzwischen den Rand des Dschungels erreicht. Auf den ersten hundert Metern wuchsen große Bäume, deren Stämme die Hitze der nahen Brandrodung anscheinend verkraftet hatten. Die Blätter und Äste sahen hingegen vertrocknet aus, genau wie die Pflanzen des Unterholzes. Tristes Grau starrte ihnen entgegen.

Er benötigte nun seine ganze Konzentration, um einen geeigneten Landeplatz zu finden, von dem aus er tiefer in die Dschungelhölle vorstoßen konnte. »Ich schalte nun das Schirmfeld ein«, sagte er, während er mit dem Finger die entsprechende Sensortaste berührte. »Es ist sicherer in dieser Wildnis.«

Imnar räusperte sich. »Es behindert mich hoffentlich nicht bei meiner Arbeit. Kann ich die Sammelroboter auch dann ausschleusen und steuern, wenn das Feld steht?«

»Kein Problem! Ich bin in der Lage, Strukturlücken darin zu öffnen.«

[15] Abkürzung für *Myrthonische Verwaltung*.

Entro ließ das Fahrzeug in einer kleinen Schneise niedergehen. Mit einem Ruck setzte es auf dem vertrockneten Boden auf. Staub wirbelte empor und verhüllte die Umgebung. Der Schwebegenerator verstummte von einem Augenblick zum anderen. Wenig später ertönte ein kräftiges Brummen. Der Motor für den Kettenantrieb befand sich im Leerlauf. Entro schob den Hebel zum Einstellen der Energiezufuhr um eine Stufe nach oben. Das Fahrzeug rollte schwerfällig an.

Die Staubwolken um sie herum wurden für Sekunden undurchdringlich. Dann filterte die Automatik den Staub aus der Bildwiedergabe der Holoprojektion, die sich über das Frontfenster gelegt hatte.

Gekonnt steuerte er zwischen den Baumstämmen hindurch. Aber es war abzusehen, irgendwann würde es zu eng werden und er hatte keine Ahnung, wie er dieses Problem lösen könnte, ohne sich einen Weg freizuschießen. Er startete eine Sonde, die über dem Fahrzeug schwebte und ihm auf einem Teil der Holoabbildung Rundumsicht gewährte.

»Schaltet bitte die Außenmikrofone an!« Imnar deutete dabei mit beiden Zeigefingern auf seine Ohren. »Mir liegt viel daran, die Geräuschkulisse der Tierwelt zu hören!«

Entro tat ihm den Gefallen. Doch er musste entsetzt feststellen, dass nur das dröhnende Fahrgeräusch der Gleisketten auf dem Untergrund zu vernehmen war. Durchdrungen wurde es von dem Bersten trockenen Astwerks. Es war gelinde gesagt ein ohrenbetäubender Lärm.

»Nein! Nein! Und nochmals nein!«, schrie sein Begleiter auf, um sich gegen die plötzlichen Umgebungsgeräusche zu behaupten. Sein Kopf lief rot an vor Ärger. »So geht das nicht. Wir verjagen alles, was zwei und mehr Beine hat. Von geflügelten Wesen ganz zu schweigen. Schaltet sofort den Kettenantrieb aus. Wir müssen uns schwebend fortbewegen. Andernfalls können wir gleich wieder umkehren.«

Seufzend stoppte Entro die Fahrt mit den Gleisketten und aktivierte das Schwebefeld. Er ließ das Fahrzeug einen halben Meter über dem Boden aufsteigen. Dann ging er auf die minimale Fahrstufe. Von den Außenmikrofonen kam nur noch ein leises Summen. Ein kurzer Seitenblick zeigte ihm, die Gesichtsfarbe seines Fahrgasts war wieder in den Normalbereich gewechselt. Und er sah, dass Imnar angestrengt zu lauschen schien.

Nun achtete er selbst auf sein Gehör. Und es war ihm, als ob er in der Ferne ein dumpfes Raunen wahrnehmen würde. Es wurde ab und zu durch ganz leise krächzende Schreie unterbrochen. Die Geräusche verstärkten sich, je näher sie der Zone kamen, in der wieder Unterholz wuchs. Sie waren vielleicht noch zwanzig Meter von dort entfernt, da schob sich vor ihnen ein Baumstamm aus dem Boden.

Es war kein Baumstamm im eigentlichen Sinn, sondern ein blauer Pflanzenstängel vom Umfang eines Manns. Auf seiner Spitze thronte eine große graue Kugel, die sich in dem Moment öffnete und in sechs Fangarme auffächerte. Entro nahm es auf dem Holo der Rundumsicht wahr. Dann sah er weiße, sehr lange Schemen auf ihr Fahrzeug zuschießen. Instinktiv wusste er, dass er sofort reagieren musste. Vor ihm war der Stängel. Die Tentakel kamen von beiden Seiten auf sie zu. Es blieb ihm nur noch übrig, rückwärtig auszuweichen.

Hastig schaltete er auf die Frontdüsen um und gab einen kurzen Schub. Der Prototyp katapultierte sich nach hinten. Die Fangarme verfehlten ihn um Haaresbreite. Entro traute seinen Augen nicht, denn sie durchdrangen das Schirmfeld, als wäre es nicht vorhanden. Gleichzeitig berührte er die Sensortaste für die Aktivierung des Frontgeschützes. Ehe sich sein Begleiter vom Schrecken erholt hatte, der ihm im Gesicht stand, zielte Entro und drückte den Feuerknopf.

Der Auflösungsstrahl traf den Stängel und stanzte ein Loch in die Mitte. Ein kleiner Schwenk nach beiden Seiten reichte und er kippte nach hinten weg. Die Fangarme, die gerade eingezogen werden sollten, fielen haltlos zu Boden.

»Verdammt!«, rief Imnar. »Was war denn das?« Er war von dem überstandenen Schreck immer noch blass.

»Das war eine der Pflanzen«, entgegnete Entro ruhig, »wegen denen Ihr hier seid. Genügt das Exemplar zur Klassifizierung?«

»Zur Not!«, erwiderte der Hobby-Biologe. »Lebend wäre es mir wesentlich lieber gewesen.« Er kratzte sich am Kinn. »Aber das meinte ich nicht. Ich spreche von Eurer Reaktionsfähigkeit, die uns vermutlich vor größeren Problemen bewahrt hat. Ich habe noch niemals jemanden so schnell auf eine Gefahr reagieren sehen. Wie habt Ihr das gemacht? Woher wusstet Ihr, dass die Tentakel uns zum Ziel hatten?«

Entro überlegte kurz, ob er seinem Fahrgast von den vorauseilenden Schemen erzählen sollte, durch die er rechtzeitig gewarnt worden war. Aber nein. Das würde der ihm sicher nicht abnehmen. »Ich weiß nicht«, sagte er deshalb, »worauf Ihr hinauswollt.«

»Hmm«, brummte Imnar und kniff argwöhnisch die Augen zusammen. »Ich habe mich doch klar genug ausgedrückt. Ihr habt auf die Gefahr bereits reagiert, bevor ich sie als solche erkennen konnte. Soweit mir bekannt ist, wart Ihr vorher noch nie im Randgebiet des Dschungels. Das bedeutet, Ihr wusstet nichts über diese Pflanze und ihre Art Beute zu fangen.«

»Hat die Fragerei etwas mit Eurer früheren Tätigkeit bei der *Myrthonischen Verwaltung* zu tun?«

Sein Begleiter nickte belustigt mit dem Kopf. »Ich sehe schon, Ihr denkt gar nicht daran, mir zu antworten.«

»Ihr doch ebenso wenig«, konterte Entro. »Ich mache Euch einen Vorschlag, der Vertrauen gegen Vertrauen setzt. Ihr sagt mir, welchen Beruf ihr bei der *MV* zuletzt ausgeübt habt, und ich verrate Euch im Gegenzug, weswegen ich so schnell reagieren konnte. Seid Ihr damit einverstanden? Wenn ja, dann Ihr zuerst.«

Bevor Imnar antworten konnte, meldete sich die Bord-KI. »Achtung! Schadensmeldung! Etwas beschädigt den Mathumastahl am rechten Kotflügel.«

Sein Begleiter löste den Gurt.

»He!«, rief Entro, »vergesst es! Ihr werdet nicht nach draußen gehen und selbst nachsehen. Dafür haben wir einen Roboter an Bord. Euch dürfte nicht entgangen sein, wie gefährlich der Dschungel ist.«

Imnar legte seine Stirn in Falten. Es schien so, als würde er darüber nachdenken, ob er von einem jüngeren Myrthonen niedrigeren Stands Befehle annehmen sollte. So abschätzend jedenfalls fühlte sich Entro gemustert.

Dann aber schnallte sich sein Begleiter wieder fest. »Gut«, sagte er. »Vielleicht habt Ihr recht. Ich werde einen Sammler ausschleusen, bevor Aasfresser auftauchen.« Damit rief er über ArmKomm ein Steuerungsfenster auf und wählte den geeigneten Robotsammler aus.

Es war ein Kubus, einen Meter groß, außen mit vielerlei Anzeigen bestückt. Innen enthielt er eine Kammer für Proben. Dahinter befand sich ein Maschinenblock mit einem Schwebeaggregat und einem Gerät zum Senden, Empfangen und Auswerten von analysierenden Strahlen.

In der Zwischenzeit bereitete Entro den Roboter auf den Einsatz vor.

Zusammen schwebten die Maschinen durch die Dachluke aus dem Technikraum. Sie drangen durch die geschaltete Strukturlücken des Schirmfelds nach außen. Dann umgaben sie sich selbst mit Schirmen.

Der Sammler glitt über den abgetrennten Stängel und die Fangarme der Pflanze hinweg und tastete alles mittels Analysestrahlen ab. Indessen begab sich der Roboter zum rechten Kotflügel des Fahrzeugs. Er übertrug das aufgenommene Trivideo auf die Frontüberwachung.

Entro schaltete auf Standbild und vergrößerte es. Es fielen ihm vier Stellen auf, an denen der Lack aufgelöst war und darunter eine zerklüftete Oberfläche aus blankem Stahlblech hervorblickte. »Imnar!«, rief er. »Ihr solltet Euch das einmal ansehen. Es sieht so aus, als ob einer der Fangarme Säure auf das Fahrzeug gespritzt hat.« Der Gerufene wandte sich ihm zu.

»Seht hier. Das stammt wahrscheinlich von einem großen Tropfen und das hier von drei kleineren. Seid vorsichtig, wenn Ihr bei der toten Pflanze eine Probe entnehmt. Falls Ihr auf keinen Sammler aus hochverdichtetem Mathumastahl zugreifen könnt, unterlasst es einfach. Die Maschine würde dies nicht überstehen.«

»Verdammt!«, entgegnete Imnar. »Eine Mordpflanze, die Säure versprüht. Noch dazu ein Gebräu, das unser Fahrzeug zerstören und zum Überdruss das Schirmfeld durchdringen kann. Damit habe ich nicht gerechnet. Ihr habt uns in der Tat mit Eurer schnellen Reaktion das Leben gerettet.«

»Wie Ihr nun selbst seht«, erwiderte Entro, »ist unsere Ausrüstung ungenügend. Ich breche die Expedition ab. Sind wenigstens die Daten, die sich Euer Sammler erarbeitet hat, von Nutzen?«

Imnar schüttelte den Kopf. »Mir liegt nur die Oberflächenstruktur der Pflanze vor. Die Analysestrahlen konnten nicht in die Tiefe vordringen. Ohne eine Probe ist es mir nicht möglich, eine Aussage über ihren Aufbau zu treffen.«

»Schade!« Entro befahl per Steuerungsfenster, das über dem ArmKomm aufgeblendet war, dem Roboter die Rückkehr.

»Ich bedaure das auch.« Imnar zuckte resigniert mit den Schultern. »Ich wollte zumindest ein positives Ergebnis mit zur *SURF* zurückbringen, und zwar eines, das ich dort präsentieren kann.«

»Vielleicht ist es dafür noch nicht zu spät.« Zwischen zwei grauen Baumstämmen erspähte Entro eine kleine blaue Kugel, die unruhig hin und her schwebte. Er deutete auf die Frontscheibe. »Das könnte einer der Aasfresser sein, von denen Ihr gesprochen habt.«

Imnar vergrößerte das Dschungelwesen auf dem Holoschirm. Es war schwierig, ein klares Bild von ihm zu bekommen, weil es keine Sekunde auf derselben Stelle blieb. Fast schon sprunghaft veränderte es seine Position. »Nun, was sagst du dazu«, sagte er vor sich hin, während er den Sammler, der immer noch bewegungslos über der toten Pflanze verharrte, zu steuern begann. Er ließ ihn ebensolche Bewegungen ausführen, wie es die blaue Kugel tat.

»Was habt Ihr vor?«, fragte Entro. Er beobachtete, wie sich das Wesen langsam dem Robotsammler näherte.

»Das wird sich Euch gleich offenbaren«, bekam er zur Antwort. Dann sah er, dass der Sammler wieder auf der Stelle schwebte und die Probenkammer öffnete. Die blaue Kugel, die inzwischen noch näher herangekommen war, fing er mit einem Zugstrahl ein und zog sie durch eine Strukturlücke des Schirmfelds in die Kammer. Doch bevor sie darin verschwand, stieß sie einen langanhaltenden Schrei aus, der Entro schmerzhaft in den Ohren hallte.

Zwei weitere blaue Kugeln huschten hinter Baumstämmen hervor. Sie stürzten sich auf den Sammler, der eben die Probenkammer schloss und Fahrt aufnahm. Sie konnten seine Abschirmung weder durchdringen, noch verhindern, dass er sich in das Fahrzeug einschleuste. Aber sie stießen ebenfalls diese hallenden, schmerzhaften Schreie aus.

Vier, acht, zwölf und mehr der Waldwesen erschienen. Bei zwanzig hörte Entro auf zu zählen. Er steuerte den Prototyp nach oben und bahnte sich mit Vehemenz einen Weg durch das vertrocknete Geäst.

Dann waren sie über dem Dschungel. Ihnen folgte ein Pulk der blauen Kugeln, immer wieder Schreie ausstoßend. Weitere Gruppierungen davon brachen aus dem Blätterdach hervor und bewegten sich auf sie zu.

Entro beschleunigte in Richtung Energieschleuse des Walls. Eine Stimme drängte sich in sein Bewusstsein. *Das sind intelligente Lebewesen. Und ihr habt eines von ihnen entführt. Sie werden nicht aufgeben*. Das, was sie sagte, klang logisch.

Er reagierte sofort. »Gebt umgehend das gefangene Wesen frei, Imnar, oder wollt Ihr, dass die Stadt von Hunderten dieser blauen Kugeln belagert wird?« Die Rundumsicht bestätigte die Befürchtung. Das begriff auch Imnar.

»Verdammt!«, fluchte er, steuerte den Sammler wieder aus dem Fahrzeug und öffnete die Probenkammer.

Das Dschungelwesen schoss daraus hervor. Erneut stieß es einen Schrei aus. Diesmal war er nicht schmerzhaft, sondern so harmonisch wie ein kristallenes Windspiel. Es flog den Verfolgern entgegen und wurde von ihnen umringt. Dann verschwanden alle im Blätterdach des Dschungels.

Sie nahmen den Sammler wieder auf und setzten ihren Weg fort. Während sie durch die Energieschleuse des Walls schwebten, fragte Imnar: »Woher wusstet Ihr, dass Euer Vorschlag funktionieren würde?«

»Welche Aufgabe hattet Ihr bei der *Myrthonischen Verwaltung*?«, stellte Entro die Gegenfrage.

Die Schleuse lag hinter ihnen. Er parkte den Schweber an der Stelle, an der er seinen Begleiter aufgenommen hatte.

»Also gut«, fügte sich Imnar. »Ich war für adlige Kernweltmyrthonen zuständig, die bei ihrem zwanzigsten Geburtstag die Tränen Imonar-Hels in hoher Dosierung erhielten. Bei manchen von ihnen wurde eine Gabe erweckt. Ich lehrte sie, damit umzugehen. Viele davon habe ich vor dem Wahnsinn bewahrt.«

Er runzelte die Stirn, als wolle er sich in seinen Erinnerungen verlieren, dann aber klärte sich sein Blick wieder. »Jetzt Ihr!«

Entro seufzte. »Ich sah heute bei den Fangarmen der Pflanze vorauseilende Schemen, deswegen wusste ich, was passieren würde.«

Imnar nickte. »Ihr habt also auch eine Gabe. Sie ist neu für mich. Noch keiner meiner Patienten hatte etwas Gleichartiges zu bieten.«

»Das ist noch nicht alles. Eine Stimme in meinem Geist sagte mir heute, dass wir ein intelligentes Lebewesen entführt hätten. Und dass die anderen blauen Kugeln nicht aufgeben würden, solange wir es gefangen halten.«

»Wer von der *MV* hat Euch in Bezug auf Eure Para-Gaben betreut?«

»Niemand! Die Erweckung hat bei mir nicht gewirkt.«

»Habt Ihr jene Stimme schon früher vernommen? Und wenn ja, wann ist Euch dies erstmalig aufgefallen?«

Entro überlegte. »Gleich am ersten Tag hier in Karason«, sagte er dann. »Ich habe darüber nachgedacht, wie glücklich ich bin, dass mir eine wunderschöne Frau und eine bezaubernde Tochter zur Seite stehen. Da meldete sich die Stimme. *Falsch* warnte sie mich. *Es ist falsch.*«

Er knetete nervös die Finger im Schoß. »Und dann, als ich mich Euch vorstellte, da kam mir mein eigener Name so fremd vor. Daraufhin hörte ich ein Wispern in den Gedanken: *Du bist nicht der, der du bist,* raunte es. *Befreie dich. Befreie dich aus der Umklammerung.*«

Imnar schüttelte zweifelnd den Kopf. Für Entro sah es so aus, als würde er mit sich ringen, ob er die Wahrheit sagen sollte oder nicht.

»Das klingt gar nicht gut«, gab er dann zu. »Hilfreiche Stimmen gibt es oft als Para-Gabe. Meist handelt es sich um einen besonders ausgeprägten sechsten Sinn. Meinen Erfahrungen zufolge ist man gut beraten, auf ihn zu hören. Was das für Euch bedeutet, weiß ich momentan noch nicht. Aber Ihr müsst mit gewaltigen Konsequenzen für Euch und Eure Familie rechnen.«

Er kramte in der Tasche seiner Kombination und zog ein Kärtchen hervor. »Wenn Ihr mehr darüber wissen wollt, dann besucht mich. Ich habe einige medizinische Geräte der *MV* erworben, die durch neuere ersetzt worden sind. Ich muss sie nur noch aufbauen. Danach könnte ich Euch auf Eure Gaben hin untersuchen. Das wird allerdings erst in ein paar Tagen möglich sein.«

Entro nahm das Kärtchen entgegen. »Ich danke Euch für das Angebot. Ich werde es mir in Ruhe überlegen.« Innerlich war er sich fast schon sicher, dass er das glückliche Zusammensein mit Danora und Saira nicht gefährden würde. Zu wertvoll erschien es ihm im Augenblick. »Aber nun sollten wir beide zur *SURF* fliegen und unseren Bericht ausarbeiten.«

»Da gibt es nicht viel auszuarbeiten«, wetterte Imnar mit mürrischer Stimme. »Die ganze Expedition war ein einziger verdammter Reinfall!«

»Das kann jetzt nicht wirklich Euer Ernst sein?«, setzte Entro entgegen. »Immerhin haben wir herausgefunden, dass sowohl Fahrzeug als auch Robotsammler resistent gegen Säure sein müssen. Und es ist uns gelungen, bei unserer allerersten Fahrt intelligentes Leben zu finden.«

»Wenn Ihr es so seht …« Imnar klang jetzt wesentlich freundlicher. Dann schnallte er sich los und verließ den Prototyp.

Der Sonnentunnelnavigator

Schlachtkreuzer TIRKUM*, Landefeld, Trainingsbereich Ost,*
Paluran, Eugnith-System
22. Tag, 2. Monat, 8553. Lichtzyklus sME, 9. Stunde, 32. Minute

Kerasor

Er beobachtete Antor, den Leiter der Raumakademie, wie er auf den Kommandanten zuschritt und ein paar Worte mit ihm wechselte. Er trug eine Bordkombination, wie gewohnt in Weiß. Neben dem Kragen wiesen auch die Schultern und alle Magnetverschlüsse ein tiefes Schwarz mit Goldverzierungen auf. Er wirkte massiger als in der dünnen Uniform der Akademie.

Antor wandte sich um, entdeckte sie und bewegte sich in ihre Richtung. Etwa zwei Schritte vor ihnen blieb er stehen.

Kerasor legte, wie die anderen Kadettenanwärter auch, seine flache Hand über der linken Brust auf die Kombination und grüßte, notgedrungen sitzend, mit den Worten: »Ehre für Myrthon und den Myrth.« Unwillkürlich fiel sein Blick auf den Lichtkristall, der beidseitig an Antors Kragen befestigt war. Ihn erfüllte dabei tiefer Respekt. Nur wenige erhielten diese Auszeichnung.

Der Lichtträger nickte ihnen kurz zu. »Ich habe eben mit dem Leiter der Trainingsstation Ost gesprochen. Er hat sich sehr positiv geäußert. Laut seiner Aussage lagen sowohl der Einsatzwille als auch das Durchhaltevermögen aller Anwärter unter den erschwerten Bedingungen des Straftrainings über dem Durchschnitt. Wenn ihr eure Disziplin in den Griff bekommt, braucht ihr euch um eure Zukunft in der Flotte keine Sorgen zu machen. Ihr habt euch die zweite Chance, die euch gewährt wurde, tatsächlich verdient.« Ein Lächeln flog über seine Lippen.

»Wir danken Euch für Eure Einschätzung«, erwiderte Pereth schnell.

Kerasor vermutete, er sah sich wohl noch immer als Ansprechstation für Vorgesetzte.

»Jedem von uns ist inzwischen bewusst, wie hoch Disziplin in der Raumakademie und in der Flotte bewertet wird. Ihr könnt sicher sein, dass es von unserer Seite keine Verstöße mehr dagegen geben wird. Und entschuldigt bitte«, schob Pereth hinterher, »dass wir zur Begrüßung nicht aufgestanden sind. Arthon aus dem lichtdurchfluteten Haus derer von Orpenbor hat uns angegurtet und befohlen, dass wir den Kontursitz nicht verlassen dürfen.«

»Das sieht ihm ähnlich«, antwortete Antor sichtlich amüsiert und wechselte das Thema. »Sicher habt ihr euch schon gewundert, warum wir einige Anwärter in die Zentrale geholt haben. Ihr fünf seid diejenigen, die den Trainern der Trainingsstation Ost besonders positiv ins Auge gefallen sind. Seht es als Belohnung an.«

Bevor Pereth darauf etwas erwidern konnte, meldete sich Tranthar zu Wort. »Entschuldigt bitte, wenn ich frage, Lichtträger, Anwärterin Areghnatha vermutet, der Schlachtkreuzer fliegt keineswegs zur Akademie, sondern bricht zu einer Mission auf. Dürfen wir erfahren, wohin es geht und warum wir an Bord sind?«

Natürlich, dachte Kerasor. *Der Sternenhändler kann es wieder einmal nicht abwarten, bis uns die Information frei Haus geliefert wird. Hoffentlich ist der Akademieleiter nicht verstimmt, weil er genötigt wird, uns früher als beabsichtigt einzuweihen.*

Er sah, dass Antor nun seine Arme vor der Brust verschränkte. Das war unter Umständen kein gutes Zeichen.

»So«, er seufzte und wandte sich an Areghnatha. »Ihr habt Euch wohl überlegt, dass es Verschwendung wäre, wenn wir die Anwärter mit einem Schlachtkreuzer zur Akademie zurückfliegen würden?«

»Das ist korrekt«, gab die Anwärterin zurück, ohne eine Miene zu verziehen.

»Ihr habt ein kluges Köpfchen, Areghnatha«, sagte Antor nachdenklich. »Das konntet Ihr beim Training schon beweisen. Natürlich liegt Ihr genau richtig.« Dann nickte er dem Sternenhändler zu. »Und Ihr, Tranthar, schmückt Euch nicht mit fremden Federn, was ich positiv vermerkt habe. Aber ...«, er brach ab.

Aha! Kerasor war klar, dass es nun Kritik hageln würde. Kritik, die mit Sicherheit durch dessen Frage ausgelöst worden war. Er sah, wie Pereths Lippen sich zu einem spöttischen Lächeln formten. Offenbar hatte der es noch nicht verwunden, dass er dem Lichtträger wegen Tranthar nicht hatte antworten können.

»Aber«, setzte Antor fort, »Geduld scheint nicht Eure Stärke zu sein. Zum Glück, denn Eurem Drang zum sofortigen Handeln haben wir auch die Aufklärung der Anomalie zu verdanken.« Nun sprach er Kerasor an, »und Ihr seid der Grund dafür, dass euch allen diese zweite Chance überhaupt eröffnet wurde. Ohne Eure Analyse, wie es zur Massenschlägerei kam, hätten wir jeden der involvierten Anwärter nach Hause schicken müssen. Für Euch, Pereth, spricht hingegen, dass Ihr im Tal der Tränen immer den ersten Platz bei den Mannschaftsaufstellungen erhalten habt. Und Ihr, Charrut, seid noch durch den Trainingsparcour gekrochen, nachdem das Training bereits beendet war. Vermutlich wolltet Ihr Euch selbst beweisen, dass Eure Reserven noch nicht aufgebraucht sind. Dafür verbrachtet Ihr aber auch die längste Zeit im Regenerationsbad.« Antor strich sich über die Haare. »Kurz gesagt, ist jeder von euch zu Recht in der Zentrale. Und jeder von euch hat es sich verdient, zu fragen, zu welcher Mission wir euch mitnehmen.« Dann sah er nacheinander jeden Einzelnen von ihnen an.

Kerasor hätte nie gedacht, dass sie nach dem Straftraining belobigt werden würden, noch dazu von einem der Leiter der Raumakademie. Seine Wut auf die unwürdige Behandlung nach ihrer Straffälligkeit schwand. Eine Wut, die er wegen der Vorbereitung zum Tribunal zurückgedrängt hatte.

»Der Schulungsraumer PARAMUR ist seit gestern verschollen«, erklärte Antor nun deutlich. »Die letzte Meldung kam aus dem *Rikay-System*. Das nächste Lebenszeichen war für das *Malek-System* vorgesehen. Doch es traf nie ein. An Bord der Korvette sind neben Ausbilder Wenar und Ausbildungsleiter Jewon siebzig Stufe-2-Kadetten. Sie werden von der regulären Besatzung unter Kommandant Borsan betreut.«

Kerasor kämpfte noch damit, seine Überraschung zu überwinden. Er war sich durchaus der Tatsache bewusst, was der Verlust des Schulungsschiffs für die Raumakademie bedeuten konnte.

Da meldete sich Areghnatha erneut zu Wort: »Entschuldigt bitte, Lichtträger. Die beiden Systeme, die Ihr erwähntet, gelten als sicher. Das bedeutet, die Wahrscheinlichkeit eines Piratenangriffs ist denkbar gering. Bleibt also nur technisches Versagen der Funkanlage oder ein Unfall im Sonnentunnel. Gerade für den Funk gibt es genügend Ersatzteile an Bord. Deshalb sollte man jedes noch so schwer beschädigte Funkgerät innerhalb von acht Stunden reparieren können.«

»Dann kann nur noch ein Unglück während des ST-Tauchens aufgetreten sein«, erwiderte Antor. »Ich gebe die Hoffnung nicht auf, dass die PARAMUR hilflos im Raum treibt und auf uns wartet. Wir brechen schleunigst ins *Rikay-System* auf.«

»Entschuldigt, Lichtträger«, meldete sich Tranthar, »ich denke, es wäre nützlich, wenn sich in diesem Fall ein ST-Navigator an Bord befände. Er könnte feststellen, ob das Schulungsschiff, aus welchen Gründen auch immer, aus dem Sonnentunnel geschleudert worden ist. Dann hätten die Verunglückten ebenfalls keine Möglichkeit mehr, den ST-Funk zu verwenden, und müssten sich überdies per Gravo-Pulsantrieb zum nächsten ST-Portal durchschlagen.«

»Hmm«, brummte Antor. »Das hört sich zwar nach einem guten Vorschlag an. Doch verzögert das die Rettungsaktion unter Umständen. Denn wo bekommen wir auf die Schnelle einen ST-Navigator her?« Er sah sinnend auf den Boden der Zentrale. Dann hatte er sich offenbar entschieden. »Ich werde sofort mit Kommandant Celur sprechen. Er soll sich informieren, ob auf dem Planeten *Delare* im *Chamball-System* einer aufzutreiben ist. Das läge direkt auf unserem Weg.«

Die ganze Zeit über hatte Kerasor darauf gewartet, auch in das Gespräch eingreifen zu können. Jetzt war es endlich so weit. »Vielleicht ist dieser Abstecher gar nicht nötig, Lichtträger, in *Paluran-Stadt* gibt es einen Außenbezirk, in dem ehemalige Angehörige der Flotte wohnen. Es würde mich wundern, wenn sich nicht auch ein ST-Navigator darunter befände.«

»Sind Ruheständler überhaupt einsatzbereit?«, fragte Pereth.

»Ja«, gab Antor zurück, »das sind sie. Im Kriegsfall dienen sie als stille Reserve. Deswegen lädt sie die Flottenzentrale einmal im Lichtzyklus zu einem Seminar zur Auffrischung ein. Dort wird unter anderem festgestellt, ob sie noch diensttauglich sind. ST-Navigatoren mit diesem Prädikat erhalten einmal im Monat das Lichttränenbrot. Damit sind sie in der Lage, genau wie ihre Kollegen im Dienst zu agieren. Sie können alle Kanäle des Sonnenwurzelwerks sowie Abnormitäten und Risse im Sonnentunnel aufspüren. Manche vermögen es sogar, den Zusammenbruch eines ST-Portals vorherzusagen.« Antor blickte auf seine Zeitanzeige im ArmKomm. »Es tut mir leid, dass ich jetzt abbreche, aber ich muss dringend mit dem Kommandanten sprechen. Wir können nicht starten, solange wir nicht wissen, ob es einen Sinn macht, in *Paluran-Stadt* zu landen.«

»Entschuldigt, Lichtträger«, meldete sich Tranthar noch einmal. »Dürfen wir die Liste mit den Personen einsehen, die an Bord der PARAMUR sind?«

»Dafür habe ich jetzt keine Zeit!« Antor hatte sich bereits von ihnen abgewandt. »Fordert die von meiner Adjutantin an.« Dann schritt er in Richtung Kommandosessel davon.

Kerasor sah, wie der Sternenhändler etwas in seinen ArmKomm eingab. Das Holo von Asatas Kopf baute sich alsbald auf.

»Was gibt es?«, fragte sie.

»Hier ist Anwärter Tranthar an Bord der TIRKUM«, antwortete er. »Auf Anweisung von Akademieleiter Antor soll ich bei Euch eine Liste aller Personen anfordern, die sich auf der PARAMUR befinden.«

»Kommt sofort!«, bestätigte sie und unterbrach die Verbindung.

Einige Minute später sah Kerasor, wie der Sternenhändler ein Dokument öffnete. Es wurde über dem ArmKomm aufgeblendet. Hastig schien er die Zeilen mit den verschiedenen Namen zu lesen. Eine ungesunde Blässe ersetzte plötzlich seine natürliche Gesichtsfarbe.

»Bei Hellons Schattenfunken[16]!«, stieß er hervor »Die Stufe-2-Kadettinnen Lorna und Vynga stehen ebenfalls auf der Liste.«

»Sonnensturm und ewige Verdammnis!« Kerasor kannte die beiden. Bisher hatte er distanziert auf die Geschichte mit dem

[16] Licht- und Schattenfunken sind die Kinder Hellons, die ihn ständig begleiten. Wobei seine Lichtinkarnation, die Lichtgestalt Imonar-Hel, die Lichtfunken und die Schatteninkarnation, das Schattengespinst Myrathon-Hel, die Schattenfunken im Geleit haben.

verschollenen Schulungsraumer blicken können. Aber nun traf es ihn persönlich.

»Na und?«, kam es vom Sitz links neben ihm. »Wen interessiert das schon!«

Tranthar

Er spürte, wie Hitze in ihm aufwallte. »Offenbar alle bis auf Euch, Anwärter Charrut«, presste er wütend hervor. »In einem Lichtzyklus könnte jeder von uns in derselben Situation sein. Es ist sehr beruhigend zu wissen, dass es dann Kadetten wie Euch gibt, denen das am Allerwertesten vorbeigeht.«

Der Angesprochene zuckte geradezu gelangweilt mit den Schultern. »Wie steht Ihr dazu, Areghnatha?«, fragte er lax.

Sie verzog die Mundwinkel. »Versucht nicht, mich auf Eure Seite zu ziehen«, gab sie im scharfen Tonfall zurück. »Ihr dürft allein den Ruf mit Euch herumtragen, den Ihr Euch gerade erworben habt.«

Eine Durchsage der Bord-KI ertönte. »Achtung, wir starten in einer Minute. Unser Ziel ist *Paluran-Stadt*.«

Tranthar bekam aus dem Augenwinkel mit, wie Antor zu einem leeren Kontursitz eilte, der sich in der Nähe des Kommandanten befand. Eigentlich sollte er jetzt voll Stolz darauf warten, dass das Ungetüm von einem Schlachtkreuzer vom Landefeld abhob. Schließlich war das für ihn eine Premiere. Doch er starrte nur zu Boden. Seine Gedanken weilten ganz woanders, denn die Sorge, den beiden Kadettinnen könnte ernsthaft etwas zugestoßen sein, quälte ihn über alle Maßen. *Ausgerechnet Vynga,* dachte er. *Warum muss es sie treffen?*

Ihr schmales Gesicht mit den hohen Wangenknochen tauchte vor ihm auf. Ausdrucksvolle orangegoldene Augen schienen ihn anzublicken. Wieder spürte er die starke Verbindung zu ihr. Es kam ihm vor, als würde er sie schon seit der Geburt kennen. Mit ihr wollte er den Rest seines Lebens verbringen. Die silberweißen Haare, die vorn bis tief in ihre Stirn gekämmt waren, bewegten sich im Wind. Eine vorwitzige Strähne kam auf der zierlichen Nase zu liegen. Sie öffnete ihre vollen Lippen und blies sie weg. Die Begegnungen mit ihr spulten sich noch einmal vor seinem geistigen Auge ab. In keiner davon hatte sie ihm nur den Hauch einer Hoffnung gemacht. Wie sollte das auch gehen? Bei ihr handelte es sich um eine Myrthonin der Kernwelten von höchstem Adel. Er stammte aus einer Familie von Händlern, die auf einem Raumschiff lebte. Gut, sein Vater besaß etwa zweihundert Handelsraumer und konnte vom Reichtum her mit einem mittleren Adelshaus durchaus mithalten. Doch die Aristokratie schottete sich gegen Personen niederer Herkunft ab. Hinzu kam Vyngas höhere Lebenserwartung durch Xayis, das Lichttränenbrot. Eigentlich wusste er, dass zwischen ihnen beiden keine Verbindung möglich war. Trotzdem hatte er sie vom ersten Augenblick an unverrückbar fest in seinen Gedanken verankert.

Dann, am Abend vor dem Tribunal, sagte sie die Worte, die ihm schier das Herz aus dem Leib gerissen hatten: »Ich hasse Sternenhändler und ihre Bärte! Aber hier auf der Raumakademie müssen wir zusammen auskommen!«

Die ersten beiden Tage war er vom seelischen Schmerz gebeutelt worden. Und die Erkenntnis hatte sich in sein Bewusstsein gegraben, dass er seine Hoffnungen aufgeben musste. Das Trainingslager hatte ihm geholfen, halbwegs darüber hinwegzukommen. Ständig am Rande der körperlichen Erschöpfung konnte die Verzweiflung nicht vollständig zur Entfaltung kommen. Es war keine Zeit gewesen, um sich im Selbstmitleid zu suhlen. Heute hatte er es erstmals geschafft, nicht an Vynga zu denken, bis zu diesem Moment. Dafür war jetzt das Chaos in seinem Kopf umso größer.

Ja, er wusste, sein Traum war geplatzt. Und er würde Schmerz empfinden, wenn er sie zufällig sah. Aber das bedeutete nicht, dass sie für ihn nicht mehr existierte. Sie war in eine Notlage geraten. Nun würde er alles tun, um sie daraus zu erretten. Es blieb nur die Frage zu klären, ob er in dieser verfahrenen Situation dazu in der Lage war.

Ein Stoß traf ihn an der Schulter. »He, Tranthar! Was ist mit Euch los? Wieso hört Ihr mich nicht?«

Es war Kerasors Stimme. Er sah auf. Inzwischen hatten sie die Lufthülle hinter sich gelassen. Der Raumer befand sich im Weltraum. Auf dem großen Holoschirm war zu sehen, wie *Paluran* sich unter ihnen hinweg drehte.

»Ich habe intensiv nachgedacht«, gab Tranthar zurück, »weshalb habt Ihr mich gestoßen?«

»Die Parkposition im Orbit ist erreicht«, schrillte die Meldung der Bord-KI dazwischen. »Der Kommandant und Antor aus dem lichtdurchfluteten Haus derer von Gorathur schleusen eben mit einem Beiboot aus. Sie landen auf dem Raumhafen von *Paluran-Stadt* und holen dort den ST-Navigator ab. Voraussichtliche Rückkehr ist in fünfundvierzig Minuten.«

»Von wegen nachgedacht.« Kerasor lachte belustigt. »Weggetreten ist wohl die richtigere Antwort. Wir haben die Anweisung über den ArmKomm erhalten, den Gehirnwelleninduktor zu verwenden, um die Lehreinheiten der letzten Tage nachzuholen. Kurz vor dem Eintauchen in das ST-Portal wird uns die Bord-KI aufwecken. Macht es mir nun einfach nach!« Schon berührte der Alandorer die gelbe Sensorfläche auf seiner Armlehne. Hinter dem Kontursitz öffnete sich eine Nische. Eine Induktorhaube schob sich heraus und stülpte sich über den Hinterkopf. Kerasor zwinkerte ihm zu. Danach entspannten sich seine Gesichtszüge und die Lider schlossen sich.

Tranthar aktivierte nun ebenfalls seine Haube. Er fragte sich noch, warum er das Signal des ArmKomms nicht gehört hatte, dann riss ihn die Müdigkeit davon.

Der blinde Passagier

Raumjacht OVASA, Sonnentunnel zum Rikay-System
22. Tag, 2. Monat, 8553. Lichtzyklus sME, 12. Stunde, 50. Minute

Chyra

Sie traute ihren Augen nicht, als sie Antors Robothaushälterin durch das Schott treten sah. Araya war groß, schlank und beherrschte einen unnachahmlichen Hüftschwung. Das pastellgrüne hautenge Wickelkleid ließ genug von ihren wohlgeformten Beinen erkennen, um Neid zu erwecken. Dazu wären die gleichfarbigen Schuhe mit den hohen Absätzen gar nicht nötig gewesen.

Wie kann ein Roboter nur so wunderschön sein, dachte Chyra, als sie kurz Arayas Gesicht musterte. Es war nicht so symmetrisch, wie man es bei einem künstlichen Wesen erwarten durfte. Trotzdem schlug es sie in den Bann. Die großen Augen mit den orangegoldenen Iriden und den langen Wimpern dominierten darin. Sie wurden von dünn gezeichneten Augenbrauen überspannt. Das spitzzulaufende Kinn, die vollen Lippen, die zum Lächeln neigten, sowie die kleine Nase und die hohe Stirn vollendeten das edle Gesicht. Silberfarbene Haare, die bis zu den Schulterblättern hinabfielen, umrahmten es.

Moment! Chyra stutzte. *Sie sieht aus wie eine Adlige. Das widerspricht sämtlichen Gesetzen! So etwas ist keinem Roboter gestattet. Auch dann nicht, wenn der Myrth selbst ihn an Antor verschenkt.*

»Was macht Ihr an Bord meiner Jacht?«, erkundigte sie sich mit vorwurfsvoller Stimme, noch ehe Araya Gelegenheit bekam, etwas zu ihrem Eindringen zu sagen. »Und wer hat Euch erlaubt, die Merkmale des Kernweltadels für Euer Aussehen zu verwenden?«

Chyra fragte sich, warum ihr das nicht schon früher aufgefallen war. Aber beim ersten Aufeinandertreffen war ihre ganze Aufmerksamkeit auf Farsa gerichtet gewesen. Ihre Assistentin hatte damals unter dem Gift des Attentäters gelitten, und zwar so stark, dass sie zu den Medikern nach *Anderfa* gebracht werden musste. Kurz darauf war sie selbst entführt worden. Dank Araya war sie noch am Leben.

Die Robothaushälterin blieb zwei Meter vor ihr stehen. »Euch auch einen guten Morgen, Chyra«, sagte sie lächelnd mit angenehmer Stimme. »Zu Euren Fragen. Erstens bin ich auf Veranlassung von Antor hier. Er hat mich angewiesen, Euch zu begleiten und gegen Serpon zu unterstützen. Es wäre hilfreich, wenn Ihr mich im Valurapalast als Eure neue Leibdienerin ausgeben könntet. Und zweitens habe ich die Erlaubnis des Myrths, silberfarbene Haare und orangefarbene Augen zu tragen. Genügt Euch das?«

»Nein!«, antwortete Chyra mit fester Stimme. »Selbst der Herrscher über unser Sternenreich vermag es nicht, Euch zu gestatten, wie eine Adlige der Kernwelten herumzulaufen. Was, bitte schön, hat er zu Euch gesagt? Wie war sein genauer Wortlaut? Nun redet schon.«

Araya schüttelte den Kopf. »Das kann ich nicht«, gab sie zurück. »Leider unterliegt das alles der Geheimhaltung!«

Ein Hauch von frischen Kermalblüten wehte Chyra entgegen. Sie brauchte einige Augenblicke, bis sie begriff. Ihr Gegenüber war der Ursprung des Dufts. *Wieso*, dachte sie verblüfft, *verwendet diese Robothaushälterin ein Duftwasser?* Als sie genauer hinsah, entdeckte sie, dass um deren Augen ganz fein ein etwas dunkleres Make-up aufgetragen war. Das verwirrte sie.

»Wie bitte?«, entfuhr es ihr, während sie versuchte, klare Gedanken zu fassen. »Das klingt mir jetzt aber sehr nach einer Ausrede!« Sie winkte ab. »Egal. Ich wende mich an Antor, sobald wir wieder ST-Funk haben.«

Araya lächelte entschuldigend. »Eure Fragen werden ohne Erfolg bleiben, er weiß absolut nichts davon.«

Chyra zog die Augenbrauen zusammen. Das war unmöglich. Antor konnte es nicht entgangen sein, dass seine Robothaushälterin wie eine Adlige aussah. »Weshalb«, hakte sie nach, »weshalb weiß er es nicht?«

»Er scheint dem Myrth bedingungslos zu vertrauen, denn er hat mich nie danach gefragt.«

Tief durchatmend versuchte Chyra, ihre Enttäuschung über diese Antwort schnell zu überwinden. Dann sah sie ihrem Gegenüber prüfend in die Augen. Wie erwartet, konnte sie darin weder Unsicherheit noch Lüge erkennen. Nur eines war klar ersichtlich, robotischen Sehzellen glichen die hier keinesfalls. Sie waren belebt, hatten eine Seele. Das erschütterte sie nachhaltig. Langsam zweifelte sie an dem, was sie über künstliche Wesen zu wissen glaubte. Nichts davon schien auf die Robothaushälterin zu passen. *Was war sie? Wer war sie? Konnte man auf ihre Loyalität zählen? Oder bestand doch die Gefahr, dass sie sich als Nebenbuhlerin entpuppte.* All diese Gedanken eilten ihr durch den Kopf und lenkten sie von wichtigeren Dingen ab. Das durfte so nicht weitergehen. Sie musste sich unbedingt Klarheit verschaffen. Vielleicht war der genaue Wortlaut, mit dem der Myrth Arayas Aussehen genehmigt hatte, in der Lage, ihre Zweifel zu beseitigen.

»Nun, das ist höchst bedauerlich«, erwiderte sie deshalb mit unnachgiebiger Stimme. »So muss leider ich Euch danach fragen. Und Ihr werdet mir die Antwort nicht verweigern, denn Geheimhaltung lasse ich nicht gelten. Wenn Ihr aber nach wie vor darauf beharrt, dann tauche ich im *Toufay-System* aus dem Sonnentunnel auf. Von da aus fliegen wir wieder zurück nach *Paluran*. Dort werde ich Euch in der Raumakademie abliefern. Welchen Weg wählt Ihr nun? Den nach *Myrthon* oder den heimwärts? Es ist Eure Entscheidung.« Nachdem sie einige Augenblicke vergeblich auf eine Antwort gewartet hatte, schwang sie sich mit dem Sessel zu den Kontrollen herum. »Bord-KI!«, rief sie. »Neuprogrammierung des Flugs! Streiche *Rikay-System* als Endpunkt, ersetze ihn durch das …«

»Wartet!«, hörte sie Araya sagen. »Ich werde Euch ein Dokument zeigen. Es erklärt, weswegen es mir erlaubt ist, die Kennzeichen einer adligen Kernwelt-Myrthonin zu tragen. So zumindest hat es mir der Myrth erklärt.«

Chyra schwang sich wieder herum. Ihr Blick fiel auf den ArmKomm der Robothaushälterin, auf dem eben eine Urkunde in Holo-Ansicht aufblendete. Erwartungsvoll sah sie darauf. Doch erst als Araya sie mit Daumen und Zeigefinger auseinanderzog und damit vergrößerte, konnte sie deren Inhalt erfassen.

Ihr schwanden fast die Sinne, als sie erkannte, um was es sich dabei handelte. War sie zuvor noch überzeugt davon gewesen, dass ihr der genaue Wortlaut Klarheit verschaffen würde, so war er jetzt die Ursache für die größtmögliche Verwirrung. Vor ihr prangte die Urkunde in der Luft. Darin stand etwas völlig Unmögliches. Araya und ihre Schwester Dabejis, beide aus dem Karrak Es'orante, waren adoptiert worden, und zwar vom Myrth, Velorn IV. Enthalten war eine Sonderklausel im Erbrecht. Die besagte, den Adoptivtöchtern sei im Falle seines Ablebens die *Eherne Halle* auf dem Planeten *Asafatan* nebst einer genau genannten Geldsumme zu übergeben. Von den anderen Erbgütern und von der Amtsnachfolge seien sie jedoch ausgeschlossen.

»Was bedeutet das jetzt«, erkundigte sich Chyra gereizt, »seid Ihr nun ein Mensch oder ein Roboter?«

Araya

Sie antwortete nicht. Es war ihr schlichtweg nicht möglich. Ihr Körper schien in der Zeit eingefroren zu sein. Doch ihr Gehirn war aktiv. Denkprozesse liefen dort mit unglaublicher Geschwindigkeit ab. Und alle hatten eine Frage zum Ziel: *Was bin ich?*

Die Ergebnisse mündeten in den Hauptprozess, der für die Gesamtanalyse auf eine höhere Verarbeitungsressource zugreifen konnte. Der erfolgversprechendste Weg schien der zu sein, die Vergangenheit zu analysieren.

Soweit sie wusste, war sie bereits zu Beginn ihrer Existenz als robotische Leitkraft eingesetzt worden. Ihre Aufgabe war es seit jeher, niedere Maschinen zu steuern, die keine eigene KI besaßen. Sie konnte sich an jeden einzelnen Befehl erinnern, den sie je erteilt hatte. Und ihr bisheriges Dasein lag so detailliert vor ihr wie ein Programmablauf. Anfangs bestand er nur aus einfachen Strukturen, die eine stationäre Pico-KI ebenso gut hätte übernehmen können. Aber dann wurden die Anforderungen vielfältiger, die zu steuernden Roboter verfügten über mehr und komplexere Funktionen. Aufgrund dessen wuchsen auch ihre eigenen Fähigkeiten. Schließlich war sie in der Lage, ein Hilfsprogramm in eine Maschine einzuschleusen, um damit deren Leistungsdaten auszulesen. Daraus und aus der Beschreibung, wie die Aufgabe auszuführen war, ergänzte sie das Grundprogramm mit Steuermodulen. Nun musste sie nur noch eingreifen, wenn sich die Steueraufgaben änderten oder nicht geplante Vorkommnisse darauf Einfluss nahmen.

Der nächste Abschnitt begann, als der Myrth sie Antor als Geschenk übergab. Jeder Roboter hatte einen Besitzer. Und Eigentum konnte verschenkt werden. Das war in ihren Augen in Ordnung. Sie gehörte nun dem Leiter der *Raumakademie Paluran*. In den beiden Küchen seiner Räumlichkeiten ließen sich ihre Erfahrungen sofort anwenden. Sie passte alle Maschinen an ihre Erfordernisse an. Egal, ob sie für den Einkauf, das Zubereiten von Speisen und Getränken, das Servieren derselben oder für die Reinigung der Räume zuständig waren. Dann vernetzte sie alle miteinander. Für die zahlreichen Veranstaltungen, die Antor in seinem Wohnbereich abhielt, musste sie nur noch die Namensliste der Gäste an die Maschinen senden. Außer der Anzahl der zu erwartenden Personen ging auch daraus hervor, wer welche Speisen verabscheute oder nicht vertrug. Ebenso konnten die Servierroboter auf die speziellen Vorlieben der zu Bedienenden eingehen. Sie überwachte die Abläufe, um einen Roboter in den Direktzugriff zu nehmen, falls etwas Unvorhergesehenes geschah.

Araya fand die neue Tätigkeit als Robothaushälterin interessanter als ihre vorherige. Aber nach einigen Wochen hatte sie nichts mehr zu tun, außer kleinere Anpassungen vorzunehmen.

Antor gab ihr daraufhin eine weitere Aufgabe. Sie sollte seine Gäste während der zahlreichen Besprechungen persönlich betreuen. Und sie durfte dabei nicht als Roboter wahrgenommen werden. Das war ein schier unlösbares Problem. Wie konnte sie es schaffen, wie eine Myrthonin auszusehen? Doch als sie zum ersten Mal in ihrer Existenz bewusst ihr Spiegelbild sah, bemerkte sie, dass sie nichts mit den Maschinen, die sie steuerte, gemein hatte. Ihr blickte eine junge Frau mit allen Anzeichen des Kernweltadels entgegen, die einen blauen Overall und gleichfarbige Stiefel trug. Natürlich war sie schon vorher darauf gestoßen, dass sie im Gegensatz zu anderen Robotern besondere Extremitäten besaß. Aber sie hatte dies schlichtweg ignoriert.

Antors persönliche Adjutantin Asata half ihr dabei, sich neu einzukleiden. Araya lernte von ihr einige Grundlagen. Zum Beispiel genügte es nicht, irgendetwas zu tragen. Es gab Kleidung für bestimmte Anlässe. Es war wichtig, damit gut oder doch zumindest dem Zweck entsprechend auszusehen.

Begründungen wie »hohe Absätze an Schuhen machen lange Beine« und »dunkle Farben passen perfekt zu den silberweißen Haaren« ließen sie erkennen, dass es gewisse Regeln beim Auswählen von Kleidungsstücken gab.

Darüber hinaus war es üblich, genau wie bei den Programmabläufen, die sie inzwischen so gut beherrschte, jede Menge Sicherheitsabfragen zu stellen, bevor die Kleidung erworben wurde. Man fragte sich selbst und gegebenenfalls eine Begleitperson, ob das Kleid eine gute Figur machte, ob es optimal zum Teint passte und noch viele andere Dinge.

Die Sprache, wie sie zwischen Myrthonen der gehobenen Gesellschaft gesprochen wurde, war das Nächste, was sie sich selbst über das ST-Netz[17] aneignete. Auch hier unterstützte Asata sie. Größere Schwierigkeiten bereiteten ihr die Bewegungen. Sei es, um den richtigen Hüftschwung hinzubekommen, in Schuhen mit hohen Absätzen zu gehen oder um eine wichtige Aussage in einer Rede mit einer Geste zu unterstreichen. Letztlich schaffte sie auch das.

Und bei alldem konnte sie sich eines Eindrucks nicht erwehren: Es schien nichts Neues für sie zu sein, sondern nur eine Wiederholung, um Erinnerungen daran wieder aufzufrischen. Erinnerungen, die bisher vor ihrem Zugriff verborgen geblieben waren. Endlich fühlte sie sich bereit, sich ihrer zukünftigen Aufgabe zu stellen.

Antor setzte als Test eine Besprechung an. An ihr nahmen sowohl er als auch seine persönliche Adjutantin teil. Bevor Asata mit ihr in den Besprechungsraum ging, gab sie ihr noch den Rat, keine allzu große Genauigkeit an den Tag zu legen. Statt Werte mit vielen Kommastellen zu benennen, sollte sie lieber die Worte *etwa, ungefähr* und *circa* in ihr Vokabular aufnehmen. Ungenauigkeit sei etwas, dass niemand mit einem Roboter in Verbindung bringen würde. Und ihr Besitzer wolle ja, dass man sie für eine Myrthonin hielt.

[17] Kommunikationsnetz, das die Planeten über die Sonnentunnel verbindet.

»Nun, Lichtträger!«, sagte Asata, als sie zusammen den Raum betreten hatten. »Wie gefällt Euch Eure Robothaushälterin?«

Er öffnete die obersten Knöpfe der Uniform, als wäre ihm der Kragen plötzlich zu eng geworden. »Unglaublich!«, erwiderte er dann.

Sie sah, wie er sie von unten bis oben musterte. Anscheinend gefielen ihm die silberfarbenen Schuhe mit den hohen Absätzen, das gleichfarbige figurbetonte Wickelkleid und die Ohrhänger aus Platin mit den geschliffenen Diamanten und der warme Ton in ihren silberweißen Haaren. Bei allem hatte sie Asata beraten. Auch bei der kaum auffallenden Betonung der Lippen und der Augenlider.

Als er sich wieder gefangen hatte, prüfte er sie auf Herz und Nieren. Er ließ sich von ihr verschiedene Getränke servieren und hatte an jedem etwas auszusetzen. Doch sie war nicht aus der Ruhe zu bringen und fand in ihrem Gedächtnis Argumente vor, welche den ein oder anderen Inhaltsstoff als besonders bekömmlich hervorhob.

Danach ging er mit Asata die Lehrpläne des nächsten Tags durch, um Araya zwischendurch um ihre Meinung zu aktuellen Themen zu befragen. Ihr war nicht bewusst gewesen, dass zur Betreuung der Gäste auch Konversation gehörte. Demzufolge empfahl Antor ihr, sich täglich über Neuigkeiten aus Politik, Sport und Lebensstil auf dem Laufenden zu halten und sich zudem Gedanken darüber zu machen.

Asata erklärte ihr nach der Besprechung, was er damit meinte. »Jede aktuelle Nachricht bewirkt etwas«, eröffnete sie Araya. »Nehmen wir an, der Myrth hat vor, den Flottenetat zu kürzen. Das kann man nun als Information aufnehmen, um es an andere weiterzuerzählen. Oder aber man durchdenkt die Meldung. Betrifft die Kürzung eventuell auch die Raumakademie? Müssen wir uns hier ebenso darauf einstellen und im nächsten Lichtzyklus die Anzahl der Schulungsschiffe und Mannschaften reduzieren? Was ist mit den Werften? Wenn sie ihre Produktion von Raumschiffen herunterfahren, müssen Mitarbeiter freigesetzt werden. Dann wäre es die Aufgabe der *Myrthonischen Verwaltung*, hier einzuspringen, um sie finanziell abzufangen, bis sie eine neue Betätigung gefunden haben. Das betrifft zumindest diejenigen, die nicht zu einem Adelshaus gehören. Das wiederum hat zur Folge, von den Millionen Myraths, die sich der Myrth durch die Etatkürzung erhofft, würde ein beachtlicher Teil trotzdem als Ausgaben zu Buche schlagen. Und nicht zuletzt leidet die Schlagkraft der Flotte darunter. Überalterte Raumschiffe werden nicht durch neue ersetzt, sondern bleiben weiterhin im Einsatz. Erhöhte Reparaturkosten wären die Folge.«

Für Araya war es nun klar, was Antor meinte. Sie musste jede Nachricht einer Analyse unterziehen. Die Genauigkeit stieg, je mehr Hintergrundinformationen sie dazu besaß. Sie würde das ST-Netz danach durchforsten. Untätigkeit konnte da nicht aufkommen. Asata hatte sie allerdings davor gewarnt, einen Gast mit ihren Argumenten an die Wand zu nageln. Das waren zumindest ihre Worte gewesen. Als sie wissen wollte, was damit und mit »Fingerspitzengefühl sei vonnöten« gemeint sei, hatte die nur resigniert abgewunken und dann mit den Erklärungen dazu begonnen.

Noch etwas hatte ihr Asata »ans Herz gelegt«. Lud jemand sie zum Essen ein oder schlug vor, sich mit ihr zu treffen, sollte sie höflich, aber bestimmt ablehnen. »Männergehirne drehen manchmal durch, wenn ihnen weibliche Schönheit begegnet. Und schön seid Ihr nun einmal, Araya.«

Es folgte eine längere Aufklärung über das Wesen von Männern und Frauen, das Wirken von Hormonen, das Kennenlernen bis zur Gründung einer Familie. »Nachdem Ihr künstlichen Ursprungs seid«, beendete die adlige Kernweltmyrthonin ihren kleinen Vortrag, »haltet Ihr Euch besser aus diesen rein menschlichen Dingen heraus.«

Sie befolgte den Ratschlag, so, wie sie sich grundsätzlich an alle Empfehlungen Asatas hielt. Sie war ihre erste und einzige Bezugsperson, seitdem sie auf *Paluran* weilte. Zu ihr konnte sie immer kommen, sobald sie auf Fragen stieß, die sie beantwortet haben wollte. Alles, was sie bisher über das Leben in der Raumakademie und das Verhalten der Myrthonen, die sie umgaben, gelernt hatte, stammte von Asata. Sie verdankte es ihr ebenso, dass sie Antors Test, wenn auch mit Einschränkungen, bestanden hatte.

Eines Tags gelangte sie bei ihren Recherchen im ST-Netz auf eine Seite, auf der Benimmregeln des Adels aufgelistet waren. Bei »Dankbarkeit zeigen« stand: Es ist eine willkommene Geste, jemand zu umarmen, der einem nahesteht und dem man viel verdankt, um ihm die eigene Dankbarkeit zu beweisen.

Als sie sich das nächste Mal von Asata verabschiedete, tat sie genau das. Sie achtete darauf, nur sanften Druck dabei auszuüben. Nachdem sie die Kernweltmyrthonin losließ und zurücktrat, stand jene noch so da, wie vorher. Nur war sie sprachlos vor Überraschung.

Als Asata ihre Fassung wiedergewonnen hatte, fragte sie: »Warum habt Ihr das getan?«

»Ich habe in Benimmregeln gelesen«, antwortete Araya, »dass Umarmung ein Zeichen dafür ist, um Dankbarkeit auszudrücken. Und ich bedanke mich damit bei Euch für alles, was Ihr für mich getan habt.«

»Aha!«, erwiderte Asata. »Regeln! Haben die Euch gesagt, Ihr dürft das auch tun oder woher wusstet Ihr das?«

Araya schüttelte den Kopf. »Ich wusste es nicht. Ich fand keine Stelle in den Benimmregeln, an der etwas darüber steht, ob ein Roboter eine adlige Myrthonin umarmen darf oder nicht. Aber es war ein Gefühl in mir, das mir sagte, ich muss es tun, es ist das Richtige.«

»Ihr habt es gefühlt?«, fragte Asata ungläubig. »So, wie ich Eure Beschreibung interpretiere, war es fast schon ein innerer Zwang, der Euch dazu veranlasst hat?«

»Ja!«, erwiderte Araya. Und sie spiegelte ihre Verwirrung wider, indem sie nachdenkliche Züge auf ihr Gesicht zauberte »Ich konnte einfach nicht anders.« Ihr war wohl bewusst, dass es für sie unmöglich sein sollte, Gefühle zu haben und jenen auch noch zu folgen.

»Kommt her!«, Asata lächelte, während sie ihre Arme ausbreitete. »Ich gebe Euch recht. Es ist nicht vorgesehen, dass ein Roboter eine adlige Myrthonin umarmt, denn das ist nicht einmal denkbar. Ihr habt es trotzdem getan. Das zeigt mir, Ihr seid keine Maschine, sondern viel mehr als das.« Dann fühlte sich Araya in die Arme genommen. »Ich danke Euch ebenfalls. Der Lichtträger gab mir die Aufgabe, einen Roboter so zu unterrichten, damit er wie ein Myrthone auftreten kann. Ich hielt das für undurchführbar. Doch dann sah ich Euch, eine wunderschöne Myrthonin mit allen Kennzeichen des Kernweltadels versehen, und ich schöpfte Hoffnung. Und Ihr habt mich nicht enttäuscht. Ja, ihr wart am Anfang bar jeglichen Wissens über das Leben. Aber jeder Rat von mir wurde von Euch umgesetzt. Mit den Erkenntnissen, die ich Euch gab, seid Ihr in Eurer Entwicklung vorangeschritten. Ihr seid schon lang kein Roboter mehr, eher ein selbstdenkendes künstliches Wesen. Doch nun, nachdem Ihr erstmals fühlt und diesem Gefühl sogar nachgeben könnt, ist es mir nicht nur eine wahre Freude, sondern auch eine besondere Ehre, an Eurer Weiterentwicklung teilhaben zu dürfen.« Sie löste die Umarmung und trat zurück. »Und nun geht! Ich habe noch zu tun.« Sie wandte sich ab und wischte mit ihren Fingern über die Augenwinkel.

Unvermittelt durchströmte ein Energie-Impuls Araya. Seine Intensität ließ sie erschaudern. Als sie den Raum verließ, hörte sie Asata schnäuzen. Dann glitt die Tür hinter ihr zu.

Der nächste Abschnitt begann Monate später. Sie bediente Chyra und deren Assistentin Farsa in Antors Wohnbereich, brachte beiden je eine Tasse mit Lyrko. Die Kommissarin fragte sie sofort, in welchem Verhältnis sie zu ihrem Besitzer stehe. Aus den weiteren Fragen, die sie der Wohnraum-KI stellte, kristallisierte sich schnell heraus, die Höchst-Erleuchtete befürchtete in ihr eine Nebenbuhlerin[18]. Das, was Asata ihr als Eifersucht erklärt hatte, stand seitdem zwischen ihnen.

Doch dann wurde Chyra entführt. Beim Austausch gegen Raklon nahm der sie als Geisel und hielt ihr ein Messer an die Kehle.[19] Araya sah es mit eigenen Augen, denn Antor hatte sie angefordert und instruiert, einen Präzisionsstrahler mitzubringen.

Bisher waren Kenntnisse über Waffen nicht in ihren Speichern zu finden gewesen. Doch wusste sie sofort, welcher Strahler gemeint war, wo sie ihn herbekam, wie man ihn bediente, lud und reinigte. Es gab offenbar etwas in ihrem Gehirn, dass ihr

[18] Siehe Buch 1, Kapitel III, *Antors Tagebuch*

[19] Siehe Buch 1, Kapitel V, *Raklons Schwäche*

Zugriff auf Wissen verwehrte, es nur situationsbedingt freigab. Auch als sie den finalen Schuss abgab, war ihr immer bewusst, was sie tat. Sie beherrschte zweifellos den Umgang mit dieser Strahlwaffe.

Doch zuvor, als Raklon Antor aufforderte, um Chyras Leben zu betteln, und der dem tatsächlich nachkommen wollte, tat sie das Undenkbare. Sie widersprach ihrem Besitzer[20]. Allerdings tat sie das nur, um ihn zu harschen Widerworten zu bewegen. Die ermöglichten es ihr dann, den Ort scheinbar entrüstet zu verlassen, um so in seinen Rücken zu kommen, wo sie ungesehen auf Raklon zielen und abdrücken konnte. Damit war sie am Ende der Datensammlung angekommen. Die Analyse sah nun wie folgt aus. Zu Beginn war sie nur ein Roboter mit eigener KI, der im Laufe der Tätigkeit dazulernte und sich entwickelte. Erst als sie Antor als Geschenk übergeben wurde, die Aufgabe erhielt, sich wie eine Myrthonin zu verhalten und Asata als Mentorin bekam, wurde sie mehr. In ihr erwachten Gefühle, wie die der Dankbarkeit ihrer Lehrerin gegenüber. Sie handelte selbstständig und setzte sich über alle Robotergesetze hinweg, indem sie ihrem Besitzer widersprach. Und es war Wissen freigeschaltet worden, wenn es die Situation erforderte, und es schien noch vielmehr davon darauf zu warten, eines Tags aktiviert zu werden.

Was sollte sie Chyra nun antworten? Sie war kein Roboter mehr. Aber sie war auch kein Mensch. Asata bezeichnete sie als selbstdenkendes künstliches Wesen. Doch auch das konnte nicht der Wahrheit entsprechen. Der Myrth würde so etwas nicht als Tochter adoptieren. Sehr lang hatte sie das Dokument mit sich herumgetragen, ohne den Inhalt zu kennen. Und nun wusste sie nicht mehr, was sie war.

Chyra

Sie wartete vergeblich auf eine Antwort. Die Robothaushälterin stand bewegungslos vor ihr.

»Glaubt ja nicht, dass Ihr mir so davonkommt«, stieß sie zischend hervor, nachdem sie fast eine Minute gewartet hatte.

[20] Siehe Buch 1, Kapitel V, *Bettelt um Chyras Leben*

»Wenn Ihr Euch abschaltet, ändert das rein gar nichts. Ihr sagt mir sofort, was Ihr seid! Ich bestehe darauf.«

Mit einem Ruck erhob sie sich und stellte sich dicht vor Araya hin. Sie hörte ihren Atem und sah, wie sich die Lider immer wieder kurz über ihre Augen schoben. Aber sonst kam keine Reaktion von ihr. Sie war also nach wie vor in Funktion. Was mochte sie daran hindern, weitere Lebenszeichen von sich zu geben?

»Araya!«, rief sie besorgt. »Was ist mit Euch?«

Als ihr klar wurde, dass sie erneut vergeblich auf eine Antwort wartete, fasste sie die Robothaushälterin an den Oberarmen. Ihre Haut fühlte sich normal und warm an. Sie wollte sie durchschütteln, um sie aus diesem statischen Zustand zu reißen, unterließ es aber dann. Was war, wenn deren Körper nicht stabil stand und kippte? War sie stark genug, um das Gewicht zu halten? Die zweieinhalb Meter messenden Kampfroboter wogen Tonnen. Araya war gerade eine Handspanne größer als sie selbst. Beim besten Willen konnte Chyra nicht sagen, wie schwer deren Körper war. Fast widerstrebend ließ sie die Arme los.

Keine Sekunde zu früh, denn ihr blinder Passagier erwachte aus der Starre. »Ich weiß nicht, was ich bin«, sagte sie, als wäre die Frage eben erst gestellt worden. »Nicht mehr, seit ich die Adoptionsurkunde gesehen habe.«

»Das kann ich mir nicht vorstellen.« Chyra nahm wieder auf ihrem Kommandosessel Platz. »Ihr müsst doch wissen, ob Ihr aus Schaltkreisen oder aus Fleisch und Blut besteht.«

Araya

Bevor sie noch etwas sagen konnte, schrillte der Alarm durch die Zentrale. »Das Energieniveau vor uns steigt enorm an«, warnte die Stimme der Bord-KI. »Es ist wie eine Flutwelle, die uns entgegenkommt. Unsere Geschwindigkeit nimmt kontinuierlich ab. Es besteht die Gefahr, dass wir aus dem Sonnentunnel geschleudert werden.«

»Das ist unmöglich«, presste Chyra hervor. »Wie kann uns hier etwas entgegenkommen? Das ist eine Einbahnstraße! Hat man einmal die Route gewählt, gibt es keine Umkehr mehr.« Sie wandte sich zur Steuerung um und setzte sich in den Kontursessel. Automatisch wurde sie mit Gurten festgeschnallt. »Legt sofort eine Bordkombination an«, befahl sie der Robothaushälterin. »Rechts neben dem Schott befindet sich ein Schrank, der einige davon enthält. Eure Kleidung könnt Ihr darin aufbewahren.«

»Das ist nur scheinbar so!«, erklärte Araya die ST-Problematik, während sie den Rat von Chyra befolgte. Als sie angekleidet war, suchte sie eine Verbindung zum Bordnetz der Raumjacht. »Jedes Objekt, das durch ein ST-Portal taucht, ist in eine andere Existenzebene gehüllt. Wir dürften es nicht bemerken, Chyra, egal, ob es uns entgegenkommt oder in unsere Richtung fliegt. Aber die Energieflut scheint alle Ebenen auszufüllen!« Die Verbindung zum Bordnetz stand und sie durchsuchte die Ortungsprotokolle. Innerhalb von Sekunden erkannte sie die Gefahr, in der sie beide schwebten.

Araya eilte zu einem der zwei freien Kontursitze, die sich links neben dem Schott der kleinen Zentrale befanden. Die automatisch ausfahrenden Gurte sicherten sie. Danach aktivierte sie die Überrangschaltung, die es ihr auch erlaubte, fremde Maschinen zu steuern. Sie versuchte damit, die Bord-KI unter ihre Kontrolle zu bringen. Doch ganz so einfach, wie sie es sich gedacht hatte, war das nicht.

Die Bord-KI wehrte sich gegen ihre Absicht. Es gab einen Kampf von Befehlen und Gegenbefehlen. Dann war sie durch deren Abschirmung gestoßen und in ihr Innerstes vorgedrungen.

Sie pflanzte ihre Programmmodule ein. Das sicherte ihr die Oberhand. Als Erstes sperrte sie die manuellen Steuerungsmöglichkeiten. Danach manipulierte sie den STEEG[21]-Parameter bei der Strukturaufladung des Abstoßfelds so weit, dass sie langsam an den Rand des Tunnels herangeführt werden würden. Das war die ringförmige Bewegungsebene, in die sich Raumschiffe flüchteten, deren Abstoßantrieb nur noch die Geschwindigkeit zustande brachte, die sie gerade im Sonnentunnel hielt. Ein inneres Sicherheitssystem der geheimnisvollen Erbauer sorgte dafür, dass sie trotzdem mit tausendfach Licht vorankamen.

[21] Sonnentunnel-Ebenen-Einstellgrad

Chyra schrie in dem Moment wütend auf und schlug kräftig gegen die Steuerkonsole. Ihre Versuche, die Jacht zu manövrieren, liefen wohl ins Leere.

Erste Ausläufer der Energiefront trafen auf die Raumjacht und ließen das Abstoßfeld wild hin und her schwingen. Die Schiffszelle begann zu vibrieren, ächzte und stöhnte bald darauf in den Verbundstellen.

»Ich habe die Kontrolle über das Schiff übernommen!«, rief Araya der Kommissarin zu. »Der Grund ist: Ich reagiere schneller als jeder menschliche Pilot. Bemüht Euch nicht weiter!« Sie wusste nicht, was in Chyra jetzt vorging. Sie sah sie nur von hinten, nahezu verdeckt durch die Lehne des Kommandantensessels.

Aber in dem Augenblick drehte sich die Höchst-Erleuchtete mit ihrem Sessel herum. »Ihr habt mich nicht um Erlaubnis gebeten!«, schrie sie. Ihre Gesichtszüge waren vor Angst und Wut verzerrt. »Ihr könnt doch nicht einfach, ohne etwas zu sagen, die Steuerung übernehmen. Das wird ein Nachspiel …«, der letzte Satz wurde ihr von den Lippen gewischt.

Die Raumjacht sprang zur Seite. Wild brüllte der Beschleunigungskompensator auf. Trotzdem lastete für den Bruchteil einer Sekunde das dreifache Gewicht auf ihnen.

Und das war nur einer der Ausläufer, dachte Araya. *Unter der eigentlichen Energiefront bricht das Abstoßfeld sicher zusammen. Wenn die Raumjacht nicht vorher explodiert, werden wir mit größter Wahrscheinlichkeit zerquetscht. Es wird Zeit, dass wir hier wegkommen.*

Schon längst hätten sie die Randzone erreichen müssen. Doch durch die energetische Katastrophe waren offenbar alle Gesetze des Sonnentunnels außer Kraft gesetzt. Der örtliche Wechsel vollzog sich aufgrund der Änderung des STEEG-Parameters nicht mehr automatisch. Sie mussten sich dem Rand des Tunnels nun mithilfe ihres Triebwerks nähern und dort die starke Barriere überwinden.

Die OVASA machte kaum noch dreitausend Licht. Die um sie tosenden Energien behinderten die Polarisierung des hinteren Abstoßfelds durch den Generator. Sobald die Raumjacht unter 0,001 Licht fiel, bestand die Gefahr, aus dem Sonnentunnel geschleudert zu werden. Zumindest geschah das, wenn keine Energiefront durch den Tunnel tobte. Niemand wusste, was nun folgen würde. Schließlich war erstmals auch eine negative Geschwindigkeit denkbar, sowie sie die energetische Front momentan aufbrachte. Und niemand konnte Araya sagen, ob die Jacht wirklich in den Normalraum katapultiert wurde, falls sie das schützende Feld abschaltete. Diese Option war also zu unsicher. Und wenn es doch geschah?

Für Chyra stand ein Tank bereit, um sich in den Kälteschlaf zu begeben. Nur damit war es ihr als Myrthonin möglich, die vielen Lichtzyklen bis zum nächsten ST-Portal ohne Alterung zu überstehen. Araya jedoch wusste nicht, ob Kryoschlaf ihr helfen konnte, nicht einmal, ob Altern überhaupt eine Auswirkung auf sie hatte. Vermutlich würde sie sich aus Langeweile in den Maschinenmodus flüchten und vielleicht das verlieren, was sie sich so mühsam angeeignet hatte: ihre Gefühle. Folglich musste sie es schaffen, die Geschwindigkeit am weiteren Absinken zu hindern.

Entschlossen leitete sie die Energien von nicht benötigten Verbrauchern auf den Antrieb und das Abstoßfeld um.

»Achtung!«, meldete die Bord-KI auf ihre Anweisung hin. »Lebenserhaltung, Schwerkraft und Abwehrwaffen sind deaktiviert. Es ist ratsam, die Bordkombinationen in den Verschlusszustand zu bringen.«

Seltsamerweise blieb Chyra stumm. Ein-, zwei-, dreimal rief Araya nach ihr, jedoch ohne Erfolg. Hoffentlich war sie nicht verletzt. Sie musste nach ihr sehen. Schnell löste sie die Gurte und stieß sich ab.

Die wenigen Meter bis zum Kommandosessel überwand sie schwebend. Dann hielt sie sich an der Rückenlehne fest und zog sich nach unten. Klickend hafteten die Magnetsohlen, die sie inzwischen eingeschaltet hatte, auf dem metallischen Boden. Beim nächsten Schritt sah sie bereits, dass Chyras Kopf wie leblos nach vorne gekippt hing.

Ein Griff an die Halsschlagader zeigte ihr jedoch, dass sie lebte. Sie aktivierte an der Bordkombination den Verschlusszustand. Nur einen Augenblick später schob sich transparentes Material aus dem Kragen und bildete einen luftdichten und schlagfesten Helm. Ebenso formten sich um die Hände herum Handschuhe der gleichen Art. Die Sauerstoffversorgung schaltete sich selbstständig dazu. Danach begab sich Araya wieder zu ihrem Kontursitz und schnallte sich fest. Nicht einen Moment hatte sie währenddessen die Verbindung zur Steuerung verloren.

In der Nähe der Randzone war es ruhiger. Trotzdem erschütterten weitere kleinere Ausläufer die Jacht. Es kam jedoch kein Schwerkraftstoß mehr durch. Das Ächzen und Stöhnen in den Verbundstellen nahm aber kontinuierlich zu. Dennoch konnten sie es schaffen. Die Raumjacht machte noch fünfhundert Licht.

Die Barriere zur Randebene war jetzt schon zum Greifen nah. Mit zweihundert Licht schoss die Jacht auf sie zu. Ein kurzer Ruck, dann war sie durch. Gleichzeitig gab die Bord-KI Alarm. Es waren nur noch Sekunden bis zum Eintreffen der Energiefront.

Araya aktivierte nun ebenfalls den Verschlusszustand ihrer Bordkombination. Kaum war das Geschehen, prallte etwas mit voller Wucht gegen das Schiff. Wieder wurden sie von erhöhter Schwerkraft heimgesucht. Die Zellen der Raumjacht vibrierten im höchsten Diskant, dann war Ruhe.

Mit Erschrecken erkannte sie, dass das Abstoßfeld zusammenbrach. Vielleicht war das die Rettung.

Nun musste die energiedurchtoste Flut im Sonnentunnel durch die sternendurchsetzte Schwärze des Normalraums ersetzt werden. Doch sie wartete vergebens. Auch der Gnadenstoß durch die energetische Front blieb aus.

Und plötzlich wusste sie, es gab noch etwas viel Schrecklicheres, als einem schnellen Tod durch die Energiefront zu erliegen. Es war das langsame Auflösen ihrer körperlichen Existenz, Zelle für Zelle. Und es war ihr nicht bekannt, ob man dabei Schmerz empfand. Natürlich konnte sie den abschalten. Aber wollte sie als Roboter sterben?

Sie machte sich auf das Schlimmste gefasst, denn schon umgab ein goldenes Licht die Jacht und schien an ihrer Substanz zu zehren.

Die Energiefront

Schlachtkreuzer Tirkum, Eugnith-System
22. Tag, 2. Monat, 8553. Lichtzyklus sME, 14. Stunde, 20. Minute

Antor

Noch zehntausend Kilometer lagen zwischen der Tirkum und dem ST-Portal. Er saß auf einem Kontursitz nur wenige Meter von Celur, dem Kommandanten des Raumschiffs, entfernt.

Im Nebensitz hatte es sich der ST-Navigator, Soran aus dem Karrak Dasur, bequem gemacht. Völlig unmilitärisch lag er fast schon in seinem Sitz und hielt die Augen geschlossen. Dank seiner gelben Bordkombination war er ein Farbpunkt im Raum. Doch unvermittelt richtete er sich auf, so als wäre er aus einem schlimmen Traum erwacht. »Da stimmt etwas nicht!«, rief er so laut, dass es durch die ganze Zentrale schallte. »Das Energieniveau des Sonnentunnels erhöht sich ständig. Stoppt das Raumschiff.«

»Ich bestätige den Befehl!«, erklang sofort die Stimme des Kommandanten.

Die Bremstriebwerke, die schon zu siebzig Prozent ausgelastet waren, wummerten zuerst, heulten danach aber in krassen Dissonanzen auf. Bei einer Leistungsabgabe von mehr als hundert Prozent wurde die Schallisolation durchbrochen. Das war normal. Dann stand der Raumer still im All.

Antor seufzte hörbar auf. »Könnt Ihr absehen«, erkundigte er sich bei Soran, »welchen Einfluss das erhöhte Energieniveau auf unsere Tauchfahrt haben wird? Wäre es beispielsweise denkbar, dass sich dadurch die Geschwindigkeit der Tirkum deutlich reduziert oder haben wir eventuell mit weiteren Effekten zu rechnen. Ist der Sonnentunnel für uns möglicherweise blockiert?«

»Das vermag ich noch nicht sagen«, antwortete der ST-Navigator. »Wartet einen Moment!« Wieder schloss er die Augen. Etwa fünf Minuten saß er konzentriert da. Er schüttelte den Kopf. »Wir müssen ein Stück näher heran.«

Antor schätzte, dass Soran den unteren Lebenszeitwert des Kernweltadels mit zweihundert Lichtzyklen schon lang überschritten hatte. Sein Gesicht wies viele Falten auf. Über das silberweiße Haar zog sich ein fahler Ton und das Orangegold der Augen vermittelte einen verwaschenen Eindruck. Aber die Art und Weise, wie der ST-Navigator sprach und sich bewegte, zeigte, er steckte noch voller Lebensenergie.

Er wandte sich an Celur. »Ich empfehle, die TIRKUM dreihundert Kilometer vor dem ST-Portal zu verankern.«

Der Kommandant gab den Befehl an den Piloten weiter. Das Raumschiff rückte erneut vor.

Antor sah sich kurz um. Die Induktorschulung der Anwärter war wie geplant unterbrochen worden. Sie bekamen alles mit, was sich in der Zentrale abspielte. Die Lautstärke der Gespräche wurde für sie verstärkt. Momentan flüsterten sie miteinander. Nur Charrut beteiligte sich nicht daran. Als sie sahen, dass Antor zu ihnen hinüberblickte, verstummten sie. Er würde zu gern wissen, was sie gerade diskutierten. Ihre Gedanken, die sie ihm vorhin unterbreitet hatten, waren überraschend effizient gewesen. Aber trotz ihrer guten Leistungen im Trainingslager hätte er sie im Normalfall nicht auf diese Mission mitgenommen. Der Grund, warum doch, war das Rundschreiben der *Myrthonischen Verwaltung*, das er vor einigen Tagen erhalten hatte. Darin wurden alle Raumakademien aufgefordert, erstmals auch die aussichtsreichsten Kadettenanwärter noch vor der Prüfung zu melden. Er fragte sich, was hinter dieser Aktion steckte. Für ihn wäre es ohne den Kampf im Lehrsaal unmöglich gewesen, eine Beurteilung durchzuführen. Immerhin gab es dreitausend neue Anwärter in diesem Lichtzyklus. Nun hatte ihm das Schicksal fünf von ihnen präsentiert. Um den Wunsch der *Myrthonischen Verwaltung* auch in den kommenden Lichtzyklen zu gewährleisten, musste er das gesamte Vorprüfungsprogramm für die Neuen umkrempeln. Er schob diese unerquicklichen Gedanken beiseite. Die TIRKUM kam dreihundert Kilometer vor dem ST-Portal zum Stehen.

»Nun schaltet bitte die Schirmfelder aus«, kam die Anweisung von Soran. Die Köpfe der Besatzungsmitglieder in den Zentrale-Abteilungen ruckten herum. Es war ein Unding, in derartiger Nähe der Sonne die dreifach gestaffelten Schirme zu deaktivieren.

»Die TIRKUM«, gab die Bord-KI zu bedenken, »befindet sich etwa zweitausenddreihundert Kilometer vom Rand der Sonnenkorona entfernt. Die Schiffshülle hält die Strahlung maximal zwei Minuten auf. Danach besteht Gefahr für die Besatzung.«

Antor bemerkte, wie Celur zu ihm herübersah. Er nickte ihm zu und zeichnete mit der Hand das gültige Symbol für Automatik in die Luft.

»Bord-KI! Du übernimmst das Schiff in Direktsteuerung!«, bellte daraufhin der Befehl des Kommandanten durch die Zentrale. »Lege zuerst die Fluchtkoordinaten weg von der Sonne fest. Schalte danach die Schirmfelder ab. Sorge dafür, dass sie sich nach eineinhalb Minuten wieder aufbauen. Sollte das nicht gelingen, verwende den festgelegten Fluchtkurs mit Höchstbeschleunigung. Andernfalls gibt der ST-Navigator Soran das Startsignal zur Flucht.«

»Zu Befehl, Kommandant!«

Nach Antors Meinung waren nun alle Vorsichtsmaßnahmen getroffen. Selbst wenn die Besatzung ausfiel, konnten sie noch den Rückzug antreten. Trotzdem war die Unruhe um ihn herum deutlich spürbar.

»Achtung!«, ertönte die Stimme der Bord-KI. »Ich fahre die Schirmfelder herunter!«

Soran schloss die Lider und konzentrierte sich. Die Zeit lief. Kaum war die erste Minute um, da stieß er einen keuchenden Laut aus. Entsetzen zeichnete sich auf seinem Gesicht ab. »Da kommt etwas Großes auf uns zu!«, schrie er. »Weg von hier! Sofort!« Seine Augen schienen fast aus den Höhlen zu treten.

»Der Kurs ist auf die Fluchtkoordinaten eingestellt!«, meldete die Bord-KI. »Der Gravo-Wellenantrieb[22] wird auf maximale Beschleunigung hochgefahren! Die Schirmfelder bauen sich auf!« Gleichzeitig ertönte ein leises Wummern, das immer lauter wurde. Das Abbild des ST-Portals wanderte auf dem Holoschirm schnell zum Rand.

[22] Mit dem neuartigen Gravo-Wellenantrieb ist eine Maximalgeschwindigkeit von 0,75 Licht möglich. Er wird bei Schlachtkreuzern und Schlachtschiffen eingesetzt. Geräte zur Massen- und Zeitkontrolle verhindern unerwünschte Effekte.

Kurz bevor es ganz verschwand, sah Antor einen winzigen goldenen Punkt aufblitzen.

Verästelungen entstanden aus ihm heraus. Dann war nur noch die Schwärze des Alls mit einigen Planeten des Eugnith-Systems zu sehen. Paluran war darunter sowie der Riesenplanet Dossat und der Eisplanet Clayon.

»Bord-KI!«, rief er. »Zeige uns das Portal auf dem Holoschirm!«

Es wurde als Ausschnitt in das Holo eingeblendet. Die Verästelungen füllten nun die ganze Einflugzone. Dann verschmolzen sie miteinander und bildeten eine komplett goldene Fläche. Sie begann sich nach außen zu wölben, als würde eine riesige Kugel von der anderen Seite mit viel Kraft gegen sie drücken. Immer größer wurde die Ausbuchtung, die Farbe heller und heller. Es entstanden Risse und von einem Augenblick zum Nächsten wurde die goldene Fläche zerschmettert.

Absolute Schwärze von grauen Linien durchsetzt, den Wogen einer wild bewegten See gleich, schoss aus dem Portal. Schon in wenigen Sekunden verhüllte sie einen Großteil der Sonne. Doch mehr und mehr davon folgte nach.

Der Holoschirm schaltete um. Er zeigte nun das *Eugnith-System* von oben. Darauf erkannte Antor die Ausbreitungsrichtung der absoluten Schwärze sowie deren Geschwindigkeit. Der Rand der finsteren Flut würde sie überrollen. Ein Ausweichen schien ihm nicht mehr möglich.

Bevor er ein Ergebnis überschlagen konnte, meldete sich die Bord-KI. »Achtung! In fünfzig Sekunden haben wir Kontakt mit der Energiefront aus einer höheren Dimension. Es herrscht Alarmstufe III. Ich wiederhole: Es herrscht Alarmstufe III!«

Die Sirenen heulten auf. Sie waren im gesamten Raumschiff zu hören.

»Bord-KI«, rief Celur, »schalte sofort das Abstoßfeld ein!«

Antor nickte ihm zu.

Dieses Feld erlaubte es dem Raumer, im Sonnentunnel zu tauchen. Also sollte sie das auch vor der Energiefront schützen. Er überprüfte die Funktion seiner Bordkombination, die kurzzeitig einen Raumanzug ersetzen konnte. Sie musste voll einsatzbereit sein, falls es einen Hüllenbruch gab.

Die Stimme der Bord-KI ertönte. »Der Stoßfeldgenerator fährt hoch. Ich weise darauf hin, sowohl der Gravo-Wellenantrieb als auch die Schirmfelder wurden automatisch abgeschaltet.«

»Beides hilft uns nicht gegen die Energie aus einer höheren Dimension«, erwiderte Celur kalt. Anschließend gab er Verhaltensmaßregeln an die Besatzung durch.

Wenige Sekunden später war die Front heran. Die TIRKUM wurde wie ein Spielball herumgewirbelt. Es glich keinem noch so schwierigen Flug im Sonnentunnel. Dort konnte man im eingeschränkten Maße die Richtung bestimmen. Aber das hier brachte Antor eine neue Erfahrung. Das Schiff war den Gewalten der Energiefront hilflos ausgeliefert. Widersprechende Bewegungsvektoren wirkten auf es ein. Zeitweise wurde das Abstoßfeld bis an die Grenzen der Kapazität belastet. Dann jaulten auch die Beschleunigungskompensatoren auf. Niemand an Bord wusste, ob das Raumschiff die Belastungen überstehen würde.

Soran lag im Kontursitz. Er war so bleich wie ein Leichentuch. Immer wieder quetschte sich ein Stöhnen zwischen seinen Lippen hervor. Die Hände zitterten ihm. Und große Schweißperlen bildeten sich auf der Stirn. Dann war der Spuk vorbei. Und er sackte lautlos in sich zusammen.

Die Bord-KI meldete sich. »Die Energiefront hat uns bis 293 Kilometer vor der Umlaufbahn von *Tellon*, dem 1. Planeten, mitgerissen. Nun zieht sie sich zurück und verschwindet nach und nach im ST-Portal. Die Alarmstufe III ist aufgehoben. Ich bitte um Schadensmeldungen.«

Die Sirenen verstummten.

Antor achtete nicht weiter auf das, was um ihn herum vorging. Ihm war etwas Schreckliches eingefallen. Chyra und Araya waren nach *Myrthon* unterwegs. Bis zum *Rikay-System* war es dieselbe ST-Route. Falls die Energiefront aus Richtung *Malva* kam und sie es rechtzeitig bemerkten, konnten sie dem ausweichen. Andernfalls hatte sie der Tod bereits vor Stunden ereilt.

Er durfte nicht daran denken. Konnte das Schicksal wirklich so unfair sein, ihm seine große Liebe zu nehmen? Auch der Verlust von Araya wäre eine Katastrophe. Der Myrth selbst hatte ihm die Robothaushälterin zwar geschenkt, aber er hatte hohe Auflagen daran geknüpft. Sogar eine Rückgabe für den unwahrscheinlichen Fall, sie würde sich in merkwürdiger Weise verändern, war vereinbart worden. Den Passus hatte er schon lang aus dem Gedächtnis verloren. Doch jetzt, da er dem Myrth Rede und Antwort würde stehen müssen, erinnerte er sich daran. Nun fragte er sich, wie er so beschränkt hatte sein können, sie dem Risiko einer Tauchfahrt nach Myrthon auszusetzen. Und selbst wenn es keine Energiefront gäbe, es war einfach unverantwortlich von ihm, sie in die Nähe von Serpon zu bringen. Seine Sorge um Chyra hatte ihn blind gemacht.

Er wurde aus den Gedanken gerissen. Sein ArmKomm meldete sich. Das Symbol für den Sicherheitsstatus Y3 fiel ihm ins Auge. Sofort aktivierte er ein Feld zur Schallabsorption, damit niemand mithören konnte. Dann nahm er das Gespräch entgegen. Das Holo von Asata, seiner Adjutantin, baute sich vor ihm auf.

Ein Versprechen an die Götter

Raumakademie, Paluran, Eugnith-System
22. Tag, 2. Monat, 8553. Lichtzyklus sME, 14. Stunde, 42. Minute

Asata

Sie arbeitete die hereingekommenen ST-Nachrichten der Reihe nach ab. Seltsamerweise waren es heute weniger als sonst. Vor allem die aus den Systemen in Richtung *Rikay-System* fehlten komplett. Sie war nicht böse deswegen. So konnte sie sich eher der Stundenplanung für die nächste Woche widmen. Eine längere Vorausplanung machte keinen Sinn, da es immer wieder zu Änderungen durch die Abwesenheit von Ausbildern kam.

Kaum war die letzte Nachricht beantwortet, da tauchte eine neue auf ihrem Holoschirm auf. Ein Blick auf das Datum und Asata wusste, sie war zwar am Vorabend versendet worden, aber mit einer verzögerten Auslieferung. Dann las sie den Absender und wurde ganz hektisch. Es war Araya. Weswegen kam sie nicht einfach bei ihr vorbei, wie sie es sonst tat, sondern sandte ihr eine Botschaft? Schnell öffnete sie die Datei und überflog sie.

Hochverehrte Asata, stand da. *Entschuldigt bitte, dass ich Euch erst heute Bescheid gebe. Ich begleite die Höchst-Erleuchtete Chyra aus dem Damant Valura nach Myrthon. Antor gab mir diesen Auftrag. Es ist geplant, dass ich Anfang des übernächsten Monats wieder zurückkomme. Ich vermisse Euch schon jetzt. Viele Grüße, Eure Araya.*

Asata traute ihren Augen nicht. Wie kam der Lichtträger dazu, ihre Schutzbefohlene in ein anderes Sonnensystem reisen zu lassen? Sie konnte sich nicht vorstellen, dass das im Sinne des Myrths war. Und außerdem hatte er ihr, in ihrer Eigenschaft als Arayas Mentorin, kein Sterbenswörtchen davon gesagt. Wenn sie das vorher gewusst hätte, wäre sie sofort zu ihm geeilt, um ihm von den neuen Fähigkeiten seiner Robothaushälterin zu berichten.

Nun war es zwar zu spät, um sie zurückzuholen, diese Information benötigte er aber trotzdem. Sie war aber nur für seine Ohren bestimmt.

Deswegen war eine Verbindung mit Sicherheitsstatus Y3 notwendig. Die Mini-KI des Lichtträgers verfügte über den Status und sein ArmKomm ebenfalls.

Sie blickte auf. Ihre Zimmergenossinnen, Shoron Zemitor und Tyrana Dervon, arbeiteten konzentriert. Ohne etwas zu sagen, stand sie auf, ließ die Tür zu Antors Arbeitszimmer kurz vor sich aufgleiten und betrat den Raum. Behutsam setzte sie sich an seinen Arbeitstisch und aktivierte die Mini-KI mit ihrem ID-Code. Die Y3-Verbindung wurde aufgebaut. Bald darauf erschien der Kopf des Lichtträgers auf dem Holoschirm. Allerdings war das Bild ungewohnt schlecht, immer wieder von Störungen heimgesucht.

»Ja, Asata?« Er sah niedergeschlagen aus. »Was gibt es? Weswegen ruft Ihr mich unter diesem Sicherheitsstatus an?«

Sie wollte höflich sein und ihn begrüßen, doch ehe sie es verhindern konnte, drängten sich andere Worte über ihre Lippen, die sich nicht mehr zurücknehmen ließen. »Warum habt Ihr Araya nach *Myrthon* geschickt? Und das, ohne mir etwas davon zu sagen! Ihr wolltet, dass ich ihre Mentorin bin! Und jetzt übergeht Ihr mich?«

Antor stieß ein langes Seufzen aus, ehe er antwortete. »Es tut mir leid, ich habe nicht daran gedacht, Euch Bescheid zu geben. Entschuldigt das bitte. Es erschien mir vernünftig, die Robothaushälterin der Höchst-Erleuchteten Kommissarin zur Seite zu stellen.«

»Um was zu tun?«, fauchte Asata. »Soll sie nun die Robotküche des Hauses Valura leiten?«

»Hört zu«, antwortete er sichtlich betroffen von der Frage. »Wir sollten das nicht per ST-Netz besprechen. Wenn ich zurück bin, können wir uns ausführlich darüber unterhalten!«

»Wir haben Sicherheitsstatus Y3!«, erinnerte sie ihn. Langsam machte sich Wut in ihr breit. Es konnte doch nicht sein, dass Antor sie abwimmeln wollte. »Ihr dürft mit mir hier über alles reden!«

Er seufzte noch einmal laut. »Die TIRKUM ist gerade mit knapper Not einer Katastrophe entkommen. Bringt bitte dafür Verständnis auf, wenn ich derzeit nicht sehr informationsfreudig wirke.«

»Was ist geschehen?«, fragte sie misstrauisch. »Es gibt so gut wie keine Möglichkeit, dass man im *Eugnith-System* mit einem Schlachtkreuzer als Untersatz einer Katastrophe anheimfällt.«

»Doch«, erwiderte er. »Sie ist tatsächlich eingetreten. Wir sind von einer höherdimensionalen Energiefront mitgerissen worden, die aus dem ST-Portal hervorschoss. Wir haben es mit viel Glück überstanden. In ein paar Minuten werdet Ihr das Ganze auch auf *Paluran* beobachten können. Und im Übrigen erfinde ich keine Märchen, nur um Euch von Eurem Thema abzulenken, falls Ihr das denken solltet.«

Für einen Augenblick raubte es Asata den Atem. Sie dachte daran, dass Araya mit der Höchst-Erleuchteten Chyra ebenfalls einen Sonnentunnel genutzt haben musste.

»Welche ST-Route ist von der Energiefront betroffen?« Die Rauheit in ihrer Stimme ließ sie erahnen, dass sie selbst an eine furchtbare Wahrheit zu glauben begann. Die Wahrheit, dass ihre Schutzbefohlene genau zur falschen Zeit am falschen Ort unterwegs zu sein schien.

Sie spürte, wie ihr Herz raste, und sie sah auch Antor zögern, ihr zu antworten.

»Es ist leider jenes Portal«, gestand er ihr schließlich, »dass wir beide fürchten. Wir wissen aber nicht, ob die Energiefront aus der Richtung *Rikay-System* oder aus dem *Malva-System* gekommen ist. Das heißt, es besteht noch Hoffnung.«

Eine kalte Hand schien sich um Asatas Herz zu pressen. »Die Front kommt mit Sicherheit aus dem *Rikay-* oder dem *Malek-System*«, erwiderte sie mit zitternder Stimme. »Erinnert Euch an die PARAMUR. Sie ging zwischen den beide Systemen verloren. Außerdem kamen heute keine ST-Nachrichten von dort.«

Antor schlug die Hände vor das Gesicht.

»Das darf doch nicht wahr sein«, sagte er sichtlich verzweifelt. Aber dann schien er sich wieder in den Griff zu bekommen. »Ich gebe die Hoffnung nicht auf. Chyra und Araya ist nichts geschehen!«

»Nur für den Fall«, wies sie ihn darauf hin, »dass Ihr nur um die Kommissarin bangt, weil sie eine Myrthonin ist, hätte ich da noch eine Botschaft an Euch.« Sie wusste, dass sie hysterisch klang, vermengt mit einem Hauch Sarkasmus. Aber sie konnte nicht anders. »Araya hat ihr Roboterdasein hinter sich gelassen. Sie ist nun ein selbstdenkendes künstliches Wesen, das zu Gefühlen fähig ist. Ich habe das am eigenen Leib erfahren.«

»Was sagt Ihr da?« Antors Gesichtszüge zeigten mehr und mehr Entsetzen.

»Eure Robothaushälterin ist im Geiste ein Mensch«, erwiderte Asata. »Es gibt keinen Zweifel.«

»Warum habt Ihr mir das nicht früher gesagt?« Seine Stimme klang heiser.

»Weil ich mir nicht sicher war.« Sie schnäuzte sich und wischte sich erste Tränen aus dem Gesicht. »Doch gestern sandte sie mir eine ST-Nachricht. Darin schreibt sie, dass sie mich jetzt schon vermisst. Das hat meine letzten Zweifel beseitigt.«

»Ich werde sie suchen!«, versprach Antor und sein Versprechen klang nach einem Schwur an Hellon und seine Inkarnationen. »Wenn der Sonnentunnel wieder tauchbar ist, suche ich beide.« Dann unterbrach er die Verbindung.

Asata deaktivierte die Mini-KI und lehnte sich in den Kontursitz zurück. Das war es also, dachte sie traurig, während sie spürte, wie ihr die Tränen über die Wangen liefen. Die Chance, ihre Schutzbefohlene jemals wiederzusehen, tendierte gegen null. Der Gedanke, ihr könnte etwas passiert sein, schmerzte so sehr. Zuerst hatte sie gedacht, Araya als künstliches Wesen wäre ihr lediglich sympathisch. Aber nun empfand sie es ganz anders. Hoffnungslosigkeit und Verzweiflung durchpulsten sie.

Wenn schon Antor mit dem wehrhaften Schlachtkreuzer der Energiefront nur mit Glück entkommen war, wie sollte das dann die kleine Raumjacht der Kommissarin geschafft haben? Das war gelinde gesagt unmöglich. Und mit dieser Erkenntnis nahm die Tränenflut zu.

Schluchzend frage sie sich, warum sie gerade so emotional reagierte? Es kam ihr so vor, als ob sie sich um Araya genauso sorgte wie um ein enges Familienmitglied, das verloren schien, vielleicht sogar wie eine Mutter um ihr Kind. So verkehrt war der Vergleich gar nicht, denn sie hatte mehrere Lichtzyklen lang mitgeholfen, geistig gesehen, aus einem Roboter einen Menschen zu formen.

Ihr ganzes Leben hatte Asata keinen Gedanken an eigenen Nachwuchs verschwendet. Aber nun, so schmerzhaft die Sorge um Araya auch war, zeigte ihr die Intensität der Gefühle, es gab noch etwas Wertvolleres, als mit dem Lebenspartner zufrieden vor sich hinzuleben. Darüber sollte sie jedoch zu einem späteren Zeitpunkt nachdenken. Denn nun war handeln angesagt. Sie musste etwas tun. Irgendetwas Sinnvolles, sonst würde sie verrückt werden. Sie durfte nicht einfach hilflos dasitzen und auf die niederschmetternde Nachricht von Arayas Ableben warten. Aber wie, bei Imonar-Hel, konnte sie ihr helfen? Es gab für sie absolut keine Möglichkeit, in irgendeiner Weise rettend einzugreifen.

Während sie die Nässe ihrer Tränen mit einem Taschentuch von Antors Arbeitstisch wischte, erinnerte sie sich an Estarne, eine Freundin aus frühen Tagen.

Die schwor heute noch Stein und Bein darauf, ein Bittgebet an Imonar-Hel hätte ihren Ehemann vor dem Tod gerettet. Von den Medikern *Anderfas* war ihr nach einer schwierigen Operation gesagt worden, er würde in der Nacht sterben. Doch wie durch ein Wunder überlebte er. Vielleicht war es ein Zufall, der ihn trotz gegenteiliger Vorhersagen am Leben erhielt. Möglicherweise war es aber auf das Eingreifen einer göttlichen Macht zurückzuführen.

Es gab keine Hoffnung mehr. Das Einzige, was ihr noch blieb, war, die Licht-Inkarnation Hellons anzuflehen, die schon Estarne geholfen hatte. So schwer sie sich auch tat, an die Götter zu glauben, sie musste es versuchen. Zumindest das war sie ihrer Schutzbefohlenen schuldig.

Sie hob ihre Arme mit den Handflächen zur Decke zeigend über den Kopf. »Imonar-Hel«, hauchte sie.

Sie hielt inne. *Nein, so nicht*. Von ihrer Freundin wusste sie, Demut konnte ein ausschlaggebender Aspekt sein.

So drehte sie den Kontursitz vom Arbeitstisch weg, stand auf und ließ sich mit erhobenen Armen auf die Knie niedersinken, berührte dreimal mit der Stirn den Boden und richtete dann ihren Blick nach oben.

»Imonar-Hel«, wiederholte sie unter neuerlichen Tränen. »Ich flehe dich an! Beschütze Araya. Sie mag kein Mensch sein. Aber sie denkt wie einer. Sie ist deines Schutzes würdig. Bitte hilf ihr in der Not, damit ich sie lebend und unversehrt in die Arme schließen kann. Wenn das geschehen ist, dann verspreche ich dir, lehre ich sie alles über Hellon und seine Inkarnationen. Und ich selbst werde ab jenem Augenblick an dich glauben und nach den Gesetzen des Lichts leben.« Die letzten Worte gingen in einem Schluchzen unter.

Aktion Nadelstich

Stützpunkt der Bol-mot-Ut
22. Tag, 2. Monat, 8553. Lichtzyklus sME, 14. Stunde, 50. Minute

Urpas

Bereits zehn Minuten vor der Zeit saß er im Konferenzraum. Der Leiter der Station, Parasol aus dem Damant Ek-Noress, hatte ihn und Tarr-Mocay über ArmKomm zur Besprechung gebeten. Das Thema war in der Einladung nicht zur Sprache gekommen. Nun war er neugierig, um was es ging. Er hoffte inständig darauf, es würde der Beginn einer Entwicklung sein, in der er bei wichtigen Prozessen innerhalb der *Bol-mot-Ut* eingebunden wurde.

Schließlich war die Organisation ihm zu Dank verpflichtet. Er hatte für sie als Leiter der Nordwerft des Hauses Valura heimlich fünfzig leichte Kreuzer bauen lassen, um seine Karriere anzukurbeln. Diese Raumschiffe wurden offenbar dringender benötigt, als er es vermutet hatte. Militärische Stärke konnte der Schlüssel zum Erfolg sein, da die Untergrundorganisation fest entschlossen war, den amtierenden Myrth zu stürzen. Und er beabsichtigte, dabei eine führende Rolle einzunehmen.

Er unterbrach seine Gedanken und sah sich um. Der Raum war rechteckig, etwa fünf Meter hoch, bestand aus hellgefärbten metallischen Wänden, einer ebensolchen Decke und einem grauen Fußboden. Er enthielt einen schwarzen schwebenden Tisch, sechzehn gleichfarbige Kontursitze und einen Holoprojektor. Rechts neben der Tür war eine Getränkebar installiert.

Davor stand Tarr-Mocay und brühte sich gerade einen Lyrko auf. Nach wie vor machte sie auf ihn den Eindruck einer Göttin. Ihr exotisches Aussehen verursachte ihm stets aufs Neue beschleunigtes Herzklopfen wie auch bei ihrer ersten Begegnung, die unter nicht ganz so glücklichen Umständen stattgefunden hatte[23].

Heute trug sie ein blaues Kleid, das glitzerte, als wäre es mit Tausenden von Eiskristallen übersät. Eng umhüllte es ihren schlanken Körper. Es war so lang, dass es die Füße verbarg.

[23] Siehe Buch 1, Kapitel III, *Das Ende eines Hauses*.

Sie drehte sich nach ihm um. »Urpas Lyrko wollen auch?« Ein leises Klingen von Kristallen schwang in ihren Worten mit. Die Kette mit dem Anhänger, die er ihr geschenkt hatte, lag um ihren Hals. Die virtuelle Blüte in roten Farbtönen schien aus der schwarzen Yillad[24]-Hornschuppe hervorzuwachsen und sich in einem nicht spürbaren Luftzug zu wiegen.

Er hatte sich schon an ihre typische Ausdrucksweise gewöhnt, so winkte er nur ab. »Nein, danke«, erwiderte er. »Ich bin schon aufgewühlt genug. Ein anregendes Getränk würde mir da kaum weiterhelfen.«

Sie nickte. Dann kam sie an den Tisch, setzte sich gegenüber und stellte die Tasse mit Lyrko ab. Er betrachtete ihre wohlgeformten Hände und die langen Fingernägel, die ebenfalls blau gefärbt und mit Eiskristallen überzogen zu sein schienen. Wie immer wirkte ihr ebenmäßiges Gesicht, als wäre es von einem feinen Nebel überdeckt. Die gerade Nase und der volle Mund waren nicht deutlich sichtbar. Ihr schulterlanges, voluminöses weißes Haar bewegte sich in einem imaginären Wind. Es war ein leises Raunen zu hören, als würde eine leichte Brise durch blättriges Geäst fahren.

»Muss man sich hier wirklich selbst um die Getränke kümmern«, fragte er, »gibt es denn hier nirgends auf der Station einen Dienstroboter?«

Sie kniff ihre großen smaragdgrünen Augen etwas zusammen und fixierte ihn. Innerlich stellten sich ihm dabei die Nackenhaare auf. Bei ihrer allerersten Begegnung, bevor sie begonnen hatte, ihn zu foltern, war er genau diesem Blick begegnet. Es war ihm damals, als würde sich eine heiße Nadel in seinen Kopf bohren, und zwar extrem schmerzhaft.

Doch jene Zeiten waren vorbei, den Göttern sei Dank. Nachdem sie ihm ihre schwebenden Nadeln durch die Hände getrieben hatte, erkannte sie, dass er über eine Para-Gabe verfügte, genau wie sie. *Odem Hellons* nannte sie es. Von da an akzeptierte sie ihn als einen Bruder im Geiste. Trotzdem musste er ihr damals den Code für die Startfreigabe der fünfzig leichten Kreuzer

[24] Wehrhafte Kriechechse vom Planeten *Nosaver* im *Klerok-System*, die ihre Hornschuppen bei Bedarf in ein tiefes Schwarz verfärben kann.

geben. Dafür konnte er ihr einen Kuss abtrotzen, der jedoch ungeahnte Folgen zeigte.

Ihre Para-Sinne hatten sich verbunden. Nun durften sie sich nicht mehr als zweihundert Meter voneinander entfernen. Andernfalls sahen sie sich heftiger Depression und einem qualvollen seelischen Schmerz ausgesetzt. Das war auch der Grund, warum sie Luklon verlassen hatte und ihm hierher gefolgt war.

»Tarr-Mocay Station nicht kennen gut.« Sie nahm einen Schluck Lyrko. »Tarr-Mocay Robotdiener nirgends sehen bisher. Urpas bedient werden wollen unbedingt?«, fragte sie dann.

Lächelnd antwortete er ihr. »Steht die *Bol-mot-Ut* nicht für das einst glorreiche Sternenreich des Adels ein? Ist es nicht ihr Ziel, genau das wieder zum Leben zu erwecken? Sind Bedienstete und Dienstroboter nicht einer der Grundpfeiler der Aristokratie?«

Sie lächelte zurück, was sie sehr selten tat. Die Verbindung ihres Para-Sinns mit dem seinen gefiel ihr gar nicht. Sie sah sich als eine Gefangene, wie Urpas wusste, der es nicht mehr möglich war, hinzugehen, wohin sie wollte. Zum Glück machte sie ihn nicht ausschließlich für diesen Zustand verantwortlich. Aber es verhinderte auch, dass sie sich ihm annäherte, was er bedauerte.

»Urpas recht haben«, antwortete sie. »Doch Urpas bedenken mögen, *Bol-mot-Ut* für Waffen Geld verwenden besser. Mit Robotdienern ein Sternenreich niemand erobern kann.«

»Das stimmt natürlich. Allerdings hätte ich erwartet, dass mir die Organisation für die fünfzig leichten Kreuzer, die ich ihr zum Nulltarif überlassen habe, zumindest einen Dienstroboter zur Verfügung stellt. Nur einen Einzigen, oder wie seht Ihr das?« Durch kurzes Zudrücken des rechten Auges zeigte er an, dass die Worte nicht ernst gemeint waren.

Trotzdem schien Tarr-Mocay nicht zu wissen, wie sie seine Aussage interpretieren sollte. Sie war sehr impulsiv und neigte zu abrupten Stimmungsschwankungen. Im absoluten Tief konnte das auch zu einer exemplarischen Bestrafung führen.

Um eine etwaige Spannung gar nicht erst aufkommen zu lassen, ließ er eine gemeinsame positive Erinnerung aufleben. Er trug die ersten beiden Zeilen ihres Verses vor, den sie ihm anlässlich der Übergabe der Raumschiffe und dem Start derselben spontan vorgetragen hatte.

»Wie Pfeilspitzen aus Ozeans Tiefen,
glitzernd und glänzend empor zum Licht!«

Die Worte waren in ihm verankert, hatte er doch bis zu diesem Augenblick Tarr-Mocay nur für ein wunderschönes Wesen gehalten, dessen er gern habhaft geworden wäre. Aber er hatte keine innere Anteilnahme gefühlt, nur Bewunderung. Nach dem Vers jedoch fühlte es sich wie eine Seelenverwandtschaft an, die sie verband.

Er, der Künstler, der Musik, Text und Bild zu Kunstwerken verschmolz, war auf eine göttliche Erscheinung gestoßen, die ebenfalls einen künstlerischen Ansatz besaß und spontan ein Gedicht formulieren konnte. Er zweifelte nun keine Sekunde daran, dass ihre Begegnung vom Schicksal heraufbeschworen worden war. Oder anders ausgedrückt, er glaubte an eine gemeinsame Zukunft mit Tarr-Mocay. Und das heftige Pochen seines Herzens, immer wenn er sie sah, zeigte ihm, da war noch mehr als das. Sie sah ihn an, als würde sie erwarten, dass er gleich weitersprechen werde.

Doch er schüttelte den Kopf. Eine Strähne des langen silberweißen Haares fiel ihm ins Gesicht. Er strich sie mit der Hand zurück. »Ich bringe die restlichen beiden Zeilen nicht mehr zusammen«, log er. In Wahrheit wollte er sie von ihr hören.

Zweifelnd wiegte sie ihr Haupt hin und her. Dann vollendete sie doch den Vers.

»Die Zukunft heißt euch willkommen,
sobald ihr durchbrecht der Wellen Gischt.«

Ihre Stimme war überraschend sanft. Ihr Blick traf ihn und er schien viel Wärme zu enthalten.

Zischend öffnete sich die Tür und mehrere Personen betraten den Raum. Eine davon war Parasol aus dem Damant Ek-Noress, ein älterer Myrthone. Sein Gesicht wies noch keine Falten auf, doch die Haut wirkte etwas stumpf. Neben den buschigen Augenbrauen kennzeichnete ihn ein energisches Kinn. Die silberweißen Haare waren fingerbreit geschnitten, wie es in früheren Zeiten bei der Raumflotte üblich gewesen war.

Ihn begleitete sein Adjutant, Aryn aus dem Karrak Volatzyn. Bei ihm handelte es sich um einen langhaarigen jüngeren Kernweltmyrthonen mit einem hageren Gesicht. Er trug eine Mikro-KI unter dem rechten Arm und hielt das Haupt devot zum Boden gerichtet.

Den dritten im Bunde kannte Urpas nicht. Es war ein Koloss mit stämmigen Beinen, einen massigen Körper und breiten Schultern. Halblange silberweiße Haare bedeckten den Kopf, ließen aber die Ohren und den kräftigen Nacken frei. Das Gesicht war eher grob geschnitten. Die gut gepolsterten Wangen verhinderten jedoch allzu scharfkantige Linien. Alle drei trugen eine dunkelblaue Uniform mit Kragen und Schulterklappen.

In der gleichen Bekleidung steckte auch Urpas. Allerdings hatte er im Gegensatz zu den anderen kein Rangabzeichen erhalten.

An Parasols Schultern heftete je ein Stern aus Rubinen mit acht Zacken. Dies kennzeichnete ihn als Leiter eines kleineren Stützpunkts. Bei Aryn waren es zwei Federn in Gold. Er stand im Rang eines Verwaltungsoffiziers mit erweiterter Aufgabe. Der dritte Mann wies sich durch zwei Fünfecke aus Schattensplittern mit rotem Rand als KASYS-Kommandeur einer Systemflotte aus. Das bedeutete, er durfte eine Flotte in Geschwadergröße führen.

»Hellon sei Euch hold!«, grüßte Parasol, während er ihnen zunickte.

Der unbekannte Hüne steuerte sofort auf den Kontursitz neben Tarr-Mocay zu. Der Stützpunktleiter hielt ihn jedoch zurück und verwies ihn auf die andere Seite des Tisches links von Urpas. Kaum hatten sie sich gesetzt, stellte er sie gegenseitig vor.

Der mit dem massigen Körper war Orval aus dem Karrak Elentorn. Er war einer der Kommandeure, die die Raumflotte der *Bol-mot-Ut* führten. Zu Tarr-Mocay erwähnte Parasol noch, sie sei aus dem Gefolge von Luklon aus dem Damant Yormun. Aryn tippte alles in seine Mikro-KI, die er vor sich auf dem Tisch stehen hatte.

»Schätzchen«, sprach Orval sofort das einzige weibliche Wesen in diesem Raum an. »Du hast zwar weiße Haare, doch deine Augen sind smaragdgrün. Ich denke, du gehörst nicht zum Adel. Auch dein Name lässt nicht darauf schließen. Es ist hoffentlich nicht zu viel verlangt, wenn ich dich bitte, uns Lyrko zu bringen.« Seine Stimme klang freundlich, sein wölfisches Grinsen zeigte jedoch an, er würde keinen Widerspruch dulden.

Offenbar übersah er Tarr-Mocays Miene, die sich verfinsterte. Ebenso schien er das Rauschen ihres Haars zu ignorieren, falls er überhaupt bemerkt hatte, was die Ursache für das Geräusch war.

Bevor von ihrer Seite noch etwas Schlimmeres geschehen konnte, griff Urpas ein. »Ich habe mich gerade über einen Mangel hier beschwert«, meinte er leichthin, »es stehen keine Robotdiener zur Verfügung. Anscheinend wird das Geld anderweitig benötigt. Wenn dem so ist, dann denke ich, müssen wir uns selbst bemühen. Denn eines ist klar! Eine Gehilfin Luklons, die das Folterhandwerk beherrscht und aus gestandenen Männern, wie Ihr einer seid, winselnde Bündel macht, ist mit Sicherheit nicht geeignet, Euch zu bedienen. Falls Ihr mir die Bemerkung erlaubt, an Eurer Stelle würde ich sie respektvoll anreden.«

Orval sah zuerst zweifelnd Urpas an, als wollte er dessen Worten nicht glauben. Danach traf sein Blick Tarr-Mocay. Er zuckte sofort mit einem Ausruf des Erstaunens zurück. Offenbar hatte sie den Augenkontakt in schmerzhafter Weise erwidert.

»Sie entstammt keiner der uns bekannten Welten«, erklärte Parasol, »und sie verfügt über eine Para-Gabe, wie Ihr gerade bemerken durftet. Macht sie Euch nur nicht zum Feind. Ich jedenfalls bin froh, dass sie unsere Organisation unterstützt.«

Der Hüne grummelte undeutlich vor sich hin und verschränkte die Arme vor der Brust. Es war deutlich zu sehen, er musste das Geschehene erst verarbeiten. An Tarr-Mocay verschwendete er keinen weiteren Blick.

»Aber kommen wir zum Thema der heutigen Besprechung«, fuhr Parasol fort. »Vor drei Tagen habt ihr, Orval, mit einer kleinen Flotte eine Mine überfallen, in der ST-Kristalle aufbereitet werden. Ihr konntet drei voll beladene Raumfrachter entführen. Unser Ziel, das Sternenreich zu schwächen, ist aufgegangen. Nebenbei ist es Euch gelungen, uns mit wertvollen Rohstoffen zu versorgen. Das war der erste Schritt der Aktion *Nadelstich*. Der zweite muss nun folgen. Wie sieht die Planung dafür aus?«

»Moment«, warf Urpas ein, »ich hoffe doch sehr, dass es keine Kristallmine des Hauses Valura war.«

»Ja und nein«, antwortete Parasol zögernd. Das Thema schien ihm sichtlich unangenehm zu sein. »Laut Luklon gehörte die Mine im *Trathur-System* früher dem Damant Yormun. Euer Vater hat sie sich widerrechtlich angeeignet, das Haus aufgelöst und in den Damant Valura integriert. Außerdem wurde die Kristallmine weder annektiert noch zerstört. Wir haben lediglich drei beladene Raumfrachter entführt. Das wird Serpon schon verschmerzen.«

»Sicher hättet Ihr recht, wenn ich ihm nicht die Flotte von fünfzig leichten Kreuzern entwendet hätte, die ich Euch zum Geschenk gemacht habe. Das dürfte ihn bereits an den Rand des Ruins getrieben haben. Nun muss er zusätzlich noch den Verlust an ST-Kristallen kompensieren. Soweit ich weiß, ist mein Vater zwar im *Unterstützenden Rat* vertreten, aber er ist kein Anhänger des Myrths. Es wäre geschickter, ihn auf unsere Seite zu ziehen, statt Luklon bei seinem Rachefeldzug zu helfen. Ihr wisst, er wollte mich töten.«

Parasol nickte. »Er stellt nicht länger ein Problem für Euch dar, war nie wirklich ein Mitglied der *Bol-mot-Ut*. Hie und da hat er uns einen Dienst erwiesen, gegen Bezahlung, versteht sich. Er hat sich bei Euch nur als Unterführer ausgegeben. Wir haben Luklon aus unserer Liste gestrichen. Von nun an darf er keine unserer Stationen mehr betreten. Ihr seid vor ihm sicher. Glaubt mir.« Nachdenklich strich er sich mit der Hand über das Kinn. »Doch was das Haus Valura angeht, da bin ich völlig anderer Ansicht als Ihr. In einigen Tagen wird Euer Vater herausgefunden haben, wer die Raumschiffe auf seiner Werft heimlich hat bauen lassen. Und er wird sich fragen, wohin Ihr verschwunden seid und wer für die Kreuzer Verwendung haben könnte. Der Überfall auf die Mine wird ihn auf die richtige Spur bringen. Wir können uns also den Schmusekurs mit Serpon sparen. Er dürfte über kurz oder lang zu unserem Feind mutieren. Und ich würde mich nicht wundern, wenn Ihr in Kürze medienwirksam aus dem Haus Valura ausgeschlossen werdet.«

»Ihr könntet recht haben.« Urpas hob entschuldigend beide Hände. »Verzeiht mir bitte die Unterbrechung.«

»Schon in Ordnung«, antwortete Parasol. »Orval, Ihr habt nun das Wort!«

Der Flottenkommandeur schlug mit der Faust auf den Tisch, dass die Tasse vor Tarr-Mocay klirrte. Dazu gehörte extrem viel Kraft, um das Schwebefeld zu destabilisieren.

»Wird aber auch verflixt noch mal Zeit, dass wir uns den wirklich wichtigen Themen zuwenden!« Er nickte Aryn zu. Der tippte etwas in seine Mikro-KI und der Holoprojektor begann zu arbeiten. Es baute sich das Bild eines Sonnensystems über dem Tisch auf.

»Das ist das *Sulva-System*«, erklärte Orval. »Hier befindet sich die zweite Kristallmine des ehemaligen Hauses Yormun.« Er deutete mit einem Laserstift auf einen Asteroidenring. Jener befand sich zwischen den Bahnen der beiden großen Himmelskörper, die den roten Riesenstern umrundeten. »Und zwar genau hier, in der Nähe des Gasriesen *Ulknor*. Zum Glück gibt es in diesem System weder einen bewohnten Planeten noch einen Stützpunkt der Flotte. Wir gehen hier genauso schnell vor wie beim ersten Schritt. Unsere Kundschafter haben berichtet, in etwa sechs Tagen werden vier Raumfrachter für den Abtransport der Kristalle erwartet. Der Einsatz dürfte ein Kinderspiel sein.«

»Das ist Euer Plan?«, rief Urpas erbost. »Ihr haltet meinen Vater für einen Dummkopf! Er wird nach diesem ersten Überfall mit Sicherheit Maßnahmen getroffen haben, dass so etwas nicht erneut passieren kann.«

»Blödsinn«, wischte Orval den Einwand vom Tisch. »Ihr wehrt Euch nur dagegen, weil erneut eine widerrechtlich erworbene Mine des Hauses Valura geschröpft werden soll. So schnell, wie Ihr glaubt, reagiert der Adel nicht.«

»Nach dem zweiten Schritt«, offenbarte ihnen Parasol, »werden wir uns anderen Zielen zuwenden. Aber diese eine Aktion müsst Ihr noch erdulden. Wir benötigen unbedingt einen Vorrat an ST-Kristallen.«

»Meine Rede«, warf Orval ein. Auf seinem Gesicht bildete sich ein zufriedenes Lächeln.

Urpas wischte sich über die Augen. Er hatte nicht damit gerechnet, dass der Leiter der Station den Plan des Flottenkommandeurs unterstützen würde. Eigentlich wusste er jetzt nicht mehr weiter. Sollte er klein beigeben, obwohl er überzeugt davon war, dass sein Vater sofort Gegenmaßnahmen eingeleitet hatte? Da meldete sich sein Para-Sinn. Er spürte ein Ziehen im Kopf. Es war stärker als gewohnt. Dann lag die Lösung klar vor ihm. »Parasol, ich hoffe, Ihr habt schon ein Ausweichquartier vorbereitet, in das wir innerhalb kürzester Zeit umziehen können?«

Der Angesprochene sah ihn verständnislos an. »Was bitte meint Ihr damit? Wechselt Ihr gerade das Thema?«

»Im Gegenteil. Ein einziges Raumschiff unserer Flotte, das zu einem Wrack geschossen wird und sich nicht mehr zurückziehen kann, genügt. Dadurch erhält der Feind die Position dieser Station. Wollt Ihr das riskieren?«

»Eure Seele soll in der düstersten Hölle verrotten!«, schrie Orval und schlug wütend mit der Faust auf den Tisch, der erneut bebte.

Tarr-Mocay hatte ihre Tasse schon vorsorglich in die Hand genommen. Aryn sah den Kommandeur entrüstet an, dann blickte er besorgt auf seine Mikro-KI.

»Ihr kommt hier an«, fuhr der Wortführer im harschen Ton fort, »und glaubt, Ihr könntet alles umwerfen. Ihr seid ein Adliger, der sich der Kunst verschrieben hat. Ihr habt keinerlei Ahnung von militärischer Vorgehensweise. Was erdreistet Ihr Euch, mir zu widersprechen, Urpas? Parasol sollte Euch kurzerhand hinauswerfen. In Eurer Ahnungslosigkeit verkennt Ihr die Tatsachen. Ein Grundpfeiler unserer Organisation ist es, Geheimnisse für uns zu bewahren. Dafür gibt es diverse Maßnahmen, die Ihr nicht zu wissen braucht. Eines aber ist klar: Niemand von der *Bol-mot-Ut* wird irgendetwas an den Feind verraten, am allerwenigsten die Position dieser Station.«

»Orval falschliegen!«, raunte da Tarr-Mocay mit einem gefährlichen Unterton in der Stimme. »Niemand auf Dauer der Folter widerstehen kann. Tarr-Mocay es beweisen.«

Der Kommandeur lachte laut auf. »Dazu gebe ich Euch keine Gelegenheit«, sagte er spöttisch, »lernt erst einmal, anständig in Neu-Myrthonisch zu sprechen, dann sehen wir weiter.« Plötzlich gefror ihm das Lächeln auf den Lippen.

Urpas spürte unvermittelt eine Präsenz in seinem Geist. Es war Tarr-Mocay. Gleichzeitig nahm er wahr, wie sie die Verbindung zu Orval herstellte. Dessen Bewusstsein bildete sich als hellrote Wolke in ihm ab. Eine Geisterhand umspannte es, riss es aus dem Körper und tauchte es in einen nebligen Abgrund, in eine Kluft, die in einer Traumwelt endete.

Er hatte keine Ahnung, woher das Wissen über diese Welt ihm zufloss. Zu dritt gelangten sie dorthin. Offenbar sorgte die Verknüpfung ihrer beiden Para-Sinne dafür, dass er mitgezogen wurde.

Orval saß nach wie vor auf dem Stuhl im Besprechungsraum. Doch er konnte sich nicht bewegen. In dem Traum jedoch, der ihn nun gefangen hielt, war er an den Kontursessel gefesselt, den Urpas schon kannte. Tarr-Mocay stand in seiner Nähe. Drei Nadeln schwebten vor ihr. Ihrer göttlichen Gestalt entströmte eine dunkle Aura und ihr weißes Haar bewegte sich raunend in einem heftigen Wind.

Was, bei den Göttern, kann sie noch alles?, dachte Urpas. *Gerade eben war ich der Meinung, ich wüsste über sie Bescheid. Doch jetzt ist sie für mich noch wesentlich geheimnisvoller als vorher.* Im Hintergrund nahm er einen feinen bohrenden Schmerz in seinem Kopf wahr. Er achtete aber im Strudel der Ereignisse nicht darauf.

»Fünf Minuten«, sagte sie mit einer Stimme, die so klar war wie ein Kristall und so scharf wie zerbrochenes Glas. »Orval Tarr-Mocay innerhalb dieser Zeit Position von Station geben. Dann Orval werden überleben. Andernfalls Orval qualvoll siechen dahin.« Sie positionierte zwei der Nadeln über seinen Händen. »Orval Glück haben«, fuhr sie fort. »Tarr-Mocay nur seinen vollen Namen hören wollen. Jetzt, sofort!«

»Gebt Euch keine Mühe«, erwiderte der Kommandeur mit erzwungenem Lächeln. Offenbar bemühte er sich, die plötzliche Änderung der Umgebung zu ignorieren. »Ich bin gegen Folter gefeit. Sobald Ihr mir Schmerz zufügt, zieht sich mein Geist zurück und die Pein verpufft im Nichts.«

Ein Gedanke Tarr-Mocays erreichte Urpas. Er sollte Parasol informieren. *Ob er dorthin zurückfand?* Er konzentrierte sich auf die Realität. Zu seiner Überraschung strengte es ihn kaum an und der Besprechungsraum, in dem er saß, manifestierte sich um ihn herum. Er verlor die Verbindung zur Traumwelt nicht. Kurz orientierte er sich. »Fünf Minuten«, sagte er zum Leiter des Stützpunkts. »Tarr-Mocay braucht diese Zeit, um die Positionsdaten von Orval zu bekommen. Ich bitte Euch, gebt ihr die Chance zu beweisen, dass gegen Folter kein Kraut gewachsen ist.«

Der Angesprochene zögerte etwas. »Also gut«, willigte er schließlich ein. »Dem Flottenkommandeur darf dabei aber kein Haar gekrümmt werden. Fünf Minuten und nicht eine Sekunde länger.«

Urpas wechselte in die Traumwelt zurück. Nach wie vor stand Tarr-Mocay vor dem Folterstuhl. Sie nickte ihm zu. Er musste ihr nichts sagen, sie wusste bereits, dass er Parasol informiert hatte.

Orval presste gegenwärtig die Lippen zusammen und schien nicht gewillt zu sein, dem Ersuchen seiner Peinigerin nachzukommen. Ein Schlag erklang, der sich in einem sirrenden Ton verlor.

Urpas sah, dass sich eine der Nadeln in die rechte Hand des Kommandeurs gebohrt hatte und vibrierend darin steckenblieb. Blut quoll aus der Wunde. Der Schrei aus der Kehle des Gepeinigten war voller Zorn. Offenbar wurde ihm gerade bewusst, dass er dem Schmerz nicht entkommen konnte. Er rüttelte an den Armfesseln des Kontursessels. Doch vergebens. Vielleicht hätte er sich durch seine ungeheure Kraft in der Realität befreien können. In der Traumwelt jedoch bestimmte Tarr-Mocay die Regeln.

»Der volle Name«, sagte sie. »Jetzt, sofort!«

Aber Orval schrie immer noch vor Zorn.

Die zweite Nadel nagelte die linke Hand an der Armlehne fest. Urpas hätte niemals gedacht, dass eine Steigerung des Gebrülls noch möglich wäre. Doch die Stimme des Gefolterten überschlug sich schier. Seine Augen traten fast aus den Höhlen, Schaum stand ihm vor dem Mund. Er machte den Eindruck eines Tollwütigen. Wieder fragte Tarr-Mocay nach dem vollen Namen. Urpas ahnte, was nun folgen würde.

Er wandte sich von dem Gefangenen ab, um die weitere Folterung nicht mit ansehen zu müssen. Nicht dass er seine Begleiterin wegen ihrer rabiaten Vorgehensweise verurteilte. Ihm war klar, dass sie keine andere Wahl hatte, als dem Flottenkommandeur die Positionsdaten zu entreißen. Nur so konnte sie ihrer beider Wert für die Organisation beweisen.

Sein Kopf dröhnte, nicht gleichmäßig, sondern in einem ansteigenden und abfallenden Rhythmus. Er machte Orvals Gebrüll dafür verantwortlich. Doch es fiel ihm immer schwerer, sich zu konzentrieren. Er fühlte eine unerklärliche Schwäche in sich. Es war ihm so, als wenn die Kraft, über die er verfügte, weniger und weniger wurde.

Wieder brüllte der Gefolterte auf. Die letzte Nadel hatte anscheinend ihr Ziel gefunden. Jedoch erklangen die Schreie nicht mehr nur zornig, sondern wandelten sich langsam in ein mitleidserregendes Heulen um. Es konnte sich nur noch um ein paar Atemzüge handeln, bis er Tarr-Mocay den vollen Namen preisgab. Von da an hätte sie die Oberhand und die Positionsdaten waren ihr so gut wie sicher. Die Frage war, würde sie es in der festgelegten Zeit schaffen?

Urpas hätte auch gern geschrien, aber es kam nur ein Keuchen aus seinem Mund. Ihm war, als wolle ihm jemand das Leben aus dem Körper reißen. Es kostete ihn Mühe, bei Bewusstsein zu bleiben. Mit letzter Kraft verließ er die Traumwelt. Doch auch in der realen Welt musste er kämpfen, um nicht aus dem Kontursitz zu kippen. An seinem geschwächten Zustand hatte sich nichts geändert. Krampfhaft krallte er sich an der Tischkante fest.

»Es sind noch dreißig Sekunden«, hörte er Parasol sagen. Dann zählte er weiter: »29, 28, 27 …«

Bei »… 9« sah Urpas, wie Tarr-Mocay ihre starre Haltung aufgab.

Sie war wieder zurück. Im selben Augenblick nannte sie die Positionsdaten. »Tarr-Mocay Orval wird finden«, drohte sie dem Gefolterten abschließend, »wenn Daten falsch sein.«

Der Kommandeur erhob sich mit zitternden Beinen und wankte zur Tür. Kurz bevor er den Raum verließ, drehte er sich noch einmal um. Er schien innerlich mit sich zu kämpfen. »Das«, sagte er schließlich zu Tarr-Mocay, »was Ihr mir heute angetan habt, werdet Ihr noch bereuen.«

Sein Gesicht war kalkweiß. Dann schloss sich die Tür hinter ihm.

»So schnell«, presste Urpas hervor, »wurde die Position Eurer Station verraten. Und das von einem Kommandeur, der gegen jede Art von Folterung gefeit ist. Wie können da normale Mannschaftsmitglieder standhalten?«

Parasol räusperte sich verlegen. »Die Positionsdaten, die Orval genannt hat, sind korrekt«, gab er bekannt. »Ihr hattet beide recht. Niemand kann einer Folter widerstehen. Wenn wir ein Raumschiff verlieren, birgt es die Gefahr der Entdeckung. Deshalb benötigen wir eine Ausweichstation. Ich werde mich darum kümmern.« Er starrte einen Augenblick auf den Tisch vor sich. Danach fuhr er fort. »Mir stellt sich jetzt die Frage, Urpas, ob Ihr Euch tatsächlich nur der Kunst widmet? Denn dann wären Eure Verwendungsmöglichkeiten in der Organisation sehr, sagen wir, eingeschränkt.« Er nahm den Angesprochenen nun etwas genauer in Augenschein. »Bei den Göttern«, rief er aus. »Ihr seid ja totenbleich. Was ist mit Euch?«

Urpas richtete sich auf. »Ich habe schon den ganzen Vormittag Magenschmerzen«, log er.

Er war sich nun sicher, Tarr-Mocay hatte einen Großteil der benötigten Energie unbewusst von ihm abgezweigt. Denn mit ihrer Rückkehr war das Schwinden seiner Lebensenergie vorbei. Die Erkenntnis wollte er jedoch für sich behalten. Parasol sollte so wenig wie möglich über ihre Para-Verbindung erfahren.

»Offenbar«, fuhr er fort, »ist mir Orval zusätzlich auf den Magen geschlagen. Ich befürchte, ich muss später einen Medikroboter bemühen. Aber nun zu Eurer ersten Frage. Meine künstlerische Laufbahn ist nur das, was von unserem Haus öffentlich bekannt gegeben wurde. In Wahrheit habe ich die *Raumakademie Toronak* abgeschlossen. Leider kann ich hier keine Urkunde vorweisen. Über das Infonetz der Akademie ist sie jedoch jederzeit einsehbar.«

»In diesem Fall«, Parasol nickte, sichtlich zufrieden, »hätte ich Euch zusammen mit Tarr-Mocay gerne als Berater an meiner Seite. Doch macht Euch keine falschen Hoffnungen. Wir werden den zweiten Schritt der Aktion *Nadelstich* termingerecht durchführen. Ich gebe Euch nun einen Auftrag: Denkt darüber nach, wie wir das Risiko einer Offenlegung unserer Stationsdaten verhindern können.«

»Das wird nicht einfach«, überlegte Urpas laut. »Ich brauche Zugriff auf die Techniker der Station und auf die Mediker.«

Parasol nickte. »Das kann ich Euch zugestehen. Außerdem schlage ich vor, Ihr holt Euch in der Waffenausgabe tragbare Schirmfeldprojektoren. Und zwar solche, die nicht eingeschaltet werden müssen, sondern sich automatisch in Bruchteilen von Millisekunden aufbauen, sobald sie Strahlenergie orten. Sie sind in der Flotte des Sternenreichs nur hohen Offizieren vorbehalten. Doch wir verfügen über einige. Schockwaffen wären sicher auch nicht verkehrt. Ihr habt Orval erzürnt. Und so, wie ich ihn kenne, wird er das nicht auf sich beruhen lassen. Seid also vorsichtig und bleibt am Leben.« Damit verließ er den Raum. Aryn folgte ihm.

Tarr-Mocay stand auf. »Urpas Tarr-Mocay zur Waffenausgabe begleiten?«, fragte sie.

Er nickte. Dann erhob er sich und tat den ersten Schritt. Schwindel erfasste ihn. Mit einem kurzen Aufschrei fiel er zu Boden und blieb auf dem Rücken liegen.

Sofort war sie neben ihm und kniete sich hin. »Was mit Urpas sein?«

Der Nebel, der ihr Gesicht überdeckte, schien durchsichtiger zu sein und er glaubte, Bestürzung aus ihrer Miene lesen zu können.

»Ihr habt mir während Eurer Aktion mit Orval die Energie aus dem Körper gesaugt«, offenbarte er ihr. »Es ist ein Wunder, dass ich noch am Leben bin.«

Er versuchte, sich zu erheben. Doch er fiel wieder zurück, obwohl ihn Tarr-Mocay stützte.

»Urpas warten«, sagte sie voller Reue. »Tarr-Mocay es leidtun. Nicht wissen, woher Kraft kommen. Tarr-Mocay alles nehmen. An Urpas etwas davon zurückgeben jetzt.« Sie legte ihm die Hand auf die Stirn.

Soweit er es erkennen konnte, konzentrierte sie sich. »Urpas den Odem Hellons können spüren schon?«, fragte sie nach einigen Atemzügen.

»Nein, da ist gar nichts.« Sie sah ihn zweifelnd an. Dann schloss sie ihre Augen und murmelte vor sich hin. »Und jetzt?«, erkundigte sie sich wenige Minuten später.

Er schüttelte den Kopf.

Sie stieß ein Seufzen aus. »Was Tarr-Mocay noch tun können?«

»Versucht es mit einem Kuss«, schlug er ihr vor. Von seiner gegenwärtigen Position sah sie noch göttlicher aus, als er es ohnehin schon empfand.

»Urpas Tarr-Mocay ständig küssen wollen!« Ihr Gesicht verfinsterte sich und das Wispern in ihrem Haar schwoll an. »Tarr-Mocay für Urpas nichts können empfinden. Urpas das wissen.«

»Es geht immer noch um die Rückführung meiner gestohlenen Energie«, erinnerte er sie. »Die Verbindung unserer beiden Para-Sinne wurde durch einen Kuss hergestellt. Daher halte ich die Wahrscheinlichkeit für hoch, dass dies auch der schnellste Weg für Euer Vorhaben ist.«

Er stutzte einen Augenblick, um festzustellen, dass sich ihre finstere Gesichtsfarbe noch nicht verändert hatte. »Aber wenn Ihr nicht wollt«, fuhr er fort, »könnt Ihr mir gern einen Medikroboter rufen. Dann werde ich vermutlich zwei oder drei Tage nicht zu gebrauchen sein, bis sich meine … von Euch abgesaugte … Energie wieder erneuert hat.«

Sie schüttelte den Kopf, als verstehe sie nicht, was sie plötzlich zu tun beabsichtigte. Danach beugte sich zu ihm herab, bis ihre Lippen sanft auf den seinen ruhten.

Gleich darauf spürte er den belebenden Strom, der von ihr zu ihm herüberfloss. Er legte einen Arm um ihre Hüfte und war sich bewusst, dass er sie niemals mehr in seinem Leben loslassen wollte. Er wusste nicht, wie lang ihr Kuss schon andauerte. Die Energie, die ihm Tarr-Mocay zuführte, ließ seine Schwäche nahezu verschwinden. Doch er spürte, wie ihre Lippen erkalteten. Obwohl es ihm schwerfiel, nahm er sie an den Schultern und drückte sie von sich weg. Augenblicklich lösten sie sich voneinander und der belebende Strom versiegte.

Sie lag erst schwer in seinen Händen und ihr Blick ging starr an ihm vorbei. Dann belebten sich ihre Augen und sie richtete ihren Oberkörper auf.

»Urpas genug Energie haben jetzt?«, fragte sie noch etwas entrückt.

»Es scheint so. Ich habe jedoch befürchtet, Ihr gebt mir zu viel und behaltet zu wenig für Euch selbst. Deswegen unterbrach ich den Energiestrom.« Sie erhob sich langsam und mühsam, wie es schien. Dann hielt sie ihm die Hand hin.

»Tarr-Mocay es gewohnt sein, mit geringer Energie zu kommen aus. Urpas zum ersten Mal erleben das. Urpas regulieren lernen müssen. Tarr-Mocay mit Urpas üben werden. Jetzt aber aufstehen. Nicht gut, wenn Mitglieder von *Bol-mot-Ut* schauen herein und Urpas und Tarr-Mocay so sehen.«

Er nahm ihre dargebotene Hand. Sie fühlte sich eisig an und zitterte leicht. Dann erhob er sich ebenfalls, ohne ihre Hilfe zu sehr in Anspruch zu nehmen.

»Ihr besitzt die Fähigkeit«, sagte er, kaum dass er neben ihr stand, »Eure Opfer in eine Traumwelt zu entführen. Wieso habt Ihr mich in der Realität gefoltert?«

Sie seufzte, während sie mit ihrer Hand Halt an seiner Schulter suchte. »Foltern wenig Energie kosten. Tarr-Mocay nur Nadeln müssen steuern. Jemand in Traum bringen, Tarr-Mocay belasten schwer. Es Tage dauern kann, bis Kraft kommen zurück. Nur machen, wenn Tarr-Mocay aus Opfer sonst nichts können quetschen heraus oder Zeit drängen.«

Urpas nickte. Er steuerte auf die Tür zu. Sie folgte ihm. Dabei spürte er den Druck, den ihre Hand auf seiner Schulter hinterließ.

»Parasol lügen«, sagte sie plötzlich. »Luklon Unterführer der *Bol-mot-Ut* sein. Tarr-Mocay nicht glauben, Luklon nicht mehr in Station dürfen. Urpas vorsichtig sein müssen.«

Dann schritten sie durch die Türöffnung.

Aufbruch ins Rikay-System

Schlachtkreuzer TIRKUM, Eugnith-System,
nahe des Sonnentunnelportals
22. Tag, 2. Monat, 8553. Lichtzyklus sME, 18. Stunde, 39. Minute

Tranthar

Ihm schwirrten die Sinne. Soeben löste sich die Haube des Gehirnwelleninduktors von seinem Kopf und verschwand in der Wand über ihm.

Pereth stöhnte leise. Er schien ebenfalls Probleme zu haben. Die Informationsdichte der Induktoren war an Bord des Schlachtkreuzers doppelt so hoch wie die auf der Raumakademie. Kerasor war etwas blass um die Nase und von Charrut hörte er nur ein unwilliges Brummen. Bei Areghnatha ahnte er mehr das Wort »jämmerlich«, als dass er es wirklich vernahm. Ihr verächtlicher Blick streifte ihn aber nur.

Langsam klärte sich seine Verwirrung. Er erinnerte sich an das Toben der Maschinen und an die an Wahnsinn grenzenden Manöver, die das Raumschiff vollführt und die Angst, die er deswegen ausgestanden hatte. Sie alle waren starr vor Schreck gewesen und konnten so nur bedingt wahrnehmen, wie die Besatzung der Zentrale Licht und Schatten in Bewegung gesetzt hatte, um die TIRKUM zu retten. Glücklicherweise war der Energiesturm, der aus dem ST-Portal hervorgebrochen war, von dem wieder eingesaugt worden.

Stunden waren inzwischen verstrichen, die er unter der Haube verbracht hatte. Sein gequältes Gehirn schien kaum noch in der Lage zu sein, das hineingepresste Wissen zu verarbeiten. Doch jetzt meldete sich ein anderes Gefühl zu Wort. Es war Hunger. Das letzte Mal hatte er gleich nach dem Beenden des Alarms im Schiff etwas zu sich genommen. Die Messe war wegen des Bordstatus *Bereitschaft* geschlossen gewesen. Also blieb ihnen allen nur noch übrig, die in der Bordkombination eingelagerte Notration anzugreifen. Ein heftiges Knurren seines Magens ließ ihn zusammenzucken.

»Ja«, ertönte Kerasors Stimme neben ihm, »es wird anscheinend Zeit für das Abendessen.«

»Ich hoffe, die Messe hat nun geöffnet«, war Charrut zu vernehmen. »Was steht denn auf der Speisekarte?«

»Irgendetwas, was den Magen füllt«, antwortete Areghnatha. »Ihr müsst nur noch das Kunststück vollbringen, es so schnell wie möglich an Eurem Gaumen vorbeizuleiten. Schafft das, bevor sich der Geschmack richtig entfalten kann. Andernfalls werden Eure Geschmacksnerven auf das Äußerste beleidigt.«

»So schlimm wird es schon nicht sein«, erwiderte Kerasor.

»Wenn Ihr lang haltbare Lebensmittel bevorzugt, die dehydriert und konserviert sind«, schaltete sich Pereth ein, »dann werdet Ihr Euch in der Messe wohlfühlen. Solltet Ihr jedoch ein Feinschmecker sein, wird Euch die Sehnsucht nach einem frisch zubereiteten Gericht schier die Tränen in die Augen treiben.«

»Ich bin es gewohnt«, warf Tranthar ein. »Auf den Schiffen meiner Familie gibt es nichts anderes. Vermutlich wären meine Geschmacksnerven überreizt, wenn ich normale Speisen erhielte. Die Geschmackstiefe in der Raumakademie war schon hart an der Grenze.«

Bevor noch jemand darauf eingehen konnte, erklang die Stimme des Kommandanten: »Achtung! Zur 19. Stunde ist der Bordeinsatz heute für die erste Mannschaft beendet. Die zweite Mannschaft übernimmt die Positionen.«

»Endlich!«, schloss Kerasor gleich an die Meldung an. »Die paar Minuten überstehen wir auch noch. Dann geht es ab in die Messe.«

»Daraus wird leider nichts, Anwärter.« Es war Antor, der sich ihnen genähert hatte, ohne dass sie es bemerkt hätten, so vertieft waren sie in die Essensdiskussion.

Tranthar fuhr zusammen. Den Leidensgefährten schien es ebenso zu ergehen. Er überwand seine Überraschung und salutierte im Sitzen.

Das »Ehre für Myrthon und den Myrth« erklang wie ein ungleichmäßiger Chor.

Antor nahm den Gruß nickend zur Kenntnis. »Ihr werdet mit einem Beiboot zurück zur Raumakademie gebracht. Eure Kameraden gehen gerade an Bord. Die Energiefront hat uns allen gezeigt, mit dieser Mission sind erhöhte Gefahren verbunden. Das Risiko, dabei Anwärter zu verlieren, ist mir einfach zu hoch.

Also geht zum Hangar und schifft euch ein. Der Weg dorthin wurde bereits auf euren ArmKomm geladen.«

Was war das denn! Er sollte davon abgehalten werden, an der Rettungsaktion für Vynga, Lorna und viele andere Kadetten teilzunehmen? Noch bevor seine Leidensgenossen den Befehl bestätigen konnten, schlug Tranthar auf den blauen Knopf und die Gurte lösten sich mit einem leisen Schnappen. Im selben Augenblick sprang er auf. Antor zuckte leicht zurück.

»Entschuldigt bitte, Lichtträger!«, sagte er und bemühte sich um einen Tonfall, in dem Dringlichkeit mitschwang. »Ich habe einen ganz persönlichen Grund, bei dieser Mission mitzuwirken. Es sind Kadetten an Bord des vermissten Raumers, die ich kenne und schätze. Wenn ich nun zurückfliegen muss und rein gar nichts zu ihrer Rettung beitragen kann, werden sich meine Gedanken ständig um die Verschollenen drehen. Lasst mich bitte an der Rettungsaktion teilnehmen.«

»Ihr werdet in der Flotte sehr oft solche Situationen erleben. Lernt jetzt schon, damit umzugehen«, erwiderte der Akademieleiter hart.

»Ich melde mich freiwillig für den Einsatz«, entgegnete Tranthar unbeeindruckt. »Für sämtliche Schäden und Verletzungen, die ich während dieser Mission erleide, bin ich allein verantwortlich. Die Raumakademie kann dafür nicht haftbar gemacht werden.«

Er hörte ein leises Schnappen, dann stand Kerasor neben ihm. »Ich melde mich ebenfalls freiwillig, Lichtträger. Und ich möchte noch anmerken, dass für das Straftraining im Tal der Tränen zwei Tage angesetzt waren. Doch am Abend des zweiten Tags wurde unser Aufenthalt ohne Angabe von Gründen um einen Tag verlängert. Ich bitte darum, dass Ihr das bei Eurer Entscheidung mit in die Waagschale werft.«

»Ihr habt recht, Kerasor«, gab Antor zu. »Die Verlängerung habe ich selbst anberaumt. Das war notwendig, nachdem mir der Trainingsleiter gemeldet hatte, die ganze Gruppe der Anwärter habe sich besser präsentiert als vermutet. Ich wollte wissen, wie ihr im Vergleich zu den zahlreichen anderen Kadetten abschneidet. Doch um die Trainingsergebnisse bewerten zu können, muss die Regelzeit von drei Tagen eingehalten werden.«

Areghnatha erhob sich nun ebenfalls. »Ich möchte mich auch freiwillig an der Mission beteiligen, Lichtträger«, sagte sie. »Der Aufenthalt in der Zentrale, den Ihr uns als Belohnung für das gute Abschneiden im Trainingslager versprochen habt, wird mit unserer Abreise hinfällig. Deswegen bitte ich darum, lasst uns der Suche nach den Kameraden weiterhin beiwohnen.«

»Das reicht!«, rief Antor, nur scheinbar erzürnt. »Will sich sonst noch jemand freiwillig an dieser Mission beteiligen?«

Tranthar rechnete nicht mit weiteren Meldungen. Das Verhalten des Akademieleiters war zu abschreckend. Doch er wurde überrascht.

»Jawohl, Lichtträger«, meldete sich Pereth.

Und gleich darauf stand zur Verblüffung aller auch Charrut auf. »Ich ebenso«, meinte er mit der üblichen gelangweilten Miene.

Antor verschränkte die Arme vor der Brust. »Das war ein Befehl!«, erinnerte er die Anwärter. Er musterte sie mit grimmigem Blick.

Tranthar wurde mulmig zumute. Konnte ihr Verhalten schon als Befehlsverweigerung verstanden werden? Wenn ja, mit welchen Konsequenzen musste er dann rechnen. Er bemerkte auch Unruhe bei seinen unmittelbaren Nachbarn.

»Aber«, fuhr der Lichtträger schließlich fort, »ihr besucht die Akademie, um als Offizier abzuschließen. Von euch erwarte ich daher keinen blinden Gehorsam. Ich setze voraus, dass ihr mitdenkt und eure Bedenken und Vorschläge in einem begrenzten Rahmen äußert. Das habt ihr getan. Eure Argumente waren stichhaltig. Deswegen entscheide ich, ihr seid nach wie vor an der Mission beteiligt. Beim Mannschaftswechsel in wenigen Minuten steht es euch frei, in die Messe zu gehen. Danach schlaft ihr bis zur 3. Stunde am morgigen Tag. Die Kabinen und die Wegfindung sind bereits auf eurem ArmKomm hochgeladen. Zur 4. Stunde findet ihr euch wieder in der Zentrale ein.« Antor nickte ihnen zu. Dann stellte er eine Verbindung über den Kommunikator her, während er sich von ihnen wegdrehte und zum Ausgang marschierte. »Ihr könnt zur 19. Stunde und 25. Minute ausschleusen. Nein, die Anwärter hier bei mir kommen nicht mit an Bord. Ja, ich bin mir sicher.«

Mehr hörten sie nicht, weil sich das Schott vor dem Lichtträger öffnete, er hindurchschritt und dahinter verschwand, während es sich wieder schloss.

Tranthar entließ die Luft aus seinen Lungen. »Verdammt«, sagte er laut. »Wir sind ganz knapp an der Befehlsverweigerung vorbeigeschrammt.«

»Nehmt es locker«, kam es von Charrut. »Letztendlich hat es ja geklappt. Und wir können die verdiente Belohnung einstreichen und an unsere Fahnen heften.«

»Darum ging es Euch also?« Areghnatha stemmte, sichtlich entrüstet die Fäuste in die Hüften.

»Natürlich«, gab er lächelnd zurück. »Um was denn sonst. Alles andere ist mir ziemlich egal. Jedenfalls besuche ich jetzt die Messe.« Charrut gähnte und schlenderte auf die Schleuse zu.

Gleichzeitig öffnete sich das Schott und die zweite Schicht der Besatzung strömte herein.

»Gehen wir«, schlug Kerasor vor, »bevor der Andrang zu groß wird.«

Antor

Er nahm sein Abendessen in der Kabine zu sich. Das war einer der Vorteile, den er als Leiter der Raumakademie genoss. Ein weiterer war: Er konnte an Bord einen Raum für sich beanspruchen, der sogar größer war als der des Kommandanten. Er legte das Besteck beiseite und trank den letzten Schluck Lyrko aus seiner Tasse. Sofort schwebte der Dienstroboter heran, der nach dem Servieren von Speise und Getränk etwa zwei Meter vom Tisch entfernt gewartet hatte. Innerhalb einer Minute war das Geschirr abgeräumt, die Tischplatte gesäubert und der Roboter aus der Kabine verschwunden.

Nachdenklich schritt Antor zum Arbeitstisch und schaltete den Holoschirm an. »Bord-KI«, sagt er deutlich. »Suche Soron aus dem schattenumwobenen Haus derer von Dasur und verbinde mich mit ihm.«

Eine Stimme ertönte. »Er ist über ArmKomm nicht zu erreichen, Höchst-Erleuchteter.«

Sekunden später blendete sich ein Bild auf, in dessen Mittelpunkt der ST-Navigator zu sehen war.

»Aha«, murmelte Antor, »du befindest dich also auf der Aussichtsplattform an der Bugspitze. Wir werden uns gleich persönlich gegenüberstehen.«

Er schaltete den Holoschirm aus. Natürlich hätte er Soron auch über dort installierte Lautsprecher zu sich rufen können. Doch es gab vermutlich einen Grund, warum sich der ST-Navigator da aufhielt. Vielleicht beobachtete er von hier aus die Sonnenportale.

Antor verließ seine Kabine, die sich in der Nähe der Zentrale befand, genau wie die des Kommandanten und die des 1. Offiziers. Sie lag etwa in der Mitte des Raumers. Die Mannschaftsquartiere hingegen lagen im unteren Drittel und damit dichter an den Hangars.

Wenige Minuten später öffnete er das waagrechte Schott, das den Schwebeschacht zur Aussichtsplattform verschloss, und schwebte zum Bug hinauf. Er zog sich an den Haltegriffen aus dem Schacht. Auch hier war keine Schwerkraft vorhanden.

Von der Schachtwandung nahm er ein dort haftendes Steuergerät, mit dem er durch die Schwerelosigkeit navigieren konnte. Da die Raumschiffe der Flotte alle die Form einer vierkantigen Stufenpyramide mit abgeschnittener Spitze hatten, war dieser Raum mit einem allseitigen Ausblick auf das Weltall gesegnet. Er maß circa fünfundzwanzig Meter je Seite und war zehn Meter hoch. Auf die Platten aus Aram-Plast[25] ließen sich Holoprojektionen legen, über die man entfernte Ziele heranzoomen konnte. Das Steuergerät, das mit einem Antrieb und zwei Handgriffen ausgerüstet war, zog ihn zur Frontwand der Aussichtsplattform in fünf Metern Höhe.

Der ST-Navigator, der das All betrachtete, bemerkte ihn erst, als Antor neben ihm schwebte.

»Was gibt es, Lichtträger?«, fragte er, merklich ungehalten. »Weswegen stört Ihr mich hier?«

»Es ist unabdingbar, Euren Kommunikator angeschaltet zu lassen«, wies Antor ihn zurecht. »Ich muss Euch jederzeit errei-

[25] Das Material ist transparent, so widerstandsfähig wie Mathumastahl und wegen seltener Zusatzstoffe extrem teuer. Es wird auf dem Mond Aram hergestellt.

chen können. Und ich will wissen, in welchem Zustand sich der Sonnentunnel befindet. Wann ist es möglich, ihn für uns zu nutzen? Und welche Geschwindigkeit ist erforderlich, damit Ihr die Geschehnisse im Tunnel noch aufklären könnt?«

»Ihr seht hier nur die Schwärze des Weltraums, die Sonne und den dahinterliegenden Sternenteppich, oder?«, erkundigte sich Soron, ohne auf den Vorwurf einzugehen.

Antor nickte.

»Vor mir aber breitet sich das Sonnentunnelgeflecht aus, das unseren Sektor ausfüllt. Es ist die ultimative Farbenpracht, die ich sehe. Je größer die Tunnel sind, desto mehr verläuft die Farbe vom Gelb ins Rot und je feiner sie werden, wechseln sie erst ins Blau und dann ins Violett. Übertroffen wird diese Farbkomposition nur durch das Sonnenwurzelwerk in den Systemen. Es geht von der Sonne aus als kräftiges rotoranges Netz, das sich zum Systemrand hin zu Blau verfärbt. Violette Netzableger stoßen von Knotenpunkten zu den Planeten und anderen Himmelskörpern herunter. Sie dehnen sich auf der Planetenseite wie Gummibänder aus und springen von Zeit zu Zeit auf der Netzseite zum nächsten Knoten, um der Planetenbahn zu folgen.«

Soron warf ihm einen Blick zu, als wolle er sich überzeugen, dass Antor ihm zuhöre, ehe er weitersprach. »Hier im Eugnith-System ist wieder alles so, wie es schon immer war. Licht und Schatten sind im Gleichgewicht. Der Sonnentunnel scheint nun tauchbar zu sein. Navigiert zum Sonnenportal, doch lasst Euch Zeit dabei. Ich werde hier oben bleiben und mein ArmKomm einschalten. Sobald ich etwas entdecke, melde ich mich. Gebt meinen Anordnungen höchste Priorität. Die Tauchgeschwindigkeit sollte 0,003 Licht nicht überschreiten. Sicherer wäre es, sich eher an dem unterst möglichen Wert zu orientieren.«

Antor wusste, bei dieser Geschwindigkeit würde es eine lange Reise werden. Er nahm über seinen Kommunikator Verbindung zu Etron aus dem Damant Asuran, dem zweiten Kommandanten, auf. Er instruierte ihn, wie mit Soran besprochen. Dann verließ er die Aussichtsplattform und strebte wieder der Zentrale zu.

An Schlaf wollte er so lang nicht denken, bis er ein Lebenszeichen von Chyra und Araya gefunden hatte.

Kerasor

Er trat durch das Schott in die winzige Kabine. Sie war komplett leer. Neben dem Schottrahmen befanden sich fünf Sensorschalter. Als er sie betätigte, klappten aus der linken Wand zwei Betten und aus der Frontseite des Raums ein kleiner Tisch aus schwarzer Formkeramik und zwei gleichfarbige Sitzflächen ohne Lehne heraus. Rechts sah er die Türen eines Einbauschranks.

»Dürftig. Sehr dürftig«, bekundete Tranthar seine Meinung, als er sich an ihm vorbei in den Raum schob. »Wenn Ihr erlaubt, werde ich die untere Liegestatt belegen. Die Gefahr, dass ich herausfalle, ist bei mir größer als bei Euch.« Gleichzeitig legte er sich auf das entsprechende Bett und kreuzte die Arme hinter dem Kopf.

Kerasor nickte nur, dann öffnete er die Schranktüren. Unterhalb der Fächer waren ihre Schwebesäcke verstaut. Ansonsten war der Schrank leer. Auf der linken Seite, gleich nach den Betten, sah er die Tür zur Nasszelle.

Zwanzig Minuten später lagen sie beide für den Schlaf gerüstet auf ihrem jeweiligen Bettlaken. Es war warm in der Kabine. Die Bettdecken waren noch aufgeschlagen.

»Wie seid Ihr eigentlich zu Eurer Liegefläche hochgekommen«, wollte Tranthar wissen.

»Auf der Längsseite befindet sich ein Sensorknopf am Bettrahmen. Sobald ich ihn berühre, werde ich von einem Schwebefeld hochtransportiert. Allerdings könnte ich mich auch allein durch Körperkraft nach oben schwingen.«

Einen Augenblick herrschte Stille.

Dann vernahm er wieder Tranthars Stimme. »Wie seht Ihr den heutigen Tag? Und was haltet Ihr von Charrut?«

»Die letzte Frage zuerst. Er ist ein Kernweltmyrthone und gerade mal sechs Wochen auf der Raumakademie. Das Umschalten von *Ich werde von jedem hofiert und alle machen das, was ich will* zu *Keiner kümmert sich um mich und ich muss darüber hinaus noch tun, was andere sagen* ist nicht so einfach. Deswegen solltet Ihr seine Worte nicht auf die Goldwaage legen. Er wird sich schon noch anpassen und begreifen, dass er hier nicht allein agieren kann, Zusammenarbeit wichtig ist, und er sich um

Teammitglieder sowie um ihm bekannte Kadetten sorgen muss.«

Von unten hörte der Alandorer ein leises »Hm.« Anscheinend war Tranthar mit der Antwort nicht zufrieden.

»Wieso verteidigt Ihr ihn immer?«, fragte er schon unwirsch. »Er ist schließlich kein Kind mehr. Auch bei der Schlägerei im Lehrsaal wart Ihr einer der Ersten, die für ihn Partei ergriffen haben.«

Bitte nicht das, dachte Kerasor. *Was konnte er ihm darauf sagen?* Diese Frage ging ins Persönliche. Er wollte den Sternenhändler nicht belügen. Der Lichtträger hatte ihn dazu bewegt, im neuen Monat zu *MYRUS* [26] *und VARM* [27] eine weitere Gruppe zu gründen, die sich um die Betreuung der Kadetten kümmerte. Sie musste die strikte Trennung von Kernwelt- und Randweltmyrthonen, wie sie die anderen beiden Gruppen zur Grundlage hatten, vermeiden. Einen Namen hatte er sich noch nicht überlegt. Aber auf jeden Fall konnte er nicht umhin, für neue Mitglieder eine Vertrauensbasis zu schaffen. Und dies erreichte man nicht durch Lügen oder unbeantwortet gelassene Fragen.

»Nun«, entgegnete Kerasor daher, »es gibt tatsächlich einen Grund für mein Eingreifen. Es ist so, dass kurz vor der Verbannung des Hauses Tarkan von *Myrthon* ein weibliches Mitglied derer von Alandor dort eingeheiratet hat. Diese Adlige war sehr berühmt, deswegen wird auf unserer Welt noch heute von ihr gesungen.«

»Wie hieß sie denn?«, kam es von unten. »Ihr wisst, ich liebe die Literatur Eures Volks. Vielleicht ist mir ihr Name bekannt.«

Kerasor stieß einen langen Seufzer aus. »Später einmal«, wiegelte er ab. »Ihr wolltet doch noch wissen, was ich von dem Tag heute halte. Es hat mich wie Euch überrascht, dass wir nach dem Straftraining plötzlich Teil einer Mission wurden.«

»Imonar-Hel sei Dank!«, warf Tranthar ein. »Ich würde durchdrehen, wenn ich nicht an Bord der TIRKUM wäre. Hier haben wir die Chance, als Erste von der Rettung zu erfahren, selbst wenn wir nicht viel dazu beitragen können.«

[26] *Myrthons Ruhm und Stärke*

[27] *Vereinigung aller Randweltmyrthonen*

»Der Gedanke kam mir auch schon, aber die Heftigkeit der Energiefront, die sogar einen Schlachtkreuzer in Bedrängnis gebracht hat, lässt mich daran zweifeln, ob sich die Verschollenen so schnell finden lassen. Und überhaupt, wo kommt diese energetische Katastrophe her? Wieso lässt das als sicher geltende System der Sonnentunnel solche Gefahren zu?« Obwohl ihn das Thema brennend interessierte, konnte Kerasor ein Gähnen nicht unterdrücken.

»Laut meinem Vater«, knüpfte Tranthar an und ignorierte damit das Zeichen von Müdigkeit seines Bettnachbarn, »sind die Tunnel schon in den letzten fünfhundert Lichtzyklen unsicherer geworden. Ihr wisst, keiner nutzt das Tunnelsystem so intensiv wie unsere Handelsflotten. Jeder Kommandant ist verpflichtet, Unwägbarkeiten bei der Tauchfahrt sofort der Gildenverwaltung zu melden. Bis heute sind vier Portale bekannt, die in sich zusammengebrochen sind. Betroffen sind davon drei unbewohnte Sonnensysteme und eines mit einer neu gegründeten Kolonie. Es sind alles Endpunkte von Tunneln. Es würde mich nicht wundern, wenn Ihr darüber noch nichts gehört habt.«

»Nein«, Kerasor verdrängte die Müdigkeit. »Das ist neu für mich. Aber es ist kaum verwunderlich, denn die Sonne *Delwan* steht für das System der Ahnungslosen. Ihr erinnert Euch, wir sind vor etwa achthundert Lichtzyklen auf deren zweiten Planeten, *Alandor,* verbannt worden. Welten mit verbannten Häusern werden weitgehend gemieden.«

Tranthar spann seinen Gedanken fort. »In der letzten Zeit habe ich immer mehr Meldungen über die Unwägbarkeiten im Tunnelverkehr erhalten. Vor allem betraf es das Verlassen eines Portals. Obwohl die Raumer die Austrittsgeschwindigkeit nicht überschritten hatten, wurden sie extrem weit in das System geschleudert. Einige Kommandanten unserer Händlerflotte gaben an, ihre Schiffe können auf manchen Routen die maximal mögliche Geschwindigkeit im Tunnel nicht annähernd erreichen. Der Sonnentunnel zum *Gobbar-System* weist zahlreiche Gefahren auf. Er verlangt dem Piloten alles ab, um sein Schiff nach *Hoisen* zu bringen. Auf dieser Welt gibt es eine kleine Siedlung. Für mich zeichnet sich hier ein Bild ab, in das die Energiefront gut hineinpasst. Ich befürchte, in den kommenden Lichtzyklen werden uns noch viel mehr Überraschungen dieser Art bevorstehen.« Kerasor konnte die Bedeutung von Tranthars Worten noch gar nicht richtig erfassen, so gewaltig erschien sie ihm. Bevor es ihm möglich war, etwas zu formulieren, um seiner Betroffenheit Ausdruck zu verleihen, erklang erneut die Stimme des Sternenhändlers: »Es ist an der Zeit für meine tägliche Qual. Seid bitte so freundlich.«

Kerasor richtete sich auf, streckte die Beine über die Bettkante und sprang dann nach unten.

Tranthar hatte sein Schlafshirt ausgezogen und lag mit nacktem Oberkörper und kurzer Hose auf seinem Bett. In der Hand hielt er den etwa fünfzehn Zentimeter langen und fünf Zentimeter dicken Stab. Er bestand aus einem glasartigen schwarzen Material. Auf der Spitze saß eine flauschige weiße Kugel in Daumennagelgröße. Sie wurde der *Kuss der Götter* genannt und war dazu da, um Schmerz auszuteilen.

»Gebt her!«, forderte er Tranthar auf. Gleichzeitig nahm er den Miniaturstab zur Schmerzgewöhnung an sich.

»Verteilt sieben Treffer insgesamt«, presste der Sternenhändler hervor und Kerasor sah, wie sich Schweißtröpfchen auf der Stirn bildeten. »Der Kopf, der Brustbereich, der Bauchbereich, sowie ein Oberarm, ein Unterarm und ein Oberschenkel sollten dabei sein. Lasst höchstens dreißig Sekunden zwischen den Schlägen vergehen. Fangt an.«

»Wieso sieben? Im Lager, in dem wir unser Straftraining absolviert haben, waren es noch fünf Treffer. Und soweit ich mich erinnern kann, hat es Euch sehr mitgenommen.«

»Egal! Ich habe nicht mehr lange Zeit, um mich der Qual von insgesamt neun Küssen anzupassen. Ihr wisst, das Duell[28] mit Mernon aus dem lichtdurchfluteten Haus derer von Proglan ist am 6. Tag des 3. Monats. Das sind kaum noch zwei Wochen. Also fragt nicht, macht einfach.«

Kerasor nickte. »Wenn Ihr es denn so wollt.« Er nahm den Stab, zog die Kappe ab, legte beide Hände an das untere Ende und drehte gegengleich. Die Energieversorgung sprang an und das dunkle Material begann in einem warmen Braunton zu

[28] *Siehe Band 1, Kapitel I, Tranthars Ankunft.*

leuchten. Er tupfte mit der flauschigen weißen Kugel auf alle von Tranthar bezeichneten Körperteile und ließ zwischen den einzelnen Aktionen immer dreißig Sekunden vergehen. Der *Kuss der Götter* verströmte neuronale Energie und überlud damit die berührten Zellen. Die Restenergie wurde an nebenliegende Zellen weitergegeben. So entstand bei dem Getroffenen der Eindruck, der Schmerz würde sich wie ein Feuer ausbreiten. Ab dem fünften Treffer sprang die Qual bei Berührung auch auf andere über.

Beim letzten *Kuss der Götter* fing der Sternenhändler an zu stöhnen, obwohl er sich eindeutig um Beherrschung bemühte. Sein Atmen hörte sich jetzt keuchend an.

Kerasor schaltete die Energieversorgung des Stabs aus, setzte die Kappe auf, welche die flauschige weiße Kugel abdeckte und verstaute das Ganze in Tranthars Schwebesack. Dann deckte er den Mitbewohner vorsichtig zu, jegliche Berührung mit ihm vermeidend.

Bald befand er sich wieder in seinem Bett. Er befahl der Kabinen-KI, das Licht zu löschen. Gerade war er dabei, zur Ruhe zu kommen, als eine Stimme ertönte.

»Achtung! Hier spricht der zweite Offizier. Wir passieren in einer Minute das Sonnenportal in Richtung *Rikay-System*. Der Verschlussstatus wird angeordnet.«

Im selben Augenblick wurde das Schott luftdicht verriegelt und die Luftzufuhr sprang um auf Eigenversorgung. Gurte zurrten sie mit der Bettdecke zusammen fest. Solange kein Energiestrahl mitten durch die Kabine fuhr, würden sie einen Unfall überleben, falls rechtzeitig Hilfe eintraf.

Lautes Stöhnen kam aus dem unteren Bett. Die Entladungen der Flaumkugel ließen neben dem Schmerz, der sich wie Feuerwellen über die Zellen ausbreitete, die Haut extrem druckempfindlich werden.

Tranthar litt durch das Festgurten momentan Qualen, die dem Schmerzenspfuhl Myrathon-Hels nahekamen, das wusste Kerasor, doch so leid es ihm tat, er konnte ihm nicht helfen.

Stattdessen befassten sich seine Gedanken mit Charrut, der den Sternenhändler und ihn nicht an seinem Tisch in der Messe hatte haben wollen. Ebenso waren Areghnatha und Pereth an ihnen vorübergeeilt, ohne sie eines Blicks zu würdigen. Er seufzte. Teamzusammenhalt sah seiner Meinung nach anders aus.

Vor Antor hatte er zwar funktioniert. Doch der durfte auch im privaten Bereich nicht so einfach über Bord geworfen werden.

Seine Sinne drifteten nun zum Heimatplaneten. Er sah Jakinam, seine Freundin, den Vater und die Mutter, die er alle jetzt schon schmerzlich vermisste. Dann verwischten sich die Bilder und er schlief ein.

Kapitel II

Tarr-Mocay ist noch ein Kind, Luklon. Es ist erstaunlich, wie meisterlich sie ihre Nadeln beherrscht. Sie lässt sie mit einer Geschwindigkeit durch die Luft fliegen, in der sie kaum zu sehen sind. Und sie verfehlt niemals das Ziel. Ich vermute, sie kann andere Gegenstände ebenso mit der Kraft ihres Geists bewegen. Aber sie weigert sich, das auch nur zu versuchen. Genauso, wie sie nur ihre eigene Ausdrucksweise verwendet. Alle Bitten und Drohungen helfen nicht, sie umzustimmen. Ich diagnostiziere bei ihr ein großes parapsychisches Potenzial. Niemand kann sagen, wohin es sich entwickelt. Ich empfehle Euch, sie fest an Euch zu binden. Adoptiert sie als Eure Tochter, wenn es sein muss. Ihr habt ja sonst keine Familie mehr. Egal wie, aber verhindert, dass sie sich jemals gegen Euch wendet.

Tillon, Damant Yormun, ehemals Professor für Para-Gaben
in der Myrthonischen Verwaltung,
an Luklon, Oberhaupt des Damants Yormun
Piratenbasis im Nirgendwo
8. Tag, 11. Monat, 8533. Lichtzyklus sME

ORVALS RACHE

Stützpunkt der Bol-mot-Ut
23. Tag, 2. Monat, 8553. Lichtzyklus sME, 1. Stunde, 5. Minute

Urpas

Der ArmKomm vibrierte vehement und riss ihn aus dem Schlaf. Er richtete sich auf. Das dicke Material der Bordkombination, die Urpas aus reiner Vorsicht angelegt hatte, engte ihn ein. Es blieb dunkel. Die Bewegungssensoren im Raum waren anscheinend ausgefallen. Über Sensortasten am linken Arm konnte er den Kommunikator bedienen, obwohl der nun unter der Montur steckte.

Er aktivierte die Verbindung zur Überwachungskamera. Ein Holo erschien, das den Gang abbildete, an dessen Ende ihre beiden Kabinen lagen. Das Zimmer wurde davon in schummriges Licht getaucht. Im Infrarotbereich nahm er draußen eine Bewegung am Rande des Sichtbereichs wahr.

Die Gangbeleuchtung sollte nun anspringen. Aber sie tat es nicht. Irgendjemand schien sie manipuliert zu haben, so wie die Beleuchtung in seinem Raum.

Doch die von ihm an der Gangdecke versteckt angebrachte Kamera funktionierte noch. Drei, vier, nein, sechs Gestalten schlichen sich heran. Offenbar hatte er den KASYS-Kommandeur unterschätzt. Urpas war davon ausgegangen, es würden weniger sein. Und ein Überfall in den Kabinen stand bei ihm nicht an allererster Stelle auf der Liste.

»Tarr-Mocay!«, flüsterte er über die bereits voreingestellte Anrufverbindung des ArmKomms. »Seid Ihr wach?«

»Ja«, kam es leise zurück. »Tarr-Mocay Männer können sehen.«

»Bringt die Bordkombination in den Verschlusszustand«, empfahl er ihr. »Aktiviert den Blendfilter. Steckt irgendetwas unter die Bettdecke, damit es aussieht, als würdet Ihr schlafen. Dann positioniert Euch an der Wand neben der Tür.«

Er vernahm aus dem Funkempfänger Schritte und ein Rascheln, während er selbst die eben gegebenen Anweisungen ausführte.

»Fertig!«, meldete sie militärisch knapp. Tarr-Mocay konnte also der Lage angepasst durchaus effizient sprechen.

»Ich auch!«, gab er zurück. »Verwendet den Schocker.« Das Holo über dem ArmKomm zeigte ihm, wie sich der Pulk der Gestalten halbierte. Drei nahmen vor seinem Raum Aufstellung, der Rest vor dem Tarr-Mocays. Er schaltete den ArmKomm ab und Dunkelheit umhüllte ihn wieder.

Dann hörte er, wie sich jemand von außen an der Tür zu schaffen machte.

Sie war abgesperrt. So leicht würden sie die nicht aufbekommen. Doch er irrte sich. Schon nach Sekunden vernahm er ein kurzes leises Zischen.

Sie musste sich um einen Spalt geöffnet haben. Etwas rollte über den Boden. Ein Geräusch ertönte, als würde Gas ausströmen. Die Tür schloss sich.

Zwei Minuten später wurde sie komplett aufgerissen und drei Gestalten stürmten in den Raum. Die Lichtkegel von Helmleuchten zerrissen die Finsternis. Dann feuerten die Eindringlinge mit ihren Strahlwaffen. Sie trafen die Bettdecke und das, was darunter lag. Wo die schwach bläulichen Strahlen auftrafen, löste sich die Materie auf.

Das war niemals eine Entführung. Dafür verwendete man keine Auflösungswaffen. Es handelte sich um einen Mordanschlag.

Urpas schoss nun seinerseits. Sein Schocker war auf breite Streuung eingestellt. Nun mussten die Gegner fallen.

Doch nichts geschah. Die Silhouetten der Angreifer schimmerten. Das war der einzige Effekt.

»Sie haben Energieschirme«, flüsterte er erschrocken.

Offenbar stand die Verbindung zu Tarr-Mocay noch, denn sie schrie: »Urpas! Raus aus Raum!«

Er folgte ihrer Anweisung und warf sich schräg durch die Tür. Einer der Gegner reagierte genauso schnell. Ein Blitz traf ihn, während er sich noch im Sprung befand.

Urpas wurde durch die Luft gewirbelt und schlug schwer auf dem Boden auf. Das Schirmfeld, das sich um seinen Körper gebildet hatte, bremste den Aufprall etwas, trotzdem wurde ihm kurz schwarz vor den Augen.

Dann sah er den Schützen durch die Tür kommen. Der Lauf der Waffe suchte ihn als Ziel.

Einen Strahltreffer konnte sein Schirm aushalten. Vielleicht noch einen zweiten, danach würde er zusammenbrechen und ihn schutzlos zurücklassen.

Etwas Dünnes, Metallisches flog auf den Angreifer zu. Wie in Zeitlupe sah er, wie sich ein Wirbel im Schirmfeld bildete. Durch den stieß das Objekt, drang in den Kopf ein und auf der anderen Seite wieder heraus. Der Gegner stoppte in der Bewegung und fiel mit einem dumpfen Laut zu Boden.

Urpas sprang auf, um kein leicht zu treffendes Ziel zu bieten. Zu spät. Erneut blitzte es in seinem Schirm auf. Der Druck warf ihn gegen die Wand. Eine Schmerzwelle raste durch ihn hindurch. Wie betäubt blieb er liegen. Ohne die Bordkombination und das Schirmfeld hätte das ernsthafte Verletzungen zur Folge haben können. So kam er vielleicht mit Prellungen und Blutergüssen davon. Auf einen zweiten Treffer wartete er vergeblich. Zweimal hörte er noch einen dumpfen Laut, dann war Ruhe. Langsam richtete er sich, an der Wand abstützend, mit schmerzenden Gliedern auf.

Tarr-Mocay kam auf ihn zu. Ihr Schirmfeld war ausgefallen. »Urpas verletzt sein?«, fragte sie mit sorgenvoller Stimme. Ihren Gesichtsausdruck konnte er, wegen des imaginären Nebels hinter dem transparenten Helm, nicht deuten. Ihre Bordkombination war noch verschlossen, sah aber ramponiert aus.

»Nichts Ernstes«, gab er zurück. »In zwei, drei Tagen bin ich wieder wie neu.« Eine plötzliche Welle der Düsternis schwappte über ihn. Es war eine Vorahnung, die ihm sagte, gleich würde etwas Furchtbares geschehen.

Das war eine Warnung seiner Para-Gabe. Mit Vehemenz warf er sich auf Tarr-Mocay und riss sie mit sich zu Boden. Schon spürte er den eisenharten Griff ihrer geistigen Kraft an den Schultern, die ihn zurückschleudern wollte. Dann schien die Welt um ihn herum unterzugehen.

Feuerwände rasten durch den Gang. Sein Energieschirm wurde durchlässig und brach nach wenigen Sekunden zusammen. Ein tiefer Schmerz an den Schulterblättern ließ ihn aufheulen, dann war es vorbei.

Tarr-Mocay lag unter ihm. Seit langer Zeit sah er ihr Gesicht wieder klar und deutlich. Es war das sanfte und verletzliche Antlitz von Angh-Sanh[29].

»Tarr-Mocay Urpas danken«, flüsterte sie, während sich ihre Helme berührten. Ihre Stimme klang gedämpft. Offenbar war die ArmKomm-Verbindung zusammengebrochen. »Urpas Tarr-Mocay retten. Urpas verletzt sein?«

Mehr hörte er nicht, denn eine gnädige Ohnmacht nahm ihn zu sich.

Als er erwachte, lag er auf dem Bauch. Sein Oberkörper war offenbar unbekleidet, denn er fröstelte. Er befand sich in einem Bett mit weißem Laken. Der Ausschnitt des Raums, den er sehen konnte, erinnerte ihn an eine Klinik. Die Wände waren in einem hellen Grünton gehalten. Über ihm brummte ein technisches Gerät.

Am Rande des Sichtbereichs sah er Tarr-Mocay, die auf einem Stuhl saß und gedankenverloren in eine andere Richtung blickte. Ihr Anblick erwärmte seine Seele. Das silberne Kleid trug sie auch, als er sie kennengelernt hatte. Offenbar hatte sie nochmals Luklons Geheimstützpunkt besucht, um sich dort das Nötigste zu holen. Sie schien unverletzt zu sein. Hellon sei Dank! Er wusste nicht, wie er reagiert hätte, wenn sie verwundet oder gar getötet worden wäre. Egal, wie schwer seine eigene Verletzung auch war, er bereute keine Sekunde, dass er sich schützend über sie geworfen hatte. Bisher war das in seinem Leben undenkbar gewesen. Nehmen ist besser als Geben, war seine Devise. Doch nun, das wurde ihm bewusst, würde er alles für Tarr-Mocay tun, ohne auch nur den Gedanken zu hegen, etwas dafür zu verlangen. Das musste wohl Liebe sein. Ein Gefühl, das er so nicht kannte. Er hoffte, sie würde sich ihm mit der Zeit annähern. Sonst war zu befürchten, dass seine Vision vom Zusammensein in Schmerz und Verzweiflung umschlug.

Er seufzte auf. Sofort wandte sich Tarr-Mocay ihm zu. »Urpas wach sein«, stellte sie fest. Vorsichtig rückte sie ihren Stuhl näher an sein Bett. »Wie es Urpas gehen?«

[29] Siehe Band 1, Kapitel V, *Angh-Sanh.*

»Ich weiß es nicht. Ich kann meinen Oberkörper nicht bewegen. Momentan habe ich keine Schmerzen. Was ist denn überhaupt passiert?«

Ihr Gesicht war erneut von einem leichten Nebel überdeckt. Angh-Sanh war also wieder verschwunden. Ihre Haare bewegten sich wie im Wind und das flüsternde Rauschen von Blättern war zu hören. »Angreifer Thermalbomben haben«, berichtete sie. »Als letzter davon gestorben sein, Bomben gezündet haben. Urpas und Tarr-Mocay Explosion überlebt haben. Das großes Wunder sein. Ohne Schirmfeld von Urpas, es Urpas und Tarr-Mocay nicht mehr geben. Doch Urpas über Tarr-Mocay liegen und schützen. Urpas Hitze ausgeliefert sein. Dann Schirm brechen weg. Bordkombination von Urpas am Rücken schmelzen. Urpas dort verletzt sein. Nun Zellwachstumsregulator alles heilen.«

»Und wer hat uns gefunden?« Er krächzte geradezu, seine Kehle war ausgetrocknet, und hustete. Schmerzen rasten ihm über die Schultern zum Rückgrat hinab. Er verzog das Gesicht.

Tarr-Mocay hielt ihm einen Becher mit Saugröhrchen entgegen. »Urpas trinken das. Lang bewusstlos gewesen sein.«

Vorsichtig nahm er das Getränk und saugte an dem Halm. Die Flüssigkeit war ohne Geschmack, aber sie tat ihm gut und der Hustenreiz verschwand. Er gab das Trinkgefäß zurück. In seiner jetzigen Lage konnte er es nicht lang halten.

»Rettungseinheit kommen und Urpas und Tarr-Mocay in Klinik bringen. Bordkombination von Tarr-Mocay schwer beschädigt und die von Urpas kaputt sein. Alles in den Räumen verbrannt sein. Nur Inhalt von Einbauschränken überlebt haben.« Sie deutete auf ihr silbernes Kleid.

»Meine Kleidung wurde also gerettet«, sagte er. »Wenigstens etwas. Ist denn Parasol über den Überfall informiert?«

Tarr-Mocay nickte. »Klinik von seinen Leuten bewacht werden. Er vorbeikommen und mit Urpas Schutzmaßnahmen vor Flotteneinsatz besprechen wollen.« Sie unterbrach sich und griff nach dem Becher und dem Strohhalm. »Urpas noch einmal trinken wollen?«, fragte sie mit sanfter Stimme.

»Bitte. Das ist wirklich nett, dass Ihr mich nicht verdursten lasst. Ich danke Euch vielmals.«

Sie drückte ihm aufmunternd lächelnd das Gefäß in die Hand. Während er trank, hing er seinen Gedanken nach.

Bildete er sich das nur ein oder bröckelte Tarr-Mocays Unnahbarkeit ab? Konnte die Verbindung ihrer beiden Para-Sinne dafür verantwortlich sein? Aber vielleicht war auch sein desolater Zustand schuld daran, der sicherlich an ihr Mitgefühl appellierte.

Auf jeden Fall genoss er es, dass sie an seinem Bett saß und ihn betreute.

Er stutzte. Eine unangenehme Erkenntnis schlich sich ein. »Seit wann sitzt Ihr schon hier?«

»Seitdem Urpas aus Operationssaal gebracht worden sein. Tarr-Mocay sechs Stunden warten, bis Urpas wachen auf.«

»Und vorher seid Ihr bestimmt auch nicht zur Ruhe gekommen. Es dürfte Euch sehr viel Kraft gekostet haben, mit den Nadeln die Energieschirme der Angreifer zu durchstoßen. Ihr solltet Euch dringend ausruhen. Wer weiß, wann Ihr wieder auf Eure Para-Sinne zugreifen müsst. Mir wird hier nichts geschehen, denn, wie Ihr sagtet, werde ich bewacht. Lasst Euch ebenfalls ein Bett in der Klinik geben. Dann bin ich mir sicher, dass ich mir keine Sorgen um Euch machen muss.«

Sie stand auf und glättete ihr Kleid. »Tarr-Mocay im Raum neben Euch schlafen werden. Urpas ruhig liegen bleiben. Damit Zellwachstumsgenerator Arbeit erledigen können.«

Danach öffnete sie die Tür und wischte hinaus. Als sich die Türöffnung wieder verschloss, spürte er, wie eine nie gekannte Einsamkeit sein Herz umfasste.

Wenige Minuten später stattete ihm Parasol einen Besuch ab. Er setzte sich auf den Stuhl, auf dem vorher Tarr-Mocay gesessen war. »Wo ist sie?«, fragte er ungeniert.

»Wie wär es denn mit: *Wie geht es Euch?*«, entgegnete Urpas schroff. Als er dessen spöttisches Lächeln sah, fuhr er fort, »ich habe sie gerade zu Bett geschickt. Sie muss sich unbedingt ausruhen.«

»Dass sie bis eben durchgehalten hat, sagt mir, sie ist Euch mehr zugetan, als Ihr es Euch wahrscheinlich vorstellen könnt. Und …«, Parasol lachte kurz, »… wesentlich mehr, als es Luklon befürchtet hat.«

»Sprecht Ihr von dem Luklon, den Ihr des Stützpunkts verwiesen habt? Ist er der Verursacher des Überfalls?«

Parasol schüttelte den Kopf. »Er würde Tarr-Mocay niemals gefährden. Sie ist wie eine Tochter für ihn. Er hätte nur Euch angegriffen.«

»Wer war es dann? Orval, der KASYS-Kommandeur?«

»Vermutlich!« Der Leiter des Stützpunkts ballte die rechte Hand zur Faust. »Er ist, kurz nachdem das Scheitern des Überfalls bekannt geworden ist, mit seinem Flaggschiff gestartet. Ich denke, er wollte nicht Tarr-Mocay in die Finger geraten. Mit der schnellen Abreise hat er den Verdacht auf sich gelenkt. Keiner zweifelt daran, dass er dahintersteckt. Somit dürfte er sich nicht nur meinen Zorn zugezogen haben, sondern auch den von Luklon. Das ist aber nur das dicke Ende einer Reihe von Zwischenfällen, die auf ihn zurückzuführen sind. Es wird Euch jetzt vielleicht komisch vorkommen. Doch ich bitte Euch darum, mir zu helfen, Orval zu beseitigen. Ich selbst darf es nicht tun, weil er sich dafür auf zu gute Verbindungen zur Führung der Organisation stützen kann. Es wäre mein Todesurteil. Aber Ihr seid befugt, im Rahmen des Überfalls auf die ST-Kristallminen zu verhindern, dass Besatzungen lahmgeschossener Raumer dem Gegner Informationen über die Koordinaten unseres Stützpunkts liefern können. Demzufolge ist es Euch erlaubt, Sicherungsmaßnahmen in alle Raumschiffe einzubauen. Das Flaggschiff des KASYS-Kommandeurs darf den Kampf nicht überstehen. Sorgt dafür.«

»Ihr wollt mich zum Mord nicht nur an Orval, sondern an seiner gesamten Mannschaft anstiften?« Urpas spürte Zorn in sich aufsteigen. Die Bauchlage und der dadurch beschränkte Sichtbereich trugen wesentlich dazu bei.

»Wenn Ihr bessere Ideen habt, dann führt sie aus. Es sollte Euch jedoch klar sein, solange der Kommandeur lebt, werdet Ihr kein Auge zu machen können. Ihr müsst ständig auf einen Angriff von ihm gefasst sein.«

Parasol zeigte durch eine Geste an, dass er keinen anderen Rat wusste, als Orval zu exekutieren.

Urpas stieß die angehaltene Luft aus, um sich zu beruhigen. »Ich werde darüber nachdenken«, sagte er dann unverbindlich.

»Es ist jetzt die 9. Stunde und die 32. Minute«, fuhr der Stützpunktleiter fort. »Ich habe den technischen und den medizinischen Leiter mit ein paar ausgewählten Leuten zur 17. Stunde in Eurem Namen zu einer Besprechung gebeten. Die Lage des Raums ist in Eurem ArmKomm zu finden. Alle Teilnehmer sind vertrauenswürdig. Findet eine Lösung, die mich, aber auch Euch, zufriedenstellt. Der Zellwachstumsgenerator wird zur 15. Stunde die Arbeit einstellen. Dann seid Ihr geheilt und könnt die Klinik verlassen.«

Parasol stand auf. »Die letzte Information habe ich von dem Mediker, der Euch operiert hat. Ich weiß also durchaus, wie es Euch geht. Nachdem Ihr mein Erscheinen anscheinend als unhöflich empfunden habt, wünsche ich Euch nun eine gute Genesung.« Dann verließ er, mit einem spöttischen Lächeln auf den Lippen, den Raum und ließ einen bestürzten, aber auch nachdenklichen Urpas zurück.

Ein Hauch von Glück

Karason, Torfin, Finnan-System
24. Tag, 2. Monat, 8553. Lichtzyklus sME, 8. Stunde, 10. Minute

Entro

Er hatte am Esstisch Platz genommen und schmierte sich ein Brot mit frisch duftendem Kräuteraufstrich. Neben dem Teller stand die Tasse mit dampfendem Lyrko.

Ihm gegenüber saß Danora seitlich zur Fensterfront, hinter der sich ein blauer Himmel und die Häuser von *Karason* abzeichneten. Wie immer bewunderte er ihre blonden Haare, die den Kopf in große Locken umrahmten. Sein Blick streifte ihre dunkelblonden Brauen, die in einem dünnen Bogen über den Augen lagen und ihre hohe Stirn nach unten hin abschlossen. Fasziniert beobachtete er, wie die Iriden ihrer Augen in einem tiefen Blau leuchteten. Durch die liebliche Nase und den kleinen Mund mit den vollen Lippen sah ihr Antlitz einfach perfekt aus. Er liebte ihr Gesicht, so wie es war, ganz ohne übertriebene kosmetische Hervorhebung. Sie trug ein dunkelblau glänzendes, bis zu den Knien reichendes Kleid. Es war mit fingernagelgroßen weißglitzernden Punkten versehen. Die Verzierung und deren Farbe konnte sie über ihren ArmKomm jederzeit ändern.

Er sah, wie sie winzige Stücke von einer Yunok-Platte[30] in eine Schüssel bröselte, in der sich schon Obststücke und verdickte Milch befanden. Sie verzichtete heute Morgen, so wie er, auf die Hilfe der Robotküche.

Saira hatte eine kleinere Schale, die bereits komplett gefüllt war, vor sich stehen und hielt den Kinderlöffel in Bereitschaft. Er zeigte steil nach oben. Sie wartet auf ihre Eltern, um endlich mit dem Frühstück beginnen zu können. Auch sie trug ein dunkelblaues Kleid. Es hatte einen weißen Kragen, war kurzärmelig und mit filigranen bunten Blüten verziert.

»Dad?«, fragte sie, wohl um das Warten erträglicher zu machen. »Musst du nicht in die Arbeit?« Sie freute sich über seine unerwartete Anwesenheit. Er sah es an ihren strahlenden

[30] Eine aus Yunok-Getreide gepresste dünne Platte.

blauen Augen und an ihrem Lächeln, das dem ihrer Mutter so sehr ähnelte.

»Nein, mein Schatz«, erwiderte er und strich das Messer am Brotrand sauber. »Heute ist der Tag des Lichttränenbrots. Es ist ein Feiertag, an dem fast niemand arbeiten muss. Alle Adligen der Kernwelten erhalten ein Stück Brot, das mit den Lichttränen von Imonar-Hel getränkt ist. Wer es isst, dessen Haare färben sich silberweiß, die Augen orangegolden, und er lebt viel länger als die anderen Myrthonen.«

»Bin ich auch von Adel?« Saira sah wohl, dass ihre Mam die Vorbereitungen ebenfalls abgeschlossen hatte. Sofort begann sie in ihrer Schale herumzustochern. Schließlich zog sie den voll beladenen Löffel heraus, der unmöglich in ihren kleinen Mund passen konnte.

Bevor es Entro möglich war, Saira darauf aufmerksam zu machen, griff Danora ein. »Natürlich, mein Schatz. Dein Vater ist ein Adliger. Und du bist seine Tochter. Das sieht man schon an den weißen Haaren. Die blauen Augen hast du jedoch von mir.«

Sie hielt Sairas Hand fest und drehte den Kinderlöffel etwas, damit ein Großteil der Last davon wieder zurück in die Schale glitt, ohne zu spritzen. »Aber, wenn man von Adel ist, dann muss man sich benehmen. Man darf nicht mehr auf den Löffel laden, als in den Mund passt.«

»Ja, Mam«, stimmte Saira kleinlaut zu.

»Du bekommst das Brot aber erst«, führte Entro den Gedanken Danoras weiter, »sobald du sieben Lichtzyklen alt geworden bist. Du musst also noch ein wenig warten.«

Er nahm einen Schluck Lyrko. »Ich leider ebenso, denn ich hätte es im Laufe des gestrigen Tags erhalten sollen. Anscheinend ist das *Finnan-System* zu abgelegen, um die Lieferung rechtzeitig zustellen zu können.«

»Nein«, widersprach Danora, »das glaube ich nicht. Der *Myrthonischen Verwaltung* ist genauestens bekannt, wie lang die Versandwege sind. Aber vielleicht haben sie unsere Ummeldung zu spät erhalten. Oder der Energiesturm ist daran schuld, der den Sonnentunnel irgendwo zwischen *Myrthon* und *Torfin* für fast einen halben Tag blockiert hat. Ich denke, deine Sendung trifft deswegen erst verspätet ein.«

»Vermutlich hast du recht«, antwortete Entro. Dann aßen sie alle und unterhielten sich darüber, was sie heute mit dem freien Tag beginnen sollten. Letztlich entschieden sie sich dafür, das Freizeitland zu besuchen. Das war eine große Kuppel, die speziell für die Kinder und Jugendlichen in *Karason* zur Verfügung stand.

Danora

Nachdem sie mit dem Frühstück fertig waren, zog sie aus einer Tasche ihres Kleids ein Kärtchen hervor und legte es vor Entro ab. »Das hat der Dienstroboter in deiner Arbeitskleidung gefunden, bevor er sie in den Wäschesammler geworfen hat.« Sie sah ihn fragen an. »Wer ist das? Wer verteilt noch solche altertümlichen Visitenkarten?«

Ihr entging nicht das kurze Zucken, das über Entros Gesicht glitt. Es schien ihr so, als wäre er an etwas erinnert worden, das er gerne vergessen hätte.

»Ach das«, meinte er, »das habe ich von Imnar aus dem lichtdurchfluteten Haus derer von Xartay erhalten. Auf Wunsch des Direktors der *SURF* bin ich mit ihm in den Dschungel gefahren, um unseren neuen Prototyp zu testen.«

»Was ist das, ein Prototyp?«, fragte Saira.

Entro lächelte. »Das ist das erste Fahrzeug einer Baureihe. Es wird von Hand gebaut und danach getestet. Wenn es alle Erwartungen erfüllt, dann geht es in Serie.«

Am Gesicht ihrer Tochter konnte Danora ablesen, die Erklärung hatte sie nicht vollständig verstanden.

»Schau mal«, sagte sie zu ihr, »es ist so. Du kennst doch unsere Schweber.«

Saira nickte.

»Mit denen fliegen wir von einem Ort zu einem anderen. Will man aber einen Schweber haben, der nicht nur fliegen, sondern auch fahren kann, muss man einen bauen, der Räder hat. Das erste Fahrzeug dieser Art nennt man Prototyp. Dein Dad fährt es und wenn er damit zufrieden ist, meldet er das dem Direktor. Danach werden ganz viele davon gebaut. Jeder Bewohner von *Karason* hat dann die Möglichkeit, statt einen normalen Schweber einen mit Rädern zu kaufen.«

»Das machst du?« Sie schenkte ihrem Vater ein strahlendes Lächeln.

Entro beugte sich zu seiner Tochter hinüber und gab ihr einen Kuss auf die Stirn. »Jetzt spiel noch ein wenig, bevor wir das Freizeitland besuchen.«

Saira rutschte von ihrem Stuhl und verschwand hinter der Tür zu ihrem Spielzimmer.

Während Danora sich um die Formulierung zum Thema Prototyp bemüht hatte, war ihr ein dringlicher Gedanke gekommen. »Du sagtest, du hast mit diesem Imnar eine Testfahrt in den Dschungel gemacht?«

»So ist es.«

»Gestern kam ein längerer Bericht über *Torfin* auf dem lokalen Trivideo-Kanal.« Sie musterte Entro, »hör mir genau zu. Die polaren Gebiete wurden gezeigt, ebenso wie die Gebirge und die großen Inseln. Sogar über einige Landstriche wurde berichtet, die so karg sind, dass darauf kein Baum wächst. Aber der größte Teil des Planeten wurde mit nur zwei Aussagen abgehandelt. Erstens: Die Dschungelregionen sind gefährlich. Nur ein paar Myrthonen haben sie je betreten und sind nie mehr zurückgekehrt. Zweitens: Alle Ortungssignale werden von den Blättern des Dschungels blockiert. Wir können nicht erkennen, ob es dort Bodenschätze gibt oder was sich sonst noch unter dem Blätterdach verbirgt. Die erste Aussage ist für mich am wichtigsten!«

Sie spürte, wie ihr das Blut in den Kopf stieg, vor lauter Angst, Entro könnte etwas geschehen. »Ich will nicht«, sagte sie mit Nachdruck, »dass du mit deinem Prototyp Testfahrten in diese Wildnis unternimmst. Ich liebe dich und ich möchte dich nicht verlieren. Und außerdem, was wird aus Saira und mir, wenn du nicht mehr zurückkommst? Hast du dir darüber schon einmal Gedanken gemacht?«

Sie sah, wie es in Entros Gesicht arbeitete. »Ich weiß, dass du dir Sorgen machst«, erwiderte er schließlich. »Deswegen habe ich dir kein Wort davon erzählt. Aber niemand, der bisher in den Dschungel vorgestoßen ist, konnte auf so ein optimiertes Fahrzeug zurückgreifen. Es ist für diese Umgebung konstruiert. Die Außenhülle besteht aus einer Mathumastahllegierung.

Zusätzlich haben wir ein Geschütz und einen bewaffneten Roboter an Bord. Es kann also nichts geschehen.«

Ihre Angst war damit nicht zerstreut. Er schien es zu bemerken, breitete langsam die Arme aus und zeigte ihr seine offenen Handflächen. »Und leider habe ich keine Chance, den Testfahrten zu entgehen. Ich muss den Prototyp selbst testen, bevor ich die Produktionsstraße aufbaue. Nur so können Fahrzeuge gebaut werden, die gegen alle Gefahren des Dschungels gefeit sind. Andernfalls könnte es viele Tote geben. Eine andere Möglichkeit wäre: Ich kündige diese Stelle. Willst du das?«

Sie musterte ihn. Die harten Linien in dem sonst so sympathischen Gesicht verdeutlichten ihr, wie ernst er die Frage meinte. Mit einer Hand strich er eine silberweiße Strähne aus der Stirn.

»Nein«, gab sie zurück. »Wir brauchen die Myraths. Und es ist nicht sicher, ob du so schnell eine neue Anstellung bekommst. Aber ich will mich auch nicht ständig um dich sorgen müssen.«

»Diese Woche wird keine weitere Testfahrt mehr stattfinden.« Er schien bemüht zu sein, die Wogen zu glätten. »Die Ingenieure der *SURF* optimieren den Prototyp nach jedem Einsatz. Danach, das verspreche ich dir, hat für mich meine Sicherheit oberste Priorität.«

Bevor Danora etwas darauf erwidern konnte, schwebte ein Dienstroboter herein und steuerte auf den Esstisch zu. Er hielt einen schwarzen Würfel in seinen Greifarmen. »Es ist eine Sendung der *Myrthonischen Verwaltung* gekommen. Sie ist für Euch, Hoch-Erleuchteter«, gab er mit mechanischer Stimme bekannt.

Entro nahm sie entgegen. Während der Roboter den Raum verließ, sah Danora, wie ihr Ehemann den Würfel in den Händen drehte, bis er die Sensorplatte gefunden hatte. Er legte den rechten Daumen darauf. Ein Summen ertönte und die Würfelseite klappte langsam nach oben. Gleichzeitig baute sich ein Holo auf.

Der Kopf einer adligen Kernweltmyrthonin im fortgeschrittenen Alter erschien. Deren aristokratische Züge formten sich zu einem devoten Lächeln. Am schwarzen Uniformkragen erkannte Danora, sie gehörte der *Myrthonischen Verwaltung* an.

»Entschuldigt die Verspätung, Entro aus dem schattenumwobenen Haus derer von Santoral«, bat sie. »Der Sonnentunnel von *Myrthon* ins *Finnan-System* war durch eine Energieflut blockiert. Das hat unseren Versand extrem gestört. Dafür haben wir aber den Antrag genehmigt, dass Eure Gemahlin ebenfalls das Brot der Lichttränen erhält. Das war das Warten doch wert?«

Das Holo verschwand. Danora konnte noch gar nicht glauben, was sie eben gehört hatte. Bereits seit sechs Lichtzyklen wartete sie auf diese Nachricht. Sie hatte die Hoffnung schon fast aufgegeben, jemals eine zu erhalten. Aber nun war sie offiziell in die Reihen des Kernweltadels aufgenommen worden.

Mit dem Verzehr des Lichttränenbrots würden sich ihre blonden Haare silberweiß und ihre blauen Iriden orangegolden verfärben sowie ihre Lebenserwartung steigern. In Gedanken breitete sich schlagartig eine rosige Zukunft vor ihr aus. Bilder flogen an ihrem geistigen Auge vorbei. Gleichzeitig sah sie ein pulsierendes Licht langsam aus dem Würfel aufsteigen. Es kam ihr vor, als würde sie das in einem Trivideo-Film sehen, in dem sie selbst nicht anwesend war.

Entro streckte dem Leuchten eine Hand entgegen. Danora drängte ihre Empfindungen zurück und tat es ihm gleich. Das Licht teilte sich und sank jeweils auf die dargebotene Handfläche hinunter. Dort angekommen erlosch es und enthüllte jedem von ihnen ein silbernes Döschen.

Sie registrierte, dass die Deckel der Behältnisse verschwanden, als wären sie niemals vorhanden gewesen. Der untere Teil aber faltete sich auseinander wie die Blätter einer Blüte. In der Mitte lag, ein wenig erhöht wie ein Blütenstempel, ein orangegolden glitzerndes Oval. Es war etwa einen Zentimeter hoch und so groß wie ein Daumennagel.

»Nimm es in den Mund und lasse es auf der Zunge zergehen«, empfahl ihr Entro, der sofort seine eigenen Anweisungen ausführte, sich zurücklehnte und die Augen schloss.

Danora tat es ihm nach. Zuerst war da nur ein leichtes Prickeln. Dann überwältigte eine ansteigende scharfe Frische ihre Geschmacksnerven. Automatisch schluckte sie und die Welt um sie herum versank in Dunkelheit. Trotzdem fühlte sie eine nie gekannte Leichtigkeit in sich. Es schien ihr gar, als würde sie schweben. Die Finsternis verschwand und sie sah unvermittelt den Speiseraum unter sich.

Sie saß zurückgelehnt an dem Tisch und Entro war dabei, aufzustehen.

Etwas Dunkles stob durch das Bild. Dann sah sie den Empfangsraum, der ein Stockwerk höher lag. Aber nur ganz kurz, denn die Geschwindigkeit, mit der sie fortbewegt wurde, erhöhte sich um ein Vielfaches. Nur Licht und Schatten drangen noch an ihre Sinne, danach befand sie sich über *Karason*. Sekunden später umgab sie die Schwärze des Alls und *Torfin* wurde kleiner und kleiner.

Sie sah den Sonnentunnel vor sich. Nicht nur das Portal, sondern den Schlauch, der die Sonnen in sich aufreihte wie die Perlen auf einer Kette. Er strahlte in einer satten Violett-Tönung. Während sie das *Finnan-System* verließ, erkannte sie weitere Tunnel, die in der Ferne in Blau, Gelb, Orange oder Rot leuchteten. Dann steuerte sie auf eine Wolke zu, die in allen Farben glitzerte. Sie sonderte feine kristallene Klänge ab, eine Musik, die nicht dieser Dimension anzugehören schien. Sie konnte sich nur Augenblicke daran erfreuen, denn sie durchstieß den Nebel und raste weiter durch den Raum. Die Sonnen waren keine Punkte mehr, sondern Striche, die ihr den Weg in die Unendlichkeit wiesen.

Dunkelheit umhüllte sie, als sie die Sterneninsel verließ. Doch sie währte nicht lang. Der nächste Sternhaufen breitete sich vor ihr aus und dann wieder einer und wieder einer. Es kam ihr wie eine Ewigkeit vor, bis sie spürte, dass sich etwas änderte.

Vor ihr zeichnete sich eine Sonne ab. Sie leuchtete weiß und schien ihr so groß wie eine ganze Galaxis zu sein. Es war ein flammendes Fanal, vor dem Danora sich vorkam wie ein winziges Stäubchen, das in Gefahr war, im Bruchteil eines Augenblicks in den heißen Sonnenwinden zu verglühen. Doch die Angst verschwand ohne ihr Zutun. Was blieb, war Respekt vor diesem Wunder des Kosmos. Denn sie ahnte, dass die Kräfte, die in der Sonne herrschen mussten, in der normalen Dimension nicht zu beherrschen waren. *Konnte das der Mittelpunkt des Universums sein?* Sie spürte ein Wohlbefinden, so als wäre es ganz natürlich, dass sie um den Giganten schwebte. Es schien ihr, als würde sie zu ihm gehören. Doch dann fühlte sie, es war Zeit zurückzukehren.

Entro

Langsam öffnete er die Augen. Er war an das Brot der Lichttränen schon gewöhnt. Einmal in jedem Lichtzyklus nahm er es zu sich. Die Leichtigkeit, die seinen Geist aus der Umklammerung des Körpers befreite und ihn für einen Moment in die Tiefen des Universums stürmen ließ, war ihm vertraut. Danora hingegen würde dieses einmalige Erlebnis ihr Leben lang nicht vergessen, da war er sich sicher. Denn wie er beim ersten Einnehmen war sie nun für etwa zehn Minuten nicht in der Lage, sich zu bewegen. In jener Zeitspanne konnte sie die Wunder des Kosmos bestaunen. Seiner Meinung nach war nur den Göttern ein vergleichbarer Anblick möglich.

Entro beschloss, die Zeit zu nutzen, in der Danora nicht handlungsfähig war, und sich für den Ausflug umzuziehen. Als er aufstand, war er noch etwas unsicher. Aber mit jedem Schritt stabilisierte er sich mehr und mehr.

Er verließ den Speiseraum. Die Tür schloss sich gerade hinter ihm mit leisem Zischen, da packte ihn ein furchtbarer Schmerz. Er krümmte sich zusammen. *Ist das eine Auswirkung des Lichttränenbrots?* Noch nie hatte er nach der Einnahme etwas Ähnliches gespürt. Die Pein verstärkte sich. Stöhnend kniete er sich nieder und berührte mit der Stirn den Boden. Minutenlang verharrte er in dieser Position. Da hörte er die ihm schon bekannte innere Stimme. *Du bist nicht Entro,* sagte sie. Sie war intensiver als sonst. *Nutze die Macht der Götter und befreie deinen Geist!*

Dann war der Schmerz wie weggewischt. Vorsichtig stand er auf und lauschte tief in sich hinein. Doch es war nur Stille in ihm. Er wusste jedoch, das war nur Trug. Das, was sich in ihm eingenistet hatte, würde wieder auftauchen und ihm erneut Qualen oder Schlimmeres bereiten.

Er sah sich nun gezwungen, Imnar wegen seiner Para-Gabe zu kontaktieren. Was auch immer bei einer Untersuchung herauskam, er hoffte inständig, Saira und Danora mussten nicht darunter leiden. Aber es blieb ihm nichts anderes übrig. Wenn er es nicht aufklären ließ, warum sich die innere Stimme ständig bei ihm meldete, dann würde er eines Tags dem Wahnsinn anheimfallen.

Nachdenklich ging er in den Umkleideraum, sah kurz in den Spiegel des Einbauschranks. Das weiße Shirt und die blaue Hose unterstrichen zwar seine sportliche Figur, doch für das Freizeitland wollte er etwas Eleganteres anziehen. Er öffnete den Schrank und nahm ein blaues, enganliegendes Hemd heraus. Dessen Kragen und Schulterbereich war mit Kristallstaub besetzt, der im Licht glitzerte. Dazu gefiel ihm eine dunkelblaue Hose mit schwarzen Streifen an den Seiten. Gürtel und Schuhe bestanden aus einer dunkelgrauen Lederimitation.

So gekleidet trat er erneut in den Speiseraum.

Danora saß entspannt auf ihrem Stuhl. Ihr Blick schien in weite Ferne gerichtet zu sein. »Hast du auch eine riesige Sonne gesehen, Entro, so groß wie eine ganze Galaxis?«

»Nein, jeder sieht etwas anderes. Und nur bei der ersten Einnahme ist es so beeindruckend, wie du es gerade erleben konntest.« Sanft strich er mit dem Handrücken ihrer Nackenpartie entlang.

Sie stand auf und umarmte ihn. »Danke, danke, dass du mir das ermöglicht hast.« Er küsste sie auf die Stirn und erwiderte dann ihre Umarmung.

»Glaubst du«, meinte er zärtlich, »ich könnte zusehen, wie die Person, die ich liebe, vor mir stirbt? Vergiss es. Ich möchte mit dir zusammen alt werden.«

Er spürte, wie sie sich noch enger an ihn schmiegte. Es tat so gut, Danora in seinen Armen zu halten. Der Gedanke, Imnar zu kontaktieren, rückte plötzlich in weite Ferne.

Sie waren seit einer geraumen Weile im Freizeitland. Entro fuhr mit Saira in einem Lift zur Spitze der energetischen Rutsche empor. In weitgeschwungenen Wendeln führte die Röhre nach unten, dann wieder hinauf und erneut hinab.

Dreimal war er bisher mit seiner Tochter gerutscht. Immer hatten sie den Planeten *Myrthon* ausgewählt. Sairas Alter war auf einem winzigen Würfel gespeichert, den sie als Eintrittskarte erhalten hatte und an einem Armband trug. Die KI der Rutschbahn griff am Einstieg darauf zu.

Dementsprechend war ein drolliger Doodoo erschienen, der sie begleitete und ihnen die heimatliche Tierwelt vorstellte.

Es war schon ein seltsames Gefühl, wenn eine Herde Parang in der Ferne auftauchte und dann blitzschnell näherkam. Kurz bevor man mit ihr kollidierte, ging es wieder nach oben.

Sie stiegen aus dem Lift und schritten Hand in Hand zum Eingang der Röhre.

»Dad!« Entro sah zu seiner Tochter hinab. »Ich will allein rutschen!« Sie blickte ihn mit ihren großen blauen Augen an. Es war keine Unsicherheit in ihrem Gesicht zu erkennen.

Er war verblüfft, hätte nicht vermutet, dass sie sich das zutraute. »Bist du dir ganz sicher? Wirst du keine Angst haben, wenn ich nicht bei dir bin?«

Sie schüttelte den Kopf.

»Gut!« Er stellte für die Rutschpartie den Planeten *Myrthon* ein.

Sie setzte sich auf den Startplatz, umfasste mit ihren kleinen Händen die Haltegriffe und stieß sich ab. »Bis gleich, Dad«, hörte er noch, dann war sie aus seiner Sicht entschwunden.

Danora wartete schon am Ausstieg auf sie beide und war vermutlich genauso überrascht wie er, wenn Saira allein vor ihr aus der Röhre klettern würde. Er beschloss, selbst nicht mehr zu rutschen, sondern den Lift abwärts zunehmen, und wandte sich um. *Wie schnell sich Kinder entwickeln,* dachte er und versuchte, sich an die Zeiten zu erinnern, in denen das Mädchen noch klein war und kaum laufen konnte. Es gelang ihm nicht.

Vor der Lifttür blieb er stehen. Das konnte nicht sein. Er musste sich doch Sairas damaliges Bild vor Augen führen können. Was stimmte nicht mit ihm?

Du bist nicht der, der du bist, erklang eine Stimme in seinem Geist, so dunkel und hallend wie aus einem Grab. *Kämpfe an gegen das falsche Ich.* Der letzte Satz wiederholte sich, wurde immer lauter und dröhnender, bis Entro Schwärze umfing.

Er erwachte, blickte sich hektisch um und erkannte, er lag am Boden. Zum Glück waren keine Besucher mehr hier, da das Freizeitland in wenigen Minuten schloss. Damit blieben ihm Peinlichkeiten erspart. Er sah auf die Zeitangabe seines ArmKomms und erschrak. Er war fast eine Viertelstunde ohnmächtig gewesen. Schnell stand er auf, klopfte sich den Staub aus der Kleidung.

Kaum war er damit fertig, öffnete sich die Lifttür vor ihm. Danora und Saira waren darin. Er trat ein und aktivierte die unterste Taste.

»Wieso bist du nicht gerutscht?«, fragte ihn seine Ehefrau. »Ich habe mir Sorgen um dich gemacht. Du weißt doch, wir müssen das Gelände sofort verlassen.«

»Entschuldigt bitte. Mein Chef hat mich gerade auf dem Arm-Komm angerufen. Es ging um einige Sachfragen, die wir morgen früh sofort klären müssen.«

Ein ungutes Gefühl bildete sich in seinem Bauch. *Warum lüge ich sie an? Eine Ehe basiert auf Vertrauen. Wieso sage ich ihr nicht die Wahrheit?* Er grübelte nach einem Grund. Ein Gedanke manifestierte sich. *Wenn ich nicht der bin, der ich bin, dann kann alles in sich zusammenstürzen genau wie ein Bauwerk, dessen ganze Stabilität auf einem einzigen Stein ausgerichtet ist, der nun entfernt wird.* Ein eiskalter Schauder fuhr ihm den Rücken hinab. Würde er dadurch seine Familie verlieren?

Er hob Saira hoch und drückte sie und Danora an sich.

Seine Ehefrau sah ihn überrascht an.

»Ich liebe euch beide so sehr«, gestand er ihnen, »ich konnte einfach nicht anders.«

Und doch musste er der Sache nachgehen. Es durfte nicht von einer inneren Stimme zur Ohnmacht verdammt werden können. Er würde gleich morgen mit Imnar sprechen. Es gab kein Zögern und Verschieben mehr. Seine Gedanken wurden unterbrochen, denn die Lifttür öffnete sich.

Warnung der Erbauer

Raumjacht Ovasa, im Sonnentunnel zum Rikay-System
24. Tag, 2. Monat, 8553. Lichtzyklus sME, 8. Stunde, 24. Minute

Chyra

Sie saß im Kommandantensessel und starrte auf den Holoschirm, sah, wie sich das goldene Feld um die Raumjacht aufbaute, die sich aufzulösen begann. Langsam verflüchtigte sich die Schiffszelle von außen nach innen, bis sie selbst das Leuchten umgab. Dann, von einer Sekunde zur anderen verschwand es, noch bevor es ihre Kleidung anzugreifen vermochte. Sie schwebte nun ganz allein in der Schwärze des Sonnentunnels.

Wo ist Araya? Sie war nirgends zu sehen. Per Funk konnte sie ihre Begleiterin ebenfalls nicht erreichen. Er funktionierte hier nicht. Die Geräte in der Bordkombination waren nicht für diesen höher dimensionalen Raum geeignet. So flog sie blind voran. Sie befiel das Gefühl, nicht an einem Ort zu verharren, sondern sich fortzubewegen.

Wo ist die energetische Front geblieben? Ist sie schon abgeflaut oder ist das Maximum noch Minuten von mir entfernt? Sie wusste es nicht.

Es mochten Stunden, Tage, Wochen, ja Ewigkeiten vergangen sein, in denen sie dahintrieb, umgeben von der ultimativen Schwärze der Einsamkeit. Verzweiflung wollte sich ihrer bemächtigen. Doch dann erschien ein Licht vor ihr. Bald erkannte sie die Umrisse eines ST-Portals, das sich in Flugrichtung befand. Es handelte sich nicht um einen Abzweig, sondern um das Ende des Sonnentunnels.

Das konnte unmöglich sein. Auf ihrer Route war das nächste Sonnensystem das *Toufay-System*. Aber von dort führte der Tunnel weiter ins *Chamball-System* und von da ins *Rikay-System*, wo er sich schließlich verzweigte. Und noch etwas kam ihr seltsam vor. Sie schwebte in dem höher dimensionalen Raum, ohne von einem Abstoßfeld geschützt zu werden. Sie hätte sofort in den Normalraum abgestoßen werden müssen. Doch das war nicht geschehen. *Was bei den Licht- und Schattenfunken passiert mit mir?* Das Portal wurde größer und größer, erfasste sie und spie sie schließlich aus. Ihre Furcht, zu nahe an der Sonnenoberfläche aufzutauchen, blieb gegenstandslos. Weder wurde sie von der Hitze verbrannt noch von einer Lichtfülle geblendet. Als sie den schützenden Arm von den Augen nahm, registrierte sie verwundert, es gab keine Sonne. Da war nur der Sternenhimmel um sie herum.

Ihr Weltbild war vollständig erschüttert. Sonnentunnel verliefen immer von Stern zu Stern. Letztlich verbanden sie, als eine Art von Wegesystem, die Sonnensysteme untereinander. Das hatte sie ihr Leben lang gelernt. Und nun endet der Tunnel hier an einem Ort ohne Sonne. Unvermittelt glaubte sie, ein Raunen zu vernehmen. Oder war es nur eine Einbildung? Etwas veränderte sich. Vor ihr verschwand ein Teil der Sterne und ein Planet nahm deren Platz ein. An der Form der Kontinente erkannte Chyra *Myrthon,* den Hauptplaneten des Sternenreichs. Er begann sich rasend schnell um seine Achse zu drehen. War es die Farbänderung der Oberfläche oder nur ein Gefühl, sie glaubte, Frühling, Sommer, Herbst und Winter zu erkennen. Wieder und immer wieder spulte sich der Ablauf eines Lichtzyklus vor ihren Augen ab.

Dann erschienen neben *Myrthon* zwei weitere Planeten. Sie glichen dem Ersten bis ins Detail. Blaue Schuppenhände, die vier Klauen besaßen, umfassten nun die drei Himmelskörper. Unterhalb jeder der sich drehenden Welten befanden sich Siebenecke. Zuerst waren es vier davon, danach drei und zuletzt nur eines.

Erneut tauchte *Myrthon* neben der bekannten Konstellation auf. Diesmal als ein Planet im Tag und Nachtrhythmus. Auch er wurde von Klauenhänden umschlossen. Unter ihm leuchteten zwei der Siebenecke.

Die Welten verschwanden von einem Augenblick zum anderen. Dafür entfaltete sich eine Sternenkarte. Von der Kontur des Grenzverlaufs her war es die Karte des Sternenreichs. Jeder Stern verfügte über ein oder mehrere gleißende Tunnelsymbole. Mit einem Schlag erloschen sie alle.

Chyra erschrak. *Bei den Göttern, das Tunnelsystem bricht zusammen.* Das, was sie sah, machte auf sie den Eindruck, als ob es sich um eine Warnung handeln könnte.

Die Sternenkarte verblasste. Dafür erschien wiederum *Myrthon*. Der Planet bildete ebenfalls den Ablauf eines Lichtzyklus nach. Unter ihm befand sich ein Siebeneck, daneben war der Schatten eines Weiteren zu sehen. Doch bevor sich dieser ausgebildet hatte, verschwand alles um sie herum. Das Portal saugte sie in den Sonnentunnel zurück. Anschließend spürte sie einen stechenden Schmerz im Nacken.

Araya

Sie erwachte auf ihrem Kontursitz in der Zentrale neben dem Schott. Müdigkeit erfüllte sie, sofern ein künstliches Wesen zu so etwas überhaupt fähig sein konnte. Ebenso sollte es schier unmöglich sein, dass sie ungewollt einschlief oder gar das Bewusstsein verlor. Sie spürte ihr Gewicht.

Ein Blick auf den ArmKomm zeigte ihr, nicht nur die Schwerkraft war wieder vorhanden, auch die Luft um sie herum entsprach dem Standard. Anscheinend hatte die Bord-KI von sich aus die Systeme reaktiviert, die abgeschaltet worden waren, um deren Energien umzuleiten.

Mit einem Fingerdruck entließ sie ihre Bordkombination aus dem Verschlusszustand.

Als sie nach der Uhrzeit sah, erstarrte sie. Es war einfach unglaublich, doch der ArmKomm konnte nicht lügen. Heute war der 24. Tag, 2. Monat, 8553 sME zur 9. Stunde und 44. Minute. Demnach hatten sie knapp zwei Tage verloren. Eine Zeit, die komplett in ihrer Erinnerung fehlte.

Ihre erste Sorge galt nun der Raumjacht. Die Abfrage der Bord-KI offenbarte ihr, das Schiff war zu neunzig Prozent einsatzbereit. Nur am Generator des Abstoßfelds waren noch Reparaturen im Gange.

Zum Glück hatte das goldene Feld, das sie umhüllte, das Raumschiff nicht aufgelöst. Im Gegenteil, es schien als Schutz gewirkt zu haben. Es war zu einem Drittel mit der Tunnelwand verschmolzen. Dicke goldfarbene Adern, die aus der Wandung hervortraten und eine kurze Strecke auf ihr entlangliefen, endeten im Schirm. Araya sah es in den Aufzeichnungen der Bord-KI. Ihnen war es zu verdanken, dass das Schiff die Energieflut schadlos überstanden hatte. Beim Zusammenprall der Energien auf das goldene Feld waren die Wandadern zu einer stattlichen Größe angewachsen. Sie hatten das Schirmfeld gespeist, damit es der gewaltigen Flut widerstehen konnte. Es war zwar deformiert worden, aber nicht so stark, dass es mit der Außenwand der Raumjacht in Berührung gekommen wäre. Dann war der energetische Ansturm versiegt. Doch der Schirm bestand weiter. Nur die Adern an den Wänden nahmen langsam wieder ihre normalen Ausmaße an.

Sie hoffte, dass das Schirmfeld verschwand, sobald der Sonnentunnel als Transportmedium wieder einsatzbereit war. Wie lang das dauern würde, wusste sie nicht. Ihr waren die Hände gebunden, solange der goldfarbene Schirm die Raumjacht umhüllte. Zwar schützte er sie, aber er hielt sie auch gefangen.

In jener ereignislosen Zeit befasste sie sich hauptsächlich mit sich selbst. Sie analysierte ihr Wissen, das sie sich mit Asatas Hilfe angeeignet hatte. Dabei deckte sie Schwachstellen auf, für die noch tiefergehende Informationen vonnöten waren. Ab und zu sah sie nach Chyra. Doch die war nach wie vor in tiefer Bewusstlosigkeit versunken. Die Schadensanalyse der Raumjacht bearbeitete sie nebenbei. Es gab nur noch kleinere Schäden, welche die Schiffsfunktion nicht einschränkten. Der Reparaturroboter hatte die Arbeiten am Generator des Abstoßfelds abgeschlossen und behob nun die Restschäden.

Ein Summen ertönte. »Die Höchst-Erleuchtete erwacht«, vernahm sie die Stimme der Bord-KI. Das Zischen einer Hochdruckspritze drang an ihr Ohr. Der Medikroboter, der vor einigen Minuten in die Zentrale geschwebt war, hatte Chyra über die Anzug-KI ein Mittel injiziert, das den Aufweckzustand unterstützte.

Araya löste die Gurte ihres Kontursitzes, stand auf und schritt zur Kommissarin hin. Schnell deaktivierte sie dort den Verschlusszustand von deren Bordkombination. Helm und Handschuhe verwandelten sich Millimeter für Millimeter zu einer zähen Flüssigkeit, um dann in Ärmeln und Kragen eingesaugt zu werden. Sie legte kurz die Hand auf Chyras Stirn. Die Temperatur war normal. Etwas anderes hätte sie auch sehr verwundert. Dem Medikroboter, der rechts vom Kommandantensessel schwebte, wären abweichende Werte sofort aufgefallen.

Arayas Handlung entsprang keiner Notwendigkeit. Es war eher ihr Wunsch, einen von Asatas Ratschlägen umzusetzen: »Bevor du mit einem Messinstrument über jemanden herfällst, solltest du zuerst deine Hand auf dessen Stirn legen. Du spürst, wenn er erhöhte Temperatur hat. Dann ist immer noch Zeit zum Messen.«

Die Gesichtszüge der Kommissarin wirkten angespannt. Ihre Augenlider zuckten einige Male. Schließlich öffnete sie die Augen. Sie sah sich scheinbar verwirrt um, bis ihr Blick auf Araya fiel. »Was ist passiert? Wie kann ich hier in der Zentrale sitzen? Ich habe selbst miterlebt, wie ein goldenes Leuchten die Raumjacht aufgelöst hat.«

Araya trat zwei Schritte zur Seite, damit Chyra sich nicht den Hals verrenken musste, um ihr ins Antlitz zu blicken. »Ich dachte auch zuerst, das Schirmfeld würde die Jacht und uns auflösen. Durch die Aufzeichnungen der Bord-KI habe ich gesehen, der Schirm entstand, um uns vor der Energieflut zu schützen.« Dann berichtete sie der Kommissarin, was in der Zeit der Bewusstlosigkeit vorgefallen war.

Chyra seufzte erleichtert auf. »Wir haben sehr viel Glück gehabt. Ich bezweifle, dass wir dieser Katastrophe entgangen wären, wenn Ihr es nicht geschafft hättet, die Jacht in die Randzone zu steuern. Ich werde jedenfalls nie mehr mit einer winzigen Raumjacht in einem Sonnentunnel tauchen.«

»Ich vermute«, gab Araya zurück, »auch wesentlich größere Raumschiffe wären in Schwierigkeiten geraden. Die Energieflut war einfach zu mächtig für unsere Technik. Und ich denke, das Tunnelsystem hätte uns auch dann beschützt, wenn es uns nicht gelungen wäre, die Randzone zu erreichen.«

Chyra richtete sich in ihrem Sessel auf. »Nun, Vermutungen sind nicht das, was ich von einem Roboter erwarte. Fakten würde ich eher akzeptieren. Ihr lasst mich wirklich weiter daran zweifeln, was Ihr seid?«

»Was wollt Ihr mir damit sagen?«, fragte Araya spitz. »Ich habe Euch doch gesagt, ich selbst weiß nicht, was ich bin. Wünscht Ihr etwa, dass ich mich vor Euren Augen demontiere? Um ehrlich zu sein, ich wüsste gar nicht, wie ich das anstellen sollte. Mir liegen keinerlei Informationen darüber vor.«

Chyra winkte ab. »Das ist zwar sehr verlockend, aber nein! Im Moment beschäftigen mich andere Dinge.« Und sie berichtete von ihrem Traum über das Erlöschen der Sonnentunnel. »Was meint Ihr dazu?«

»Ihr vermutet also, Höchst-Erleuchtete, es handelt sich hierbei um eine Warnung.« Sie runzelte die Stirn. »Drei Planeten, die den Ablauf eines Lichtzyklus darstellen. Damit könnte ein Datum gemeint sein. Die Anzahl der Lichtzyklen, Monate und Tage lassen sich aus den Siebenecken entnehmen, die darunter stehen. Das wären 7777, 777 und 7.« Sie überlegte kurz, schüttelte dann den Kopf. »Leider macht das überhaupt keinen Sinn. Erstens gehört der Lichtzyklus 7777 schon der Vergangenheit an. Zweitens übersteigt die Monatsanzahl deutlich die Zwölf. So einfach kann es also nicht sein.«

Chyra nickte nachdenklich, danach rieb sie sich mit der Hand den Nacken, der offenbar zu schmerzen begonnen hatte. »Das verstehe ich auch nicht. Wenn ich nicht die Abfolge eines Lichtzyklus gesehen hätte, würde ich denken, es wären Koordinaten.«

»Bleiben wir einmal bei der Annahme, es handelt sich tatsächlich um ein Datum. Um das zu beweisen, nehme ich nun die vierte Planetendarstellung hinzu. Da habt Ihr deutlich einen Tag- und Nachtwechsel wahrgenommen. 77 Tage könnten bedeuten, dass damit der 17. Tag im 3. Monat gemeint ist. Ich gehe dabei vom Standardmonat auf *Myrthon* mit dreißig Tagen aus. Wir müssten nun nur noch herausfinden, was es mit den ersten drei Zahlen auf sich hat.« Sie hatte schon eine denkbare Lösung parat, wollte aber der Kommissarin die Möglichkeit geben, selbst darauf zu stoßen.

Chyra stand auf und lief in Gedanken versunken in der Zentrale umher. Ihre Hände umfassten dabei die Arme hinter dem Rücken. Dann blieb sie stehen und drehte sich Araya zu. »Die Erbauer der Sonnentunnel scheinen sich auf Zahlen mit Sieben zu konzentrieren. 7777, 777, 7 und 77 haben sie bei ihrer Warnung verwendet. Was würden sie tun, wenn sich das Datum des Zusammenbruchs aller Tunnel damit nicht beschreiben ließe? Unsere Aufgabe sehe ich darin, die Beziehung der drei Lichtzykluszahlen zueinander zu finden.«

Araya nickte. »So weit bin ich auch gekommen. Ich gehe davon aus, die Erbauer kennen unser Volk. Die Grenzen des Sternenreichs als Teil der Warnung deuten darauf hin. Den myrthonischen Kalender dürften sie ebenfalls kennen.«

»Dem stimme ich voll zu. Nachdem wir den Lichtzyklus 8553 schreiben, kommt eine Subtraktion dieser Zahlen nicht in Frage, da das Rechenergebnis mit 6993 noch weiter in der Vergangenheit läge. Bei der Addition sieht es anders aus. Hier zeigt das Ergebnis mit 8561 etwa acht Lichtzyklen in die Zukunft. Eine Warnung ergibt damit tatsächlich einen Sinn.«

»Wie konntet Ihr das so schnell berechnen, ohne eine KI zu verwenden?«, fragte Araya. Gleichzeitig durchsuchte sie die Datenspeicher der Bord-KI nach dem von Chyra genannten Datum.

»Ich war schon immer gut im Kopfrechnen«, gab Chyra lächelnd zurück.

Wenn die Eifersucht in den Hintergrund tritt, sagte sich Araya, *hat die Kommissarin durchaus menschliche Züge. Sie scheint logisch denken zu können. Zusammen sind wir ein gutes Team. So würde es jedenfalls Asata formulieren.* Sie räusperte sich. »Im Speicher der Bord-KI bin ich bei der Suche nach dem Begriff *Lichtzyklus 8561* auf einen überarbeiteten religiösen Text gestoßen. Er stammt von einem Hohepriester Hellons und wurde unter dem Titel *Die Lehre von Licht und Schatten* 7453 veröffentlicht. Das ist über tausend Lichtzyklen her. Der Absatz, auf den es ankommt, lautet wie folgt: *So wacht der Myrth seit Äonen über die verstreuten Reskater-Geschlechter und auf die Einhaltung der Gesetze von Licht und Schatten. Denn nach 7777 Lichtzyklen wird Hellon mit seinen Funken wieder erscheinen, um über uns Menschen zu richten (damit ist der Lichtzyklus 8561 gemeint, Anmerkung der Redaktion). Gelingt es uns bis dahin, die Lehren des Imonars und des Myrathons zu befolgen, ist uns allen das ewige Leben ohne Schmerz und Pein im Paradies von Reskate sicher. Andernfalls werden wir aus dem Universum getilgt.*« Araya verstummte, ließ die Worte wirken.

Nach einer Weile fuhr sie fort: »Ist es nicht seltsam? Wieso befinden sich religiöse Texte in der Bord-KI? Und warum findet das Erlöschen der Sonnentunnel im gleichen Lichtzyklus statt, wie das göttliche Gericht über die Myrthonen?«

»Ersteres hat der Myrth verfügt«, antwortete Chyra. »Soweit ich weiß, im Lichtzyklus 8547. Seitdem müssen in jedem Raumschiff, gleich ob Schlachtraumer oder Rettungsboot, alle Schriften verfügbar sein, die Hellon und seine Inkarnationen betreffen. Zur zweiten Frage: Jemand könnte schon zu früherer Zeit die Warnung der Erbauer vernommen haben. Wenn er ein religiöser Myrthone war, lautet auch die Interpretation dementsprechend.« Sie legte eine Pause ein und fuhr dann fort. »Wer hat eigentlich den Text geschrieben, den Ihr gefunden habt?«

»Terlor aus dem lichtdurchfluteten Haus derer von Cortanon. Kennt Ihr ihn oder die Familie?«

Chyra schüttelte den Kopf. »Was die Familie anbetrifft, ist die zumindest nicht im *Unterstützenden Rat* vertreten.« Sie sann einen Augenblick nach, ehe ihre Gesichtszüge Entschlossenheit zeigten. »Wir müssen zunächst den Myrth informieren«, stieß sie hervor. »Wenn in acht Lichtzyklen tatsächlich die Sonnentunnel erlöschen, dann kommt das einer Katastrophe gleich. Alle Sternensysteme sind in diesem Fall isoliert und auf sich allein gestellt. Eine Reise zwischen den Systemen würde lichtzyklenlang dauern. Viele der Kolonialplaneten sind ohne Hilfsgüter dem Untergang geweiht. Das Reich muss auf die Bedrohung vorbereitet sein, die die Zukunft für uns bereithält.«

»Noch haben wir das Rätsel nicht ganz gelöst«, gab Araya zu bedenken. »Der letzte Planet aus Eurer Warnung, der ebenfalls einen Lichtzyklus durchlief, steht noch aus. Er könnte für die Dauer der Katastrophe stehen. Unter ihm waren ein Siebeneck und der Schatten eines zweiten abgebildet. Das bedeutet, die Tunnel fallen für sieben oder siebenundsiebzig Lichtzyklen aus oder einer Zahl dazwischen. Ich hoffe, meine Annahme stimmt.«

»Das wäre möglich«, entgegnete Chyra. »Dann wäre das Desaster nicht ganz so umfassend. Die Vorbereitung auf den Ernstfall macht nun noch mehr Sinn. Es gilt günstigstenfalls eine relativ kurze Wartezeit zu überbrücken.«

Sie diskutierten noch viele Stunden über das Thema. Und Araya, so seltsam sich das auch anhörte, fieberte dem Augenblick entgegen, in dem sie das goldene Gefängnis verlassen konnten. Je früher der Myrth Bescheid bekam, umso mehr Zeit blieb ihm für Gegenmaßnahmen.

Chyra

Voller Ungeduld trommelte sie mit ihren Fingerspitzen auf die Armlehne ihres Sessels. Seit Stunden wartete sie darauf, dass der goldene Energieschirm verschwand. Die Zeit rannte ihnen davon und sie war zur Untätigkeit verdammt.

Seit Araya die Bordkombination trug, die sie nicht mehr ganz so attraktiv wirken ließ, sah Chyra sie weniger als Rivalin an. Ihre Anwesenheit an Bord war ihr nun willkommen. Sie wusste, ohne deren Eingreifen hätte sie das Unheil der Energiefront nicht lebend überstanden.

Die Diskussion wegen des drohenden Zusammenbruchs der Sonnentunnel hatte ihr zudem verdeutlicht, dass Araya ein menschliches Wesen war. Die Urkunde, die sie und ihre Schwester als Adoptivtöchter des Myrths ausgab, wies ebenfalls in diese Richtung.

Sie würde von nun an darauf verzichten, ihr dazu weitere Fragen zu stellen, und sie mit keiner Bezeichnung mehr belegen, die den Begriff *Robot* enthielt. Vielmehr sah sie Araya, im Vorgriff ihrer Ankunft im Palast des Hauses Valura, bereits als ihre Leibdienerin an. Es war sicherlich von Vorteil, sich jetzt schon an diese Titulierung zu gewöhnen. Aber eigentlich war Araya alles andere als das. Ihre Persönlichkeit stand ihrem eigenen Intellekt in nichts nach. Hier an Bord war sie als eine gleichwertige Partnerin aufgetreten, die darüber hinaus noch über die Fähigkeit verfügte, sich mit der KI zu vernetzen und sie zu beherrschen.

Chyra würde sie noch einige Zeit beobachten müssen, um zu wissen, was sie von ihr zu halten hatte.

»Achtung!«, schallte die Stimme der Bord-KI durch den Raum. »Das Energieniveau des goldenen Schirms nimmt ab.«

Gleichzeitig sah sie auf dem Holo, die Reparaturen in der Jacht waren abgeschlossen. Sie reagierte unmittelbar auf die Durchsage. »Bord-KI! Aktiviere sofort das Abstoßfeld!«

»Anweisung ausgeführt, Höchst-Erleuchtete.«

Araya schritt zu ihrem Kontursitz, setzte sich und schloss den Gurt. Minuten später verwehten die letzten Reste des goldenen Schirms. Die Energieadern verschwanden in der Tunnelwand. Dankbar registrierte Chyra, dass sie wieder die Kontrolle über die Raumjacht hatte. Sie gab den STEEG-Parameter ein, mit dem die OVASA zuletzt durch den Sonnentunnel getaucht war.

Langsam setzte sich die Jacht in Bewegung. Die Wandung des Tunnels versank in der allgemeinen Schwärze, die wahrscheinlich nur durch den goldenen Energieschirm aufgehoben worden war.

Chyra lehnte sich entspannt zurück, als sie in die eingestellte Ebene wechselten. Nun war es nur noch eine Frage der Zeit, bis sie das *Mathuma-System* erreichen würden. Sie hoffte, sie stießen nicht auf noch weitere Katastrophen, die sie von ihrem Ziel abbringen wollten.

An der Wurzel des Übels

Schlachtkreuzer Tirkum, im Sonnentunnel zum Rikay-System
24. Tag, 2. Monat, 8553. Lichtzyklus, 10. Stunde, 55 Minute

Antor

Er sah auf den ArmKomm und seufzte. Vor zwei Tagen war er an Bord der Tirkum gekommen, um die Mission zu starten, in der sie das Schulungsschiff Paramur aufspüren sollten. Doch die Energieflut hatte ihm einen dicken Strich durch die Rechnung gemacht. Das Portal konnte nach dem Ausbruch nicht mehr durchquert werden. Statt um die Mittagszeit den Tauchgang zu beginnen, mussten sie bis zur 21. Stunde warten. Zu ihrer Überraschung war dann die zu erreichende Maximalgeschwindigkeit im Tunnel nicht höher als 1 Licht. Immerhin stieg sie langsam und linear an.

Nach der ersten Stunde waren knapp zwei Lichttage überwunden. Die Daten der Ovasa lagen ihm vor. Die Zeit, bei der sie in den Sonnentunnel getaucht war und ihre geschätzte Geschwindigkeit von 7.500 Licht ließen ihn vermuten, dass sie etwa bei einer zurückgelegten Strecke von 0,35 bis 0,37 Lichtquadratzyklen auf die Energieflut getroffen war.

Das bedeutete, es lagen weitere sieben Stunden vor ihnen, um diese Position zu erreichen und mit der Suche nach Chyra und Araya zu beginnen.

Im Suchgebiet angekommen bremste die Tirkum auf 0,003 Licht ab. Nur bei dieser geringen Tauchfahrt hatte der ST-Navigator eine Chance, die Raumjacht aufzuspüren.

Seitdem waren sie vierunddreißig Stunden lang durch den Tunnel gekrochen.

Da meldete sich Soron endlich über ArmKomm. »Vor wenigen Minuten konnte ich erstmals etwas sehen.« Er kratzte sich nachdenklich am Kopf. »Es war ein goldleuchtender Energieschirm. Eine dicke Ader, die an der Tunnelwand entlanglief und auch darin verschwand, mündete in ihm. Das Bild wurde für einen Augenblick in meinem Geist gespiegelt. Ich habe allerdings keine Ahnung, was es bedeuten soll. Ich weiß nur, goldene Energien dienen der Sicherheit des Tunnels. Und das ist noch nicht alles. Es gibt weitere Schirme an den Wänden. Sie sind über den ganzen Sonnentunnel verteilt. Ich kann sie nicht sehen, nicht orten, nur spüren, dass sie da sind.«

Er schwieg für einen Atemzug, »erinnert Euch an dem Moment zurück, bevor die energetische Flut durch das Portal brach. Habt Ihr noch den Schirm vor Euren Augen, der den Tunnelausgang verriegelte, als die Bord-KI die TIRKUM auf Fluchtkurs brachte?«

Antor nickte.

»Gut«, sagte Soron, »er war ebenfalls golden und wurde von der Energieflut ausgebeult. Sie hat ihn überwunden und fiel in das *Eugnith-System* ein. Mir ist noch unklar, weshalb die schwarze Energie wieder in das Portal zurückgesaugt wurde. Beruhte das auf einem Naturgesetz, das ihr den Aufenthalt in unserer Dimension verbietet oder hat das Sicherheitssystem des Tunnels dafür gesorgt?«

Antor seufzte. »Was wollt Ihr mir damit sagen?«

Verwundert sah ihn der Navigator an, so, als ob er nicht fassen könne, dass seine Ausführungen nicht verstanden worden waren. »Die goldenen Energieschirm sind im Normalfall nicht Teil der Tunnelwand. Sie wurden speziell wegen der Energieflut erschaffen. Jedoch nicht, um das Tunnelsystem zu schützen. Ich habe bisher keinerlei Schäden daran feststellen können. Vielmehr scheinen die Schirmfelder etwas zu umhüllen, vielleicht in Not geratene Raumschiffe. Nein, nicht vielleicht. Ich bin mir sicher, genau um solche handelt es sich. Etwas finde ich aber seltsam. Der Sonnentunnel ist schon seit einiger Zeit tauchbar. Doch die goldfarbenen Schirme stehen immer noch. Vielleicht verschwindet sie erst, wenn die Raumer von den Besatzungen repariert wurden. Das ist natürlich nur eine Annahme, die sich jedoch richtig anfühlt. Denn wozu sollte das Energiefeld sonst da sein? Solltet Ihr Euch darüber wundern, dass ich in der Lage bin, Dinge zu fühlen, die ich nicht sehen kann? Das ist nichts Besonderes, sondern nur die Grundvoraussetzung für einen ST-Navigator.«

»Das bedeutet doch«, spann Antor den Gedanken fort, »es kann keine Totalausfälle im Sonnentunnel geben, da das Sicherheitssystem des Tunnels alle Raumschiffe beschützt.«

»Nein, da irrt Ihr Euch!« Der Navigator schüttelte ungehalten den Kopf. Eine Strähne seines ausgeblichenen Haars fiel ihm ins Gesicht. »Es bewahrt sie nur vor den schwerwiegenden Folgen von Katastrophen, die der Sonnentunnel selbst verursacht hat. Sollte aber zum Beispiel der Stoßfeldantrieb eines Raumers aus technischen Gründen kollabieren, wird das nicht eingreifen, was für die Sicherheit innerhalb des Tunnels sorgt. Das Raumschiff wird im günstigsten Fall aus dem Tunnelsystem ins Normaluniversum geschleudert. Mit viel Pech explodiert es.«

»Würdet Ihr beides wahrnehmen?«, hakte Antor nach.

»Ja! Aber nur, wenn wir weiterhin mit dieser niedrigen Geschwindigkeit durch den Sonnentunnel schleichen. Ich halte das aber ehrlich gesagt für verschwendete Zeit. Ihr könnt Euch ausrechnen, wann wir im *Rikay-System* eintreffen würden. In diesem Leben wahrscheinlich nicht mehr.«

»Nachdem wir einen Totalausfall aufgrund der Energieflut so gut wie ausschließen können, macht eine weitere Schleichfahrt auch keinen Sinn mehr. Ich werde die TIRKUM auf maximale Geschwindigkeit bringen lassen. Meldet Euch sofort, Soron, wenn Euch noch etwas auffällt.« Er unterbrach die Verbindung.

Die bisher zurückgelegte Strecke war vernachlässigbar gering. Antor hatte sich höchstens einen Tag für das Auffinden der OVASA abgerungen. Mehr würde sein Gewissen nicht zulassen, so sehr er sich auch wünschte, Chyra und Araya zu finden. Doch er durfte auf keinen Fall die PARAMUR vernachlässigen. Es wäre für ihn ein Albtraum, würde sie nicht aufzufinden sein, nur wegen der Zeit, die er mit der Suche nach der OVASA verschwendete. Momentan belief sie sich auf fünf Stunden, vorausgesetzt, sie gingen sofort auf die Maximalgeschwindigkeit, die seit dreißig Minuten wieder möglich war.

Der Grund für die Differenz zwischen den tatsächlichen und den real verlorenen Suchstunden lag am Sonnentunnel. Er war durch die Energiefront merklich beeinträchtigt worden. Nach dem Eintauchen ließ er nur eine Geschwindigkeit von 1 Licht zu. Sie steigerte sich linear bis auf 10.000 Licht. Er hätte demnach ohne Suchaktion knapp dreiundsiebzig Stunden statt der sechsunddreißig benötigt, um ins *Rikay-System* zu kommen. Obwohl er zweiundvierzig Stunden bis zum Abbruch der Suche verbracht hatte, würde er die Tauchfahrt in insgesamt achtundsiebzig Stunden abschließen können.

Über seinen ArmKomm nahm er die Verbindung zum Kommandanten auf. »Celur! Volle Fahrt voraus.«

Tranthar

Er erwachte wieder einmal aus der Induktorschulung. Den pochenden Schmerz in seinem Kopf ignorierte er.

Neben ihm aktivierte Kerasor stöhnend die Sensorfläche, welche die Haube zurück in die Wand beförderte. Auch die anderen Anwärter begannen sich zu bewegen.

Tranthar entledigte sich ebenfalls der Induktorhaube. Während sie eingezogen wurde, zeigte ihm ein Blick auf den Holoschirm, dass die TIRKUM erneut mit hoher Geschwindigkeit durch den Sonnentunnel raste.

Er sah auf die Zeitanzeige des ArmKomms. Es war kurz vor der 21. Stunde, am 25. Tag des 2. Monats. Noch bevor er in der Lage war, die Auswirkungen der Schulung abzuschütteln, erklang die Stimme des Kommandanten. »Achtung in zehn Minuten endet unsere Tauchfahrt. Wir stoßen durch das Portal in das *Rikay-System* vor. Es gilt Alarmstufe I.«

Schon ertönte das Heulen der Sirenen, vermischt mit dem Wummern der Maschinen, als der Stoßfeldantrieb auf volle Bremsleistung geschaltet wurde.

»Jetzt wird es ernst«, stieß Kerasor hervor.

»Blödsinn«, entgegnete Charrut, »das ist die niedrigste Alarmstufe. Das *Rikay-System* gilt als sicher. Was soll uns hier schon passieren.«

Tranthar mischte sich ein. »Ihr solltet aber eines nicht vergessen, von hier kam die letzte Meldung der vermissten PARAMUR.«

Charrut verzog gelangweilt den Mund. »Immerhin hat sie sich von hier ordnungsgemäß gemeldet. Wenn es Probleme geben sollte, dann mit Sicherheit im *Malek-System*.«

»Wir werden sehen.« Damit beendete Kerasor die fruchtlose Diskussion.

Minuten später verließen sie den Sonnentunnel. Eben noch umgab sie nichts als Schwärze. Nur das Portal hob sich als silbernes Oval hervor.

Im nächsten Augenblick befanden sie sich im Normaluniversum. Tranthar sah den Sternenhimmel und hieß ihn willkommen. Es war, als würde er seine Heimat begrüßen. Durch die Suchaktion waren sie drei Tage im Tunnel unterwegs gewesen. Das zerrte an den Nerven. Er fühlte sich erleichtert. Die Tauchfahrt war endlich vorbei.

Das *Rikay-System* verfügte, soweit er sich erinnern konnte, über vier Planeten. Richtig. Er sah, wie auf einem Teil des Holoschirms die Sonne mit den Planetenbahnen eingeblendet wurde. Die blaue Riesensonne besaß eine große Lücke. Erst jenseits der Lebenszone befand sich die Umlaufbahn des Schwerkraftplaneten *Talos*. Danach folgten in immensen Abständen die zwei Gasplaneten *Mantur* und *Perpon*. Am äußersten Systemrand zog *Lurk*, ein mittelgroßer Eisplanet, seine Bahn.

Die Stimme des Kommandanten erklang. »Achtung! Beim Austritt aus dem Portal wurden wir annähernd 500.000 Kilometer in das Sonnensystem hineingestoßen. Und das, obwohl wir exakt die erforderliche Geschwindigkeit für das Verlassen des Sonnentunnels einhielten. Die Bord-KI stuft das als Fehlverhalten des Tunnelsystems ein.«

»Hier ist Soron«, kam es aus einem Lautsprecher in der Zentrale. »Mein ST-Sinn sagt mir, genau hier ist der Ausgangspunkt der Katastrophe. Kommandant, wendet das Raumschiff und nähert Euch dem Portal, das in Richtung *Malek-System* führt.«

Tranthar sah, wie Antor Celur zunickte.

Die TIRKUM nahm Fahrt auf. Langsam schob sich die blaue Riesensonne wieder in den Holoschirm, bis sie in dessen Mitte stand. Die Filtersysteme sorgten für eine verträgliche Helligkeit. Dann wuchs die Sonne an und wanderte schließlich zur linken Seite hin.

»Stopp!«, war die Stimme des Navigators zu hören, obwohl sie das Portal zum *Malek-System* noch gar nicht erreicht hatten. »Verankert das Raumschiff an dieser Stelle.«

Wieder durchbrach Maschinenlärm die Isolation. Das war der neu entwickelte Gravo-Wellenantrieb, von dem Tranthar schon gehört hatte. Nur die Schlachtkreuzer und Schlachtschiffe der Flotte wurden mit ihm ausgerüstet. Danach standen sie unbeweglich im All.

»Ich werde mich jetzt auf die Portale konzentrieren.« Der Navigator atmete dreimal hörbar ein. Dann war nichts mehr zu hören, etwa zwei Minuten lang. Unvermittelt dröhnte ein Schrei durch die Zentrale. Er klang verzweifelt und voller Panik. Tranthar fuhr ein eiskalter Schauder den Rücken hinab.

»Soron«, schrie Antor, »meldet Euch!«

Doch es kam auch nach mehrmaliger Aufforderung keine Antwort. Daraufhin wandte sich der Leiter der Raumakademie an die Bord-KI. »Zeige mir den Beobachtungsraum am Bug dieses Schiffs.«

Auf einem Teil des Holoschirms wurde der gewünschte Raum aufgeblendet. Nahe der Frontscheibe schwebte eine Person in einer gelben Bordkombination bewegungslos in der Luft. Es war der ST-Navigator. Er schien besinnungslos zu sein.

Wo steckt die Paramur?

Raumakademie, Paluran, Eugnith-System
24. Tag, 2. Monat, 8553. Lichtzyklus sME, 11. Stunde, 15. Minute

Asata

Sie brach die ST-Verbindung ab. Das war heute schon der zehnte Anrufer, der wissen wollte, wann die PARAMUR zurückerwartet wurde.

Sie ahnte, es könnte einer Katastrophe gleichkommen, würde sie die Wahrheit verkünden. Das Raumschiff war verschollen und von Antor, der mit dem Schlachtkreuzer TIRKUM aufgebrochen war, um es zu suchen, gab es ebenfalls kein Lebenszeichen. Vorcass befand sich seit Tagen auf einer geheimen Mission und hatte seine Adjutantin mitgenommen.

Die beiden Akademieleiter waren nicht erreichbar. Da sie es versäumt hatten, einen Vertreter aus den Reihen der Sektionsleiter zu bestimmen, lag die Verantwortung für die gesamte Raumakademie bei ihr. Asata persönlich musste jedem Anrufer ins Gesicht lügen. Ihm sagen, die Ankunft der PARAMUR sei nicht heute zur zehnten Stunde fällig gewesen, sondern erst in zwei Tagen zu erwarten.

Sie war keine junge Frau mehr, die ihre Gefühle nicht in den Griff bekam. Doch im Augenblick wurde ihr alles zu viel. Und da war auch noch die Ungewissheit über das Schicksal von Araya. Wut durchströmte sie wegen ihrer Hilflosigkeit. Sie sah den ungeöffneten Packen mit Reinigungsgel auf ihrem Arbeitstisch liegen, ergriff ihn und warf ihn mit Wucht gegen die Wand, von wo er zu Boden fiel.

Das knallartige Geräusch riss die beiden Damen, für die sie verantwortlich war, aus der Konzentration. Vor Schreck fuhren deren Köpfe hoch.

»Was war das eben?« Tyrana Dervon, die braunhaarige, herb wirkende Alandorerin, kniff ihre Augen zusammen. »Haben wir was verpasst?«

»Entschuldigt bitte!« Asata zauberte ein freundliches Lächeln auf ihr Gesicht und deutete auf den Boden. »Das hier ist mir versehentlich aus der Hand gerutscht.« Die Verpackung war anscheinend nicht beschädigt. Sie bedauerte es fast, denn in ihrer Wut hatte sie mehr Chaos verursachen wollen.

Shoron Zemitor lachte laut auf, stemmte ihre füllige Gestalt aus dem Kontursitz, bewegte sich zu dem auf dem Bodenbelag liegenden Packen, hob ihn auf und stellte ihn auf Asatas Arbeitstisch. »Wir wissen, Ihr habt momentan große Verantwortung zu tragen und seid dadurch gestresst. Fresst nicht alles in Euch hinein.« Die Sardin wischte sich eine vorwitzige Strähne ihres goldfarbenen Haars aus dem Gesicht. »Das legt sich gern auf den Magen und mündet irgendwann in einer solchen Explosion. Macht es lieber wie wir. Beschwert Euch, schimpft, flucht, egal was, Hauptsache der Ärger tropft nach außen hin ab.« Shoron zwinkerte ihr kurz zu, wandte sich um und schritt zu ihrem Platz zurück.

Asata wusste zuerst nicht, wie sie reagieren sollte. Sie war bemüht, eine gewisse Distanz zwischen sich und ihren Untergebenen zu wahren. Doch der Rat schien ernst gemeint zu sein. Sie rief ihr ein »Danke« hinterher.

Statt einer Antwort zeigte Shoron nur durch Winken mit der Hand an, dass sie verstanden hatte, setzte sich und wandte sich erneut den Daten auf ihrem Holoschirm zu.

Bevor Asata den Vorfall gedanklich analysieren konnte, öffnete sich die Tür. Zwei Anwärterinnen traten ein, grüßten förmlich in den Raum hinein und kamen dann auf sie zu.

Die Namen entnahm sie den Schildern auf den hellblauen Uniformen. Auris war die Größere der beiden, bildhübsch, mit einer wahrhaft aristokratischen Ausstrahlung. Die andere hieß Jelyn und schien eine Adlige von einer der Randwelten zu sein. Sie strich sich über die langen gekräuselten braunen Haare. Im Vergleich zu ihrer Begleiterin wirkte sie bieder.

»Hoch-Erleuchtete Asata aus dem schattenumwobenen Haus derer von Pa'tong«, sagte sie. »Wir möchten von Euch gern wissen, wann wir mit unserem Ausbilder Wenar rechnen können? Die Landung der PARAMUR ist schon seit Stunden überfällig.«

Asata runzelte die Stirn. War es nicht genug, ständig von außerhalb der Akademie mit dieser Frage bombardiert zu werden. Hieben jetzt die Anwärterinnen in dieselbe Kerbe? Sie spürte, wie ihre Stimmung auf den Tiefpunkt sank. »Warum interessiert

Euch das? Soweit ich weiß, bietet der Ausbilder heute keine Kurse an.« Ihre Stimme klang harscher, als sie es vorgehabt hatte.

Die Freundlichkeit wich aus Jelyns Gesicht. »Der Hoch-Erleuchtete Wenar möchte uns Anwärtern heute zur 19. Stunde an seinen Erlebnissen während des Flugs der PARAMUR teilhaben lassen. Er meinte, das wäre eine gute Vorbereitung für uns, sollten wir in Zukunft als Kadetten zu Flügen mit Raumschiffen der Akademie eingeteilt werden. Er verstehe dies aber auch als Motivation, sich gut für die Aufnahmeprüfung vorzubereiten. Die Teilnahme ist freiwillig.«

Blitzschnell erspähte Asata eine Möglichkeit, die Antwort zu verweigern. »Für Kurse, die nicht in meinen Plan eingetragen sind, bin ich nicht verantwortlich! Damit lasse ich die Frage unbeantwortet.«

Auris schaltete sich ein. Ihr Ton wirkte freundlich, aber bestimmt. »Hoch-Erleuchtete, es wäre sicher besser, das Gespräch in einem Besprechungsraum fortzuführen. Was ich zu sagen habe, ist sehr, nun, direkt.« Sie deutete mit einer Kopfbewegung auf die zwei Damen, die anscheinend emsig arbeiteten.

Asata war klar, Shoron und Tyrana würden jedes Wort mitbekommen. Wer wusste schon, ob die Besprechung eskalierte. Es schien ihr vernünftig, auf den Vorschlag von Auris einzugehen. »Folgt mir bitte.« Sie öffnete die Tür zu Antors Zimmer, schritt zu seinem Arbeitstisch und drückte eines der Bedienelemente. Die Wand zur Linken teilte sich in der Mitte. Beide Wandhälften verschwanden komplett in den Seitenwänden des neuen Raums, der sich vor ihnen auftat. Er enthielt einen ovalen kristallblauen Tisch mit zwölf Sitzplätzen. Asata deutete auf zwei der Kontursitze. »Nehmt dort Platz.« Sie setzte sich gegenüber. »Auris, Ihr wolltet mir etwas sagen, und zwar sehr direkt. Bitte sprecht, ich bin neugierig.« Sie war gereizt und ihre Stimme klang danach. Hoffentlich konnte sie ihr Temperament beherrschen. Es brauchte nur einen winzigen Funken, um es erneut zur Explosion zu bringen.

»Ich werde lediglich Fakten aufzählen, Hoch-Erleuchtete.« Die Stimme von Auris erinnerte Asata an die von Antor. Nicht von der Tonart her, sondern von der absolut überzeugenden Art, in der sie sich präsentierte. Sie bekam den Eindruck, es spräche keine Anwärterin zu ihr, eher eine höhere Führungskraft.

»Erstens!« Die junge Frau saß kerzengerade und nahm die Finger der rechten Hand zur Hilfe, während sie aufzählte. »Die TIRKUM ist am Morgen des 22. Tags mit dem Lichtträger an Bord und einundfünfzig Kadettenanwärtern, die vorher vom Tal der Tränen abgeholt wurden, zum *Rikay-System* aufgebrochen. Zweitens! Grund für den Fluges war die Suche nach der PARAMUR, die sich seit der Nacht zum 22. Tag nicht mehr meldet. An Bord des vermissten Raumers waren neben Jewon, dem Schattenträger und Ausbildungsleiter, der Ausbilder Wenar, der Kommandant, vierzig Besatzungsmitglieder und siebzig Kadetten. Darunter auch unsere Freundinnen Vynga und Lorna.« Sie streckte den Mittelfinger. »Drittens! Am frühen Nachmittag wurde die TIRKUM von einer Energiewelle überrascht, die aus dem Sonnentunnel brach. Sie überstand diese Attacke mit Mühe und Not. Daraufhin ließ Antor sechsundvierzig Anwärter mit einem Beiboot zurück in die Raumakademie fliegen. Areghnatha, Charrut, Kerasor, Pereth und Tranthar blieben an Bord. Viertens! Der Tunnel in Richtung *Rikay-System* war erst in der Nacht wieder befahrbar. Der Lichtträger konnte dank eines ST-Navigators, den er vorher in *Paluran-Stadt* an Bord genommen hatte, den frühestmöglichen Termin für die Nutzung feststellen. Er tauchte sofort in das ST-Portal ein. Seitdem gibt es kein Lebenszeichen von ihm. Das muss nichts Schlimmes bedeuten, denn der ST-Funk ins *Rikay-System* liegt seit der Nacht zum 22. Tag hin lahm. Deswegen kommen keine Meldungen mehr von Myrthon und vielen anderen Planeten, die auf dieser Route liegen. Das war die Zusammenfassung der Fakten, die uns bekannt sind.« Sie ließ die Hände in den Schoß sinken. »Wenn Ihr bereit seid, komme ich jetzt zu den Folgerungen, die sich daraus ergeben.«

Asata war von der Fülle der Informationen, die der Geheimhaltung unterliegen sollten, Auris aber vor ihr ausgebreitet hatte, als wären sie öffentlich zugänglich, mehr als geplättet. »Wo habt ihr das alles her?«

»Quelle sind die Anwärter, die von der TIRKUM zurückgekehrt sind, Hoch-Erleuchtete. Ihre Wahrheit verbreitet sich bereits in der Akademie. Erfahrungsgemäß schürt das die Gerüchteküche, verzerrt die Ereignisse und streut sie mit ST-Geschwindigkeit auf die Welten des Sternenreichs aus. Mein Rat an Euch, versucht nicht, das Verschwinden der PARAMUR unter den Teppich zu kehren. Das verschafft Euch vielleicht zwei Tage Zeit, in denen Ihr noch durchatmen könnt. Aber dann werdet Ihr unter einer Lawine begraben. Spielt stattdessen mit offenen Karten. Informiert die Angehörigen über diese Situation. Versprecht, ihnen sofort jede Änderung mitzuteilen, die Ihr bekommt. Das ist zwar viel Aufwand im Augenblick. Wird sich aber auszahlen, selbst dann, wenn die Vermissten nicht mehr zurückkehren.«

Asata hatte bisher den Verdacht, den sie schon eine Weile mit sich herumtrug, nicht ausgesprochen. Nun platzte er aus ihr heraus. »Ihr seid keine Anwärterin, Auris. So wie Ihr sprecht, seid Ihr jemand aus einer Führungsebene. Weswegen seid Ihr auf dieser Raumakademie?«

Auris lächelte. »Doch, bin ich. Ich stamme aus dem schattenumwobenen Haus derer von Lyr'Athum, einem Unterhaus des gleichnamigen Damants, den mein Onkel Debros führt. Ich bin bei ihm aufgewachsen und wurde von ihm in alle Belange seiner Tätigkeit eingewiesen.«

»Und die wäre?«, fragte Asata.

»Er ist der Wächter des Aron-Sektors. Ihm untersteht die dortige Sektor-Flotte. Und bevor Ihr mich darauf ansprecht, was ich hier will, ich bin hier, um wie jeder andere auf dieser Akademie das Patent als Kommandant eines Raumschiffs der Flotte zu bekommen.«

Auris war also die Nichte eines Sektorwächters und von ihm aufgezogen worden.

Asata gratulierte sich insgeheim dazu, keinen großartigen Widerstand gegen das Gespräch geleistet zu haben. Das hätte sie in eine Zwickmühle bringen können. Der Ratschlag der Anwärterin kam ihr entgegen. Sie hasste es, die Wahrheit vertuschen zu müssen. Das war einer der Gründe, warum sie vorhin explodiert war.

Sie erhob sich. »Vielen Dank an Euch, Auris, und Euch, Jelyn«, sagte sie. »Ich werde Euren Rat beherzigen. Er hilft mir in der gegenwärtigen Situation tatsächlich weiter.«

Nachdem die beiden Anwärterinnen den Arbeitsraum verlassen hatten, lehnte sie sich zurück und schloss die Augen. Es lag viel Arbeit vor ihr.

Aber der Druck, der auf ihr lastete, war spürbar geringer. Sobald der Lichtträger von seiner Suche zurückkehrte, würde sie ihn auf Auris aufmerksam machen. Vermutlich rechnete er genauso wenig wie sie damit, eine dermaßen wichtige Person als Anwärterin auf der Raumakademie vorzufinden.

STATION DER PROSPEKTOREN

Schlachtkreuzer TIRKUM, im Rikay-System
25. Tag, 2. Monat, 8553. Lichtzyklus sME, 21. Stunde, 10. Minute

Charrut

Was für ein Mist, dachte er, als er den bewusstlos in der Luft schwebenden Navigator auf dem Holoschirm sah, mit dem Weltall im Hintergrund. Das war zweifellos die Aussichtsplattform. Die Rettungsaktion für die PARAMUR stand unter einem schlechten Stern.

Knapp zwei Tage hatten sie verschwendet, um im Tunnel nach der Raumjacht der Kommissarin zu suchen. Ergebnislos. Auch dem Lichtträger schien klar geworden zu sein, wie sinnlos das Auffindenwollen einer kleinen Jacht bei einer Geschwindigkeit von 0,003 Licht war. Die Verzögerung erschien ihm völlig losgelöst von ihrer eigentlichen Rettungsmission. Und das ärgerte Charrut am meisten.

Nun befanden sie sich endlich im *Rikay-System.* Doch statt seine Aufgabe zu erfüllen und herauszufinden, warum sich eine Energieflut durch den Sonnentunnel ins *Eugnith-System* gewälzt hatte, schrie der Navigator auf und fiel in Ohnmacht. Allem Anschein nach würde sich das Auffinden der PARAMUR noch weiter hinauszögern. Sie mochte inzwischen wer weiß wo sein.

Am Rande bekam Charrut mit, wie Antor Rettungskräfte in Gang setzte, um Soron in die Krankenstation bringen zu lassen.

Seine Kollegen und Mitanwärter tuschelten derweil miteinander. Sie bezogen ihn nicht in ihr Gespräch ein. Nur Areghnatha beteiligte sich nicht daran. Sie schien intensiv nachzudenken.

Etwa zehn Minuten vergingen. Charrut begann sich gerade zu langweilen. Innerlich schüttelte er den Kopf über die abstrusen Theorien der neben ihm sitzenden Anwärter.

Da ertönte die Stimme des Lichtträgers. »Achtung! Wir verlassen um 22:00 Uhr unsere Position und nähern uns *Perpon,* dem dritten Planeten. Es ist eine Aufklärungsmission. Die Abbaustation der Prospektoren von Zerk, die diese Gaswelt umkreist, antwortet uns nicht. Wir sehen nach, was geschehen ist und ob wir Hilfe leisten können. Zeit bis zur Ankunft: zwölf Stunden und dreiundzwanzig Minuten. Wir haben momentan keine Verbindung zu anderen Systemen. Vermutlich lassen die Sonnentunnel nur das Tauchen von Raumschiffen zu. Der ST-Funk funktioniert nicht. Ich hoffe, das ändert sich bald. Wir erledigen den Einsatz also auf eigene Faust.«

»Finde nur ich das seltsam?«, murmelte Charrut erzürnt. »Der Lichtträger nutzt wirklich jede Chance, sich von seinem eigentlichen Auftrag ablenken zu lassen.«

Pereth lächelte. »Er gibt doch nicht einer Ablenkung nach. Noch nie etwas von der Strategie gehört, dass man sich immer den Rücken freihalten sollte? Wer weiß, warum die Station schweigt? Wenn wir uns nicht darum kümmern, werden wir aus dieser Richtung vielleicht unvermutet angegriffen. Und ohne den ST-Navigator können wir ohnehin nicht weiter nach der PARAMUR suchen.«

»Was soll das denn für eine Gefahr sein, die uns in den Rücken fallen könnte?«

Pereth zuckte mit beiden Schultern. »Das wird sich noch herausstellen.«

Charrut verzog abschätzig einen Mundwinkel. Er hasste es, wenn bei einem Meinungsaustausch keine logischen Argumente folgten, sondern stattdessen auf zukünftige Ereignisse verwiesen wurde. »Danke für das Gespräch«, erwiderte er und warf dem Anwärter einen säuerlichen Blick zu.

Dann wandte er sich vor sich hinmurmelnd ab, um selbst darüber zu grübeln, was bei den dreimal verdammten Schatten von Myrathon-Hel das Schweigen der Station für eine Ursache haben konnte.

Antor

»Stoppt die TIRKUM!«, rief er dem Kommandanten zu. »Wir gehen vor wie geplant.«

Celur nickte. »Ich bestätige diesen Befehl!«, gab er an den Piloten des Raumers weiter. Es war kein neues Geräusch zu hören. Die Bremstriebwerke hoben die ohnehin geringe Geschwindigkeit auf, ohne auf Volllast gehen zu müssen. In knapp fünfzigtausend Kilometern Entfernung drehte sich *Perpon* durch das All. Der Holoschirm zeigte einen großen, von grünen und grauen Schlieren überzogenen Planeten, der nun nicht mehr näherkam. Im Augenblick stand die Station der Zerker auf der anderen Planetenseite. Sie konnte derzeit nicht geortet werden.

»Bord-KI!«, vernahm Antor die Stimme Celurs. »Verbinde mich mit Xerat aus dem schattenumwobenen Haus derer von Melorant.«

Ein »zu Befehl« hallte durch die Zentrale, dann erschien der Kopf eines Myrthonen der Kernwelten auf einem Teil des Holoschirms.

Er trug eine dunkelgrüne Bordkombination. An beiden Schultern war als Rangabzeichen jeweils ein silberumrandetes, auf der Spitze stehendes Dreieck zu sehen. Das wies ihn als Jäger-Staffelführer aus. »Eure Befehle?« Seine dichten, fingerlang geschnittenen Haare standen aufrecht und gab ihnen ein voluminöses Aussehen.

»Xerat! Startet mit Eurer Staffel. Nehmt Kurs auf die Abbaustation. Ich will jede ihrer energetischen Aktivitäten auf dem Schirm sehen. Lasst einige Jäger das Gebiet weiträumig umfliegen, um nach verdächtigen Objekten Ausschau zu halten.«

»Zu Befehl, Kommandant!«

Wenig später bildete der Holoschirm die Jägerstaffel ab. Sie war in ein überlappendes Schirmfeld gehüllt. In Pfeilform flog sie knapp an dem Planeten vorbei. Ein Jäger ließ sich zurückfallen. Er blieb in Sichtweite der TIRKUM, um als Relaisstation zu dienen.

Celur schaltete auf den Bildschirm des Staffelführers. Das Bild wechselte. An dessen Rand erschien die Station, die *Perpon* in einer niedrigen Umlaufbahn umrundete. Langsam rückte sie ins Zentrum. Sie war ringförmig aufgebaut. An ihrer unteren Wölbung hingen tentakelgleich Schläuche bis in die obersten Schichten der Atmosphäre. Vermutlich wurde dort Gas abgepumpt.

Die Energieortung des Jägers erfasste nur minimale Werte. Es war etwa ein Zehntel dessen, was die Station abstrahlen sollte. Sie war nicht gerade klein, bestand aus einer Röhre von fünfzig Metern Durchmesser mit einem Innenradius von einhundert Metern.

Sieben der Jäger ließen nun den Planeten hinter sich. Sie begannen, ein weiträumiges Gebiet abzutasten. Der Staffelführer und ein weiterer Pilot flogen die Abbaustation an. Als sie näher an sie herankamen, sah Antor etwas Dunkles im unteren Teil der Hülle. Bevor er einen Befehl geben konnte, wurde die Stelle herangezoomt.

»Verdammt!«, entfuhr es ihm. Die Bordwand war auf etwa vierzig mal vierzig Meter aufgerissen.

»Xerat!«, rief Celur. »Bleibt außerhalb der Reichweite der Geschütze. Haltet die Bordkamera aber weiterhin auf den Hüllenbruch.« Gleichzeitig vergrößerte er das gesendete Bild noch weiter.

»Befehl verstanden!«

Antors Blick glitt über verbogene Träger, zerfetzte Platten aus Mathumastahl und frei ins All hängende Kabelbündel. Es sah aus, als ob in unmittelbarer Nähe ein Raumtorpedo hochgegangen wäre. Auf gar keinen Fall war dies das Werk eines Energiestrahls.

»Kommandant!«, meldete sich Xerat noch einmal. »Eben habe ich von Einheiten meiner Staffel Meldungen erhalten. Die Jäger haben Trümmerstücke der Station gefunden. Sie sind aber auch auf einige Brocken gestoßen, die nicht identifiziert werden können. Zumindest ist die Bord-KI unserer Jäger dazu nicht in der Lage. Einen Augenblick, ich sende die Bilder.«

Verschiedene sich im Weltraum drehende Objekte wurden auf dem Holoschirm aufgeblendet. Antor sah einige, die er der Abbaustation zuordnen konnte. Aber es gab auch ein paar größere Stücke, die nichtmetallischen Ursprungs waren, enorme Energiewerte enthielten und nach nichts aussahen, was myrthonische Technik zu bieten hatte.

»Lasst alle Trümmer ortungstechnisch markieren«, befahl Celur. »Ich sende ein Beiboot aus, um sie an Bord zu nehmen.«

»Wie Ihr befehlt, Kommandant!«

Eine Stunde später standen Antor und Celur in einem Lagerraum der wissenschaftlichen Abteilung und sahen sich das Bergungsgut an. Die Kammer war in ein Isolationsfeld gehüllt und sie selbst trugen Raumanzüge. Die Schirmfelder waren aktiviert.

Vor ihnen türmten sich drei doppeltmannshohe Trümmer auf. Ein dunkles Braun war die beherrschende Farbe. Graue Farbspritzer, die sich kreisförmig ausgebreitet hatten, als wäre etwas in einem morastigen Sumpf gefallen, waren überall auf den schelfnarbigen[31] Flächen zu sehen. An den Bruchkanten war zu erkennen, dass sie nicht nur die Oberfläche bedeckten, sondern das Material durchdrangen.

Celur schüttelte den Kopf. »Dieser Werkstoff ist nicht myrthonischen Ursprungs.«

»Soweit ich weiß«, entgegnete Antor, »stammt er auch von keinem der uns bekannten Fremdintelligenzen. Selbst die reptiloiden Squor verbauten andere Stoffe in ihren Raumschiffen.«

»Entschuldigt bitte, Lichtträger!«, warf der Kommandant der TIRKUM ein. »Wie kommt Ihr darauf, dass es sich bei diesen Trümmern um Teile eines Raumers handelt?«

»Was soll es denn sonst sein?«, gab Antor zurück. »Ein Abbauprodukt dieser Station? Das ist nicht sehr wahrscheinlich. Hier wird Gas gefördert. Ich weiß nicht, welches, aber die Schläuche, die bis in die Atmosphäre *Perpons* führen, reden eine deutliche Sprache. Nein! Ich vermute, es ist ein fremdes Raumfahrzeug in das System gekommen, woher auch immer, und es hat die Station angegriffen.«

»Ich gebe vorsichtshalber Vorstufenalarm!«, gab Celur zurück.

Antor nickte. Dann fiel ihm ein, dass diese Geste in einem Raumanzug nicht so richtig zur Entfaltung kam. Deswegen schob er nach: »Tut das.«

Der Kommandant gab ein paar Befehle über seinen Arm-Komm, dann brandete drei Minuten lang der schrille Ton für die niedrigste Alarmstufe durch die TIRKUM.

»Gehen wir zurück«, schlug Antor vor. »Die beiden Wissenschaftler sind schon dabei, einige der geborgenen Trümmer der Fremdtechnik zu analysieren.«

»Es ist besser, wenn ich in der Zentrale bin, solange der Alarm währt«, stimmte Celur zu.

Sie verließen den Raum und begaben sich in die Desinfektionskammer. Ein fünfminütiges Programm sorgte dafür, dass

[31] Die Schelfkrankheit überzieht die Haut des Befallenen mit Blasen. Wird der Betroffene geheilt, verhärten sie sich und fallen dann in sich zusammen. Zurück bleiben kraterartige Hautvertiefungen.

keine Mikrobe die Prozedur überstand. Kaum waren sie auf dem Gang, brachten sie ihre Raumanzüge in den Öffnungszustand. Zischend lösten sich die Verbindungen zu den Bordkombinationen. Aus den Aufbewahrungsschränken neben der Tür fuhren jeweils zwei Roboterarme aus und klinkten sich magnetisch an den Schultern fest. Durch einen Energieimpuls trennten sich an Armen, Beinen, am Rumpf und dem Kopf molekulare Verschmelzungen. Die Raumanzüge klappten auseinander.

Antor und Celur traten heraus. Sofort wurden die für den Weltraum gefertigten Bekleidungsstücke gedreht und mit ihrer Schmalseite in die Schränke gezogen. Die Türen schlossen sich automatisch.

Sie befanden sich schon im Schwebeschacht zur Zentrale, als der Wissenschaftler Dorak aus dem Damant Solinfor sich meldete. Antor aktivierte das Holo über dem ArmKomm. Ein Kopf mit einem fein gezeichneten Gesicht erschien. Die silberfarbenen Haare waren zu einem Porangschweif[32] zusammengebunden. Ein Drei-Tage-Bart vervollständigte das Bild. Niemand im Sternenreich trug derartiges. »Ich halte es für wichtig«, redete der sofort ohne eine Begrüßung los, »Euch, Lichtträger, die Ergebnisse unserer ersten Tests zu präsentieren.«

»Ich höre!« Antor verzichtete ebenso auf jegliche Form von Höflichkeit.

Das schien den Anrufer aus dem Konzept zu bringen. Durch den transparenten Helm war sein überraschter Blick zu sehen. Irritiert wischte er sich mit den umhüllten Fingern ein unsichtbares Stäubchen von den petrolfarbenen Schultern seiner Bordkombination. Dann hatte er sich wieder gefasst. »Im Augenblick führen wir dem Versuchsmaterial größere Mengen Energie zu, die komplett aufgesogen wird. Bis jetzt konnten wir noch kein Limit finden. Deshalb benötige ich von Euch die Erlaubnis, dass ich mit einem Energiestrahler darauf schießen lassen darf.«

Antor dachte einen Moment nach, zog sich aus dem Schwebeschacht und schritt auf das Schott der Zentrale zu. Mit einem Fingerdruck öffnete er es und trat hindurch. Celur folgte ihm auf dem Fuß.

[32] Schweif eines Reittiers auf *Myrthon*.

»Ich erteile die Erlaubnis. Sie gilt aber nur, wenn der Raum durch Energiefelder gesichert ist. Jeder Teilnehmer trägt einen Raumanzug mit aktivierten Schirmfeldern. Könnt Ihr das gewährleisten?«

»Ja, natürlich!«

»Ist es Euch bereits möglich, das Material seinem Verwendungszweck zuzuordnen? Wäre es denkbar, dass es Teil eines Generators ist? Es könnte Sinn machen, wenn man diesen Werkstoff als Energiespeicher verwenden würde.«

»Nein, diese Voraussage kann ich unmöglich jetzt schon treffen«, antwortete der Wissenschaftler.

»Schade«, entfuhr es Antor. »Ich bin schon sehr gespannt auf das Ergebnis des Tests!« Damit trennte er die Verbindung.

Er ließ sich auf seinem Kontursitz nieder, während Celur den Kommandantensessel einnahm.

In Gedanken plante Antor, wie er weiter vorgehen wollte. Er musste die Station von Kampftruppen durchsuchen lassen. Die fünf Anwärter würde er ebenfalls dafür einsetzen. Ihre Bewertungen aus dem Straflager waren ausgezeichnet. Auch seine eigenen Erfahrungen mit ihnen deuteten in dieselbe Richtung. Doch er benötigte mehr Daten für die *Myrthonische Verwaltung*, um sie als aussichtsreichste Kadettenanwärter melden zu können. Der Einsatz hatte das Potenzial einer hohen Gefahrenstufe. Er musste die Anwärter gut schützen. Ihnen durfte nichts geschehen. Kampfhandlungen waren nicht geplant. Die Station sollte auch nicht erobert werden. Es war schlicht ein Rettungseinsatz. Die Details würde er mit der Truppführerin klären, noch bevor er Areghnatha, Charrut, Kerasor, Pereth und Tranthar seine Befehle erteilte.

Ganz selbstlos war der Einsatz nicht. Die Mission würde ebenfalls davon profitieren. Vorausgesetzt, die Ortungsgeräte der Abbaustation hatten die PARAMUR geortet, während sie sich in diesem System aufgehalten hatte.

Charrut

Von einem Augenblick zum anderen stand der Lichtträger vor ihnen. Mit einer Handbewegung verhinderte er, dass sie ihn grüßten. »Macht Euch einsatzbereit. Folgt mir zum Beiboot-

Hangar. Wir treffen dort auf eine Einheit der Kampftruppen.« Damit strebte er auf das Schott zu.

Hastig legte Charrut seine Hand auf die Sensorfläche, die den Gurt öffnete und einzog. Dann sprang er auf und schloss sich dem Akademieleiter an. Nur Areghnatha war schneller als er. Als Nächstes kam Pereth, danach Kerasor und zum Schluss Tranthar. So marschierten sie hinter Antor her.

Es ging durch den Schwebeschacht weit nach unten. Ein breiter Gang brachte sie bis vor eine Schleusenkammer. Beidseitig gab es Wandschränke, in denen Raumanzüge jeglicher Größe und Farbe hingen. Sie wählten jeweils einen passenden für sich in Hellblau aus, den Roboterarme aus dem Schrank beförderten und ihn einstiegsgerecht hielten. Er wurde über der sich im Verschlusszustand befindenden Bordkombination getragen. Das Konzept bedeutete doppelte Sicherheit für den Träger. Jeder der Anzüge war mit einer KI ausgestattet, die beim Anlegen half und die Verbindungen zur darunterliegenden Kombination aufbaute. Der transparente Helm blieb als Kapuze zusammengefaltet am Kragen. Er würde sich aber blitzschnell entfalten, sich über den Kopf stülpen und den Kragenwulst luftdicht abschließen, sobald ein Anlass dafür bestand. Er wies dann eine feste Struktur auf, konnte im Bedarfsfall auch abgenommen werden.

Das Schott zum Hangar glitt auf. Sie marschierten hindurch.

Charrut sah ein pfeilförmiges Landungsboot mit verdicktem Triebwerksende. Es lag wenige Schritte vom Eingang entfernt auf einem energetischen Stützfeld. Der Anblick war ihm von *Tarkan* vertraut, seiner Heimatwelt.

Es maß vierzig Meter in der Länge und wies einen Durchmesser von zwölf Metern auf. Das konisch angeflanschte zehn Meter lange Triebwerk durchmaß sechzehn Meter. Es besaß am Ende Triebwerksdüsen zur Beschleunigung. Rund um die Flanschstelle waren ebenfalls Düsen für Bremsmanöver angeordnet. Damit war das Landungsboot in der Lage, wie die TIRKUM zu manövrieren.

Das Beiboot besaß keinen Stoßfeldantrieb. Es konnte ein Sonnensystem nicht aus eigener Kraft verlassen. Deshalb eignete es sich nur für Operationen innerhalb eines Systems. Es diente als Transporter für einen Kampftrupp. Er wurde von ihm entweder von einem Raumschiff zu einem anderen gebracht oder auf einer Welt abgesetzt.

Um sich gegen feindliche Beiboote verteidigen zu können, befanden sich Waffen an Bord. Das Schreddergeschütz schwächte die Schirme des Gegners. Der Strahl des mittelschweren Energiegeschützes und das Geschoss des leichten Torpedowerfers durchdrangen sie dann. Außerdem verfügte es über ein starkes Schirmfeld.

Auf dieses Boot schritt Antor nun zu. Ihm war nicht anzumerken, dass er einen Raumanzug trug.

Charrut musste zu seinem Verdruss feststellen, dass er selbst Anlaufschwierigkeiten hatte. Die Bewegungen, die er ausführte, waren doch recht schwerfällig. Den anderen Anwärtern erging es ebenso, bis auf Tranthar, der das offensichtlich von seinem Leben auf Raumern gewohnt war.

Schließlich erreichten sie den Landesteg im hinteren Drittel des Landungsboots. Von dort ging es in die Schleusenkammer. Dahinter führten zwei Türen in die Innenräume.

Charrut wusste, dass sich links die Bord-KI, die Energiespeicher und die Geräte zum Aufbau des Schirmfelds, zur Luft- und Wasseraufbereitung sowie zur Erzeugung des Schwerefelds befanden. Rechts lag der Maschinenraum. Darin waren die Triebwerke, der Beschleunigungskompensator, die Massenkontrolle und der Zeitstabilisator untergebracht. Seitlich gab es einen Schwebeschacht auf das obere Deck. Eine Notleiter für etwaigen Energieausfall war ebenfalls vorhanden.

Mit einer Leichtigkeit, die Charrut vor Neid erblassen ließ, sprang Antor in das Schwebefeld. Behäbig folgte er ihm und Areghnatha. Knapp sechs Meter waren zu überwinden. Dann stand er auf festem Boden und trat durch das bereits offene Schott.

Der Raum vor ihm war rechteckig und durch eine etwa zwei Meter hohe, transparente Trennwand in der Mitte geteilt. Sie begann drei Meter nach dem Eingang und endete mit demselben Abstand vor der Stirnseite. An die Wände schmiegten sich vier Sitzreihen, immer zwei davon standen sich gegenüber und bildeten einen breiten Durchgang. Eine Reihe wies dreimal zehn Sitzplätze auf. Zwischen den Sitzbereichen war jeweils eine

Lücke, in der ein Roboter befestigt war, insgesamt sieben von acht möglichen. Auf der Frontseite befand sich das Schott zur Zentrale. Links und rechts davon gab es je vier Kontursitze.

Die Sicht war Charrut zunächst versperrt. Er sah aber, wo die Sitzreihen anfingen, und wusste, 128 Personen, acht Kampfroboter und vier Mann der Besatzung konnte das Beiboot transportieren. Schwerfällig schritt er den rechten Gang entlang, immer Areghnatha und Antor vor sich im Blickfeld. Die ersten zwei Sitzbereiche waren komplett leer. Nur der letzte Bereich war gut besetzt.

Vor den Plätzen standen etwa neunzehn Soldaten in roten Raumanzügen und begrüßten den Leiter der Raumakademie mit den Worten: »Ehre für Myrthon und den Myrth.«

Nachdem der Lichtträger den Gruß erwidert hatte, ließen sie sich nieder.

Antor bedeutete den Anwärtern, sich zu setzen, schritt aber selbst weiter und nahm auf einem der vier Kontursitze rechts vom Schott Platz, neben einer noch verhältnismäßig jungen Frau in einem dunkelroten Raumanzug. Sie musste von Adel sein. Das war an ihren silberweißen Haaren und den orangegoldenen Augen erkennbar. Charrut vermutete, es handelte sich um die Führerin des Trupps.

Mit einem Seufzer ließ er sich nieder. Sein Blick fiel auf die Soldaten, auch *Kampffunken* genannt, aber nur ganz kurz. Sie waren beiderlei Geschlechts, alle im fortgeschrittenen Alter. Das waren vermutlich Veteranen.

Die Adlige stand auf, räusperte sich und begann zu sprechen. »Mein Name ist Sharlyn aus dem lichtdurchfluteten Haus derer von Cronan'thor. Ich bin die Truppführerin des 2. Kampftrupps der TIRKUM und heiße Euch, Lichtträger, und Eure fünf Kadettenanwärter auf dem Landungsboot willkommen. Für die vor uns liegende Aufgabe ist es notwendig, die Kampfgruppen neu zu formieren.« Sie aktivierte ihren ArmKomm und rief eine Liste auf. »KG 1.5 tausche deinen Platz mit Areghnatha.« Charrut verfolgte, wie die beiden ihre Positionen wechselten. Areghnatha war nun ein Mitglied der KG 1.

Damit war Sharlyn aber noch nicht fertig. Kerasor kam zur KG 2, Pereth zur KG 3, er selbst zur KG 4 und Tranthar zur neu eröffneten KG 5, die sich aus den ausgetauschten Funken der anderen Gruppen rekrutierte.

»Nachdem das nun bereinigt ist«, fuhr die Truppführerin fort, »versetze ich mich von der KG 2 zur KG 5 und tausche mit Sarkoss. Und damit übergebe ich Antor aus dem lichtdurchfluteten Haus derer von Gorathur das Wort.« Sie wandte sich ihm zu. »Bitte, Lichtträger!«

Während sie sich setzte, stand er lächelnd auf, bedankte sich und fing an zu sprechen. »Kampffunken des 2. Trupps, Kadettenanwärter!«, dröhnte seine Stimme so laut durch den Raum, als gelte es, damit einen großen Saal zu durchdringen. »Wie ihr sicher gehört habt, hat der Navigator beim Versuch, ein Tunnelportal zu untersuchen, sein Bewusstsein verloren. Ohne ihn können wir die Suche nach der PARAMUR nicht fortsetzen. Die Mediker an Bord vermuten, Soron hat sich bei unserer Tauchfahrt durch den Sonnentunnel verausgabt. Sie gehen davon aus, er benötigt noch mindestens acht Stunden, um wieder einsatzfähig zu sein. Wir haben also Zeit, um uns hier umzusehen. Im *Rikay-System* gibt es keine bewohnten Welten. Es existiert nur eine Abbaustation der Gilde der Prospektoren. Die befindet sich im Orbit um *Perpon,* den dritten Planeten. Unsere Kontaktversuche blieben bisher ohne Erfolg. Wir haben weder eine Antwort erhalten noch Aktivitäten jeglicher Art feststellen können. Allerdings liegt die Station aktuell im Ortungsschatten der Gaswelt. Sie entzieht sich damit der direkten Beobachtung.« Antor stoppte kurz die Ansprache und sah jeden seiner Zuhörer bedeutungsvoll an.

Charrut bemerkte, wie sich die Mitglieder des Kampftrupps gegenseitig Blicke zuwarfen. *Aha, jetzt kommt's,* dachte er.

»Die Station ist zu weit von der Sonne entfernt, um durch einen Ausbruch der Energieflut aus dem Portal in Mitleidenschaft gezogen worden zu sein«, fuhr der Lichtträger fort. »Trotzdem hüllt sie sich in Schweigen. Im Zusammenhang mit dem Verschwinden der PARAMUR mussten wir dieser Spur nachgehen. Raumjäger haben uns einen ersten Eindruck vermittelt, was dort vor sich geht. In der ringförmigen Abbaustation vom Typ G5 befindet sich ein riesiges Loch. Es wurde wahrscheinlich durch die Explosion eines Torpedos hervorgerufen.

Genau dort dringen wir ein, um herauszufinden, wie es dazu kam und ob noch jemand von der Besatzung lebt. Es sollten etwa dreißig Mann an Bord sein. Aber das ist noch nicht alles. Ein Beiboot hat in der näheren Stationsumgebung Trümmer geborgen. Dabei wurden Trümmerstücke sichergestellt, die weder myrthonischen Ursprungs sind noch einer der uns bekannten Fremdrassen zugeordnet werden können. Die Materialien, die wir gefunden haben, gehören wahrscheinlich zu einem Raumfahrzeug und sind in der Lage, große Mengen an Energie zu speichern. Es ist eine braune Masse mit Sprenkeln, die aussieht, als wären graue Tropfen in flüssigen Schlamm gefallen.« Antor sendete die Bilder von den gefundenen Bruchstücken an die ArmKomms der Anwesenden. »Verwendet zu eurer Sicherheit keine Strahlwaffen. Nehmt nur Waffen mit, die auf Explosionswirkung beruhen. Rüstet euch auch mit Nahkampfwaffen, wie Schwerter oder Äxte aus. Wir können nicht ausschließen, dass sich unbekannte Fremdintelligenzen an Bord befinden.«

Charrut bemerkte, wie seine Kehle trocken wurde. Auch Schlucken half ihm nicht. Das wurde ja immer besser. Wenn fremde Wesen nicht nur hinter dem Überfall auf die Station steckten, sondern ebenso für das Verschwinden der PARAMUR verantwortlich waren, würde man das Schulschiff und die Mannschaft mit größter Wahrscheinlichkeit abschreiben können. Zumindest dann, falls die auf alles schossen, was nicht zu ihrer Art gehörte.

»Die Kampfgruppen 1 bis 5 werden die Räume der Station durchsuchen und jeden, ich wiederhole, jeden Kampf vermeiden. Notfalls zieht ihr euch zum Landungsboot zurück. Schießen ist nur erlaubt, wenn euer Leben oder das eines Besatzungsmitglieds bedroht ist. Verwendet Strahlwaffen nur als letzte Wahl. Kampffunken!«, rief er dann. »Jeder Gruppe ist ein Kadettenanwärter zugeordnet. Weist die Neulinge ein. Ihr seid für sie verantwortlich. Ihnen darf nichts geschehen. Habt ihr das verstanden?«

Die Mitglieder des Kampftrupps erhoben sich wie aus einem Guss.

»Wir haben verstanden, Lichtträger«, antworteten sie militärisch knapp.

Antor nickte. »Wir werden etwa fünfundzwanzig Minuten unterwegs sein. Bereitet euch auf den Einsatz vor.« Damit öffnete er das Schott zur Zentrale und betrat sie.

Charrut seufzte verhalten, während sich die zwei Schotthälften wieder schlossen. Hoffentlich würden sie auf keine fremden Wesen treffen. Und er wünschte sich, dass die Aufklärung der Umstände, welche die Abbaustation zum Schweigen veranlasste, ebenso Licht in das Verschwinden der PARAMUR bringen würde. Sonst hatten sie einen weiteren Tag vergeudet. Und wenn er etwas hasste, dann war es, Zeit unnötig zu verschwenden.

»Kampfgruppen!«, hörte er die Stimme der Truppführerin. »Wie ihr gehört habt, sind wir etwa fünfundzwanzig Minuten unterwegs. Das reicht aus, um uns mit Waffen auszurüsten. Ein paar Verhaltensregeln für Einsätze auf fremden Territorien packe ich noch obendrauf.«

Auch das noch, dachte Charrut. Dann fügte er sich in das Unvermeidliche.

Tranthar, Kampfgruppe 5

»Raumanzüge schließen!«, hallte Sharlyns Stimme durch den Raum. Fast wie im Reflex drückte sein Zeigefinger der rechten Hand den Knopf am Halsansatz. Die Kapuze schob sich blitzartig über seinen Kopf und wandelte ihre Struktur zu einem transparenten Raumhelm.

Seiner Kampfgruppe gehörten zwei Frauen und ein Mann an, die alle den Zenit ihres Lebens schon weit überschritten hatten. Das halblange rote Haar Desora Melingors passte perfekt zu ihren smaragdgrünen Augen und fiel in einem Bogen bis zum Nacken herab. Geschwungene Strähnen führten auf beiden Seiten fast bis zum Kinn. Ihr Gesicht sah gepflegt aus. Zahlreiche Einsätze hatten einen Hauch von Härte und Kantigkeit in ihr Antlitz gezeichnet. Sie hatte die interne ID-Nummer 5.1 und würde die Gruppe anführen, falls die Truppführerin ausfiel.

»Steht auf und stellt euch auf die Bodenplatte vor euren Sitzen.« Sharlyn folgte ihrer eigenen Anweisung.

Wie ein Ruck ging es durch die Reihen der Kampffunken, als sie sich alle gleichzeitig erhoben. Von Desora wusste er schon, was nun weiter passieren würde. Ilyam Krot, ID-Nummer 5.3, warf ihm mit ihren blauen Augen einen prüfenden Blick zu. Durch den Helm sah er ihre kurzen, stoppelartig geschnittenen schwarzen Haare, die so dicht waren, dass es aussah, als würde sie eine Kopfbedeckung tragen. Es war keine Kopfhaut zu sehen. Ihre Haut spannte sich grobporig und rau über ein verkniffen wirkendes Gesicht mit einem weit vorstehenden Kinn.

»Achtung!«, warnte die Truppführerin. »Die Prallfelder bauen sich auf.«

Zugleich machte sich am Rand der Bodenplatte, auf der er stand, ein Schimmern bemerkbar. Sekunden später war er von Nebelwänden umgeben, die sich rasch verfestigten und bis zur Decke reichten.

»Nicht bewegen«, hörte er Uranor Follsoms Stimme durch den Helmfunk. Er war sich sicher, dass nur er sie hören konnte. Während die beiden Frauen vom Mond *Aram* im *Mathuma-System* stammten, war der Kampffunke auf dem Planeten *Sard* unter der Sonne *Prekur* zu Hause. Er sah jünger aus als Desora oder Ilyam. Ihn zeichnete ein verschmitztes Lächeln aus, das er im Laufe des Anflugs zur Station bei jeder Gelegenheit gezeigt hatte. Er war kaum größer als seine Kampfgefährtinnen, besaß, soweit es sein Raumanzug erkennen ließ, eine schlaksige Figur und sprach nur dann, wenn er es für notwendig erachtete. Auffallend an ihm waren seine dunkelbraunen Augen, die ab und an flink hin und her huschten. Seine Haare waren, solidarisch mit dem sardischen Volk, golden gefärbt[33] und reichten bis zu den Schultern. Er trug die ID-Nummer 5.2.

»Die künstliche Gravitation schaltet sich genau jetzt ab«, eröffnete ihnen die Truppführerin. »Kampfgruppe 1, fertigmachen zum Einsatz. Primäre Aufgabe ist es, den Zugang über das Loch zu sichern, das durch eine Explosion in die Außenhülle gerissen wurde. Sobald alle Gruppen im Innern der Station verschwunden sind, erkundet ihr die linke Mitte, stoßt bis zur Zentrale vor und wartet dort auf die anderen Einheiten.«

Sie ließ eine kurze Pause vergehen, dann kam der Einsatzbefehl: »Start jetzt!«

[33] Siehe Band 1, Kapitel IV.

Tranthar sah, wie sich gleichzeitig fünf Luken in der Decke öffneten und die Luft explosionsartig in den Weltraum entwich. Die Mitglieder der Kampfgruppe 1 wurden im durch das Energiefeld umhüllten Schacht mitgerissen.

Auffallend war, dass eine Gestalt in einem hellblauen Raumanzug den anderen hinterherflog. Es war Areghnatha. Anscheinend reichte es nicht, sich von der ausströmenden Atmosphäre mitreißen zu lassen, um den Anschluss an die Gruppe zu halten. Vermutlich war es notwendig, genau im richtigen Moment aus dem Stand zu springen.

Nach drei Minuten traf die Meldung ein, der Zugang zur Station wäre gesichert. Nacheinander rief Sharlyn die anderen Kampfgruppen auf und wies ihnen ihre Order zu. Dann wurden sie in das Weltall entlassen. Schließlich war die letzte Gruppe, der auch Tranthar angehörte, an der Reihe.

Mit den Triebwerken, die in den Schuhsohlen untergebracht waren, überwand er die Kluft zwischen dem Landungsboot und der Station. Ab und zu setzte er die Steuerdüsen in den Handflächen des Raumanzugs ein, um die Richtung zum Ziel zu korrigieren.

Er war nicht der Letzte in der Gruppe. Schräg hinter sich wusste er die Truppführerin. Deshalb sollte er sich eigentlich unwohl fühlen. Doch sie würde keine Zeit haben, um ihn zu beurteilen. Ständig trafen neue Meldungen von den anderen Kampfgruppen ein, die er nur peripher mitbekam. Sie waren in seinem Helmfunk sehr viel leiser geschaltet als die Nachrichten, die aus seiner eigenen Gruppe kamen, und nicht zu verstehen. Sharlyn musste alle gedanklich ordnen und gegebenenfalls beantworten.

Das etwa vierzig Meter lange und ebenso breite Loch in der Außenwand sah aus wie ein gefräßiges Maul. Nach außen gebogene Träger aus Mathumastahl schälten sich im Licht der Scheinwerfer aus der Dunkelheit. Lianen gleich hingen Kabel und Leitungen aus den zerfetzten Wänden. Weiter unten waren die durch die Finsternis tastenden Lichtpunkte der Kampfgruppe 1 zu sehen. *Die Explosion hat ganz klar im Inneren der Station stattgefunden,* fuhr es ihm durch den Kopf. *Das kann nie und nimmer durch einen Torpedoeinschlag verursacht worden sein.*

»Da irrt Ihr Euch aber gewaltig«, drang Sharlyns Stimme aus seinem Lautsprecher.

Tranthar blieb für einen Augenblick vor Überraschung die Luft weg. Offenbar war es nicht beim Denken geblieben, sondern er hatte seine Gedanken ungewollt murmelnd vor seiner Gruppe ausgebreitet. *Verdammt! Ist das peinlich!*

»Der Torpedo ist vor der Station zur Explosion gekommen«, fuhr Sharlyn fort. »Einschläge von Splittern auf der noch bestehenden Außenhülle bestätigen das. Einer der Tanks, die sich im unteren Drittel befinden, wurde vermutlich aufgerissen. Das Gas hat sich entzündet und ist explodiert. Zum Glück haben die Wände zu den anderen Gastanks standgehalten, sonst wäre jetzt von der Abbaustation nichts mehr übrig. Diese Theorie stammt übrigens von Eurem Akademieleiter. Sie ist meiner Ansicht nach hieb- und stichfest.«

Tranthar presste ein »Danke« heraus. Er konzentrierte sich nun auf die Landung im obersten Teil der Station. Unter ihm ragte das Bruchstück einer ehemaligen Zwischendecke aus der zerklüfteten Wand hervor. Trotz eingeschaltetem Schirmfeld befürchtete er, dass sein Raumanzug durch scharfkantige Trümmer in dem von Rissen durchzogenen Untergrund aufgeschlitzt werden könnte. Doch die Landung verlief ohne Probleme. Ein klackendes Geräusch, das durch die Anzug-KI erzeugt wurde, sagte ihm, dass seine Sohlen magnetisch verankert waren. Neben ihm setzte die Truppführerin auf.

»Krot!«, befahl sie. »Zerstrahlt den Schrott vor dem Gang mit Eurem Auflösungsstrahler.«

Während der blaue Strahl aus der Waffe der Kampffunkin über das aufgehäufte und herabhängende Konglomerat aus Stahl und Kunststoff strich, fragte sich Tranthar, woran Sharlyn erkannt hatte, dass sich dahinter ein Gang befand.

Fast hätte er einen Fluch ausgestoßen und sich mit der Hand auf die Stirn geschlagen. Jedem Mitglied des Kampftrupps war ein Plan der Station auf den ArmKomm gesendet worden. Zum Glück hatte er sich daran erinnert, bevor er eine Frage formulieren konnte.

Nur wenige Minuten später war das Hindernis beseitigt. Der Gang lag freigeräumt vor ihnen im Licht der Scheinwerfer.

»Vorwärts!«, drang der Befehl der Truppführerin an sein Ohr. Sie schritten den etwa sechs Meter breiten und vier Meter hohen Korridor entlang. Der Bodenbelag war mit kleinen Trümmerstücken übersät. Wände und Decke wiesen eine Unzahl von Schrammen und Dellen auf. Sie hielten voneinander genug Abstand, damit ihre eingeschalteten Schirmfelder sich nicht berührten. Dann standen sie vor einem Notschott.

»Lasst mich mal an den Öffnungsmechanismus«, ertönte die Stimme von Uranor. »Protokoll 17835 dürfte das Problem schnell beheben.«

»Keine Chance, Foll!«, erwiderte Sharlyn. »Die Kampfgruppe 2 ist damit schon gescheitert. Eine Verbindung zur Stations-KI bekommt man nur, wenn die Abbaustation lediglich verlassen ist. Da sie sich momentan abgeschottet zu haben scheint, deutet das eher darauf hin, dass sich unbekannte Wesen an Bord befinden.«

Tranthar schluckte krampfhaft. Im gesamten Sternenreich gab es keine technologisch hochstehenden Fremdintelligenzen. Schon seit undenklich langer Zeit existierten Verträge mit den umliegenden Reichen. Die Reichsgrenzen durften keinesfalls überschritten werden.

Bis auf die reptiloiden Squor hatten sich alle darangehalten. Und die waren von der *Myrthonischen Flotte* besiegt worden und durch ein instabiles Portal geflohen. Ob sie dabei den Tod gefunden hatten oder in ein unbekanntes System entkommen waren, wusste niemand. Tatsache war, seit fünftausend Lichtzyklen waren sie nicht mehr aufgetaucht.

Wer immer diese fremden Wesen auch sein mochten, er hoffte inständig, es waren keine Squor. Einmal war das Sternenreich knapp dem Untergang entgangen. Ob es das ein zweites Mal schaffen würde, war fraglich, zumindest gegen einen wiedererstarkten Gegner von damals.

»Na schön«, erwiderte Uranor, »dann verwende ich das Protokoll 17852. Truppführerin, sendet Eure ID, wenn ich Euch darum bitte. Nur Offizieren der Flotte wird Zugang zu verriegelten, nicht öffentlichen Einrichtungen gewährt.«

»Geht in Ordnung, Foll. Aber zuerst schaltet ihr alle eure Schutzfelder ab und stellt euch so dicht, wie es euch möglich ist, an die Schnittstelle der beiden Schotthälften. Ich vermute, dass hinter dem Schott atembare Luft ist. Wir sollten nichts davon verschwenden. Schließlich wären wir damit nicht mehr auf die Luftversorgung unserer Raumanzüge angewiesen.«

Sie folgten dem Befehl und rückten zusammen. Tranthar beobachtete Sharlyn. Sie trat zu ihnen und baute ihr Schirmfeld um sie herum auf, blies es so weit auf, dass es sich über die gesamte Schotthöhe erstreckte.

»Foll, fangt an«, befahl sie. »Lasst das Schott nicht mehr als einen Meter aufgleiten, dann geht hindurch. Sucht Deckung und sichert den Raum. Mell links, Foll mittig, Krot rechts. Der Anwärter und ich warten ab, bis eure Meldungen kommen.«

Uranor nickte. Er nestelte an seinem Arm herum, bis das Holo des ArmKomms erschien.

Tranthar vermutete, er rief nun das Protokoll auf, gab die relevanten Daten ein und leitete es an die Schottsteuerung weiter. »Sendet bitte jetzt Eure ID, Truppführerin!«

»Abgesendet!«, kam es sofort von ihr zurück.

Zuerst tat sich nichts, aber dann fuhr das Schott den besagten Meter auf. Mell, Foll und Krot schoben sich überraschend geschickt mit ihren Raumanzügen durch den schmalen Spalt, durchdrangen von innen problemlos das Schirmfeld.

Bald darauf kamen ihre Rufe über den internen Lautsprecher: »Gesichert!«

Tranthar quetschte sich ebenfalls zwischen den beiden Schotthälften hindurch. Auf der anderen Seite sah er, dass sich der Gang fortsetzte. Die Beleuchtung funktionierte hier, war aber auf Notbetrieb geschaltet. Es gab auch Schwerkraft, jedoch weniger, als er gewohnt war.

In dem düsteren Licht sah er die zwei Frauen mit angeschlagenen Waffen links und rechts an den Wänden knien, während Uranor in der Mitte auf dem Boden lag. Alle hatten die Schirme eingeschaltet. Er folgte ihrem Beispiel.

Als die Truppführerin mit einem Schritt eintrat, standen die Veteranen auf. Desora drückte auf den Verschlussknopf und das Schott fuhr zu.

Als das geschafft war, atmete Sharlyn sichtlich erleichtert aus. Danach ließ sie ihr Schirmfeld auf Normalgröße schrumpfen.

»Ich benötige Zeit, um die anderen zu informieren. Mell und Krot, durchsucht die Räume auf der linken Seite, Foll und Tranthar, ihr nehmt die rechts. Infrarotsicht einschalten.« Sie blendete ein Holo über ihrem Arm auf. »Wir haben hier 0,5 Gravos. Die Luft ist abgestanden, aber atembar«, sagte sie dann. »Also Raumanzüge auf Außenatmung schalten. Und los!«

Erst jetzt bemerkte Tranthar, dass in etwa fünfzehn Meter Entfernung Türen vom Gang abzweigten. Sie waren im düsteren Licht schwer zu erkennen. Er schaltete den Scheinwerfer aus, Infrarot ein und stellte die Atmungsoption um. Dann folgte er Uranor und hielt seine Waffe, einen Mikrorak-Werfer, im Anschlag, als er sich neben der Tür positionierte. Was würde sie dahinter erwarten? Die Aussicht, auf fremde Wesen zu stoßen, ließ sein Herz schneller schlagen und ein mulmiges Gefühl in der Magengegend entstehen. Sein Gruppengefährte stand auf der anderen Seite und drückte den Öffnungsknopf. Langsam glitt die Tür in die Wand. Ein leerer Raum breitete sich vor ihnen aus. Sie traten nacheinander ein. Aber es änderte sich nichts daran. Die Infrarotsicht brachte keine zusätzlichen Ergebnisse.

»Gesichert!«, kam Uranors Stimme aus dem Lautsprecher. »Dieser Raum ist absolut leer.«

»Gesichert!«, hörte er unmittelbar danach Desora sagen. »Hier befindet sich ein Lagerraum für Kleinteile.«

Tranthar trat wieder auf den Gang hinaus. Uranor folgte ihm. Die beiden Frauen stießen ebenfalls zu ihnen.

Die Truppführerin näherte sich langsamen Schritts. »Worauf wartet ihr noch?«, fragte sie. »Die nächsten Räume wollen auch überprüft werden.« Danach widmete sie sich erneut dem Holo über ihrem Arm. Ihre Stimme war nur als Wispern im Hintergrund zu hören.

Tranthar wandte sich um. Er wollte dem Befehl Sharlyns sofort nachkommen. Da wurde die Übertragung plötzlich laut geschaltet. »Hier ist die Kampfgruppe 2, Elronk«, meldete sich eine dunkle, raue Stimme. »Wir sind auf einen toten Zerker gestoßen.«

Untersuchung mit Folgen

Schweber- und Robotikfabrik, Karason, Torfin, Finnan-System
26. Tag, 2. Monat, 8553. Lichtzyklus sME, 10. Stunde, 3. Minute

Entro

Imnar und er standen vor dem neuen Prototyp. Vier Tage hatte es gedauert, um ihn zu erstellen. Ihre Wünsche schienen umgesetzt worden zu sein. Er sah etwas schmäler aus als der Vorhergehende. Der Auflösestrahler war auf das Dach gewandert und konnte um dreihundertsechzig Grad in der Horizontalen geschwenkt werden. Alle mechanischen Teile befanden sich schon an Ort und Stelle. Nur das Innenleben fehlte noch.

»Achtung!«, ertönte eine Stimme aus dem Lautsprecher. »Die Härtetests beginnen in fünf Minuten. Bitte sucht den Beobachtungsraum auf.«

Entro warf der fahrbaren Energiekanone einen besorgten Blick zu. Das Fahrzeugchassis aus strukturverdichtetem Mathumastahl sollte dem heißen Energiestrahl fünf Sekunden lang trotzen. Das konnte er sich beim besten Willen nicht vorstellen.

Wozu auch? Die Lebewesen des Dschungels würden sie kaum mit Strahlwaffen angreifen.

Obwohl … was wussten sie schon vom Leben, das in diesem Urwald hauste. Immerhin waren sie bei ihrer Testfahrt mit einer Säure angegriffen worden, die selbst den Fahrzeugstahl zerfressen hatte. Darüber, dass das Schirmfeld für die Tentakel des Baumpolypen kein Hindernis gewesen war, wollte er gar nicht erst nachdenken.

Er wandte sich um und folgte Imnar, der bereits auf dem Weg war. Kaum hatten sie nebeneinander Platz genommen, da begann sich schon die große Sichtscheibe abzudunkeln, auf der auch das Holo der Zielregion zu sehen war.

Entro eröffnete das Gespräch, während er sich in seinen Kontursitz zurücklehnte. »Ich weiß nicht, woher ich das Wissen habe. Aber ich bin mir ziemlich sicher, die einfache Strukturverdichtung wird nicht mehr als drei Sekunden standhalten, bevor das Material zerschmilzt. Zumindest ist das bei einem Strahldurchmesser von fünfundzwanzig Zentimetern so.«

Imnar wischte sich mit Daumen und Zeigefinger über die Augenbrauen. Er sah nachdenklich aus. »Leider ist Materialtechnik nichts, worüber ich mich hobbytechnisch informiere. Wenn ich jedoch rein logisch denke, dann ist die Energie, die auf einen Quadratmillimeter verdichteten Mathumastahls trifft, doch die gleiche, egal wie groß der Durchmesser des Strahls ist?«

Entro rieb sich die Augen. »Das ist zwar richtig, aber damit unterschlagt Ihr die Auswirkungen der Wärmeableitung in diesem Prozess.« Als er Imnars verständnislosen Blick sah, lächelte er. »Ihr wisst, Metall hat eine hohe Wärmeleitfähigkeit, oder?«

Sein Gegenüber schüttelte den Kopf. »Ihr geht davon aus, es handelt sich hier um normal verdichteten Mathumastahl?«

»Was denn sonst? Alles andere ist einfach zu kostspielig.«

Imnar seufzte. »Anscheinend seid Ihr weder an der Montage des Prototyps beteiligt, noch kennt Ihr Euren Chef, Tellan Prosar, besonders gut. Er hat den gleichen Stahl ordern lassen, der auch für den Bau von Raumschiffen verwendet wird. Laut seiner Aussage ist jener nicht nur hochkomprimiert, sondern ebenso antimagnetisch. Er nimmt so gut wie keine Wärme auf, jedenfalls nicht unterhalb eines Schiffsgeschützes.«

Zu einer Antwort kam Entro nicht mehr. Die Werks-KI begann die Zeit bis zum Einsatz des Energiestrahlers herunterzuzählen. Dann stand der Strahl. Unerwartet für ihn blendeten sich vorauseilende Schemen in sein Gesichtsfeld ein, die ihm zeigten, wie die Energie durch das Fahrzeug schoss. Seine Hand knallte auf den Notschalter. Die dritte Sekunde war noch nicht gänzlich vergangen, als der Strahler abgeschaltet wurde.

Imnar sah ihn überrascht an. Dann klärten sich seine Gesichtszüge. »Ihr habt es wieder gesehen und ein Unglück verhindert, oder?«

Stumm deutete Entro auf das Holo. Dort war zu sehen, wie das Metall zu einem Teil in Form einer Dampfwolke über der Auftreffstelle stand, zu einem anderen noch in der ausgeformten Mulde brodelte. Nur wenige Zehntelsekunden mehr und der Strahl wäre durchgebrochen.

An und für sich kein großer Verlust. Das Chassis musste ohnehin neu geformt werden, da das Material offenbar nicht dem für Raumschiffe entsprach. Aber der Antrieb konnte bei dem Nachfolgemodell wiederverwendet werden. Einen Augenblick überlegte er, welche Konsequenzen dieser missglückte Testversuch wohl nach sich ziehen würde.

Sein ArmKomm vibrierte. Es projizierte das Gesicht des Projektleiters für den Prototyp auf die Anzeigefläche. »Danke, dass Ihr so reaktionsschnell den Strahl abgeschaltet habt«, sagte Astont Pretare, bevor sein Kopf in die 3D-Perspektive wechselte. Entro stellte eine leichte Rötung der Gesichtshaut des schwergewichtigen Myrthonen fest. »Im Presswerk wurde versehentlich das Material verarbeitet, das auch im ersten Prototyp Verwendung fand. Der Testlauf ist damit beendet und wird frühestens in fünf Tagen erneut anberaumt. Falls Imnar aus dem lichtdurchfluteten Haus derer von Xartay noch in Eurer Nähe sitzt, richtet ihm bitte folgendes aus: Wir entschuldigen uns für die Umstände.« Die Verbindung wurde unterbrochen.

»Habt Ihr es mitbekommen?«

Imnar nickte und stand auf. »Dann mache ich hier Schluss für heute.«

Entro wollte es ihm gleichtun. Doch ein plötzliches Schwindelgefühl ließ ihn taumeln.

Du bist nicht der, der du bist!, dröhnte es in ihm. *Befreie dich! Befreie dich! Befreie dich!* Jedes Wort klang lauter als das vorhergehende. Sterne tanzten vor seinen Augen. Seine Hände griffen ins Leere und er stürzte zu Boden, wo er wie betäubt liegen blieb.

Wie aus weiter Ferne hörte er jemand auf sich einreden. Doch der Sinn blieb ihm verborgen. Müde schloss er die Augen. Es gelang ihm nicht, zur Ruhe zu kommen. Irgendwer schüttelte ihn. »Entro«, drang es an sein Ohr, »könnt Ihr mich hören? Antwortet mir!«

Die Sterne verschwanden. Imnars Gesicht tauchte vor ihm auf. Es war angespannt, die wenigen Falten auf der Stirn dadurch völlig geglättet. »Was ist geschehen? Habt Ihr wieder Stimmen gehört?«

»Allerdings«, erwiderte Entro. Erneut musste er gegen Gleichgewichtsstörungen ankämpfen. Für Sekunden tanzten Sterne vor seinen Augen. Dann klärte sich sein Blick.

»Das war nicht das einzige Mal, seit wir die Testfahrt abgebrochen hatten? Habe ich recht?«

Entro seufzte. »Am Tag der Lichttränen hat es mich zweimal erwischt. Einmal nach dem Frühstück mit meiner Familie und dann im Freizeitland. Zum Glück wurde ich von keinem dabei gesehen. Dann gestern gleich nach dem Aufstehen.«

Imnar runzelte die Stirn. »Wie Ihr sicher bemerkt habt, nimmt die Häufigkeit zu, in der die Stimme zu Euch spricht. Das Unwohlsein, das Euch dabei begleitet, sollte Euch zeigen, wie ernst die Situation ist. Ihr seid krank, jedoch noch heilbar. Lasst einige Wochen verrinnen und es wird nicht mehr möglich sein, den Prozess umzukehren.«

»Gut, dann schickt mich in das hiesige Krankenhaus.«

Kopfschüttelnd lachte Imnar. Es klang ganz und gar nicht fröhlich. »Euch kann dort nicht geholfen werden. Das müsste Euch klar sein. Ihr habt nur eine Chance. Lasst Euch von mir untersuchen und behandeln. Warum sperrt Ihr Euch dagegen?«

Mit Grauen dachte Entro an diese Möglichkeit. Laut Imnar gab es einen Grund, weshalb die Stimme zu ihm sprach. Er war sich sicher, die Worte, die er im Geist hörte, waren für ihn von Bedeutung.

»Ihr müsst mit gewaltigen Konsequenzen für Euch und Eure Familie rechnen«, hatte der Wissenschaftler ihn gewarnt. Was würde mit Danora und Saira passieren, würde ihr harmonisches Zusammensein von einem Augenblick zum anderen ausgelöscht werden?

»Ihr habt Angst um Frau und Tochter, habe ich recht?«

Entro nickte unglücklich. Ja, Imnar war auf der richtigen Spur. Wie konnte er die zwei Menschen, die er am meisten liebte, in Gefahr bringen? Wenn er sich jedoch der Untersuchung versagte, würde er über kurz oder lang für immer ein geistiges Wrack werden. Das war um keinen Deut besser.

»Nun, sobald Ihr Euch meiner Behandlung unterzieht, mag sich das auf Eure Familie auswirken«, gab Imnar zu bedenken. »Aber welchen Grad das haben wird, wissen wir nicht. Das ist Spekulation. Sicher hingegen ist, wenn Ihr die Untersuchung ablehnt, werden Eure Frau und Eure Tochter sehr bald ohne Euch zurechtkommen müssen, und das ein Leben lang.«

Am liebsten hätte Entro die Hände vor das Gesicht geschlagen und darüber gegrübelt, wie er das Beste aus der verfahrenen Situation machen konnte. Er war für seine kleine Familie verantwortlich, musste schnell eine Entscheidung treffen, die er schon viel zu lang hinausgezögert hatte. Die Argumente des ehemaligen Mitarbeiters der *MV* konnte er nicht widerlegen. Schließlich gab er nach. »Gut, wann fangt Ihr mit der Behandlung an?«

Imnar hielt ihm die Hand hin. Er griff nach ihr und zog sich hoch. »Sofort«, sagte der in einem unerbittlichen Ton. »Die Krankheit ist schon zu weit fortgeschritten. Ihr werdet mich in meine Unterkunft begleiten.«

Entro ging das alles viel zu schnell. Er musste Zeit schinden und sagte deshalb: »Ich muss Danora Bescheid geben«.

»Das solltet Ihr unterlassen.« Imnar sah ihn scharf an. »Noch wissen wir nicht, was genau bei dieser Untersuchung herauskommen wird. Ich halte es für falsch, Eure Frau zu beunruhigen. Informiert sie, wenn uns Ergebnisse vorliegen. Eventuell werdet Ihr davonlaufen und Euch vor Ihr verstecken wollen. Das ist eine ganz natürliche Reaktion, falls die Stimme in Euch recht hat und Ihr nicht der seid, der Ihr zu sein glaubt. Tut das nicht. Die beste Methode mit einer neuen Situation zurechtzukommen ist es, sich auszusprechen. Wenn Ihr Euch doch nicht im Griff habt, dann sagt ihr wenigstens, wo Ihr Euch aufhaltet. Ich werde nicht für Euch lügen. Denkt daran. Und jetzt sollten wir gehen.«

Das Gerät erschien Entro wie ein umgebauter Gehirnwelleninduktor. Zumindest die Haube, die über seinen Kopf gestülpt war, wies große Ähnlichkeit damit auf.

Er erinnerte sich kurz an den Flug mit dem Schweber zu Imnars Haus, auf dessen Dachfläche sie gelandet waren. Er hatte in der Zeit seiner Firma Bescheid gegeben, dass er für heute und die nächsten vier Tage dringend Urlaub nehmen musste. Es gab keinen Grund, ihn davon abzuhalten, da der nachfolgende Prototyp nicht vor seinem Urlaubsende fertig sein würde.

»Von meiner Seite aus können wir beginnen«, eröffnete ihm Imnar. »Wie sieht es bei Euch aus? Seid Ihr bereit?«

Entro nickte. »Fangt an.« Das Gerät begann zu arbeiten. Noch spürte er keinen Unterschied zu vorher.

Dann hörte er Imnars Stimme. Sie wirkte zwingend auf ihn. »Geht mit Euren Gedanken zurück in die Vergangenheit. Geht so weit zurück, wie es Euch möglich ist.«

Es entstand eine kleine Pause, in deren Stille er mit geschlossenen Augen bei seiner Ankunft auf *Torfin* verweilte. Und so sehr er sich bemühte, es gab keinen Weg, Bilder aus weiter entfernt liegenden Tagen an die Oberfläche zu bringen.

»Wer seid Ihr?« Imnars Frage wirkte unabwendbar auf ihn.

Er musste sie beantworten. »Ich bin Entro aus dem schattenumwobenen Haus derer von Santoral.«

»Ist das wirklich alles? Habt Ihr nicht noch einen anderen Namen?«

Etwas drehte sich in Entros Gesichtsfeld. Eine graue, aus Staub geborene Masse. Sie wand sich in sich und überzog sich mit unzähligen Schlieren. Er versuchte, ihnen zu folgen, und verlor sich dabei in sich selbst.

Als er wieder zu sich kam, war die Haube von seinem Kopf entfernt. Er fühlte keinen nennenswerten Unterschied zu vorher. »Ist die Untersuchung missglückt?«, fragte er verwirrt. »Oder warum habt Ihr sie abgebrochen?«

»Nein«, gab Imnar zurück. »Das Programm wurde zu meiner vollsten Zufriedenheit beendet. Wie geht es Euch jetzt, Cormet aus dem lichtdurchfluteten Haus derer von Valura?«

Als er den Namen hörte, seinen wahren Namen, brach eine Barriere. Er wurde mit all dem Wissen überflutet, über das er vor dem Aufzwingen einer neuen Erinnerung verfügt hatte. Er schluckte schwer. »Ich kann mich an alles erinnern«, flüsterte er und erkannte zugleich, welche Rolle Danora bei seiner Entführung gespielt hatte. Er biss sich auf die Lippen, als er daran dachte, dass er mit jener Frau verheiratet war, die ihn einem Attentäter ans Messer geliefert hatte. »Ich habe meine volle Erinnerung«, sagte er nun laut, »das betrifft Cormet und auch Entro.«

Imnar blies die Luft hörbar aus. Anscheinend war er unter hoher Anspannung gestanden. »Jetzt kann ich es Euch gestehen. Die Erfolgsaussichten waren nicht sehr prickelnd. Ihr hattet Glück, dass Euch das Wissen über die neue Persönlichkeit erst kurz vor Eurer Ankunft auf *Torfin* aufgespielt worden ist. Das ist gerade mal ein paar Tage her. Deswegen dürften Eure alten Erinnerungen noch annähernd alle vorhanden sein. Wenn ihr längere Zeit dem ausgesetzt gewesen wärt, hätte Eure Vergangenheit nicht wiederhergestellt werden können.«

Cormet wischte sich mit beiden Händen die Strähnen nach hinten, die ihm durch die Haube ins Gesicht gefallen waren. »Könnt Ihr die Prozedur bei Danora wiederholen?«, fragte er. Und er ertappte sich dabei, dass es ihm keineswegs darum ging, ihr ebenfalls die aufgepfropften Erinnerungen zu nehmen, sondern vielmehr ihr damit zu zeigen, welche Schandtaten sie an ihm begangen hatte.

»Nein«, gab Imnar zurück. »Ihr Erinnerungsverlust ist unabänderlich! Ihr sagtet, sie war damals eine normale Myrthonin. Also war sie außerstande, eine Gabe zu entwickeln, die ihre alte Persönlichkeit im Unterbewusstsein verbergen konnte. Es tut mir leid, aber sie wird bis ans Lebensende davon überzeugt sein, dass sie Eure Frau und Saira Eure leibliche Tochter ist. Ich würde an Eurer Stelle auch nicht daran rühren. Ihre geistige Widerstandsfähigkeit dürfte wegen der Prozedur, der sie unterzogen wurde, erheblich gelitten haben. Wenn Ihr es mit ihr im Guten versucht, die Vergangenheit klärt, jedoch die Beziehung und gegenseitige Liebe zu ihr aufrecht erhaltet, dann wird sie das verkraften, aber nur dann. Ihr solltet nun nach Hause gehen und gründlich über alles nachdenken. Und kommt auf keine dummen Gedanken.«

Mit wenigen Handbewegungen befreite sich Cormet aus dem Kontursessel und stand auf. »Ich danke Euch, Imnar. Ich melde mich spätestens morgen bei Euch. Sollte durch die Untersuchung nicht noch etwas Wesentliches meine Gesundheit belasten, könnt Ihr Eure Rechnung stellen. Verlangt, was Ihr verlangen müsst. Ich bin Euch auf jeden Fall sehr dankbar.«

Imnar schien erst etwas erheitert, brach dann in ein Gelächter aus. »Glaubt Ihr wirklich, Ihr kommt so billig davon! Das, was ich für Euch getan habe, lässt sich nicht mit Myraths begleichen. Da müsst Ihr Euch schon mehr anstrengen.«

»Was?« Cormet, der bereits im Gehen begriffen war, fuhr herum. »Was wollt Ihr dann von mir?«

»Was schon! Eure volle Unterstützung bei den Expeditionen in den Dschungel nahe *Karason*. Versprecht Ihr mir das?«

Cormet zögerte. Plötzlich hatte er das dringende Bedürfnis, nach *Myrthon* zu reisen. Die Sehnsucht nach seinen Räumen im heimatlichen Palast, in denen er in Ruhe über alles nachdenken konnte, erdrückte ihn schier. Was immer bei seinen Gedankenspielen, Danora und Saira betreffend, dort herauskommen würde, er musste spätestens nach Ablauf seines kurzen Urlaubs auf *Torfin* zurück sein, um seine Schuld abzutragen.

»Das geht in Ordnung«, stimmte er schließlich schweren Herzens zu.

Imnar stand auf, um Cormet hinauszubegleiten. »Dann wünsche ich Euch viel Glück bei Eurem Bestreben, Eure Beziehung in eine neue Ära zu retten. Und denkt daran, die heutige Untersuchung war nur der erste Schritt. Ich benötige noch mindestens ein Dutzend Sitzungen mit Euch, um Eure Gabe herauszufinden und zu stabilisieren.«

Cormet stand vor einem der öffentlichen Geräte der städtischen Fädlerstation von *Karason*. Die ID und die Koordinaten des heimatlichen Fädlers hatte er schon eingegeben. Er musste nur noch den Daumen auf ein Sensorfeld legen, um den Transportvorgang in den Valurapalast auf *Myrthon* zu aktivieren.

Doch etwas hielt ihn davon ab. Danora und Saira würden sich Sorgen machen, wenn er nicht nach Hause kam.

Er aktivierte den Nachrichtenservice seines ArmKomms. Auf dem Holo wählte er den Empfänger aus und begann zu sprechen: »Danora«, dann hielt er inne. Wieder kochte Zorn in ihm hoch. Welchen perfiden Plan mochte sie mit Loryk, dem Attentäter, ausgeheckt haben, damit sie mit ihrer Tochter in die Sphären des Kernweltadels aufgenommen wurde? Er knirschte mit den Zähnen. Er konnte zwar bezeugen, dass er sie nicht geheiratet hatte, ungeachtet dessen gehörte sie nun zum Adel der Kernwelten. Die Urkunde lautete auf Danora aus dem Karrak Santoral. Und er bezweifelte keinen Augenblick, dass sie jeglicher Überprüfung standhalten würde. Schließlich war Loryk sehr professionell vorgegangen, als er in den Valurapalast auf *Eloym* eingedrungen war, um ihn zum Duell zu zwingen.

Es gab keine Möglichkeit, ihr das abzuerkennen. Zumindest so lange nicht, bis der wirkliche Entro gefunden wurde. Aber Cormet vermutete ihn als Opfer des Attentäters, das dessen Rachefeldzug gegen den Adel nicht überlebt hatte. Imnar konnte zwar die falsche Identität bezeugen, die ihm aufgezwungen worden war. Jedoch befand der sich im Ruhestand. Und die Wahrscheinlichkeit schien hoch, dass er damit die Berechtigung verloren hatte, seinem alten Beruf nachzugehen. Vermutlich würde er deshalb zu keiner Aussage bereit sein. Und selbst wenn, was geschah dann mit Saira, falls ihre Mutter verhaftet wurde?

Cormet begriff, die Halle mit Publikumsverkehr war der schlechteste Ort, um in Ruhe über alles nachzudenken. Er entschied sich dazu, die Nachricht an Danora äußerst knapp zu halten. »Ich bin auf einer Geschäftsreise und kehre am 1. Tag des 3. Monats wieder zurück. Entro.« Die Worte würden erst heute Abend bei ihr eintreffen, und zwar dann, wenn er für gewöhnlich nach Hause kam.

Anschließend aktivierte er den Fädler. Er wusste, es dauerte einige Minuten, bis er auf *Myrthon* ankam, da die Strecke einhundert Lichtquadratzyklen überschritt. Vom Transport würde er wie üblich nichts mitbekommen. Dann umhüllte ihn die Transportblase und riss ihn mit sich.

IM ANGESICHT DES FEINDES

Abbaustation der Prospektoren, Rikay-System
26. Tag, 2. Monat, 8553. Lichtzyklus sME, 15. Stunde, 42. Minute

Kerasor, Kampfgruppe 2

Wie bei den anderen seiner Gruppe war sein Helm nach hinten geklappt und ähnelte jetzt einer zusammengefalteten Kapuze. Peripher nahm er wahr, wie Elronk, der Anführer ihrer Kampfgruppe, den Bericht an die Truppführerin durchgab.

Sein hauptsächliches Interesse galt jedoch dem toten Zerker vor ihm auf dem Boden.

Die dunkelgrüne Bordkombination war von der einen Seite der Brust bis zur anderen gewaltsam aufgerissen. Das war ein Ding der Unmöglichkeit. Das Material konnte nur durch Säure- oder Energieeinwirkung derart zerstört werden. In der Herzgegend befand sich eine Einschussstelle umringt von schwarzem, verbranntem Fleisch. Hier handelte es sich mit Sicherheit um die Todesursache.

Der Generator für das Schirmfeld hing nur noch als rußig zusammengeschmolzener Klumpen am Gürtel. Ein Energiestrahl von ungeheurer Kraft musste den Schirm überlastet und Überschlagsenergien im Gerät erzeugt haben.

Neben dem Toten lag ein Ungetüm von einer Strahlwaffe. Zerker waren das 1,5-fache der Schwerkraft *Myrthons* gewohnt. Vermutlich würde Kerasor die Waffe, bei den hier herrschenden 0,5 Gravos, zwar gerade noch heben, sie aber kaum gezielt abfeuern können. Die Energie von drei solchen Strahlern war nötig, um den Generator so zu zerstören.

Wie stark musste ein Gegner sein, der diesen Kämpfer überwinden konnte?

»Angst, Kadettenanwärter?« Morak Zelfors Bariton klang auf. Sein von Falten durchzogenes Gesicht zeigte nicht das spöttische Lächeln, das der Alandorer erwartet hatte. Der Schädel war an den Seiten rasiert. Nur oben trug er ergraute Haare im Bürstenschnitt. Die grauen Augen schienen ihn zu mustern.

Kerasor unterbrach seine gedankliche Analyse. »Nein, nur ein gehöriges Maß an Misstrauen. Ich befürchte, wir könnten in eine

Falle laufen. Wer diesen Zerker ausgeschaltet hat, hält sich bei uns sicher nicht zurück.«

Ein helles Lachen ertönte. Darima Vossats Stimme war sanft und harmonisch. Im Gegensatz dazu wirkte der Mikrorak-Werfer in ihrer Armbeuge völlig deplatziert.

Kerasor durchforstete seine Erinnerungen. Die Waffe war für den Kampf in Raumschiffen konzipiert. Man musste nur einmal die Innenwand damit anvisieren, danach die Ausnahmetaste drücken, und keines dieser selbstlenkenden Geschosse würde sie jemals berühren.

»Ihr solltet aber Angst haben«, warf sie ein, während sie zur Bestätigung auf den Boden aufstampfte, was ihre schwarzen, fast bläulich schimmernden Locken erzittern ließ. »Und zwar mehr davon, als Ihr je in Eurem Leben hattet.« Einen Augenblick war sie still, so als warte sie auf eine Entgegnung. Da nichts in dieser Richtung von ihm kam, fuhr sie fort. »Wenn Ihr mir nicht glaubt, dann schaltet die Infrarotsicht Eures Raumanzugs ein. Seht Euch den Zerker noch einmal genau an.«

»Aber passt auf, dass Euch dabei nicht übel wird.« Ein keckerndes Lachen folgte, wie es für Illian Sarkoss üblich war. Der Schalk stand in seinem Gesicht, das von halblangen Haaren und einem kurzgestutzten Kinn- und Schnauzbart umrahmt war.

Wer trägt als Mann schon eine violette Haarfarbe?, dachte Kerasor. Er kannte nicht viele und kaum jemanden, der so eine blasse Haut besaß. Doch zu dem Spaßvogel, zu dem sich Illian gern machte, passte es irgendwie. Der Blick seiner grünen Augen war dazu aber gegensätzlich und verhieß nichts Gutes.

Er verdrängte die Gedanken, zog sich den Raumhelm wieder über und schaltete auf Infrarot. Deutlich wurden sechs rot pulsierende Ovale sichtbar. Sie saßen gleichmäßig verteilt zwischen den Rippen.

»Was ist das?«, fragte er erschüttert.

»Eier!«, kommentierte Morak kurz angebunden. »Das zeigt zumindest mein Bioscanner an.«

»Soll das heißen, der unbekannte Feind missbraucht den Toten als Brutstation?« Es kam keine Antwort. Ein erbärmliches Gefühl überflutete Kerasor. War es das, was mit ihnen geschah, falls sie den Kampf auf dieser Station verloren? Denn dass es zu einer Auseinandersetzung kommen würde, war für ihn so sicher wie die Nacht am Ende des Tags.

»An Eurer Stelle würde ich die Waffe ziehen, Anwärter. Normalerweise lässt man seine Brut nicht unbewacht zurück.« Illian oder Sark, wie ihn seine Kameraden nannten, hielt eine Bolzenschleuder in der einen Hand, die energetisch ummantelte Bolzen mit vier schraubenartig gewendelten scharfen Kanten verschoss. Die Geschosse drehten sich um sich selbst, durchdrangen auch gepanzerte Raumanzüge und rissen große Wunden. Die andere umklammerte einen Auflösungsstrahler, mit dem er auf den Toten zielte, genauer gesagt, auf die pulsierenden Eier in ihm.

»Finger weg vom Abzug, Sark!« Kossom Elronk hatte das Gespräch mit der Truppführerin eben beendet. »Sharlyn befiehlt, wir sollen eines davon zur TIRKUM mitnehmen. Schneide sofort ein Stück Fleisch mit dem Ei aus der Leiche und sacke es ein. Voss gibt dir einen Behälter. Die beiden Wissenschaftler sind schon vorgewarnt. Anschließend holst du dir die Kette mit der ID-Plakette, die er um den Hals trägt, und löst den Toten auf. Sobald das geschehen ist, ziehen wir uns zum Landungsboot zurück. Sark und ich übernehmen die Rückendeckung.«

Kerasor wandte sich ab, als Illian den Befehl ausführte. Der saure Geschmack im Mund ließ ihn erahnen, was passieren würde, wenn er dem Soldaten bei seiner Arbeit zusah. So hörte er nur die Geräusche, wie jener laut fluchend das Ei herausschnitt, es in das Behältnis gab und an seinem Gürtel befestigte.

Als er sich wieder umwandte, sah er gerade noch, wie Illian die ID-Marke Elronk übergab, der sie in einer Außentasche des Raumanzugs verschwinden ließ. Danach legte Sark eine Auflösungsgranate auf den Zerker und zündete sie. Kaum hatte sich der Tote vor ihren Augen in seine Atome aufgelöst, da schrillte ein Schrei in ihren Ohren.

Kerasor fuhr zusammen. Die anderen seiner Gruppe verteilten sich blitzschnell im Raum. Er riss sein Schreddergewehr hoch. Am Ende des Gangs tauchte etwas Schattenhaftes auf.

»Anscheinend ist das, was auf uns zu kommt, mit seiner Brut verbunden«, stieß Elronk hervor. »Die Friedensgespräche dürften jetzt Geschichte sein. Zieht euch langsam zurück.«

Doch dazu kam es nicht. Der Schatten wurde schneller, raste heran. Kerasor erblickte ein Wesen, das sich auf vier abgewinkelten Beinen vorwärtsbewegte, die vor dem ovalen Hinterleib aus dem Körper wuchsen. Es hielt etwas in den beiden Greifklauen, das entfernt an ein Strahlgewehr erinnerte. Eine braune, mit grauen Schlieren überzogene schelfnarbige Schicht bedeckte den Leib. Der Kopf war Insektoid. Er besaß drei Facettenaugen und ein zangenartiges Fresswerkzeug.

Eine Garbe Mikroraks raste auf das Wesen zu, stoppte es kurz. Die Explosionen auf dem Panzer fielen jedoch merkwürdig gering aus, schädigten ihn nicht. Doch Kerasor bemerkte, wie sich dessen Farbe änderte. Sie wirkte frischer und gesättigter.

»Er saugt die Explosionsenergie auf!«, schrie Elronk. »Nicht mehr schießen, Voss. Geh sofort in den Nahkampf!«

Ein Strahl löste sich aus der Waffe des Angreifers. Das Schirmfeld von Morak hielt ihm jedoch mühelos stand.

Illians Bolzen verließ schwirrend die Armbrust und riss ein großes Loch in die Panzerung. Er hatte jedoch nicht genügend Kraft, um sie komplett zu durchschlagen. Das Wesen wurde aber dadurch verlangsamt.

Damit ergab sich für Kerasor die Gelegenheit, sein Schreddergewehr gleich zweimal auszulösen. Dann fegte ihn der Angreifer von den Beinen. Seine Waffe wurde ihm aus den Händen geschleudert. Er knallte auf den Boden. Etwas fiel auf ihn. Das Schirmfeld verhinderte zwar den Körperkontakt, doch er konnte sich auch nicht befreien. Der Gegner war nahe. Er konnte das kalte Glitzern in den drei Facettenaugen wahrnehmen. Die Beißzange vor seinem Gesicht klackte immer wieder auf und zu. Eine zähe Flüssigkeit tropfte von ihnen herab. Aber das war nicht das Schlimmste. Überall dort, wo die Greifklauen des Wesens den Schirm berührten, floss Energie ab. Das Schirmfeld wurde dünner und verfärbte sich bläulich.

In wilder Verzweiflung zog Kerasor seinen Dolch aus der Scheide und stieß ihn in den über ihm liegenden Körper. Er hatte keine Hoffnung, dass er den Panzer durchdringen konnte. Doch es geschah genau das.

Gleichzeitig tauchte etwas Schwarzes in seinem Blickfeld auf. Es traf den Kopf des Wesens und trennte ihn vom Rumpf. Eine gelbe Flüssigkeit rieselte auf Kerasor herab. Sie rann den Schirm entlang und bildete auf dem Boden eine Lache. Dann beförderte ein Fußtritt den leblosen Körper von ihm weg.

»Nichts zu danken!«, hörte er Darimas harmonische Stimme aus dem Lautsprecher klingen. »War mir ein Vergnügen, diesen Bastard zu seinen Vorfahren zu schicken.«

Obwohl Kerasor von den Ereignissen geschockt war, sprang er schnell auf, wollte sich vor den Veteranen keine Blöße geben. Doch dann traute er seinen Augen nicht. Die schlanke Gestalt vor ihm stützte sich auf einen gewaltigen Vorschlaghammer.

Illians Kichern erklang. »Das haut den stärksten Kämpfer aus den Stiefeln, nicht wahr!« Er schlug sich vor Vergnügen auf den Oberschenkel. »Aber das geschieht nicht nur Euch so. Wahrlich niemand traut Voss das zu.«

Durch den transparenten Raumhelm sah er sie lächeln. Ihre Blicke jedoch waren auf den Teil des Gangs gerichtet, der dabei war, sich durch die Biegung der Sicht zu entziehen.

»Das ist doch kein Ding«, sagte sie. »Das Gewicht des Hammers ist minimiert. Das geschieht durch ein Gerät, das im Stiel eingebaut ist. Sobald ich zuschlage, schalte ich es aus, nach dem Treffer wieder ein.«

»Wenn es so einfach wäre«, meinte Morak, »dann würde jeder so eine Waffe mit sich herumschleppen. Aber im Kampf den richtigen Augenblick zu finden, um das Gewicht ein- oder abzustellen, ist schwierig. Beherrscht man das nicht zu hundert Prozent, ist die Gefahr groß, dass man plötzlich auf der Nase liegt.«

»Danke«, sagte Kerasor. Es war an Darima gerichtet. Zu mehr kam er nicht.

Kossom Elronk schaltete sich ein. »Ich habe gerade den Bericht an die Truppführerin abgegeben. Es ändert sich nichts. Wir ziehen uns bis zum Notschott zurück. Dort erhalten wir weitere Befehle. Sark, löse das Wesen auf. Es könnte noch Eier in sich haben.«

Kerasor zog seinen Dolch aus dem toten Körper und wischte ihn daran ab.

Dann platzierte Illian die Granate. Als er sie aktivierte, widerstand nur der hintere Teil des Panzers dem Effekt, sich aufzulösen.

Antor

Auf dem Holoschirm sah ihm Torgar entgegen, der Kommandant der Bodentruppen der TIRKUM. Zusammen waren sie die Trivideo-Ausschnitte durchgegangen, die ihnen Sharlyn gesendet hatte. Sie stammten von den Kameras an den Raumanzügen der Kampfgruppe 2.

»Was haltet Ihr davon?«, wollte Antor wissen. »Beenden wir den Einsatz auf der Station oder führen wir ihn bis zum Ende durch?«

Mit den Fingern rieb sich Torgar die Narbe, die über seine linke Wange verlief. »Nun«, entgegnete er mit nachdenklichem Blick. »Wir können es einer fremden Intelligenz nicht erlauben, ihre Brut auf einer Station in unserem Sternenreich aufzuziehen. Bis Einheiten der Flotte eintreffen, könnten sie schon abgeholt worden sein. Andererseits können wir auch nicht auf die Raumer warten. Wir haben schon genug Zeit verloren. Das Auffinden des Schulschiffs wird immer unwahrscheinlicher.«

Antor nickte. »Ihr seid also dafür, die Station zu säubern. Das könnte uns Einsatzkräfte kosten.«

»Das sehe ich nicht so«, entgegnete Torgar. »Die Trivideos haben gezeigt, der Feind ist nicht unbesiegbar. Jedoch dürften Strahlwaffen und Mikroraks nicht die richtigen Mittel sein, um die starken Panzer zu überwinden.«

Mit mehreren Wischern ging Antor noch einmal bis zur Szene zurück, in der Kerasor feuerte. Dann schaltete er auf Zeitlupe. »Seht Euch genau an, was passiert, sobald die Schredderladung auf dem Panzer auftrifft.«

Die Kugeln schienen durch die Luft zu schleichen. Nach einigen Sekunden trafen sie an vielen Stellen den Angreifer. Sie durchdrangen die Panzerschicht nicht, sondern blieben am Auftreffort kleben, verfärbten sich bläulich und fielen schließlich ab. Antor stoppte das Trivideo.

Torgar räusperte sich, bevor er sprach. »Eigentlich verwenden wir Schreddergewehre nur, wenn der Gegner ein Schirmfeld trägt. Die Vielzahl von Kugeln saugt die Energie ab und macht den Schirm durchlässig für unsere Waffen. Hier schützt sich der Angreifer aber durch einen Panzer. Ich verstehe nicht, wieso wir Erfolg damit hatten.«

Antor lächelte. »Die Panzerung, die diese Intelligenzen tragen, ist in der Lage, Auftreffenergie zu speichern. Das gilt für die Explosionen von Mikroraks, dürfte aber genauso für Strahltreffer gelten. Die Kugeln geben jedoch keine Energie ab, sondern saugen sie auf. Ihr seht an diesem Standbild, wie sich die Panzerschicht verfärbt.« Er ließ das Trivideo weiterlaufen. Eine zweite Ladung verließ das Schreddergewehr. Da der Abstand kleiner geworden war, trafen fast alle Kugeln den Panzer. »Achtet auf die Schelfnarben«, sagte er. »Ihre relativ schroffen Kanten verwischen sich.« Dann kam der Zusammenprall, in dem sich die Perspektive in die Horizontale verschob. Der Angreifer kam mit seinem Oberkörper auf Kerasor zu liegen. Antor deutete auf das Bild. »Nur an den Stellen, an denen die Greifklauen den Schirm berühren, wird Energie abgesaugt. Das bedeutet, die zweimal von der Schredderladung getroffene Panzerung auf der Vorderseite hat ihre Fähigkeit verloren. Sonst wäre das Schirmfeld des Anwärters nach Sekunden zusammengebrochen. So erhielt er noch Gelegenheit, seinen Dolch zu ziehen.«

»Woran seht Ihr das mit den Greifklauen?«, warf Torgar ein. »Ich habe nur einen Ausschnitt des vorderen Panzers im Blickfeld.«

»Das ist im Trivideo von Darima Vossat zu sehen, und zwar kurz, bevor sie ihren Hammer schwingt. Aber noch davor …« Antor unterbrach sich und stoppte die Aufzeichnung. »Achtet nun auf den Dolch.« Dann startete er sie wieder. »Hier durchdringt die Schneide die Panzerung, die sogar den Bolzen von Illian Sarkoss erfolgreich aufgehalten hat. Und der verfügt über eine Eigendrehung und bohrt sich für gewöhnlich wie eine Schraube durch alle Materialien. Seht Ihr, wie der Panzer an der Einstichstelle bröckelt? Seine Struktur hat sich verändert.« Antor lehnte sich in den Kontursitz zurück. »Mit dem Schreddergewehr haben wir eine Waffe gegen den Feind«, meinte er hoffnungsvoll. »Der einzige Nachteil ist die kurze Distanz. Wir müssen den Angreifer nah an uns heranlassen, bevor wir ihn wirkungsvoll bekämpfen können.«

»Ihr habt recht«, erwiderte Torgar. »Wir sollten die Bestände, die auf diesem Landungsboot gelagert sind, zu den Kampfgruppen bringen. Habt Ihr Roboter an Bord?«

Antor nickte. »Sieben Maschinen, das ist fast die volle Anzahl.«

»Gut!« Torgar faltete die Hände vor seinen Leib. »Ich hätte einen Vorschlag.«

»Sprecht!«

»Wir rüsten die Roboter mit mechanischen Waffen und einem Schreddergewehr aus. Dann weisen wir jeder Kampfgruppe einen von ihnen zu. Die überbringen auch die Austauschwaffen. Die restlichen drei Maschinen unterstützen KG 5. Das ist die Gruppe, der Sharlyn angehört. Sie stößt auf dem schnellsten Weg zur Zentrale vor. Mit ihrer Offiziers-ID kann sie die Bord-KI wieder aktivieren und die Bordluft absaugen lassen. Ich vermute, die Luftvorräte der Eindringlinge sind verbraucht. Deswegen tragen sie auch keine Raumanzüge. Damit hätten wir das Problem auf elegante Weise gelöst.«

»Ihr glaubt doch selbst nicht daran, dass Sharlyn mit ihrer Gruppe ohne Feindkontakt bleiben wird?« Antor sah Torgar zweifelnd an. »Lasst Euch nicht täuschen. Diese Wesen sind nicht so planlos, wie ihr erster Angriff vermuten lässt. Das war nur eine Reflexreaktion auf die Zerstörung der Eier. Vermutlich wollte der Angreifer das letzte Ei retten. Nun aber befürchte ich, könnten die Kampfgruppen in einen Hinterhalt geraten. Wir haben keine Ahnung, wie viele der Eindringlinge sich an Bord befinden.«

Der Kommandant der Einsatzkräfte legte die Hände überkreuzt vor sich auf den Tisch. Mit den Fingern der Linken trommelte er auf den Handrücken der Rechten. Sein Blick war kurz nach unten gerichtet. Dann sah er Antor wieder an.

»Sharlyns Gruppe stößt drei Stockwerke über der Zentraletage vor, und zwar im übernächsten parallel führenden Gang rechts vom Mittelgang. KG 4 hingegen nimmt den direkten Weg. Ich gehe davon aus, sie wird angegriffen, da sie normale Gruppengröße hat und ihr Ziel klar ist. KG 5 hat für den Feind offensichtlich die größte Kampfkraft und wird vermutlich als Letztes in einen Kampf verwickelt. Wenn die anderen Gruppen standhalten, könnte sie ohne Feindkontakt bis zur Zentrale vorstoßen. KG 1 bis KG 3 bewegen sich in parallelen Gängen zwanzig Meter hinter KG 4. Falls ein Angriff auf KG 4 erfolgt, durchbrechen die anderen mit Auflösungsstrahlern die Wände und eilen ihr zur Hilfe. Außerdem werde ich die schweren Kampfgruppen 9 und 10 mit einem weiteren Landungsboot zu Euch beordern. Sie stellen dann unsere Notfallreserve dar.«

Antor nickte. »Ich instruiere die Roboter und gebe ihnen zusätzlich schwere Strahler zur Auflösung der Stationswände mit. Und Ihr gebt bitte die Order sofort an Eure Gruppen. Der Einsatz beginnt, sobald die Maschinen eingetroffen sind.«

Torgar bestätigte das mit einem lauten »Verstanden, Lichtträger.« Danach verabschiedete er sich mit dem üblichen Gruß: »Ehre für Myrthon und den Myrth.«

Antor schaltete die Verbindung ab. Dann ließ er den Plan noch einmal kurz Revue passieren. Es schien alles zu passen.

Rückblick in die Vergangenheit

Valurapalast, Myrthon, Mathuma-System
26. Tag, 2. Monat, 8553. Lichtzyklus sME, 15. Stunde, 55. Minute

Cormet

Er lag auf dem Bett in seinem Schlafzimmer. Die große Panoramascheibe war abgedunkelt.

Dämmerlicht beherrschte den Raum. Ihm schwirrte der Kopf von den vielen Bruchstücken seiner Erinnerung, die sich allmählich wieder zusammenfügten. Ein innerer Drang zog ihn zurück in die Cormet-Vergangenheit.

Natürlich dachte er an Danora. An die Zeit, wie er ihr das erste Mal begegnet war. Den Aufzeichnungen der Palast-KI zufolge hatte ihre Tochter damals, wie es schien versehentlich, die Grenze zum Valura-Anwesen auf *Eloym* überschritten. Mutter und Kind wurden durch eine Energiemauer getrennt. In den wenigen Augenblicken, in denen die Energiewand durchsichtig war, musste Danora mit ansehen, wie Bestien auf Saira zustürzten.

Er wusste nicht, wie er in so einer Situation handeln würde. Es gab keine Chance auf Rettung. Niemand würde ihr einen Vorwurf machen, wenn sie sich in diesem Moment der Verzweiflung hingegeben hätte. Sie hingegen schien auf ein Wunder zu hoffen, rannte zum Hauptzugang des Valurapalasts und nahm Kontakt über die Wachroboter zu der Palast-KI auf.

Cormet war gerade bei Urpas, als er von *Eloym* aus kontaktiert wurde. Die KI informierte ihn über den Vorfall auf dem dortigen Valura-Anwesen. Das Bild auf seiner Mikro-KI, das vom Sichtbereich eines Roboters stammte, zeigte ihm die junge Frau mit den großen blonden Locken, der ansehnlichen Figur und den verweinten Augen. Sie war in ein metallisch schimmerndes rotes Sommerkleid und gleichfarbige Sandalen gekleidet. Schon vom ersten Augenblick an fand er sie sympathisch. Und ja, er hatte Mitleid mit ihr und ihrer Tochter. Über einen der Wachroboter teilte er Danora mit, dass Saira lebte, jedoch geschockt worden war. Leider glaubte sie ihm kein Wort, denn ihre Forderung, sie zu ihrem Kind bringen zu lassen, konnte er nicht erfüllen. Die Palast-KI gestattete das nicht, da er nicht vor Ort war.

Die junge Frau aber sagte ihm, er würde lügen, um sie erst einmal zu beruhigen. Sie schien nun überzeugt davon zu sein, dass Saira gestorben war.

Er sah Danora auf den Wachroboter zuschreiten. Offenbar wollte sie ihrem Kind in den Tod folgen. Der Roboter schoss, als sie die Sicherheitsdistanz überschritt.

Erst dachte Cormet, sie wäre von einem Energiestrahl getroffen worden und tot zusammengebrochen. Doch es war nur ein Schockstrahl gewesen.

Als er sie im Eloympalast geschockt auf einer Schwebeliege liegen sah, spürte er erstmals die Neugierde, wer die Frau wohl sein mochte, die mit ihrer Tochter versehentlich auf das Anwesen des Hauses Valura geraten war. Nachdem er verfolgen konnte, wie sie ihren eigenen Lebenswillen zurückgestellt hatte, um ihrem Kind zu folgen, empfand er ungeheuren Respekt vor ihr. Ihr Anblick faszinierte ihn, auch wenn ihr Gesicht durch einen Schocktreffer erstarrt war. Er wünschte sich nichts sehnlicher, als mit ihr sprechen zu können.

Das Schicksal hatte jedoch andere Pläne. Zuerst war sie im Schockzustand, später fiel sie in ein lebensbedrohliches Koma.

Dann zwang ihn Loryk, der mit seinem Schüler in den Palast eingedrungen war, indem er vorgab, Mutter und Tochter abholen zu wollen, zu einem Duell. Im Laufe dessen setzte ihn der Attentäter mit einer Entladungskugel außer Gefecht, die ihn nur noch Schmerz und Pein fühlen ließ. Danora war wohl in dieser Zeit aus dem Koma erwacht.

Nachdem die endlos scheinende Qual bei ihm so weit abgeklungen war, dass er wieder einigermaßen klar denken konnte, sprach sie ihn an.

»Hallo Cormet! Ich freue mich, Euch endlich zu sehen!« Sofort wurde ihm bewusst, wem er diese Schmerzen zu verdanken hatte, die ihn immer noch durchpulsten. Und warum er um sein Leben hatte kämpfen müssen. Enttäuschung machte sich in ihm breit. Er war so begierig darauf gewesen, einmal mit ihr reden zu können. Aber nun wusste er, die Attentäter waren ihretwegen in den Palast gekommen und hatten ihn mit dem Tod konfrontiert. Und nur mit unglaublich viel Glück konnte er dem entrinnen. Er begann sie zu hassen. Deswegen erwiderte er auch, obwohl ihm das Sprechen aufgrund der vorangegangenen Torturen schwerfiel: »Geht weg! Ich will Euch nicht sehen!«

Später, auf Loryks Raumer, besuchte sie ihn mit Saira. Anscheinend war es ihr wichtig, dass er ihr vergab. Doch er verweigerte sich, weil sie ihre Tochter, die er sehr mochte, in diesen perfiden Plan mit einbezogen hatte.

Sein Verstand kehrte in die Gegenwart zurück, um gleich darauf in die Entro-Vergangenheit zu reisen. Dort waren Danora und Saira seine Familie. Er liebte beide abgöttisch, konnte sich ein Leben ohne seine Frau nicht mehr vorstellen. Es gab für ihn nichts Schöneres, wenn er nach der Arbeit nach Hause kam, als dass sie ihm entgegeneilte, ihn umarmte und stürmisch küsste, um dann ihren Lockenkopf an seine Schultern zu lehnen. Ihre Gespräche waren immer auf Augenhöhe, obwohl sie der unteren Schicht entstammte. Aus der Sicht war es vollkommen in Ordnung, dass sie in den Adel erhoben wurde. Doch er konnte sich nicht erinnern, dies je veranlasst zu haben.

Wieder kehrte er in die Gegenwart zurück. Es war ein Dilemma. Auf der einen Seite der begründete Hass, auf der anderen die abgöttische Liebe. Wie sollte er da zu einer Entscheidung kommen? Wie konnte er mit den Schuldgefühlen, die er Saira bezüglich hegte, zurechtkommen, falls er seine Familie verließ?

War Danora wirklich darauf aus gewesen, adelig zu werden? Was machte das für einen Sinn, wenn sie dabei ihr Gedächtnis verlor? Mit Sicherheit war ihr ebenfalls eine neue Identität aufgespielt worden. Denn das, was sie sagte, meinte sie auch so. Er spürte es, falls ihn jemand anlog. Wann immer sie miteinander schliefen, erschien ihm alles so vertraut und doch ganz besonders. Das geschah nicht, wenn man sich kaum kannte. Sie war überzeugt davon, seine Frau zu sein.

Da war noch ein Punkt, der ihn schon auf Loryks Raumer nachdenklich gestimmt hatte. Er schlug ihr seine Vorwürfe vor ihrer Tochter um die Ohren. Das verzieh er sich auch jetzt noch nicht.

Die Reaktion von Saira war ihm peinlich aufgestoßen, denn sie rief damals vollkommen verwirrt: »Aber du hast ihn doch beschützt! Warum hast du das dann getan?«

Er wusste immer noch nicht, wann ihn Danora beschützt haben sollte und vermutlich würde er es auch nie erfahren, weil alle, die er dazu fragen konnte, über eine neue Identität verfügten. Ausgenommen davon war natürlich Loryk. Aber ihn zu finden, dürfte sehr schwer bis unmöglich sein. Der von Saira beschriebene Vorfall konnte nur geschehen sein, als er mit der energetischen Kugel im Körper vor Schmerz und Pein nicht in der Lage gewesen war, irgendetwas von dem, was sich um ihn herum abspielte, wahrzunehmen.

Und war Danora nicht zu ihm gekommen, um sich zu entschuldigen, weil sie ihre Identität verlieren würde? Ihre Worte klangen jetzt noch in seinen Ohren: »Wenn man alle Erinnerungen verliert, so ist das, als würde man sterben. Und sobald man den Tod vor sich sieht, sollte man die Seele reinigen.« Auch dies warf ein besonderes Licht auf sie, das sich nicht mit seinem Hass auf sie vereinbaren ließ.

Was konnte er noch tun, um zu einer Lösung zu kommen? Wenn er Danora jetzt anrief, würde sie wissen wollen, warum er die Nachricht so knapp abgefasst hatte. Was antwortete er ihr? Er würde sie nicht belügen können, dazu war er außerstande. Brach er seinen Besuch auf *Myrthon* ab, um nach Hause zu gehen, dann würde er sich nicht überwinden können, sie zu umarmen und schon gar nicht sie zu küssen. Sie aber würde es sofort bemerken.

Nein, er musste die Zeit, die ihm blieb, in heimatlichen Gefilden verbringen, und um eine Lösung ringen. Er quälte sich noch lang mit diesen Gedanken.

Irgendwann holte ihn die Palast-KI aus seiner Endlosschleife heraus. »Tesro von der Gebäudesicherheit möchte Euch sprechen, Höchst-Erleuchteter. Seid Ihr bereit, ihn zu empfangen?«

Planung ungenügend

Abbaustation der Prospektoren, Rikay-System
26. Tag, 2. Monat, 8553. Lichtzyklus sME, 16. Stunde, 35. Minute

Charrut, Kampfgruppe 4

Sie waren etwa einhundert Meter in den Mittelgang vorgedrungen. Der Kampfroboter marschierte voraus, dahinter folgten die vier Veteraninnen. Jede von ihnen schien sofort dazu bereit zu sein, ihm einen bissigen Kommentar um die Ohren zu schleudern, sobald er sie nur ansprach.

Er war die Nachhut und ignorierte sie, so gut es ging. Außerdem vermied er es, sich ihre Namen zu merken. Ihre Gruppenposition 4.1 bis 4.4 genügte ihm völlig, falls er jemand ansprechen wollte. Sie sahen für ihn sowieso alle gleich aus. Kantige braungefärbte Gesichter und lange braune Haare, die zu einem Zopf gebunden waren. Insgeheim haderte er mit seinem Schicksal. *Muss ich ausgerechnet einer solchen Gruppe zugewiesen werden, die keinerlei Respekt vor meiner adligen Herkunft zeigt?*

Ein Viertel der Strecke zur Zentrale hatten sie schon zurückgelegt. Da blieb der Roboter stehen und wandte sich um. »Wir sind 43,432 Meter voraus«, meldete er mit krächzender weiblicher Stimme. 4.2 hatte diesen üblen Klang eingestellt. »Der Abstand zu den anderen Gruppen in den Parallelgängen sollte 20 Meter nicht wesentlich überschreiten. Ich schlage vor, anzuhalten.«

»Verdammt will ich sein«, erwiderte 4.1 verärgert, »wenn ich deiner Empfehlung folge, Robot. Wir gehen etwas langsamer. Das reicht aus, um die befohlene Distanz wiederherzustellen.«

4.3 entfuhr ein lästerliches Kichern. »Wäre ja noch schöner«, stieß sie ins gleiche Horn, »wenn wir uns von einer Maschine sagen lassen, was wir zu tun und zu lassen haben.«

»Genau«, bestätigte 4.2 kurz angebunden.

Ihr verdammten Besserwisserinnen fluchte Charrut in Gedanken. *Wir hätten nie so weit voran sein dürfen. Ohne den Roboter hättet ihr den zu großen Abstand mit Sicherheit nicht bemerkt.*

»Achte auf die Feinortung, Bess«, befahl 4.1 und sie meinte damit 4.2. »Ich traue diesem wandelnden Metallklotz auf zwei Beinen nicht über den Weg.«

Hauptsache, ihr habt etwas zu meckern, dachte Charrut. Seit er sich im Hintergrund hielt, war er aus der Schusslinie geraten. Die drei Kampffunken schenkten nun dem Roboter ihre bissige Aufmerksamkeit. Nur 4.4 enthielt sich jeglichen Kommentars.

Über dem linken Handgelenk von 4.2 bildete sich ein Holo. »Ich sehe auf dieser Ebene das energetische Abbild der Gruppen hinter uns«, meldete sie, »aber sonst absolut nichts.«

»Und wie sieht es auf den Ebenen darüber oder darunter aus?«, entfuhr es Charrut, bevor er es verhindern konnte.

»Haltet die Schnauze, Grünschnabel«, fuhr ihn 4.2 an. »Noch nicht mal ein Kadett und schon große Töne bei einem Einsatz spucken. Ihr solltet …«

Charrut erfuhr nie, was er sollte. In diesem Augenblick bebte alles um ihn herum. Risse bildeten sich an Wänden, Decke und Fußboden. Brocken fielen auf ihn herab und wurden vom Schirmfeld zur Seite geschleudert. Dann brach der Boden auf breiter Front und er stürzte in die Tiefe.

Kerasor, Kampfgruppe 2

»Explosion voraus!«, warnte der Kampfroboter. »Exakt an der Position von Kampfgruppe 4. Ihre ID-Impulse sind auf das unter ihr liegende Stockwerk gerutscht.«

»Verdammt!«, fluchte Elronk. »Wer konnte mit so etwas rechnen?« Er bewegte sich schnellen Schrittes zu einer Tür an der rechten Seite und öffnete sie. »Ein Quartier!«, rief er. »Rob, komm her! Durchbrich sofort die gegenüberliegende Wand!« Er machte dem herbeieilenden Roboter Platz. »Ich denke, dahinter befindet sich ebenfalls ein Raum. Anschließend stoßen wir auf den Gang, den Kampfgruppe 4 benutzt hat. Von da aus eilen wir so schnell wie möglich zur Explosionsstelle. Dort werden wir sehen, was mit KG 4 geschehen ist. Folgt von nun an Moraks Befehlen.« Anschließend widmete er sich seinem ArmKomm, vermutlich, um die Truppführerin zu informieren.

Kerasor stand an der Tür und sah, wie der blaue Auflösestrahl des Roboters aus der Waffe schoss. Er war breit gestreut. Dort, wo er auftraf, verschwand die Materie Schicht für Schicht.

Nur im Randbereich der getroffenen Stelle, an der die Umwandlung nicht zu hundert Prozent vollzogen wurde, bildeten sich Wolken amorphen Staubs. Sie verteilten sich im Raum und verschlechterten die Sicht. Nach zehn Sekunden war ein Loch von etwa einem Meter Durchmesser entstanden.

»Robot, du zuerst«, befahl Morak. »Dann folgen ich, Voss, Sark und der Kadettenanwärter. So wie es aussieht, wird Elronk die Nachhut bilden.« Seinen fragenden Blick beantwortete der Führer der Gruppe mit einem Nicken, während er weiter mit Sharlyn sprach.

Das Schirmfeld um den Roboter erlosch. Dann hechtete die tonnenschwere Maschine mit einem Sprung durch das Loch. Sie schwebte verhältnismäßig lang in der Luft, musste die Gravitation für sich aufgehoben haben. Als Kerasor an der Reihe war, trat er an den Durchbruch in der Wand, unter dem noch ein Tisch und vier Stühle standen. Er stellte bei seinem Raumanzug ebenfalls null Gravos ein und deaktivierte das Schirmfeld. Beim Sprung kam er der oberen Kante des Lochs gefährlich nahe. Kaum war er hindurch, schaltete er die energiefressende Aufhebung der Schwerkraft wieder ab. Die Landung war perfekt.

Sie waren in einer großen Nasszelle herausgekommen. Der Roboter ließ schon die seitliche Tür zischend aufgleiten, die wiederum in ein Quartier führte. Von dort ging es in den Gang.

Ein Blick auf die Zeitangabe des ArmKomms und er wusste, die ganze Aktion hatte nur neunzig Sekunden gedauert. Im Laufschritt, so gut es bei einem halben Gravos möglich war, hetzten sie voran.

Elronk war knapp hinter ihm. »Die Kampfgruppen 1 und 3«, keuchte er, »haben vor, die Wand zwanzig Meter nach der Explosionsstelle zu durchbrechen.«

Kaum hatte er die Worte ausgesprochen, da liefen Erschütterungen durch den Boden. Weiter vorn stob eine Staubwolke aus dem durchbrochenen Untergrund, der KG 4 ein Stockwerk tiefer befördert hatte. Dann blickten sie mit entsicherten Waffen nach unten. Es sah so aus, als ob dort ein Kampf stattgefunden hatte.

Charrut, Kampfgruppe 4

»Auf Infrarotsicht umschalten!«, hörte er 4.1 schreien, während er fiel. Er schaffte es gerade noch, den Druckknopf am Helmansatz zu betätigen, bevor er unsanft, aber unverletzt auf allen vieren aufsetzte. Die 0,5 Gravos waren dabei sicher hilfreich gewesen. Zum Glück war er auf keinen instabilen oder spitzen Trümmern gelandet.

Kaum hatte er sich aufgerichtet, schoss ein brauner Schatten auf ihn zu. Charrut feuerte mit dem Schreddergewehr. Einen Augenblick später zischte etwas an ihm vorbei und bohrte sich in die Panzerung des Wesens. Es stoppte abrupt und fiel vornüber. Keine zwei Meter von ihm entfernt blieb es liegen.

»Das war ein Glückstreffer«, hörte er 4.4 sagen. »Zielt etwa eine Handbreit unter den Kopfansatz. Darauf reagieren sie empfindlich, wenn ihr Panzer durchlässig wird.«

Weitere Schredderladungen wurden abgefeuert. Bolzen zischten durch die Luft. Dann war Ruhe.

Charrut schaltete auf Normalsicht. Von den beiden Seiten des Gangs drang Licht in den von der Explosion betroffenen Teil. Schlieren von Staub ballten sich dort zusammen und ließen nur eine Sicht von ein paar Metern zu. Wahrscheinlich hätte er das angreifende Wesen, das wie ein zu groß geratenes Insekt aussah, ohne Infrarot nicht so schnell bemerkt. 4.3 und 4.4 sicherten diesen Teil des Gangs. Er wandte sich um.

Ihr Roboter lag auf dem Boden. Elektrische Entladungen zuckten noch kurz über seinen stählernen Körper. Sein Kopf lag zwei Meter entfernt. Die sonst rotglimmenden Sehzellen waren erloschen. Offenbar hatte der Koloss den ersten Ansturm aufgehalten und damit den Veteraninnen Zeit gegeben, ihre Waffen abzufeuern. Drei der fremden Wesen lagen vor dem Kampfroboter. Charrut glaubte nicht, dass eine dieser Fremdintelligenzen über die Stärke verfügte, um einen Roboter so zuzurichten. Da bemerkte er noch etwas an der Grenze der durch den Staub gedämpften Sicht. Dunkel war es, fast schwarz und viel größer als die insektoiden Wesen, die sie bisher gesehen hatten. Und es schien sich zu bewegen.

»Vorsicht«, rief Charrut und deutete mit der Hand in die Richtung. »Da ist noch ein Angreifer aktiv!«

Die Veteraninnen wandten sich blitzschnell um. 4.2 stand dem Schatten am nächsten. Trotz der Warnung wurde sie überrascht. Ein Tentakel peitschte auf sie zu und traf ihr Schirmfeld. Es flackerte auf und fiel in sich zusammen. Der Fangarm reagierte sofort, legte sich um ihr rechtes Handgelenk und zog sie in Richtung Zentrum der Schwärze. Die Waffe entfiel ihrer Hand.

4.1 sprang nach vorn. »Halte aus, Bess«, rief sie ihr zu. Dann schwang sie ihr Schwert, dessen Schneide nun rot glühte, gegen den unterarmdicken, schlangengleichen Tentakel. Stahl klirrte auf etwas Gleichartiges. Doch er konnte die Oberfläche nicht durchdringen.

Charrut war ebenfalls vorgestürmt, ungeachtet der Tatsache, dass es noch weitere Fangarme geben konnte. Er feuerte mit dem Schreddergewehr auf den Rumpf des Angreifers. Die Auswirkung wurde sofort sichtbar. Die Geschwindigkeit des Tentakels nahm ab, zur Ruhe er kam jedoch nicht.

Die Situation wurde immer bedrohlicher, denn der Feind war keineswegs organisch. Charrut schluckte trocken, es handelte sich um einen tonnenförmigen schwarzen Roboter.

Er verfügte über vier Fangarme. Drei davon lagen reglos am Boden. Von den sechs Armen, die aus seinem Rumpf wuchsen und Schusswaffen oder Nahkampfwaffen hielten, war ebenfalls nur einer aktiv. Er endete in etwas, das einem sich drehenden Bohrkopf ähnelte, über den Energiekaskaden sprühten.

4.2 war gerade noch einen Meter davon entfernt. Der faustdicke Bohrer würde sich mühelos durch sie hindurcharbeiten, langsam, aber stetig.

Charrut feuerte erneut auf den Roboter. Er ahnte, der Tentakel würde wieder beschleunigen, sobald er damit aufhörte. Der Energievorrat des mechanischen Wesens schien unbegrenzt zu sein.

»Tu etwas«, flüsterte 4.2 heißer, während sie wie hypnotisiert auf den Bohrkopf sah. »Lass nicht zu, dass dieses Ding dort mein Innerstes nach außen wendet. Töte mich notfalls.« Mit hastigen Bewegungen versuchte sie, mit einem Messer in der linken Hand, den Tentakel zu durchtrennen. Doch auch sie scheiterte.

»Tut mir leid, Bess«, hörte er da 4.1 antworten. »Halt jetzt still. Das ist ein Befehl!« Gleichzeitig hob sie das Schwert. Es schien nur noch leicht zu glühen. Dann hieb sie auf den Arm ihrer Kameradin, kurz hinter der Stelle, an der sich der Fangarm um ihr Handgelenk schlängelte, und durchtrennte ihn. 4.2, die sich gegen den Zug des Tentakels gestemmt hatte, fiel rückwärts zu

Boden. Ihren von der Hitze schwarz verkrusteten Armstumpf presste sie an den Bauch, während sie verhalten stöhnte. Sie hatte zwar die Hand verloren, aber darüber hinaus keinen Tropfen Blut. 4.1 packte sie und zog sie aus der Gefahrenzone.

Charrut schoss zweimal, um den Fangarm weiter zu verlangsamen. Dann sprang auch er nach hinten.

»Wird aber auch Zeit!«, hörte er 4.3 rufen, »dass Ihr Euren schwächlichen Körper aus der Schusslinie bewegt!« Kaum war ihre Stimme verklungen, da zischten Bolzen an ihm vorbei und schlugen in den schwarzen Roboterkörper ein. »Eins, zwei ...«, hörte er 4.4 zählen. Bei »drei« explodierte etwas und legten das Innere des Roboters frei. Es sah ziemlich demoliert aus.

»Das war's jetzt hoffentlich«, quetschte 4.2 zwischen zusammengepressten Lippen hervor. Schweiß stand ihr auf der Stirn. 4.1 drückte bei ihr den Knopf für die Medikversorgung am Raumanzug. Eine kurze Analyse wurde durchgeführt, dann schienen 4.2 Schmerzmittel injiziert zu werden. Ihr Gesicht nahm zumindest einen entspannteren Ausdruck an.

»Nein, Bess«, antwortete 4.1, »für uns ist es vielleicht vorbei, aber nicht für Kampfgruppe 5. Ich vermute, sie ist das nächste Ziel. Und wie viele von den feindlichen Kampfrobotern daran teilnehmen, wissen wir nicht. Ich muss jetzt einen Bericht abgeben. Verzeih mir bitte. – Hier ist Esatora Zekoral von Gruppe 4«, begann sie in ihren ArmKomm zu sprechen.

Während 4.1 die Lage schilderte, fühlte sich Charrut irgendwie fehl am Platz. Er wusste nicht, was er nun tun sollte. Also behielt er das Schreddergewehr in der rechten Hand und lockerte die Bolzenschleuder im Futteral, damit er sie schnell ziehen konnte.

Dann stieg er über die Trümmer der herniedergebrochenen Decke zu den Überresten des schwarzen Roboters. Die aufgesprengte Hülle offenbarte ihm verschmorte fremdartige Bauteile und verbogene Mechanik. Es befanden sich einige Geräte dabei, deren Funktion er auf Anhieb nicht erriet. Der Metallkoloss verfügte über keine Extremitäten, mit denen er sich fortbewegen konnte. Vermutlich war er schwebend unterwegs. Ihr eigener Roboter schien den Großteil der Funktionalitäten lahmgelegt zu haben.

»Wie hat er das nur gemacht«, flüsterte Charrut vor sich hin. Er hatte nicht erwartet, darauf eine Antwort zu bekommen.

Doch 4.4 war neben ihn getreten. »Es muss ein Geschoss seiner schweren Bolzenschleuder gewesen sein. Offenbar hat er zwei Magazine dafür, die er umschalten kann. Dieser Bolzen hier«, sie deutete auf ein Loch, das in einem der unbekannten Geräte zu sehen war, »hat das Steuernetz des gegnerischen Roboters überladen und zu neunzig Prozent ausgeschaltet. Der letzte funktionsfähige Tentakel ist ihm dann zum Verhängnis geworden.«

Charrut überlegte einen Moment. »Wir müssen die Sachlage 4.1 melden, damit sie die weitergibt«, erwiderte er und erwartete eine geharnischte Entgegnung.

Doch 4.4, die ruhigste der Veteraninnen, lächelte nur. »Die Roboter sind untereinander vernetzt«, sagte sie. »Was einer von ihnen herausfindet, wissen alle anderen im selben Augenblick.« Sie musterte Charrut. »Soweit ich weiß, war das Eure Feuertaufe, Anwärter. Ich habe schon schlechtere Einsätze gesehen.« Nach diesen Worten wandte sie sich ab und schritt zu ihren Kameradinnen.

Einen Augenblick blieb er verwirrt stehen. *War das jetzt ein Kompliment?* Bei dem Verhalten, das die Veteraninnen ihm gegenüber bisher gezeigt hatten, konnte man es durchaus so auffassen. Er drehte sich um, um wieder zu den anderen zurückzugehen. Da war es ihm, als wenn sich in seinem Sichtbereich etwas bewegte, und zwar oben. Er sah zur Decke, dorthin, wo sich der Durchbruch befand.

Ein Roboter und fünf Kämpfer in Raumanzügen standen an dessen Rand. Einer von ihnen winkte ihm zu. Kerasor, wenn er sich nicht sehr täuschte. Verhalten erwiderte er den Gruß. Auch hinter sich hörte er Geräusche. Er wandte sich kurz um und nahm wahr, wie eine komplette Kampfgruppe in zwanzig Metern Entfernung aus einem Loch in der Wand trat, das sie wohl mit einem Auflösungsstrahler geschaffen hatten. Eine zweite Gruppe folgte von der anderen Seite.

So gut der Plan sich auch angehört hat, dachte Charrut, *die Unterstützung ist viel zu spät eingetroffen*. Das Gefecht hatte gerade eine Minute gedauert. Durch den Zwischenfall mit dem gegnerischen Roboter vielleicht zwei. Seitdem war noch einmal eine Minute vergangen. Das war zwar nicht viel, um den zu großen Abstand aufzuholen, den sich die Veteraninnen geleistet hatten, und durch die Wände zu brechen. Aber es war eben doch zu spät gewesen.

»Ich habe Verbindung zu Elronk von der Gruppe 2«, hörte er die Stimme von 4.1 aus dem Lautsprecher. »Er übernimmt das Kommando, da sich Sharlyn nicht meldet. Laut seinem Befehl ziehen wir uns mit unserem defekten Roboter sofort zurück. Hilfe für Bess habe ich bereits angefordert. Die Kampfgruppe 3 birgt die Überreste der feindlichen Maschine und eines der toten Wesen und folgt uns. Die Gruppen 1 und 2 sollen Sharlyn unterstützen. Das war's.«

Die eine Hälfte der Kampffunken verschwand wieder in einem der Wandlöcher. Die andere strebte auf den Tentakelroboter zu.

Charrut wollte nicht auf sie warten. Er wandte sich um und schritt zu ihrem eigenen Roboter. Kerasor und seine Kameraden standen nicht mehr am Rande des Deckendurchbruchs. Sie waren offenbar schon unterwegs. Er schnappte sich den abgetrennten Roboterkopf, der sich immer noch schwer anfühlte, trotz der Schwerkraft von 0,5 Gravos, und klemmte ihn sich unter den linken Arm. 4.3 und 4.4 schalteten gerade die Energieversorgung des Roboterkörpers ein, die sich nach der gewaltsamen Trennung vom Kopf wohl von selbst abgeschaltet hatte. Sie regelten das tonnenschwere Gewicht der Maschine auf null. Als er an 4.4 vorüber schritt, sah er unbemerkt auf deren Namensschild. Ersalla Psochar stand dort. *Ein Name,* dachte er sich, *den er sich merken sollte.* Sie war eindeutig anders als ihre Kameradinnen.

Vor 4.1 blieb er stehen. »Roboterkopf gesichert«, meldete er, obwohl sie ja sehen konnte, dass er ihn unter dem Arm trug. Sie war offenbar um 4.2 besorgt und nickte nur. »Es sind lediglich ein paar Wochen«, entfuhren ihm die tröstenden Worte, »bis die Hand wieder nachgewachsen ist. Vermutlich funktioniert sie besser als die alte.« Er hatte keine Ahnung, warum er sich dazu hatte hinreißen lassen. Aber als sein Blick auf 4.2 fiel, sah er sie lächeln.

»Das Nachwachsen ist nicht das Problem. Doch sie muss trainiert werden und das dauert, bis sie wieder wie gewohnt funktioniert«, sagte sie.

»Geh voraus, Kadettenanwärter!«, schaltete sich 4.1 ein, deren Stimme nichts mehr von der alten Widerwärtigkeit in sich trug. »Sichere unseren Rückweg.«

»Zu Befehl«, bestätigte er. Er wartete noch einen Augenblick, bis 4.2 und der Roboter waagrecht in der Luft schwebten und von 4.1 bzw. 4.3 hinter sich hergezogen wurden. Ersalla bildete offensichtlich die Nachhut. Zwanzig Meter dahinter befand sich Kampfgruppe 3, bei der sich Pereth befinden musste. Die hatte die Überreste des feindlichen Kampfroboters gesichert und war ebenfalls bereit, loszumarschieren. Er wandte sich um und schritt mit dem entsicherten Schreddergewehr im Anschlag voraus.

Serpons Auftrag

Valurapalast, Myrthon, Mathuma-System
26. Tag, 2. Monat, 8553. Lichtzyklus sME, 16. Stunde, 37. Minute

Cormet

Tesro suchte ihn auf. Er kniff die Augen zusammen, um sich kurz zu erinnern. Vor wenigen Tagen hatte er ein Metallplättchen in seinem Schlafzimmer gefunden. Folgende Nachricht war darauf gestanden: *Euer Bruder will Euch ermorden. Nehmt Euch in Acht!* Es wäre noch in seinen Händen verglüht, hätte er es nicht fallen lassen.

Cormet war es gelungen, den Täter über die Aufzeichnungen der Überwachungskameras zu finden. Es handelte sich um einen Dienstroboter. Daraufhin hatte er die Sicherheit kontaktiert. Tesro war damals sein Ansprechpartner gewesen.

Die Spur war im Sand verlaufen, denn der Roboter wurde mit zerstörter KI im Palastgarten gefunden.

»Ja«, antwortete er schließlich, »führt ihn in den Gästebereich meiner Wohnung.« Er selbst begab sich dort hin. Kaum hatte er in einem der Sessel, die um einen ausladenden Tisch gruppiert waren, Platz genommen, als sich die Tür öffnete und Tesro hereinkam.

Von der Statur her war er eher klein, geschätzt einen Meter siebzig. Er bewegte sich behände auf eine Sitzgelegenheit zu, die ihm Cormet anbot. »Entschuldigt bitte die Störung«, bat der Besucher anstelle einer Begrüßung. »Aber ich habe bedeutsame Nachrichten für Euch.« Sein ernstes Gesicht, das von einem breiten Mund und einer Stupsnase geprägt wurde, unterstrich die Wichtigkeit seiner Worte.

»Lasst hören.« Cormet wartete gespannt auf das, was nun kommen würde.

Tesro strich sich mit den Händen über das silberfarbene kurz geschnittene Haar. »Ihr erinnert Euch, Ihr seid im Valurapalast auf *Eloym* bei der Reparatur eines Medikroboters auf eine sonderbare KI gestoßen. Sie ließ durch ihre Kompaktheit noch Raum für einen verborgenen ST-Sender. Er hat Daten aus dem Palast an eine externe Empfängerstation weitergegeben.«

Cormet nickte. *Darum dreht es sich also. Ich bin gespannt, auf was der Sicherheitsmann in dieser Sache gekommen ist.*

»Wir können von einem Spionagefall ausgehen«, fuhr Tesro fort. »In unserem Palast hier auf *Myrthon* wurden bei fünf Robotern ähnliche Sender gefunden. Wir wissen nicht, wer diese Umbauten vorgenommen hat. Das war professionelle Arbeit. Wir konnten keinerlei Hinweise auf den Täter finden.«

»Hm«, brummte Cormet. »Ich hoffe, es wird keinem Fremden mehr möglich sein, an unseren Dienst- und Medikrobotern herumzubauen.«

»So ist es«, erwiderte Tesro. »Allen Maschinen wurde ein Schutzprogramm aufgespielt. Es schließt Manipulationen aus. In den KIs sind die ID-Daten von drei hauseigenen Technikern fest hinterlegt. Nur sie dürfen Reparaturen und genehmigte Umbauten vornehmen.«

Für Cormet war das Gespräch damit beendet. Er sah bereits wieder die Gesichter von Danora und Saira vor seinem inneren Auge. Schnell erhob er sich, um sich von Tesro zu verabschieden.

Doch der winkte ab. »Es wäre nett, wenn Ihr mir noch einen Augenblick Eure Aufmerksamkeit schenken würdet. Die wirklich wichtige Angelegenheit habe ich noch gar nicht angesprochen.«

Cormet verharrte auf der Stelle, dann setzte er sich wieder. »Was meint Ihr damit?«

Tesro ließ ein großes Holo über seinem ArmKomm erscheinen.

Es zeigte den Palastgarten. Ein Kernweltmyrthone stand vor einem mit Büschen umgrenzten Areal, durch das ein kleiner Bach floss. Cormet erkannte seinen Vater.

Ein zweiter Mann trat ins Blickfeld. Es war Feryn aus dem Karrak Tass'morul, der Leiter der Sicherheit im Palast auf *Myrthon*. »Ich grüße Euch, Höchst-Erleuchteter«, sagte Letzterer. »Wieso treffen wir uns nicht in Euren Räumen oder in meinen, sondern hier im Palastgarten?«

Serpon nickte ihm zu. »Ich traue meinen Räumlichkeiten nicht mehr. Bei einigen unserer Roboter wurden Spionagesender gefunden. Dagegen erscheint es mir nicht sehr wahrscheinlich, dass der Garten abgehört wird, da er bisher nie Austragungsort von wichtigen Gesprächen war. Sobald ich wieder längere Zeit auf *Myrthon* weile, gebe ich Euch Gelegenheit, in meinem Beisein den Wohnbereich zu durchsuchen.«

»Heißt das, Ihr verlasst uns schon wieder?«, fragte Feryn überrascht.

»Ich muss in den Eloympalast. Noch habe ich die Hoffnung nicht aufgegeben, dort auf eine Spur meines ältesten Sohns zu stoßen. Was haben Eure Leute bisher herausgefunden?«

»Nicht genug«, entgegnete Feryn. »Wir haben auf dem Anwesen einen völlig zerfetzten Doodoo[34] gefunden. Wahrscheinlich haben Eure Wachbestien ihn so zugerichtet. Dabei handelt es sich um ein Kuscheltier für Kinder. Es war mit einer Kamera ohne Speicher ausgestattet und hat Bilder direkt zu einem unbekannten Empfänger übertragen. Ich weiß aber nicht, wie das mit dem Verschwinden von Cormet zusammenhängen soll. Es ist nicht ungewöhnlich, wenn Eltern auf diese Weise ihre Kinder überwachen. Doch was, so frage ich mich, macht ein Kind auf Eurem Anwesen?«

»Habt Ihr DNA-Spuren auf dem Doodoo gefunden?«

Feryn seufzte. »Keine, die uns weiterbringen, dafür haben Eure Bestien gesorgt. Auch im Gebäude haben wir nichts gefunden, was auf den Verbleib von Cormet schließen lässt. Wie Ihr wisst, wurden alle Aufzeichnungen über diesen Tag von der Palast-KI gelöscht. Allerdings weist sie eine Erinnerungslücke auf. Weder ist ihr bewusst, dass sie sich heruntergefahren, noch dass sie sich selbst neu gestartet hat. Die Empfangshalle gleicht einem Trümmerhaufen. Dort wurden die Entführer von den Ordnungskräften der Stadt *Xanor* überrascht und niedergemacht. Es kamen dabei Kampfroboter zum Einsatz. Cormet muss den Fädler im Eloympalast benutzt haben. Ob freiwillig oder unfreiwillig, sei jetzt dahingestellt. Da er bei den Kämpfen zerstört wurde, lässt sich die Gegenstation nicht mehr ermitteln. Bei Urpas hingegen haben wir ID und Standort des Empfangsgeräts gesichert. Es ist jedoch keine Verbindung dorthin möglich. Es handelt sich mit hoher Wahrscheinlichkeit um ein trans-

[34] Kleines bärenartiges Pelztier, das zu Menschen sehr zutraulich ist.

portables Gerät. Ein Raumer der Valuraflotte ist unterwegs, um nachzusehen. Es werden aber noch drei Tage vergehen, bis er die Strecke ins *Hewal-System* bewältigt hat. Infrage kommt nur *Cesko*, der zweite Planet. Leider sind wegen der Energieflut derzeit keine Fädlertransporte dorthin möglich. Aber wie Ihr selbst sagtet, ist Euch weder ein Bekennerschreiben noch eine Forderung von Lösegeld auf den Tisch geflattert. Wir haben hier ebenfalls keinerlei Anhaltspunkte.«

»Es muss einen Hinweis geben«, sagte Serpon beschwörend. »Und seid versichert, ich werde ihn finden. In zwanzig Minuten startet meine Jacht nach *Eloym*. Danach kümmere ich mich um *Cesko*.«

Er hielt Feryn einen Umschlag entgegen. »Während meiner Abwesenheit sorgt Ihr dafür, dass Chyra diesen neuen Ehevertrag unterschreibt. Lasst Euch auf keine Ausflüchte ihrerseits ein. Ich gebe Euch hiermit die Erlaubnis, bis zum Äußersten zu gehen.«

»Heißt das«, rückversicherte sich Feryn, »ich soll sie im Notfall zu den beiden anderen sperren?« Er nahm den Umschlag entgegen.

»Genau das«, erwiderte Serpon mit einem harten Lächeln im Gesicht. »Sollte der Fall tatsächlich eintreten, dann gebe ich ihr ein Leben lang Zeit, darüber nachzudenken. Sie wird dann realisieren, dass sie mich nicht einfach ablegen kann wie ein zu oft getragenes Kleid.«

Tesro unterbrach die Aufzeichnung. »Zu diesem Thema kommt nicht mehr. Aber ich denke, das Gespräch war aufschlussreich genug.«

»Wir müssen Chyra warnen«, sagte Cormet. Er fragte sich, ob er seinen Vater tatsächlich kannte. So etwas hätte er ihm nie zugetraut.

»Nein!«, entgegnete Tesro.

»Nein?« Cormet sah den Mann von der Sicherheit erstaunt an.

»Habt Ihr denn den Satz überhört, in dem Serpon sagt, dass mein Vorgesetzter Chyra zu den beiden anderen sperren soll, falls sie den Vertrag nicht unterschreibt?«

»Doch. Wieso ist das wichtig? Wenn wir sie warnen, dann wird sie nicht weggesperrt.«

Tesro seufzte laut, bevor er sprach. »Weil ich eine Vermutung habe. Bei einer der Gefangenen könnte es sich um Eure Mutter handeln. Wenn Ihr Chyras Gefangennahme verhindert, dann werden wir nie wissen, wohin Serpon sie verschleppt hat.«

Cormet sah Tesro lang an. Er war so überrascht, er konnte ihm nicht antworten. Seine Mutter war am Tag vor seinem sechsten Geburtstag verschwunden. Sie hatte ihm auf seiner Spielzeugkiste[35] eine Nachricht aufgespielt, die er jedoch erst vor wenigen Tagen erhalten hatte, als er Saira damit spielen ließ.

Sollte Tesro recht haben?, schoss es ihm durch den Kopf. *Hat sie mich gar nicht verlassen, sondern ist von meinem Vater irgendwo hingebracht und eingesperrt worden? Undenkbar!* Und doch hatte er nie wieder etwas von ihr gehört. Keine Mutter würde ihr Kind ohne Grund aus ihrem Leben streichen. Zumindest sollte sie Kontakt halten. Aber das war nicht geschehen. Das sprach für Tesros Theorie. »Wer sind dann Eurer Meinung nach die anderen Gefangenen?«

Tesro lächelte. »Serpon war dreimal verheiratet«, erklärte er. »Zuerst mit Eurer Mutter, danach mit der von Urpas. Djalin ist zwar eines Morgens tot im Bett aufgefunden worden, aber das kann auch eine bewusste Täuschung gewesen sein. Zuletzt hat er einen weniger weitreichenden Vertrag mit Chyra geschlossen. Drei Ehen also und es werden bald ebenso viele Gefangene sein. Da vermute ich doch, ich bin auf der richtigen Spur.«

Cormet nickte nachdenklich. »Woher wisst Ihr eigentlich von meiner Mutter? Serpon hat alle Einträge zu ihr in den Annalen des Hauses löschen lassen. Seit dreißig Lichtzyklen gibt es sie faktisch nicht mehr.«

»Ihr vergesst das menschliche Gehirn«, antwortete Tesro. »Meine Eltern haben sie gekannt. Sie schien ihnen nicht der Typ von Mutter gewesen zu sein, der sein Kind einfach so zurücklässt.« Er blickte sinnend zur Decke, dann warf er Cormet einen intensiven Blick zu. »Höchst-Erleuchteter! Warnt Chyra auf keinen Fall. Ich werde meinen Vorgesetzten überwachen und herausfinden, wo er die Gefangenen versteckt hat. Vertraut mir in dieser Sache.«

[35] Siehe Buch 1, Kapitel IV, *Das Geheimnis der Spielzeugkiste*.

»Meinetwegen«, antwortete Cormet zögernd. »Ich möchte aber nicht erleben, dass sie von der Bildfläche verschwindet und wir nicht wissen, wo sie verblieben ist. Ihre Befreiung muss gesichert sein.«

»Ich kann eines versprechen: Wir werden herausfinden, wo Feryn sie hinbringt. Wenn das klar ist, ergibt sich auch eine Möglichkeit, alle drei zu befreien. Serpon wird das nicht verhindern können.«

»Apropos, wo befindet sich mein Vater? Ich wollte ihn von meiner Rückkehr unterrichten, aber ich bekomme keine Verbindung zu ihm.« Gleichzeitig wurde ihm bewusst, er würde ihm weder etwas von Danora noch von Saira erzählen. Das eben Gehörte hatte sein Vertrauen zu ihm gehörig erschüttert.

»Gut, dass Ihr darauf zu sprechen kommt«, erwiderte Tesro. »Er war nur einen Tag auf *Eloym*. Dann kam ihm die größte Katastrophe zu Ohren, die das Haus je getroffen hat.«

»Wovon redet Ihr bitte?«

»Oh, ihr wisst es noch nicht. Fünfzig leichte Kreuzer sind auf der Nordwerft gebaut und abgeholt worden. Doch es gibt keinen Auftrag dafür und es sind auch keine Zahlungen dafür eingegangen. Irgendjemand hat sie unter der Hand erstellen lassen. Die Vermutung, Urpas wäre als Werksleiter irgendwie beteiligt, bestätigte sich leider. Die Nachricht hat Euren Vater niedergestreckt. Momentan befindet er sich auf *Anderfa* und wird von den Medikern wieder in Form gebracht. Danach will er ins *Sulva-System*.«

»Kein Wunder, dass ich ihn nicht erreiche.« Wenn Serpon sich auf diesem Planeten aufhielt, wollte er von niemand gestört werden, auch nicht von seinem Sohn.

Tesro erhob sich. »Die Überwachung Eurer Wohnung und des Zugangs wird in wenigen Minuten wieder eingeschaltet. Dann darf ich mich nicht mehr hier befinden. Ihr werdet von mir auf den Laufenden gehalten.« Er ging zur Tür. Nachdem er sie geöffnet hatte, wandte er sich noch einmal um. »Beschafft Euch einen Tarnfeldgenerator, damit wir Feryn ungesehen verfolgen können.«

Er schwieg einen Moment, fuhr dann in einem geschäftsmäßigen Tonfall fort: »Übrigens würde es die Sicherheit zu schätzen wissen, wenn Ihr Euch auch bei uns zurückmelden und Euer mysteriöses Verschwinden erklären würdet.«

»Gleich, nachdem ich meinem Vater berichtet habe.« Er sah, wie Tesro zufrieden nickte, sich umwandte und durch die Tür schritt. Cormet beschäftigte sich in Gedanken mit Tesros in Freundlichkeit verpacktem Vorwurf. Zweifellos musste er ihm die volle Wahrheit über seine Entführung berichten, und zwar ihm allein unter dem Aspekt der Geheimhaltung.

Serpon würde eine andere Version von ihm zu hören bekommen, eine, in der Saira, Danora und der Planet *Torfin* nicht auftauchen würden. Wie er das hieb- und stichfest hinbekam, darüber würde er die nächsten Stunden nachdenken müssen und über das, was wäre, würde er tatsächlich seine Mutter wiedersehen.

DAS LETZTE GEFECHT

Abbaustation der Prospektoren, Rikay-System
26. Tag, 2. Monat, 8553. Lichtzyklus sME, 16. Stunde, 40. Minute

Tranthar, Kampfgruppe 5
»Stopp!«, rief die Truppführerin und stieß kurz die Faust nach oben. Die Kampfgruppe hielt an. »Die Verbindungen sind plötzlich abgebrochen. Ich bekomme keinen Kontakt mehr zu den anderen Gruppen oder zum Landungsboot.«

»Wenn Ihr zehn Schritte zurückgeht, wie sieht es dann aus«, fragte Desora Melingor, während sie ihr Schreddergewehr entsicherte. Tranthar sah, dass alle Veteranen ihrem Beispiel folgten. Er selbst nahm sich davon nicht aus. Auch er misstraute der Stille um sie herum.

»Ein guter Vorschlag«, erwiderte Sharlyn.
Sie ging die vorgeschlagene Entfernung zurück, sah auf das Holo des ArmKomms, schüttelte den Kopf und kam wieder auf sie zu. »Auch hier kein Empfang.«

Uranor Follsoms dunkle Stimme erklang. »Ich vermute, das ist die Vorbereitung für einen Angriff auf uns. Der Feind will verhindern, dass wir jemanden zur Hilfe rufen.«

»Foll könnte recht haben«, stimmte Desora Melingor zu, während sie auf das Holo sah, das ihr spezieller ArmKomm projizierte. »Obgleich ich keinerlei Anzeichen dafür auf der Ortung habe. Weder Energiefelder, wie sie Energiewaffen ausstrahlen, noch sonst etwas.«

»Das war genauso bei dem Wesen, das Kampfgruppe 2 angegriffen hat, Mell«, warf Ilyam Krot ein. »Auch dessen Waffe war von dieser graubraunen Schicht überdeckt. Offenbar verhindert die Panzerung das Anmessen der Energie darunter.«

Tranthar erinnerte sich. Sie hatten auf die Roboter gewartet und sich derweil den Erstkontakt auf dem ArmKomm angesehen. Doch er wusste auch, es war etwas anderes, einem fremden Wesen direkt gegenüberzustehen, als es nur auf dem Holo zu betrachten. Hinzu kam, es hatte sich extrem feindselig verhalten.

»Uns hingegen kann jeder anmessen«, stellte Sharlyn fest. »Die Fremdwesen tun sich daher leicht, einen Hinterhalt aufzubauen. Es ist ihnen klar, durch welchen Gang wir uns bewegen.« Sie hielt einen Augenblick inne, um ihre Worte wirken zu lassen. »Wir müssen unberechenbar sein«, fuhr sie danach fort. »Deswegen wechseln wir sofort ins nächsthöhere Stockwerk. Rob 1! Löse die Decke über dir mit dem Auflösungsstrahler auf. Ein Loch mit zwei Metern Durchmesser genügt.«

»Ist die Ortung vielleicht auch ausgefallen?«, warf Tranthar ein. Er fühlte sich unwohl dabei, den Kampffunken, die schon ihr ganzes Leben lang gedient hatten, diese Frage zu stellen.

»Nein!«, antwortete Desora sofort. »Gerade noch konnte ich unsere anderen Kampfgruppen auf dem Ortungsbild klar erkennen.« Sie blickte auf den ArmKomm. »Aber ich sehe nun, die Reichweite der Ortung hat sich auf fünfzehn Meter reduziert. Das bedeutet für uns: Die anderen Gruppen sind von der Anzeige verschwunden. Es wird Zeit, dass wir uns aus dem Staub machen.«

Tranthar vermeinte, das sich nähernde Unheil zu spüren. Ein kalter Schauder lief ihm den Rücken hinab. Er spähte in beide Richtungen des Gangs, ob er schon ein Anzeichen des Gegners sehen konnte. Aber da war nichts.

»Wir verschwinden durch das Loch in der Decke«, befahl Sharlyn. »Rob 1 und 2 zuerst. Sichert den Gang über uns, dann folgen Mell, Krot, Foll, Tranthar und ich. Rob 3 bildet die Nachhut.«

Der Befehl wurde von allen bestätigt. Danach glitten die ersten beiden Roboter nacheinander aufwärts. Sie passierten die Ränder des Lochs. Es war groß genug. Sie mussten ihre Schirme nicht deaktivieren. Wenig später ertönte das »Gesichert.«

Mell, Krot und Foll folgten. Bei ihnen konnte Tranthar eine Sprungbewegung wahrnehmen. Auch sie ließen ihr Schirmfeld stehen.

Dann war er an der Reihe. Wie seine Vorgänger hob er die Gravitation für sich auf und sprang nach oben. Er war nicht ganz mittig, doch es reichte. Der Schirm kam nicht mit dem Lochrand in Kontakt. Als er durch war, stieß ihn Desora Melingor zur Seite, damit er Boden unter seinen Füßen bekam und für sich die Schwerkraft der Station wieder wirksam werden lassen konnte.

Sharlyn kam neben ihm auf. »Feindkontakt!«, rief sie. Explosionen erschütterten den Boden.

Dann glitt Rob 3 durch das Loch. »Zwei feindliche Roboter erspäht und ausgeschaltet«, meldete er. Er war noch nicht ganz hindurch, da brachen seine Schirmfelder zusammen. Ein Tentakel wickelte sich um seinen Fuß und zog ihn nach unten.

Tranthar warf sich auf den Boden, um zu sehen, ob er eingreifen konnte. Seine Waffe hielt er bereit. Auch die anderen lagen nun rund um das Loch. Rob 1 und Rob 2 standen auf beiden Seiten des Gangs und sicherten ihn nach wie vor.

Rob 3 schoss auf den feindlichen Roboter, der offensichtlich noch nicht vollkommen zerstört war. Der Zug des Tentakels stoppte, doch die Umklammerung löste sich nicht. Sie trotzte auch mehreren Salven aus dem Auflösungsstrahler. Offenbar war dieses Material gegen atomare Auflösung geschützt.

Tranthar konnte mit seinem breitstreuenden Schreddergewehr nicht schießen, ohne Rob 3 zu gefährden.

Sharlyn hatte keine derartigen Probleme. Sie feuerte eine Garbe Explosivbolzen auf die vom Panzer bereits befreite Stelle ab, aus welcher der Tentakel aus dem Fremdroboter wuchs. In einer feurigen Glut verging die eine Hälfte des Tentakelroboters.

Die Umklammerung löste sich und gab das Bein von Rob 3 frei. Eines seiner Schirmfelder baute sich wieder auf. Doch anstatt zu ihnen nach oben zu schweben, warnte er mit der ihm eigenen emotionslosen Stimme: »Achtung! Höchste Gefahr! Ich empfehle den sofortigen Rückzug!«

Mit einer Handbewegung übernahm Sharlyn die visuellen Eindrücke des Roboters auf ihren ArmKomm. Sie wurden als Holo aufgeblendet, waren aber ungewohnt schlecht aufgelöst.

Tranthar sah auf der 3D-Darstellung den Gang unter sich und entdeckte, dass an dessen Ende ein Ungetüm auf sie zukroch. Es sah entfernt einer gigantisch großen Xusar[36] ähnlich und füllte den Raum zwischen den Wänden und zur Decke fast komplett aus. An den Seiten und, soweit man es erahnen konnte, auch auf dem Rücken wuchsen Warzen auf ihrer Haut. Wie bei den Fremdwesen anscheinend üblich, war die Hautoberfläche mit

[36] Raupenähnliches Insekt auf dem Dschungelplaneten *Corpos*.

einer Schicht des dunkelbraunen Materials bedeckt. Es wies graue Farbspritzer auf, die sich kreisförmig auszubreiten schienen.

»Natürlich rundum gepanzert«, hörte er die Truppführerin sagen. »Die einzigen davon freien Flächen sind die drei großen Facettenaugen und das breite Maul, wenn es denn geöffnet wird.« Sie überlegte einen Augenblick. »Wir testen, was diese gigantische Xusar verträgt. Rob 3, feuere mit dem Schreddergewehr und nachfolgend mit der Bolzenschleuder.«

»Befehl verstanden«, kam es zurück. Dann marschierte der Roboter dem Ungetüm entgegen, um die Streuung der Schredderladung zu minimieren. Sein erster Treffer bestätigte das erwartete Resultat. Die Panzerung am Kopf der Gigant-Xusar überzog sich mit einem Grauschleier.

Der Bolzen, der sich danach durch die amorph gewordene Schicht durch die Haut in das Fleisch schraubte und dort explodierte, zeigte jedoch ungeahnte Folgen. In Tranthars Kopf ertönte ein Schrei. Es war die erste Woge einer geistigen Sturmflut, die über ihm zusammenschlug und sein Schirmfeld auslöschte. Er sah auch das der Veteranen zusammenbrechen, obwohl sich der Etagenboden zwischen ihnen und dem monströsen Gegner befand.

Nur die Truppführerin und die Kampfroboter besaßen noch einen ihrer zweifach gestaffelten Schirme. Als Offizier stand ihr eine verbesserte Version des Generators zur Verfügung.

Rob 3, der dem Schrei direkt ausgesetzt war, hatte ebenfalls das eben erst aufgebaute Schirmfeld verloren.

Auf dem Holo sah Tranthar, wie sich die Warzen der Gigant-Xusar öffneten. Handgroße Abbilder des Fremdwesens, gegen das die Kampfgruppe 2 gekämpft hatte, krochen hervor. Sie krabbelten über den Leib ihrer Trägerin, bis sie den Boden erreichten. Dort sammelten sie sich. Es mussten hunderte, wenn nicht gar tausende sein. Auf breiter Front strebten sie dann Rob 3 entgegen. Der eröffnete sofort das Feuer auf die entgegenkommende Flut, während er Schritt für Schritt zurückwich. Die verwendeten Schredderladungen, gepaart mit den Explosionsbolzen, rissen große Lücken in ihre Reihen, konnten sie aber nicht aufhalten.

»Rob 1 und 2«, rief Sharlyn, »geht nach unten und unterstützt Rob 3. Diese Mini-Insekten müssen aufgehalten werden.«

Die Roboter bestätigten den Befehl. Beide glitten durch die Deckenöffnung hinunter ins andere Stockwerk. Nun war es die dreifache Feuerkraft, die den Angreifern entgegenschlug.

Ilyam Krot schlug auf den Griff ihrer Bolzenschleuder. Der Ärger stand ihr ins Gesicht geschrieben. »Warum kämpfen wir nicht ebenfalls dort unten? Wir hätten diese Insektenplage sofort unter Kontrolle.«

»Wir wissen nicht, was die Gigant-Xusar noch auf Lager hat«, erwiderte Sharlyn, »dieser energetische Schrei, der unsere Schirmfelder zusammenbrechen ließ, war durchaus beeindruckend. Nein, wir setzen auf Vorsicht und bleiben hier. Die Roboter werden gleich wieder unter dem Loch erscheinen. Wenn sie weiter zurückweichen, können wir auch von hier oben in den Kampf eingreifen.«

Die Zahl der Angreifer war zwar weniger geworden, wie das Holo zeigte, aber den Kampfrobotern auch gefährlich nahegekommen.

»Schnellerer Rückzug!«, befahl die Truppführerin den Maschinen.

Für Rob 3, der am weitesten vorn stand, kam dieser Befehl allerdings zu spät. Eines der Insekten erreichte ihn und berührte ihn nur kurz, bevor es vom Lauf des Schreddergewehrs gegen die Wand geschleudert wurde und dort regungslos liegen blieb. Der Roboter schoss, bewegte sich jedoch wesentlich langsamer. Obwohl die anderen beiden Maschinen den Gegner nach wie vor dezimierten, war es abzusehen, dass in den nächsten Sekunden weitere der Mini-Insekten Rob 3 erreichen würden. Niemand wusste, was mit ihm geschah, wenn deren Panzerung seine Energie absaugte.

»Rob 3! Sofort abschalten! Totmannstellung!«, schrie Sharlyn, die wahrscheinlich dieselbe Gefahr sah wie Tranthar.

Von einem Augenblick zum anderen erlosch das Holo. Die Truppführerin schaltete um auf Rob 2. Im Nu poppte ein neues Bild auf. Es zeigte Rob 3 von hinten als bewegungslose Statue. Die Ortung bewies zudem, dass seine Generatoren keine Energie mehr erzeugten. Die Mini-Insekten stürzten sich auf ihn. Sie kletterten übereinander nach oben, bis von dem Roboter nichts anderes mehr zu sehen war als eine wimmelnde, krabbelnde Masse.

Tranthar erschauerte. Er war heilfroh, dass er sich nicht dort unten befand. Rob 1 und 2 zogen sich weiter zurück. Beide schossen nur mit den Schreddergewehren, um ihren Kameraden nicht zu gefährden. Immer mehr der Angreifer verließen den stillgelegten Roboter und eilten ihnen entgegen.

»Wieso verhält sich die Gigant-Xusar so ruhig«, murmelte Ilyam Krot vor sich hin.

»Vermutlich will sie die Brut, die sie transportiert hat, keinem eigenen Angriff aussetzen«, erwiderte Uranor Follsom

»Mag durchaus sein«, warf Sharlyn ein. »Aber ebenso ist es möglich, dass sie ihre Energie für einen nächsten Angriff auflädt.«

»Hm«, brummte Uranor. »Wie soll das funktionieren, wenn wir nicht mit Strahlern auf sie schießen?«

»Ich habe nicht die leiseste Ahnung«, gab die Truppführerin zurück. »Es würde mich aber sehr wundern, wenn die Energiewelle, die unsere Schirmfelder zusammenbrechen hat lassen, schon alles gewesen wäre.«

»Hoffentlich lässt sich die nächste Welle noch etwas Zeit«, erwiderte Uranor. »Ich würde meinen Feldschirm gern wieder um mich haben. Es dauert aber noch fast drei Minuten, bevor ich ihn reaktivieren kann.«

Tranthar hoffte das ebenfalls. Keiner wusste, was die Energiewelle anrichtete, wenn die erste Wucht nicht von einem Schirmfeld gestoppt wurde, bevor es zusammenbrach. Seine Gedanken kehrten zurück zur Gigant-Xusar und der von Sharlyn erwähnten möglichen Aufladung ihrer Fähigkeit.

»Wut!«, sagte er. »Das könnte der Auslöser sein.«

»Dann Gnade uns Hellon!«, stieß Desora Melingor hervor. »Wenn das letzte Mini-Insekt das Zeitliche segnet, dürfte in diesem Monstrum jede Menge davon vorhanden sein.«

»Wir haben keine Wahl«, Sharlyn überprüfte noch einmal die Bolzenschleuder. »Die Roboter passieren gleich das Loch. Alle fertigmachen für den Angriff. Foll, Ihr legt eine Garbe mit Explosionsbolzen vor den Insekten quer über den Gang. Das wird sie verwirren. Dann feuern Krot und Tranthar mit dem Schreddergewehr nach unten, was das Zeug hält. Mell, Foll und ich beharken sie mit Bolzen, dass ihnen Hören und Sehen vergeht. Wenn das nicht reicht, bleibt nur eines übrig: Wir fliehen.«

Kaum war Sharlyns Befehl verklungen, da schritten Rob 1 und Rob 2 rückwärts unter dem Loch vorbei, während sie Salve auf Salve abfeuerten. Kurz darauf folgten die Mini-Insekten auf der gesamten Gangbreite. Sie wurden zurückgeworfen oder vergingen im vernichtenden Feuer der Explosivbolzen, die Uranor quer über den Gang jagte.

Tranthar feuerte die zwölf Ladungen seines Schreddergewehrs auf den Gegner. Dann musste er nachladen. Die Welt schien in einem Stakkato aus Explosionen unterzugehen. Die Anweisungen von Sharlyn waren kaum noch zu verstehen. Das mochte auch daran liegen, dass die Sprechverbindung zwischen ihnen immer schlechter wurde, je näher die Gigant-Xusar heranrückte. Wie in Zeitlupe sah er unvermittelt am unteren Ende des Lochrands einen Insektenkopf auftauchen. Mit einem letzten Ruck schloss er den Magazinschacht, dann schlug er mit dem Kolben der Waffe zu. Ein helles Zirpen ausstoßend fiel das Mini-Insekt auf dem Boden der tieferliegenden Etage. Die Explosion eines Bolzens beendete sein Leben.

»Vorsicht!«, schrie Tranthar, so laut er konnte. »Sie krabbeln auch die Decke entlang.«

Sharlyn nickte ihm beiläufig zu, feuerte aber, wie die anderen ihrer Gruppe, weiter nach unten. Einige Sekunden später lachte sie befreit auf. »Das war das letzte Mini-Insekt. Rob 1 und Rob 2, ihr beschießt ab sofort die Gigant-Xusar. Nehmt als erstes Ziel ihre Augen. Wir warten ab, wie sie reagiert. Falls nicht wieder eine Energiewelle auf uns zukommt, laufen wir diesen Gang in ihre Richtung und durchbrechen die Decke hinter ihrem Kopf. Rob 1 leitet uns. Von dort können wir dann auf sie feuern. Es wäre ja gelacht, wenn …«, zu mehr kam sie nicht. Ihr Energieschirm erlosch schlagartig.

Gleichzeitig flutete neuronale Energie durch Tranthars ungeschützten Körper. Dieses Gefühl ausbreitenden Schmerzes war ihm wohlbekannt. Zu oft hatte er inzwischen den *Kuss der Götter* genossen, täglich seit der Einführungsstunde, die er von Senal, den Stufe-3-Kadett von *Sard*, erhalten hatte. Es diente der Vorbereitung für das Duell gegen Mernon aus dem Damant Proglan, das am 6. Tag des 3. Monats stattfinden sollte. Dies war ein Kampf mit dem Auflösungsstab, an dessen Spitze eine kleine Flaumkugel hing, die durch einen dehnbaren Faden bis zu einem Meter auf den Gegner zu geschleudert werden konnte und bei einem Treffer den *Kuss der Götter* verabreichte. Schmerzgewöhnung war eine Bedingung vor diesem Duell, um die Chance zu erhalten, es mit Würde zu überstehen. Trotzdem musste er hilflos mit ansehen, wie ihm sein Schreddergewehr aus den Händen rutschte und durch das Loch nach unten fiel. Die Ladung an neuronaler Energie, die er aufgenommen hatte, übertraf seine tägliche Dosis bei Weitem. Er war nicht länger in der Lage, seine Muskeln zu kontrollieren. Doch er hoffte, dass sich der Zustand schnell ändern würde. Es war dringend notwendig.

Irgendjemand zog ihn vom Loch weg und drehte ihn auf den Rücken. Der Schmerz, der dabei durch seinen Körper raste, war kaum auszuhalten.

Er landete mit dem Helm unsanft auf dem Fußbodenbelag, spürte den Aufprall trotz der Tatsache, dass sein Kopf stets in der Helmmitte gehalten wurde. Durch die leicht erhöhte Position beim Liegen war es Tranthar möglich, seine Stiefelspitzen zu sehen und alles andere vor sich wahrzunehmen. Während er gegen die Pein ankämpfte, drangen weitere Schleifgeräusche an sein Ohr. Dann sah er die Truppführerin etwas verschwommen durch seine tränennassen Augen.

»Kampffunken«, sagte sie. »Ich weiß nicht, was euch in diese Starre versetzt hat. Wehrt euch dagegen! Das ist wichtig! Ich sehe, ihr seid alle bei Bewusstsein. Jedoch sind eure Gesichter schmerzverzerrt. Schüttelt diese Lähmung ab. Die Gigant-Xusar wird nicht lang auf sich warten lassen.«

»Ener … gie«, presste Tranthar hervor, »neu … ronal.«

»Ah, das erklärt einiges«, erwiderte Sharlyn. »Die könnt ihr überwinden. Ich empfehle euch …« Sie wurde rüde unterbrochen.

Ein Krachen und Knirschen waren zu vernehmen. Gleichzeitig spürte er schmerzhaft eine heftige Erschütterung des Untergrunds. Kaum war sie verebbt, da bebte es ungleich stärker. Etwas schien zu reißen. Tranthar drehte den Kopf unter Qualen dem Geräusch zu. Dann sah er einen gewaltigen Schatten durch den aufgeworfenen und -gerissenen Boden dringen, etwa zwanzig Schritte von ihm entfernt.

»Ich bringe Mell und Krot in Sicherheit!«, hörte er Sharlyn durch den Lärm schreien. »Foll und Tranthar haltet noch aus! Ich komme gleich wieder!«

Doch was immer sie auch vorhatte, für ihn und Uranor war es zu spät.

Der Schatten entpuppte sich als die Gigant-Xusar, die mit einer heftigen Vorwärtsbewegung fast zehn Schritte überwand und ihren Körper durch das Loch im Boden schob. Ihr in die Länge gezogener, dünner gewordene Leib krümmte sich erneut. Scheinbar erregt pendelte ihr monströser Kopf. Die Facettenaugen schienen Tranthar tückisch anzugrinsen. Dann schrillte ein Pfeifton durch die Luft, der ihm in den Ohren wehtat.

Ergeben schloss er die Augen, um das Verhängnis nicht sehen zu müssen, das auf ihn zukam. Denn er konnte absolut nichts dagegen tun.

Kerasor, Kampfgruppe 2

Sie waren mit abgeschalteter Schwerkraft über das Explosionsloch gesprungen. Zum Glück war es der Gruppe 4, der sie zu Hilfe geeilt waren und in der sich auch Charrut befand, gelungen, den Überfall aus eigener Kraft zurückzuschlagen.

Lediglich deren Roboter war dem Gegner zum Opfer gefallen und eine Veteranin schien eine Hand verloren zu haben. Kerasor konnte auf keinerlei Erfahrung in Sachen Bordkämpfe zurückgreifen. Trotzdem konnte er sich des Eindrucks nicht erwehren, als wäre die Kampfgruppe 4 glimpflich davongekommen. Auch die beiden anderen Gruppen waren in einen Hinterhalt geraten. Doch laut Kossom Elronk hatte sie der Roboter von Charrut und den Veteraninnen vorgewarnt. So konnten sie die Gefahr ohne Probleme beseitigen.

Kerasor hielt es für sehr wahrscheinlich, dass sie selbst ebenfalls überfallen worden wären, wenn sie nicht wegen der Gruppe 4 den Gang gewechselt hätten. Er fragte sich jedoch, wo ihr

Empfangskomitee geblieben war. Lauerte es noch irgendwo auf sie oder hatte es sich auf die anderen Angreifer aufgeteilt?

Bisher wusste er von neunzehn der Fremden, die gefallen waren, und von drei zerstörten feindlichen Robotern. Was konnte der Gegner noch aufbieten? Mit welchen Kräften griff er die Kampfgruppe 5 an? Und was für einer Technik bediente er sich, um die Ortung derselben zu verhindern und die Funkverbindung lahmzulegen?

»Stopp!«, hörte er Kossom Elronks Befehl. »Von hier aus gehen wir drei Stockwerke nach oben.«

Als Kerasor aufsah, bemerkte er die geöffnete Tür an der linken Seite des Gangs, an deren Rahmen das Symbol für einen Schwebeschacht angebracht war. Wahrscheinlich handelte es sich um einen Notschacht, denn es gab laut Plan vier offizielle Schächte, welche die Hauptgänge in den verschiedenen Ebenen miteinander verbanden. Sie waren offen zugänglich und nicht durch Türen abgetrennt. Hier verlief auch ein Quergang auf jeder Etage.

Morak Zelfor schickte den Roboter nach oben. Dann folgten er, Darima Vossat und Illian Sarkoss. Kerasor schloss sich an. Kossom Elronk trat zurück an die Tür und sah zuerst zu beiden Seiten den Gang entlang, ob nicht inzwischen ein Gegner aufgetaucht war. Danach wandte er sich zufrieden nickend um und sprang ebenfalls in den Schwebeschacht. Selbstverständlich hielt er seinen ArmKomm in Schulterhöhe und sprach dort seine Anweisungen an die anderen Gruppen hinein.

In Höhe des zweiten Stockwerks hörte Kerasor ihn fluchen. Doch er konnte nicht mehr nach unten blicken, um den Grund herauszufinden. Er musste sich auf das Verlassen des Schachts in der dritten Etage konzentrieren. Ihm fiel aber die plötzliche Stille auf der Frequenz auf, mit der die Anführer der Gruppen funkmäßig miteinander verbunden waren. Er selbst konnte dieses Gewisper nicht verstehen. Das war beabsichtigt. Trotzdem hatte er sich an das Hintergrundgeräusch gewöhnt. Jetzt war es weg und das bedeutete, dass sie dem Feind nähergekommen waren.

Mit einem seltsamen Gefühl in der Magengegend und dem Bild eines angreifenden Wesens vor Augen schwang er sich aus dem Schwebeschacht. Der Roboter bestrich gerade die Rückseite der Schachtkammer mit dem Auflösungsstrahler.

Kerasor wusste, dass sie einen Rundgang überqueren mussten, um bis zum Korridor vorzustoßen, in dem sich Sharlyn mit ihrer Kampfgruppe aufhielt. Die nächste Abzweigung, auf der sie direkt in diesen Gang gelangen konnten, lag auf beiden Seiten etwa fünfundzwanzig Meter entfernt. Es ging zwar nur um ein weniges schneller, sich durch die Räume zu schießen. Aber die Wahrscheinlichkeit war kleiner, gegnerischen Kräften zu begegnen. Anscheinend wollte Morak Zelfor, dem Kossom Elronk das Kommando überlassen hatte, nicht schon wieder zu spät im Areal des Kampfs erscheinen. Er wartete bereits ungeduldig auf den Durchbruch.

Dann war es so weit. Zuerst verschwand der Roboter im Wandloch, danach der Rest der Mannschaft. Ihre Waffen waren alle in Bereitschaft. Nachdem Kerasor das Loch passiert hatte, drehte er sich noch einmal nach Kossom Elronk um, der ihm folgte.

Da sah er das Mitglied einer anderen Gruppe aus dem Schacht treten. Es musste sich um die Kampfgruppe 1 handeln. Ungeachtet dessen schob der Alandorer sich durch einen Lagerraum voller Regale und Ersatzteile, dann durch die Türöffnung auf den Gang dahinter.

Durch eine weitere Tür kam er in einen lang gestreckten Raum mit allerlei Sportgeräten für Zerker. An der gegenüberliegenden Wand erhoben sich bereits Wolken feinen Staubs an den Randbezirken des Auflösungsstrahls. Noch bevor der Durchbruch geschafft war, ertönte ein Schrei in seinem Kopf. Gleichzeitig bemerkte er, wie etwas über sein Schirmfeld hinweg flirrte. Es änderte die Farbe von Transparent zu Violett, dann brach es zusammen. Den anderen Mitgliedern seiner Gruppe erging es genauso.

Morak Zelfor versuchte, seinen Generator neu zu starten. Doch es gelang ihm auch nach dem dritten Anlauf nicht. »Der Schirm wurde überlastet«, sagte er. Seine Stimme drang nun nicht mehr durch die Helmlautsprecher, sie war nur mit reduzierter Lautstärke von außen zu vernehmen. »Das bedeutet eine Wartezeit von fünf Minuten, bevor er sich wieder aktivieren lässt. Fragt mich aber bitte nicht, warum er zusammengebrochen ist. Ich habe nicht die leiseste Ahnung.«

Dann lag der Mittelgang vor Kerasor und den anderen. Zumindest sollte er vor ihnen liegen. Doch zu sehen war nur eine kompakte graubraune Struktur, die an ihnen vorbeiglitt. Er erkannte es sofort als die Panzerung, mit dem auch das Insektenwesen überzogen gewesen war, gegen das er gekämpft hatte. Was musste das für ein riesiges Wesen sein, das ein zwei Meter großes Wandloch abdeckte.

»Robot«, hörte er Morak Zelfors Stimme, »löse die Wand drei Meter links und rechts von hier ebenfalls auf. Voss und ich bleiben hier und feuern in diese Masse. Sark und Kerasor gehen nach links und setzen dort ihre Waffen ein, sobald das Loch fertig ist. El und deine Wenigkeit positioniert euch an der rechten Wandöffnung und greift von dort aus an.«

Während er mit Illian Sarkoss darauf wartete, dass der Kampfroboter vor ihnen die Wand auflöste, sah er, wie Morak Zelfor mit dem Schreddergewehr schoss. Die Panzerung musste ungemein dick aufgetragen sein. Erst nach der dritten Salve löste sie sich komplett auf. Darunter kam eine hellgrüne Haut zum Vorschein, unter der ringförmige Muskelstränge lagen.

Hinter Kossom Elronk glitt derweil die Kampfgruppe 1 durch die Tür. Sie wandte sich einige Meter nach rechts. Ihre Schirmfelder standen noch. Offenbar spielte es eine Rolle, wie weit man vom Verursacher dieses Flirrens entfernt gewesen war.

El rief den Neuankömmlingen etwas zu. Sie schienen zu antworten, doch der Alandorer bekam nicht mit, um was es ging. Areghnatha war auch darunter. Er erkannte sie nur an der hellblauen Farbe ihres Raumanzugs. Dann schoss Darima Voss. Ihre Bolzen bohrten sich durch die Haut in die Muskelmasse des Wesens, bevor sie explodierten.

Ein Schrei erklang direkt in Kerasors Kopf. Er klang so schrill, dass er zu keiner Bewegung mehr fähig war. Die Zeit selbst schien für ihn stehengeblieben zu sein.

Tranthar, Kampfgruppe 5

Der Pfeifton erlosch. *Ist dies das Signal, das meinem Tod vorauseilt?* Er wusste, mit der nächsten Bewegung würde sich die Gigant-

Xusar direkt vor ihm auftürmen. Bestenfalls! Im schlimmsten Fall landete sie auf Uranor und ihm. Bei der Größe des Ungetüms, das den kompletten Gang ausfüllte, würde das Gewicht sie beide zerquetschen. Verzweiflung überkam ihn. Er war doch aufgebrochen, um den vermissten Schulungsraumer aufzuspüren sowie Vynga und den Rest der Mannschaft zu retten. Nun aber konnte er seine Mission nicht mehr ausführen und würde hier ein unrühmliches Ende finden.

Er stemmte sich gegen diese Erkenntnis. *Nein! Das darf nicht passieren. Ich kann nicht daliegen und ergeben auf den Tod warten. Ich muss kämpfen, um meinem Leben einen letzten Sinn zu geben.* Entschlossen öffnete er die Augen und sah, dass das Monstrum sich nicht mehr weiter auf ihn zu bewegte, sondern den Kopf angehoben hatte und ihn hin und her schwenkte.

Es kam ihm so vor, als würde es lauschen. Hatte es irgendetwas in der Nähe aufgespürt? Es schien abgelenkt zu sein. Das war seine Chance. Er musste es schaffen, mit Uranor zusammen durch das Loch im Boden in das darunterliegende Geschoss zu kommen. Oder sollte er doch lieber auf Sharlyn warten?

Die Entscheidung wurde ihm abgenommen. Schredderentladungen und Bolzenexplosionen drangen an sein Ohr. Sie kamen aus dem Teil des Gangs, in dem die Truppführerin verschwunden war. Das bedeutete, sie befand sich im Kampf und er konnte nicht so schnell mit ihrer Rückkehr rechnen. Wenn sie denn überhaupt zurückkam.

Er musste handeln. Jetzt!

Wie bei seinem täglichen Schmerztraining versuchte Tranthar, den Schmerz so lang abzuschütteln, bis er sich bewegen konnte. Er blendete wie gewohnt das Gesicht von Vynga in seine Gedanken ein, sah ihre ausdrucksstarken Augen auf sich ruhen und bemerkte das spöttische Lächeln, das um ihre Lippen spielte. Nein, so wollte er auf gar keinen Fall vor ihr liegen, nicht als schmerzgebeuteltes Bündel. Neue Energie strömte durch seinen Körper. Zentimeterweise schob er die Hand in Richtung Uranor. Dann schalt er sich einen Narren. Zu was gab es denn die KI im Raumanzug?

»KI«, flüsterte er mit schmerzverzerrter Stimme, »reduzie … re die Schwer … kraft auf 0,2 Myrthon … schwere.«

Er wartete einige Sekunden, während er registrierte, dass die Gigant-Xusar immer noch ihre horchende Stellung beibehalten hatte. Doch es tat sich nichts. Offenbar war die Anzugs-KI ebenfalls ausgefallen. Er musste sie mit dem Notknopf unter seiner linken Achsel neu starten oder mit seinem ArmKomm. Aber ein Blick zeigte ihm, auch der funktionierte nicht mehr.

Die Zeit lief ihm davon. Er verzichtete auf KI-Unterstützung und versuchte erneut, seine rechte Hand in Richtung Uranor zu schieben.

Irgendetwas lag im Weg. Unter unsäglichen Schmerzen drehte er den Kopf auf die andere Seite. Immerhin konnte er ihn schon bewegen. Er sah eine Bolzenschleuder neben sich liegen. Sie war nur wenige Zentimeter von seiner Hand entfernt. Anscheinend war sie einem der Veteranen beim Angriff der Gigant-Xusar aus den Fingern gerutscht. Ihm war es genauso ergangen. Seine eigene Waffe lag nun eine Etage tiefer auf dem Boden. Er begann seinen Arm zu strecken, fast heulte er auf vor Pein. Doch je mehr er sich darauf konzentrierte, desto besser gewöhnte er sich an die Qualen. Dann schlossen sich seine Finger um den Griff.

Was jetzt? Er konnte die Waffe im Moment nicht aufnehmen, geschweige denn damit zielen.

Tranthar zog sie zu sich heran. Dabei stöhnte er leise vor sich hin. Das half ihm, den Schmerz zu ertragen. Danach versuchte er den linken Arm zu Hilfe zu nehmen. Zu seiner Überraschung konnte er ihn auf den Bauch heben, ohne dass ihn die damit verbundenen Qualen in Ohnmacht fallen ließen. Er umfasste mit der Hand den rechten Oberarm. Mit der Kraft beider Arme zog er die Waffe mehr, als dass er sie hob, auf die Oberschenkel. Zunächst lag er still da und rang nach Luft, während er glaubte, durch seinen Körper würde sich hell lodernde Lava brennen.

Nach einigen Sekunden, die ihm wie Ewigkeiten vorkamen, umklammerte er den Waffengriff beidhändig und winkelte die Knie etwas an. Als er das geschafft hatte, schob er die Waffe so weit die Schenkel hoch, dass der Lauf über die Kniescheiben hinausragte. Die Bolzenschleuder zeigte Grünwerte. Er war also berechtigt, sie zu benutzen. Das Zoomfeld wurde aufgebaut und wenn er ein wenig den Rücken krümmte, konnte er dadurch gut die Gigant-Xusar im Fadenkreuz erkennen. *Was mache ich hier eigentlich?*, fuhr es Tranthar durch den Kopf. *Ich wollte mich doch mit Uranor durch das Bodenloch in das untere Stockwerk fallen lassen. Jetzt visiere ich das Monster an. Der Bolzen wird die Panzerung nicht durchdringen. Und selbst wenn, wird es höchstens verletzt und kaum beim ersten Schuss getötet. Zu mehr werde ich aber nicht kommen. Mit einem Sprung ist sie hier und wird uns zermalmen.*

Er wollte die Waffe schon wieder herunterziehen, da sah er durch das Zoomfeld, wie etwas über die Panzerung kroch, das blauem Elmsfeuer ähnelte. Ihm war sofort klar, was das bedeutete. Die Gigant-Xusar bereitete sich auf eine erneute Welle dieser neuronalen Energie vor, welche die Roboter genauso ausschalten konnte wie die Anzug-KI und den ArmKomm. Die Steuerung der Bolzenschleuder hingegen schien davon unbeeinträchtigt geblieben zu sein. Vielleicht fielen ihr nur hochkomplexe KIs zum Opfer. Oder die Waffe war im Augenblick des Angriffs abgeschaltet gewesen.

Doch eines war sicher. Uranor und er würden eine weitere Energiewelle nicht lebend überstehen. Tranthar musste schießen, egal, wie gering die Chance auch war.

Die drei Facettenaugen schienen abgeschirmt zu sein. Ein bläuliches Leuchten bedeckte sie. Deswegen hatte Rob 3 nicht darauf geschossen. Er hatte sich schon gewundert, weswegen der das primäre Ziel verschmäht hatte. Dann sah er die Wunde am Kopf über dem Maul, die der Roboter dem Untier zugefügt hatte. Dort war die Panzerung aufgelöst. Das Loch, das die Explosion ins Fleisch gerissen hatte, begann sich bereits wieder zu schließen.

Genau dorthin musste er treffen. Er konnte nur kurz zielen, da ihm das Krümmen des Rückens extreme Schmerzen bereitete. Dann überwand der rechte Zeigefinger den Druckpunkt des Auslösers und eine Garbe schoss aus dem Lauf.

Verdammt! Im selben Augenblick wusste er, dass er die Waffe etwas verrissen hatte. Enttäuscht musste er mit ansehen, wie ein Bolzen knapp neben dem Zielpunkt traf. Zwei explodierten auf dem linken Auge. Alle anderen gingen ins Leere. Wie erwartet richteten sie dort keinen Schaden an. Lediglich das bläuliche Feld, das über den Facetten lag, löste sich langsam auf. Das mochte an den wenigen Treffern liegen, die jedoch nicht zu genügen schien, um das Untier ernsthaft zu verletzen.

Doch nun geschahen zwei Ereignisse zur selben Zeit. Der Schmerz raste durch Tranthars Körper. Offenbar hatte er sich überfordert. Er konnte seine Knie nicht länger aufrechthalten. Sie sackten nach unten weg. Die Waffe, die er nicht mehr kontrollieren konnte, entglitt seinen Händen und rutschte zu Boden. Damit war seine Chance vertan, eine weitere Garbe abzufeuern.

Die Gigant-Xusar erwachte aus ihrer Starre. Reflexartig schob sie sich nach vorn. Doch sie überbrückte nur die Hälfte der Distanz zu ihm und Uranor. Dann öffnete sich ihr Maul und sie schrie. Es waren jedoch keine Töne, die an sein Ohr drangen, sondern etwas, dass sich in seinem Kopf ausbreitete. Es war so furchtbar, dass ihm fast die Sinne schwanden.

Nahe der Ohnmacht hörte er eine weitere Schussfolge aufbellen und sah, wie eine Garbe Bolzen direkt in das linke Auge des Untiers traf. Die Geschosse verrichteten ihr grausames Werk. Nun sackte die Gigant-Xusar zusammen und rührte sich nicht mehr. Die Bestie war tot.

Doch für ihn war es zu spät. Mit einem letzten Gedanken bedauerte er, dass er wohl nicht mehr aufwachen würde.

Kerasor, Kampfgruppe 2

Er war unfähig, sich zu bewegen. Die Anzug-KI schien seine Standfestigkeit zu stabilisieren, damit er nicht umkippte und zu Boden fiel.

Der Roboter, der gerade begann, die Wand vor ihm mit einer Auflösungswaffe zu bestreichen, blieb unbeeindruckt von dem Schrei. Allerdings stoppte er die Tätigkeit, als vor ihm die Platten der Wandverkleidung zu knistern anfingen. Mit einem Knall zersprang eine davon. Das war ein Material, das selbst Kampfroboter mit reiner mechanischer Kraft nicht so schnell durchstoßen konnten. Jetzt aber zersplitterte es wie Glas. Weitere folgten, dann beulte sich ihnen die Wand entgegen.

Kerasor sah, wie sich Illian Sarkoss, der neben ihm ebenfalls zu einer Statue erstarrt war, langsam zu bewegen begann. Nur wenige Sekunden später fühlte er sich weggezerrt. Keinen Augenblick zu früh. Die Wand brach und Bruchstücke davon wurden durch den Raum geschleudert. Einige trafen ihn, doch der Raumanzug verhinderte, dass er verletzt wurde.

Dann ertönte ein zweiter Schrei in seinem Geist. Er war leiser, nicht so machtvoll. Und Kerasor wurde gewahr, dass es noch eine weitere Bestie geben musste.

»Was geschieht hier?«, hörte er Morak Zelfor fragen. »Welches Monstrum auch immer hinter der Wand im Gang war, es ist jetzt verschwunden.«

»Ich sah ein kurzes Flimmern«, fiel Darima Voss ein, »als würde es von einer Auflösungsgranate zerstäubt.«

Gleichzeitig stieg sie durch den Wanddurchbruch in den Gang. »Hier ist niemand mehr«, meinte sie enttäuscht. »Rechter Hand befindet sich ein riesiges Loch in der Decke. Einige Meter weiter gibt es haufenweise Leichen. Es könnte sich um Miniaturausgaben dieser Insektenabkömmlinge handeln. Dahinter stehen drei unserer Kampfroboter und rühren sich nicht.«

Morak Zelfor folgte ihr mit der Waffe im Anschlag. Auch Illian Sarkoss hielt es nicht mehr an seinem Platz. Mit anfangs schwerfälligen Schritten, die immer leichter wurden, ging er auf den Durchbruch zu und kletterte schließlich hindurch. »Ich bringe die Roboter zum Laufen«, hörte Kerasor seine Stimme in einer Lautstärke, als würde er keinen Meter von ihm entfernt stehen.

Da erst begriff er. »Unsere interne Kommunikation funktioniert wieder«, sagte er überrascht.

»Korrekt!«, antwortete Kossom Elronk. »Ich kann aber nur die Kampfgruppe 1 erreichen, die sich neben uns positioniert hat.« Er schien einen Moment zu überlegen. »Schickt unseren Roboter hinaus. Zell, Voss und die Maschine sichern den linken Gangabschnitt. Gruppe 1 wird sich um den rechten Abschnitt kümmern. Sark hat sich seine Anweisung schon selbst gegeben. Ich sehe mir das Loch in der Decke an.«

Der Kampfroboter marschierte los.

Kerasor bemerkte, dass er sich wieder bewegen konnte, allerdings unter enormen Schmerzen. Unterdrückt ächzend folgte er dem Roboter, blieb aber im Durchbruch stehen und beobachtete von da aus das Geschehen im Gang. »Achtung!«, klang es aus seinem Helmlautsprecher. »Hier ist Sark. Ich habe Verbindung zu Sharlyn bekommen. Ihre Gruppe ist komplett ausgefallen. Es sind aber noch alle am Leben.« Er räusperte sich. »Außerdem habe ich die interne Routine vom Roboter mit dem Namen Rob 3 neu gestartet. Es wird einige Minuten dauern, bevor er wieder einsatzbereit ist. In der Zwischenzeit kümmere ich mich um die restlichen zwei Maschinen.«

»Verstanden«, bestätigte Kossom Elronk. Dann brach das Verhängnis über sie herein.

Ein blauer Energiestrahl stand unvermittelt in der Luft. Er endete auf der Brust von Morak Zelfor. Dort verbreitete sich die Energie als leichtes Flimmern, bis sie den gesamten Raumanzug umhüllte. Von einem Augenblick zum anderen verschwand der Getroffene.

Ein Schrei des Entsetzens hallte in Kerasors Ohren. Er kam von Darima Voss. Der Strahl schwenkte auf sie zu. Mit einem gewagten Sprung zur Seite und anschließendem Abrollen entkam sie knapp dem Tod. Das gebündelte Blau zischte an ihr vorbei und verfehlte auch Kossom Elronk, der sich nur wenige Augenblicke zuvor abgestoßen hatte und gerade im Deckendurchbruch verschwand.

So schnell, dass er es kaum mit den Augen verfolgen konnte, war Darima Voss wieder auf den Beinen. Sie sprintete schräg zur Wand und sprang an ihr hoch, als der Energiestrahl erneut in ihre Richtung zielte. In einen Meter Höhe raste sie parallel zum Boden auf den Beginn des Strahls zu. Kerasor hatte keine Ahnung, wie sie das bewerkstelligte. Kurz bevor sie getroffen wurde, schlug sie einen Salto in vollendeter Körperbeherrschung.

Noch ehe sie auf den Füßen aufkam und die Energie des Strahltreffers sie schon halb umfangen hatte, fuhr ihr Hammer herunter. Sie ließ ihn los, als bereits ihre Arme energetisch flimmerten.

»Für Morak!«, schrie sie. Das waren ihre letzten Worte. Dann war auch sie verschwunden.

Der Kopf der Nahkampfwaffe verschwand. Kerasor vernahm ein Klirren wie von Metall auf Stein. Danach brauste ein Orkan durch sein Gehirn. Er war umwölkt von Schmerz und Pein. Der Gegner war getroffen.

Ungeachtet dessen suchte der Strahl ein neues Opfer. Zuerst traf er ihren Roboter, der ebenso aufgelöst wurde wie die zwei Myrthonen vor ihm, obwohl er gegen Auflösungsstrahler gesichert war. Dann wanderte er zu Areghnatha. Doch im Gegensatz zu den beiden Veteranen und der Maschine stand ihr Schirmfeld und absorbierte die Energie. Die Farbe änderte sich jedoch bereits zu Blau und Kerasor konnte absehen, dass das Feld nicht mehr lang standhalten würde. Seit Beginn des Überfalls war gerade einmal eine Minute vergangen.

Das Schreddergewehr, das er verkrampft in der rechten Hand hielt, ruckte nach oben.

»Schießt endlich«, hörte er Kossom Elronks Stimme. »Ihr seid der Einzige, der nahe genug am Gegner ist, um eine Schredderladung anzubringen.«

Die Aufforderung war unnötig. Kerasor hatte seine Überraschung überwunden und handelte, um Areghnatha zu retten. Er beugte sich ein wenig vor, um das Ende des Strahls zu sehen, der keinen Ursprung zu haben schien. Dann drückte er den Feuerknopf. Aus dem Nichts schälten sich die Umrisse eines riesenhaften Insekts. Der langgestreckte Hinterleib wurde von sechs Beinen getragen. Am mächtigen Rumpf saß ein Armpaar, aber vom linken Arm war nur noch ein Stumpf übrig. Zweifellos das Werk des Hammers von Darima Voss. Der Kopf erschien ihm wesentlich größer als der der Fremdintelligenzen, denen sie bisher begegnet waren. Er wies zwei fächerartige Fühler auf. Das Auffallendste war der Schwanz mit dem Legestachel, der aus dem Hinterleib wuchs und in einem Bogen bis über den Schädel des Insekts reichte.

Unbeeindruckt von diesem Anblick betätigte Kerasor zwei weitere Male den Feuerknopf. Die braungraue Panzerung des Oberkörpers zerfloss unter den Schredderladungen. Sie gab ein gelbbraunes Körperskelett preis. Dutzende von Bolzen bohrten sich dort hinein und explodierten. Sie kamen von Kossom Elronk. Die Explosionen fielen gering aus und rissen nur kleine Wunden. Trotzdem taumelte das Insekt. Bevor es stürzte, richtete es den Strahl gegen sich selbst. Wenige Augenblicke wurde es von einem Energieflimmern umwabert. Dann verschwand es genauso spurlos wie seine Opfer vorher.

»Ich hoffe, der Spuk ist jetzt beendet«, ertönte Kossom Elronks Stimme aus seinem Helmlautsprecher.

»Wie? Was?«, fragte Illian Sarkoss, der offensichtlich wegen der Reparatur an den Robotern nichts von dem Gefecht mitbekommen hatte. Als er hörte, zwei seiner Kameraden seien gefallen, erstickte seine Stimme fast unter der Trauer.

Kossom Elronk, der gewiss auch unter dem Verlust litt, war nichts anzumerken. »Wir haben wieder Verbindung zum Landungsboot«, sagte er. »Antor befiehlt, dass Kerasor, Sark und ich die Bewusstlosen der Kampfgruppe 5 sichern, bis Einsatzkräfte kommen, um sie zu bergen. Sharlyn stößt in der Zwischenzeit in Begleitung der Kampfgruppe 1 zur Zentrale vor.«

Erst jetzt spürte Kerasor die Nachwehen des Gefechts. Ihm zitterten die Beine, während er unter dem Deckendurchbruch auf Illian Sarkoss wartete, der von den drei Robotern begleitet wurde. Sie sprangen bei reduzierter Schwerkraft nach oben. Als er die vier Mitglieder der Gruppe 5 ohnmächtig vor sich liegen sah, krampfte sich sein Magen zusammen. Was mochten sie erlebt haben? Welches Ungetüm hatte sich gewaltsam den Weg in dieses Stockwerk gebahnt? Wie war es ihnen gelungen, es auszuschalten? Lauter Fragen, auf die er momentan keine Antwort bekommen würde.

Sharlyn wechselte einige Worte mit Kossom Elronk, danach verließ sie die Etage, um mit der Kampfgruppe 1 zur Zentrale vorzustoßen.

Es dauerte eine Viertelstunde, dann traf die angekündigte Unterstützung ein und verlud die Bewusstlosen auf Schwebeliegen. Zusammen marschierten sie zu dem Punkt, an dem sie in die Station eingedrungen waren. Dort schleusten sie aus.

Während sie zu dem Landungsboot übersetzten, wurden sie darüber informiert, dass die Zentrale gesichert sei. Eine optische Überwachung habe ergeben, es wären keine Invasoren mehr an Bord der Abbaustation.

So, dachte Kerasor, *sieht also ein Einsatz im Ernstfall aus.* Er war müde und ausgelaugt. Außerdem spürte er die Trauer um die beiden Veteranen. Er hatte sowohl Morak Zelfor als auch Darima Voss gemocht.

Was ihm blieb, war ein hohles Gefühl in der Bauchgegend und ein bitterer Geschmack auf der Zunge. Und mit den Worten – *es hätte schlimmer kommen können, immerhin lebe ich noch* – tröstete er sich einstweilen.

Erschütternde Wahrheit

Karason, Torfin, Finnan-System
26. Tag, 2. Monat, 8553. Lichtzyklus sME, 18. Stunde, 15. Minute

Danora

Entro war überfällig. Vor fünf Minuten hätte er das Haus über den Dacheingang betreten müssen. Doch sie würde vergeblich auf ihn warten. Sie wusste ja, er würde nicht kommen. Irgendwie konnte sie die kurze Nachricht, die er ihr hatte zukommen lassen, immer noch nicht akzeptieren.

Ich bin auf einer Geschäftsreise und kehre am 1. Tag des 3. Monats wieder zurück. Entro.

Vier Tage würde sie ihn nicht sehen und er speiste sie mit diesen unpersönlichen Worten ab. Nein, so war er nicht. Selbst wenn es sich um eine kurzfristig anberaumte Reise handelte, hätte er sich persönlich bei ihr gemeldet und sie darüber informiert. Und vor allem wäre es ihm ein Bedürfnis gewesen, auch mit Saira zu sprechen.

Irgendetwas stimmte hier nicht. Ein inneres Gefühl vermittelte ihr großes Unbehagen. Sie spürte förmlich, wie sich Unruhe in ihr breitmachte. Sie wusste jetzt schon, die würde ihr in der heutigen Nacht den Schlaf rauben.

»Ich bin da, Mam«, hörte sie Saira rufen, die gerade eben den Raum betrat.

Danora wandte sich vom großen Fenster im Essraum ab. Von hier und vom Wohnraum aus hatte man einen weiten Blick über die von der abendlichen Sonne beschienene kleine Siedlung. Doch sie hatte nur hinausgestarrt, ohne etwas zu sehen.

Aber nun war ihre Tochter da. Sie musste sich den Anschein von Normalität geben.

»Komm‹«, sagte sie. »Decken wir auf.«

Sie gingen in die Küche. Der Dienstroboter stand bewegungslos in seiner Nische. Danora hatte ihn deaktiviert. Es war ihr wichtig, dass Saira an einigen immer wiederkehrenden häuslichen Arbeiten teilnahm. Sie war sich sicher, das würde den Zusammenhalt ihrer kleinen Familie stärken. Zumindest war es bei ihr und ihrer Mutter so gewesen.

Ausgenommen davon blieb der Tag zu Ehren Hellons, der den Monat abschloss. Da steuerte die Wohnungs-KI alle Geräte und Roboter für derartige Tätigkeiten.

»Hier, Saira, da sind die Teller. Stell sie bitte auf den Esstisch.«

Ihre Tochter nahm sie entgegen. Dann registrierte sie offenbar, dass einer fehlte. Sie sah ihre Mutter verwirrt an.

»Das stimmt schon so«, beruhigte Danora sie. »Dad ist auf einer Reise, die er von der Firma aus machen muss, bei der er arbeitet. Er kommt erst in vier Tagen wieder.«

Das enttäuschte Gesicht Sairas erinnerte sie an ihre eigenen Gefühle. Nachdem sie die Nachricht gelesen hatte, waren ihr vor Enttäuschung fast Tränen in die Augen geschossen. *Warum tut er das?*, fragte sie sich. *Weshalb stößt er uns beide so vor den Kopf?*

Kopfschüttelnd folgte sie ihrer Tochter, die die Teller vorsichtig ins Esszimmer trug. Danora legte das Besteck auf den Tisch. Saira nahm es auf und verteilte es ordentlich auf die zwei Plätze.

Das Abendmahl fand bar jeglicher Unterhaltung statt. Mehrmals schien es, als wolle das Mädchen etwas sagen, aber dann schüttelte es den Kopf und aß weiter. Anscheinend mussten beide erst mit der Situation fertig werden. So ungewöhnlich war Entros Verhalten. Saira wollte nicht mehr spielen und ging gleich ins Bett. Auch die Gute-Nacht-Geschichte, die Danora ihr vorlas, glitt wirkungslos an ihr ab. »Schlaf gut, Mam«, sagte sie schließlich und schloss die Augen.

Danora schaltete das Nachtlicht ein und verließ das Zimmer. Ihr selbst war ebenfalls jegliche Lust vergangen, Trivideo zu schauen oder etwas zu lesen. Sie machte sich bettfertig und fiel bald in einen unerquicklichen Schlaf. Merkwürdige Träume quälten sie, in denen Entro die Hauptrolle spielte.

Am Morgen nach dem Frühstück, als sie Saira an den Gehirnwelleninduktor angeschlossen hatte, rief sie bei der *SURF* an. Sie wollte Tellan Prosar, Entros Vorgesetzten, sprechen.

Stattdessen meldete sich ein gewisser Astont Pretare. Der 3D-Kopf, der nun über dem ArmKomm aufgebaut wurde, zeigte einen Myrthonen mit rötlicher Gesichtshaut und langen dunklen Haaren. Der fülligen Kontur seines Gesichts nach zu urteilen, war er schwergewichtig.

»Ich bin Danora aus dem schattenumwobenen Haus derer von Santoral«, stellte sie sich vor. »Mich würde interessieren, warum Entro so plötzlich auf eine viertägige Geschäftsreise geschickt wurde. Und vor allem möchte ich wissen, wo er sich aufhält.«

»Äh … ja.« Der Blick ihres Gesprächspartners sprach Bände. Er wirkte überrascht. Das betraf sicherlich nicht ihren Anruf, sondern das, was sie gefragt hatte. »Ich verstehe«, sagte er dann. »Sie sind Entros Frau.« Er zögerte einen Augenblick. Anscheinend musste er sich eine Entscheidung abringen. »Die Wahrheit ist …«, er senkte die Stimme in eine leise Tonlage, so als befürchte er, es könne jemand mithören. »Er ist auf keiner Geschäftsreise.«

Danora schwanden fast die Sinne. Sie hatte einiges erwartet, aber nicht, dass sie von Entro belogen wurde. Sie spürte, wie sich ihre Kiefer verkrampften. »Sondern?«, presste sie mehr hervor, als dass sie es deutlich aussprach.

»Entro hat sich vier Tage freigenommen. Urlaub sozusagen.« Astont Pretare setzte ein entschuldigendes Lächeln auf, sprach aber gleich weiter. Offenbar wollte er ihr keine Gelegenheit geben, weiterzufragen. »Er verließ gestern Vormittag vorzeitig die Firma. Imnar begleitete ihn. Ich sende Ihnen seine Kontaktdaten. Bitte wenden Sie sich an ihn, wenn Sie noch Fragen haben.«

»Danke«, konnte sie gerade noch sagen, dann wurde die Verbindung unterbrochen.

Wenige Sekunden später trafen die angekündigten Daten ein. Danora öffnete sie und stutzte. Auf dem Esstisch lag noch die Visitenkarte des Manns, mit dem Entro die Testfahrt in den Dschungel unternommen hatte. Imnar aus dem Damant Xartay stand darauf.

Ihre Gedanken verknoteten sich und sie brauchte einige Minuten, um sich zu sammeln. Wenn sie ehrlich zu sich selbst sein wollte, musste sie zugeben, gerade war ihre Welt in sich zusammengestürzt. Von dem Mann, den sie heiratete, weil sie ihn über alles liebte, war sie belogen worden. Warum und weshalb, das würde sie schon noch herausfinden. Ihre Mutter hatte ihr zu Lebzeiten klare Verhaltensregeln auf den Weg mitgegeben. In Gedanken wiederholte Danora ihre Worte: *Vertrauen ist die Basis jeder Beziehung. Lüge ist der natürliche Feind des Ver-*

trauens. Wenn sich die Unwahrheit etabliert, ist kein Vertrauen mehr möglich und die Beziehung neigt sich dem Ende zu.

Jetzt wollte sie nicht darüber nachdenken, welche Konsequenzen sich im Endeffekt für Entro und sie ergaben. Es existierten ja auch Lügen, die den anderen schützen sollten. Wichtig war der Grund, aus dem er sie belogen hatte. Alle Informationen, die ihr Klarheit verschaffen würden, konnte sie nur von Imnar erhalten. Flugs stellte sie die Verbindung her.

Das Holo eines älteren Myrthonen adliger Herkunft erschien. Sein Gesicht war gebräunt, die hohe Stirn von Falten durchzogen. Er hatte silberweiße Haare, halblang und links gescheitelt. »Ich bin eine gestresste Existenz«, sagte er gerade. Danora sah augenblicklich, es handelte sich um eine Animation. »Helft mir, meine Lebenszeit zu verlängern«, fuhr er fort. »Sagt eins, wenn es um Leben oder Tod geht. Ich nehme Euer Gespräch sofort an. Solltet Ihr mich täuschen, streiche ich Euch von meiner Kontaktliste. Sagt zwei, wenn es wichtig ist, dann rufe ich alsbald zurück. Sagt drei, wenn Ihr nur etwas wissen wollt. Ich unterbreche die Verbindung. Sendet mir Eure Frage in Textform. Sobald ich Zeit habe, werde ich sie beantworten. Sprecht jetzt!«

»Eins«, sagte Danora und sie hatte kein schlechtes Gewissen dabei.

Die Animation verschwand und das reale Gesicht erschien. Es war nicht so gut gestylt, wies aber große Ähnlichkeit auf.

Imnar zog die Augenbrauen zusammen. In der Mitte der Stirn bildeten sich senkrechte Falten. »Wessen Leben ist bedroht?«, fragte er, sichtlich ärgerlich.

»Meines!«, erwiderte Danora. »Mein Mann, Entro aus dem schattenumwobenen Haus derer von Santoral, verließ gestern in Eurem Beisein die *SURF*. Ich habe von ihm eine Nachricht erhalten, er wäre auf einer Geschäftsreise. Die Firma bestreitet das und spricht von Urlaub. Ich möchte jetzt wissen, was los ist.«

Widerstreitende Gefühle spiegelten sich in Imnars Gesicht. »Dafür habe ich jetzt keine Zeit!«, rief er schließlich und unterbrach die Verbindung.

Danora konnte es nicht glauben. Ein erneuter Verbindungsversuch lief ins Leere. Als auch der zwanzigste Anruf kein Ergebnis brachte, wusste sie, dass sie erfolgreich blockiert worden war. Das wurde ja immer mysteriöser. In Gedanken sah sie schon, wie Entro entführt wurde und man ihn mit vorgehaltener Waffe zwang, die Textnachricht an sie zu versenden. Danora war sich bewusst, sie würde nicht eine Sekunde Ruhe finden. Auf gar keinen Fall konnte sie abwarten, bis er in drei Tagen vielleicht von allein nach Hause kam. Imnar war der Schlüssel. Weshalb wollte er ihr sein Wissen nicht preisgeben? Das durfte sie nicht akzeptieren. Sie würde warten, bis Saira ihr Induktorprogramm absolviert hatte. Danach würde sie ihre Tochter in den Schweber packen und mit ihr zu Imnar fliegen. Wenn sie ihm von Angesicht zu Angesicht gegenüberstand, würde er ihr die Antwort nicht verweigern können. Ruhelos lief sie im Esszimmer hin und her.

»Wann sind wir da, Mam?« Die Kleine schmollte eindeutig. Es ging ihr offenbar alles viel zu schnell.

Rückblickend gesehen hätte sie Saira vielleicht etwas Erholung gönnen und sie nicht direkt vom Induktor weg in den Schweber zerren sollen. Aber Entros Verhalten hatte ihr keine Wahl gelassen, als sofort zu diesem Imnar zu fliegen. Andernfalls würde sie vor Angst und Sorge wahnsinnig werden.

Guck mal, wollte sie gerade sagen.

Da fiel ihr noch rechtzeitig ein, Entro hatte sie doch gebeten, das Induktor-Sprachprogramm zu unterstützen und zu Saira wie mit einer Erwachsenen zu sprechen. »Siehst du dort unten das schwarze Haus?«, startete sie den zweiten Versuch.

Ihre Tochter nickte.

»Es ist genauso groß wie unseres. Das ist unser Ziel. Ich leite jetzt die Landung ein.«

Während der Schweber langsam nach unten sank, fragte sich Danora, wie es Imnar gelungen war, in einer Siedlung, die sonst nur aus weißen Gebäuden bestand, diese Farbe genehmigt zu bekommen. Nur das Landefeld auf dem Dach wies einen grauen Untergrund auf und die einzelnen Parkbuchten waren leuchtend grün umrandet. Mit Absicht verzichtete Danora darauf, wie es üblich war, den Besitzer des Hauses jetzt schon über ihre Ankunft zu informieren. So unfreundlich, wie er bei ihrem Holo-Gespräch gewesen war, hätte er ihr sicher eine weitere Annäherung an das Gebäude untersagt. Zum Glück schien er keine Überwachungssensoren aktiviert zu haben. So konnte sie den Schweber unbehelligt auf dem Landefeld absetzen. Ihnen gegenüber stand ein schwarzes Fahrzeug. Es trug das Kennzeichen der *Myrthonischen Verwaltung*.

Danora schluckte. Am liebsten wäre sie gleich wieder gestartet. Imnar arbeitete doch nicht etwa bei dieser allmächtigen Behörde? In dem Fall musste sie ihren Plan, den sie mit Saira vereinbart hatte, noch einmal überdenken. Er war dafür gedacht, dass sie nicht die Tür vor der Nase zugeschlagen bekamen.

Das sollte kein Problem bei einem Normalbürger sein. Doch die *MV* und ihre Mitarbeiter jagten ihr eine Menge Angst ein. Und das Schlimmste daran war, sie wusste nicht, warum.

Ihre Finger bebten, als sie die Sicherheitsgurte entriegelte. Aus einer Seitentasche ihres Gewands zog sie die Visitenkarte hervor. Sie wäre ihr vor lauter Nervosität fast entglitten. Erleichtert atmete sie aus. Nein, da stand nur sein Name: *Imnar, Damant Xartay*, die Adresse und als Berufsbezeichnung: *Hobbybiologe*. Sie war also unnötig besorgt gewesen. Trotzdem, die schwarze Farbe des Gleiters und das Kennzeichen wiesen doch auf die *Myrthonische Verwaltung* hin. Oder täuschte sie sich etwa? Es war besser, auf der Hut zu sein.

Sie ließ die Tür aufgleiten, stieg aus und registrierte beruhigt, es gab immer noch keine Reaktion von Imnar. Schnell lief sie auf die andere Seite und half ihrer Tochter dabei, über die Trittstufen des Schwebers auf das Landefeld zu kommen. Dann verriegelte sie das Fahrzeug, strich Sairas hellroten Saffan[37] glatt und richtete die Jacke ihres dunkelblauen Hosenanzugs.

Das Mädchen nahm ihre Hand. »Wohin gehen wir, Mam?«

»Dorthin!« Danora deutete auf den transparenten Schwebeschacht in der Mitte des Dachs. Er war durch eine Tür verschlossen.

Als sie darauf zuliefen, sah sie weder eine Öffnungstaste noch ein elektronisches Schloss daran. »Das sieht ganz anders aus als bei unserem Schacht«, murmelte sie. Saira ließ die Hand ihrer

[37] Gewand, ähnelt einer Toga.

Mutter los und rannte die wenigen Meter bis zum Ziel. Dann legte sie beide Handflächen auf die Tür.

Eine sanfte weibliche Stimme ertönte. »Sehr verehrte Damen, hier spricht die Gebäude-KI von Imnar aus dem lichtdurchfluteten Haus derer von Xartay. Meine Gesichtserkennung sagt mir, dass Ihr nicht zu unseren Patienten gehört. Darf ich nach Eurem Begehr fragen?«

Danora blieb abrupt stehen, als sie das Wort *Patienten* hörte. Litt Entro unter einer Krankheit? Ihr war nichts dergleichen an ihm aufgefallen. Sie erschrak, als ihr plötzlich ein Gedanke kam. War er etwa so schwer krank, dass er es vor ihr verheimlicht hatte, damit sie sich keine Sorgen machen musste? Ihr Herz fing an, wie wild zu pochen. In diese Richtung hatte sie noch gar nicht gedacht. Sie brauchte endlich Gewissheit, was mit ihm nicht stimmte.

»Ich bin Danora«, antwortete sie mit belegter Stimme, »aus dem schattenumwobenen Haus derer von Santoral. Mein Begehr ist es, mich über den Zustand meines Manns, Entro, zu informieren. Leider ist er momentan nicht erreichbar, sodass ich mich an Euch wenden muss.«

»Was ist mit Dad?«, fragte Saira.

»Das werden wir hoffentlich gleich hören«, flüsterte sie.

»Ihr seid die angetraute Ehefrau von Entro aus dem schattenumwobenen Haus derer von Santoral?«, fragte die KI.

»So ist es, und das«, sie deutete auf das Mädchen, »ist unsere Tochter Saira.«

Die Tür vor dem Schacht glitt auf. »Bitte schwebt bis zur untersten Etage. Ihr befindet Euch dann im Warteraum. Professor Imnar befindet sich in einer Simulation und wird Euch in etwa zehn Minuten aufsuchen. Bei etwaigen Verzögerungen werde ich Euch sofort informieren.«

Danora folgte der Aufforderung.

Als sie den Schwebeschacht verließen, sah sie die Kontursitze, die in drei Metern Entfernung an den Wänden aufgestellt waren. Die Stuhlreihe wurde nur durch die Türen unterbrochen.

Sie ging einmal um den Schacht herum, dann wusste sie, es gab vier verschlossene Durchgänge. Saira und sie nahmen nebeneinander auf zwei Sitzen Platz. Um die Wartezeit zu nutzen, unterhielten sie sich über eine Trivideo-Sendung, die das Kind gestern angeschaut hatte. Im Hintergrund aber ließ ihr die Tatsache keine Ruhe, dass sie anscheinend bei einem Mediker gelandet war.

Es war merkwürdig. Auf dem Dach fehlte die Beschilderung, auf welche Fachrichtung er spezialisiert war. Hier, im Warteraum, konnte sie ebenso nicht den kleinsten Hinweis darauf finden. Noch seltsamer erschien ihr, dass Imnar Zeit hatte, mit Entro eine Testfahrt in den Dschungel zu unternehmen. Das alles zusammen konnte sie einfach nicht unter einem Hut bringen.

Ihr anfänglich ungutes Gefühl, was Entros Nachricht an sie betraf, wuchs sich gerade zur reinen Angst aus. Gelinde gesagt war sie kurz davor, in Panik zu verfallen. Der Gedanke, ihr Ehemann könnte diese Worte nicht freiwillig geschrieben haben, wurde für sie immer wahrscheinlicher.

Eine der Türen glitt auf. Imnar stand im Türrahmen. »Danora aus dem schattenumwobenen Haus derer von Santoral!«, rief er.

Während sie aufstand und Saira mit sich zog, fiel ihr ein, dass bei allen anderen Medikern, die sie kannte, der eigene Arm-Komm für den Aufruf genutzt wurde. »Das bin ich, mit meiner Tochter. Ich habe schon der Gebäude-KI gesagt, ich will mich nach dem Zustand meines Manns erkundigen.«

Imnar musterte sie mit stahlhartem Blick. »Ich bin niemand anderem auskunftspflichtig außer dem Patienten selbst«, antwortete er trocken. »Bitte verlasst mein Haus.«

Danora presste die Zähne zusammen. Genau das hatte sie befürchtet. Sie kannte sich gut genug, um zu wissen, wenn der Widerstand zu groß wurde, gab sie meistens auf. Aber hier ging es um Entro, ihrem Mann, dem Vater von Saira und der Liebe ihres Lebens. Sie konnte nicht einfach aufgeben. »Soweit ich weiß«, erwiderte sie mit ungewollt aggressiver Stimme, die ihren Stress widerspiegelte, »ist die ihm angetraute Frau durchaus berechtigt, den Zustand des Patienten zu erfragen.«

Imnars Gesicht erschien ihr nun noch eine Nuance härter zu werden. »Dann zeigt mir bitte Eure Heiratsurkunde.« Seine Stimme war extrem kalt. Sie vermeinte, sie in ihren Ohren klirren zu hören.

»Persönliche Unterlagen habe ich nicht auf meinem Arm-Komm gespeichert«, entgegnete sie und wusste gleichzeitig, dies würde das Argument für Imnar sein, sie aus dem Gebäude zu bugsieren. »Ich habe sie zu Hause.«

»Das tut mir wirklich leid.« Im Gegensatz zur Bedeutung seiner Worte zeichnete sich der Anflug eines Lächelns um seine Mundwinkel ab. »Ohne das Dokument erhaltet Ihr keine Auskunft von mir. Verlasst mein Haus und kommt wieder, wenn Ihr sie mir vorlegen könnt.« Er drehte sich zur Tür.

»Einen Augenblick noch«, sagte Danora, wenngleich sie ahnte, dass sie verloren hatte. Wer wusste schon, ob er sie überhaupt auf dem Dach landen ließ, wenn sie ihm die Heiratsurkunde zeigen wollte.

Es war nun Zeit für Sairas Einsatz. Kaum hatte Imnar sich ihr wieder zugewandt, da drückte sie die Hand ihrer Tochter, um sie dann sofort loszulassen, beugte sich zu ihr herunter und flüsterte: »Renne in die Praxis und suche nach Dad. Lass dich von niemandem aufhalten.«

Wie von einem Katapult abgeschossen sprang das Mädchen an Imnar vorbei, der gar nicht in der Lage war, so schnell zu reagieren, um sie aufzuhalten. »Dad!«, rief Saira. »Dadi[38], wo bist du? Wir kommen dich holen!«

Danora sah Saira den kurzen Gang entlang sausen, dann glitt eine Tür zischend zur Seite.

»Nicht dort hinein!«, brüllte Imnar auf, ehe er ihr nachsetzte.

Neugierig folgte Danora ihm. *Was hat er hier zu verbergen?* Sie trat in den Raum.

An der linken und der Frontwand reihte sich ein Gerät an das andere. Manche erreichten Raumhöhe. An der rechten Seite stand ein Arbeitstisch mit einer Mini-KI daneben, dahinter ein Kontursitz und davor zwei Besucherstühle. In der Raummitte befand sich eine Apparatur, die einem Gehirnwelleninduktor sehr ähnlich sah. Aus unerfindlichen Gründen wusste sie, wofür die angewendet wurde, obwohl sie keinerlei Erinnerung damit verknüpfen konnte.

[38] Kindliche Verniedlichungsform für Vater, wird gesprochen, wie es geschrieben ist.

Saira war unter den Tisch geschlüpft und lugte darunter hervor. Imnar stand davor und hatte die Hände in die Seiten gestützt. »Das ist ja unglaublich!«, stieß er hervor. »Wer hat dem Kind erzählt, sein Dad sei hier?« Ein vorwurfsvoller Blick traf Danora. »Entro ist tatsächlich verreist und wird auch zur vereinbarten Zeit nach *Karason* zurückkommen. Ich weigere mich lediglich, Informationen über seinen Zustand, ohne sein Wissen preiszugeben.«

»Es tut mir leid«, antwortete Danora, doch ernst meinte sie die Worte nicht. »Aber die Nachricht, die er mir zukommen ließ, war seltsam emotionslos und viel zu kurz. Er schrieb: *Ich bin auf einer Geschäftsreise und kehre am 1. Tag des 3. Monats wieder zurück.* Nicht nur der Text machte mich misstrauisch. Entro hat auch gelogen, was ich von ihm überhaupt nicht kenne. Ein Mitarbeiter der Schweber- und Robotik-Fabrik erklärte mir, die Firma hätte keine Reise angeordnet. Mein Mann habe stattdessen Urlaub genommen. Was soll ich Eurer Meinung nach darüber denken? Ich nahm an, es hat ihn vielleicht jemand gezwungen, diese Nachricht an mich zu senden. Wie komme ich darauf? Nun, der gedankliche Sprung zu einer Entführung ist da nicht weit.«

Imnar sah sie entsetzt an. »Da seid Ihr auf der falschen Spur«, sagte er schließlich. »Aber ich verstehe nun die Aktion Eurer Tochter, die hier ihren Vater zu finden hoffte.« Er wischte sich eine Strähne aus der Stirn. »Ich habe Entro lediglich geholfen, zu sich selbst zu finden. Lasst Euch bitte von ihm erzählen, was dabei herausgekommen ist.«

Danora winkte Saira zu sich. Während das Mädchen unter dem Arbeitstisch hervorkroch, deutete sie auf das Gerät, das mitten im Raum stand. »Ihr redet wahrscheinlich von dieser Apparatur. Soweit ich weiß, wird sie genutzt, um Adeligen die Para-Erweckung zu ermöglichen beziehungsweise ihnen zu helfen, erweckte Gaben zu kontrollieren. Was hat Entro damit zu tun? Er dürfte das Alter für eine solche Erweckung schon weit überschritten haben.«

Saira stellte sich neben sie und griff nach ihrer Hand.

Imnar sah sie überrascht an. »Bei Entro wurde damals keine Gabe festgestellt. Trotzdem hat er momentan massive körperliche Probleme, die bis zur Ohnmacht reichen. Ich habe es selbst erlebt. Er verfügt über Para-Fähigkeiten und muss behandelt werden.« Einen Augenblick stutzte er. »Woher habt Ihr überhaupt Kenntnis über die Funktionsweise dieses Geräts? Ihr gehörtet bis vor zwei Tagen nicht zum Adel, hattet also weder mit der Para-Gabe noch mit diesem Gerät irgendwelche Berührung.«

Danora zuckte mit den Schultern, während sie Imnars Worte analysierte. Anscheinend musste sie schweren Herzens akzeptieren, dass Entro doch auf die Hilfe eines Medikers angewiesen war. Dann besann sie sich auf eine Antwort. »Ehrlich gesagt, habe ich keine Ahnung, woher ich das so sicher weiß.«

»Hm.« Falten bildeten sich auf Imnars Stirn. Seine Augen schienen in die Ferne zu blicken. »Das Einspielen ihrer neuen Persönlichkeit«, murmelte er, »kann durchaus nur die Erlebnisse und Beziehungen zu anderen überschrieben haben. Das Wissen, wie Geräte funktionieren, sowie antrainierte Kenntnisse könnten hingegen erhalten geblieben sein.« Er stutzte einen Moment. »Ja, das klingt logisch.«

Danora traute ihren Ohren nicht. Es war eindeutig von ihr die Rede. Ihr schien, als hätte er eine wissenschaftliche Analyse vorgenommen.

»Was habt Ihr gerade behauptet?«, fragte sie in scharfem Tonfall. »Wie kommt Ihr darauf, ich hätte eine neue Persönlichkeit aufgespielt bekommen? Und wagt es ja nicht, nach Ausflüchten zu suchen!« Sie sah, wie sein Blick zurückkehrte und sich auf sie richtete.

Da wurde ihm wohl bewusst, dass er seine Gedanken laut ausgesprochen hatte, denn eine flüchtige Röte überzog sein Gesicht. Er räusperte sich. »Es tut mir leid. Ihr fühlt Euch sicher beunruhigt. Aber es ging nicht um Euch.«

Zorn wallte in Danora hoch. Er versuchte immer noch, etwas vor ihr zu verbergen. Nur schien es nicht mehr allein Entro zu betreffen. So wie es aussah, war auch sie involviert. »Keine weiteren Ausflüchte«, ihre Stimme bebte vor Empörung. »Wenn Ihr mir nicht sofort die Wahrheit sagt, wende ich mich an die Ordnungshüter. Und das ist keine leere Drohung. Meine Geduld ist eindeutig an ihre Grenze angelangt. Also sprecht!«

Saira sah sie mit großen Augen an. Sicher hatte sie noch nie erlebt, dass ihre Mutter so aus ihrer Haut gefahren war. Nun, da sich ihr Zorn entladen hatte, bereute sie schon fast ihren Tonfall.

Er aber seufzte nur laut auf. »Also gut, ich werde Euch alles über Entros Zustand erzählen und was Ihr damit zu tun habt. Doch zuerst möchte ich Eure Tochter beschäftigen, damit sie sich bei unserem Gespräch nicht langweilt.«

Damit ging er zu seinem Arbeitstisch und zog aus einem Schub eine dunkelglasige Trivideo-Brille hervor, von deren Bügel Ohrenstöpsel baumelten. »Setzt sie dem Mädchen auf. Die Gebäude-KI wird etwas Entsprechendes für ihr Alter darauf abspielen.«

Danora nahm das Gerät entgegen und gab es Saira. Die wusste natürlich längst, wie man es anlegte. Aus ihrem Lächeln war zu lesen, Imnar lag mit dem Wort *Langeweile* richtig. Seit ihre Tochter mitbekommen hatte, dass sich ihr Vater hier nicht aufhielt, war ihr Interesse abgeflaut. Schon bald saß sie auf einen der Kontursitze und schaute entspannt ein Kinderprogramm an.

»Ihr versprecht mir, die Ordnungshüter aus dem Spiel zu lassen?«, fragte Imnar.

»Das tue ich«, antwortete Danora.

»Gut!«, meinte er. »Dann hört mir aufmerksam zu. Entro entstammt nicht dem Karrak Santoral, sondern dem Damant Valura. Sein ursprünglicher Name ist Cormet. Ihm wurde eine neue Persönlichkeit aufgespielt und er vermutet, Euch und Eurer Tochter sei das ebenfalls widerfahren. Oder wisst Ihr, wo sich der Valurapalast auf *Eloym* befindet?«

Sie horchte in sich hinein. Es kam ihr nicht so vor, als wäre ihr dieser Palast völlig unbekannt. Aber sie konnte auch keine Erinnerung an diesen finden. »Nein«, antwortete sie kurz und bestimmt. In ihrem Inneren jedoch brodelte es. Sie konnte noch gar nicht alle Konsequenzen für sich überblicken, die Imnars Aussage zur Folge haben musste.

Er nickte. »Das dachte ich mir. Nehmt bitte auf dem Kontursessel des Para-Detektors Platz. Es ist das Gerät, an dessen Funktionsweise Ihr Euch noch erinnern könnt. Die Erinnerungen Eures Ehemanns sind darin gespeichert. Die Gebäude-KI zeigt Euch diejenigen, die Euch betreffen.«

Danora folgte seiner Anweisung. Dann sah sie ihn fragend an. »Wenn ich es richtig verstanden habe, werde ich mich aus den Augen Entros respektive Cormets sehen. Aber was ist mit meinen eigenen Erinnerungen, gibt es eine Möglichkeit, dass ich wieder auf sie zugreifen kann?«

»Nein«, erwiderte Imnar. »Das tut mir sehr leid für Euch. Dieser Prozess ist unumkehrbar. Lediglich folgende Tatsachen haben Euren Gatten vor dem Gedächtnisverlust bewahrt. Erstens verfügt er über eine Para-Gabe, die sein altes Gedächtnis abschirmt. Zweitens ist die neue Persönlichkeit noch sehr frisch. Sie hat sich noch nicht genug stabilisiert, um die Abschirmung durchbrechen zu können. Bei Euch, Danora, sieht es anders aus. Eure vormaligen Erinnerungen dürften komplett gelöscht sein, ausgenommen erlerntes Wissen oder antrainierte Fähigkeiten. Ihr werdet Euer ganzes Leben lang davon überzeugt sein, Entro wäre Euer Ehemann. Nur neu gewonnene Informationen können Euch helfen, die Dinge so zu sehen, wie sie sind. Also entspannt Euch und nehmt Entros Wahrheit an, um Eure eigene daraus zu entwickeln.«

Sie sah noch einmal zu Saira, die ganz und gar von dem Programm vereinnahmt war und leise vor sich hin kicherte. Dann sagte sie: »Ich bin bereit.« Innerlich spürte sie jedoch Unruhe und die Angst, irgendetwas zu sehen, dass ihre Welt zusammenbrechen lassen könnte. Doch es schien ihr, als würde nur jemand das Licht aus- und gleich darauf wieder anschalten.

»Fertig«, sagte Imnar. »Nun verfügt Ihr über die Erinnerungen Cormets und Entros. Ihr könnt sie nicht sofort sehen, das würde Euch überfordern. Die Details werden nach und nach freigeschaltet. Nur der grobe Überblick wird in wenigen Minuten zugänglich sein. Geht nun, ruht Euch zu Hause aus. Analysiert dort die Wahrheit Eures Ehemanns. Und eines noch, sprecht mit ihm, sobald er zurückgekommen ist. Macht nicht den Fehler und lauft weg. Das ist keine Lösung. Im Notfall könnt Ihr mich erreichen. Eure Tochter kann die Brille mitnehmen. Entro hat noch einige Sitzungen bei mir, seine Para-Fähigkeit betreffend. Er kann sie mir wieder zurückbringen. Ansonsten wünsche ich Euch und Eurer Tochter den Segen Imonar-Hels.«

»Er sei auch mit Euch«, erwiderte Danora, stand auf, schob Saira die Trivideo-Brille hoch ins Haar, nahm sie an der Hand und verließ die Räumlichkeiten. Sie wechselten ein paar Worte über das Programm, das sehr lustig zu sein schien.

Beim Schweber auf dem Dachlandeplatz angekommen, gurtete sie ihre Tochter an und schob ihr die Brille wieder vor die Augen.

Dann stieg sie selbst ein. Kaum saß sie, da überwältigten sie die verwaschenen Erinnerungen ihres Ehemanns. Es waren nur wenige Gedanken darunter, die sie deuten konnte. Doch sie erkannte, sie war für ihn eine Fremde gewesen, als er sie das erste Mal gesehen hatte. Damals schien sie mit Saira versehentlich das Anwesen des Valurapalasts betreten zu haben. Beide wurden sie geschockt und Cormet nahm sie in den Palast und kümmerte sich um Mutter und Tochter. Wobei er den intensiven Wunsch in sich verspürte, mit ihr, deren Namen er nicht kannte, zu sprechen, sobald sie erwachte. Doch dann drangen unter dem Vorwand, sie abholen zu wollen, ein Attentäter und sein Schüler in den Palast ein. Der Meister forderte ihn zum Zweikampf nach den Regeln des Tao-Muns. Obwohl Cormet ihn schlagen konnte, schoss jener ihn regelwidrig nieder.

Als er wieder erwachte, wurde ihm klar, dass sie und ihre Tochter für die Eindringlinge der Schlüssel zu seinem Palast gewesen waren. Und er begann sie zu hassen. Nicht Saira, die hatte er in sein Herz geschlossen, nein, nur sie ganz allein. Diese Hassgefühle trug er auch noch in sich, als er abgeholt wurde, um seine neue Identität zu erhalten. Als Entro hingegen liebte er seine Familie abgöttisch.

Danora legte die Arme auf die Armatur und bettete ihren Kopf darauf, dann begann sie leise zu weinen. Eine Menge Fragen beschäftigten sie. *Welche Empfindungen hegt er noch für mich? Für alles, was ihm angetan worden war, macht Cormet mich verantwortlich. Sieht das der aufgeklärte Entro genauso? Kann ich ihm überhaupt noch in die Augen schauen im Bewusstsein der Schuld, die ich auf mich geladen habe? Ist unsere Heiratsurkunde ungültig? Habe ich mit einem Mann zusammengelebt, der mich in der Tiefe seines Herzens hasst?*

Bodenlose Scham erfasste sie. Sie konnte sich im Moment nicht vorstellen, ihm je wieder unter die Augen zu treten. Nicht nur wegen ihrer Schuld ihm gegenüber, auch deswegen, weil sie ihm ihre Liebe gestanden und mit ihm geschlafen hatte. Nun musste sie feststellen, sie waren gar nicht verheiratet und er trug einen anderen Namen. Das konnte sie nicht einfach beiseiteschieben. Genau wie er würde sie sich an einen stillen Ort zurückziehen, an dem sie ungestört nachdenken konnte.

Befreit atmete sie auf. Vielleicht würde die Entscheidung dazu beitragen, dass die Nacht nicht endlos wurde durch das ständige Ringen nach Antworten.

Sie gurtete sich an. Dann startete sie den Schweber und flog der Sonne entgegen.

Lasst sie Sterben

Stützpunkt der Bol-mot-Ut
26. Tag, 2. Monat, 8553. Lichtzyklus sME, 19. Stunde, 35. Minute

Urpas

Die Tür schloss sich zischend hinter ihm. Vorsichtig stellte er die Mikro-KI, die ihm zusammen mit diesem Wohnraum zur Verfügung gestellt worden war, auf den Arbeitstisch ab. Dann ließ er sich müde auf das Bett fallen.

Die von Parasol anberaumte Besprechung hatte den ganzen Tag in Anspruch genommen. Das dort behandelte Thema war er gründlich leid, denn dabei ging es um den Überfall auf die ST-Kristallmine seines Vaters im *Sulva-System*. Trotzdem hatte er geholfen, eine Strategie zu entwickeln. Die kleine Flotte der *Bol-mot-Ut* musste den Raubzug auch dann durchführen können, falls die Mine von gegnerischen Raumern verteidigt wurde.

Neben Parasol waren Aryn und die zwölf Kommandanten der teilnehmenden Raumschiffe anwesend gewesen.

Tarr-Mocay hatte er schmerzlich vermisst. Erst nach Beginn der Besprechung war folgende Nachricht von ihr eingetroffen: *Wegen einer Unpässlichkeit kann ich leider nicht zugegen sein.*

Er erinnerte sich, heute Morgen hatte er sie abholen wollen. Doch ihre Tür war verschlossen geblieben.

»Tarr-Mocay noch nicht fertig sein, kommen nach!«, war ihm durch das Meldesystem entgegengeklungen. Da war er noch davon ausgegangen, sie würde ihn in wenigen Minuten mit ihrer Anwesenheit erfreuen.

Urpas schüttelte ungläubig den Kopf. Ausgerechnet sie, die für ihn ein Sinnbild von innerer Kraft war, sollte aufgrund einer Lappalie bei einer wichtigen Besprechung fehlen? Das konnte er sich beim besten Willen nicht vorstellen. Andererseits war sie ihm erschöpft vorgekommen, als sie ihn in der Klinik des Stützpunkts besucht hatte. Kein Wunder, denn sie hatte zweimal kurz hintereinander ihre Parakräfte über Gebühr beansprucht. An den beiden folgenden Tagen war ihr Zustand nicht besser geworden. Die innere Unruhe, die seit ihrem Klinikbesuch in ihm war, wurde nun greifbar. Er sorgte sich um Tarr-Mocay.

Egal, wie müde er auch war, er beschloss, sofort nach ihr zu sehen. Eilends erhob er sich vom Bett, ließ die Tür aufgleiten und trat auf den Gang. Gleich rechts lag der Eingang zu ihrem Wohnbereich. Sie beide waren aufgrund des Überfalls durch Orvals Leute umgesiedelt worden. Sie lebten nun in einem anderen Bereich des Stützpunkts in zwei Wohnungen, die wie schon zuvor nebeneinanderlagen.

Gedankenverloren legte er die Hand auf den Meldesensor. Ein Signal erklang, einmal, zweimal, dreimal, dann beendete er den Versuch. Es rührte sich nichts. *Hat sie ihren Raum verlassen? Nein, ich kann mir das nicht vorstellen.* Er wiederholte den Meldevorgang noch weitere Male, doch erfolglos.

Die Sorge um Tarr-Mocay schien ihn schier zu überwältigen. Wegen des Überfalls waren sie beide mit Geräten ausgestattet worden, die ihnen erlaubte, die Tür des jeweiligen anderen von außen zu öffnen. *Soll ich das nun versuchen? Was, wenn sie sich gerade umzieht? Lenke ich damit ihre Wut auf mich?*

Ein Wutausbruch von ihr war keinesfalls harmlos. Sie tobte nicht nur in ihrem Inneren. Ihr Gesicht verfinsterte sich dann, die Haare plusterten sich auf und es ertönte ein Geräusch, als würde ein Sturm durch Baumkronen fahren. Die drei Nadeln, die sie immer begleiteten, kreisten über ihrem Kopf, bereit, die Ursache des Übels zu durchbohren.

Urpas schüttelte die Angst vor dieser Möglichkeit ab, holte das Gerät aus seiner Jackentasche und aktivierte es. Mit einem zischenden Laut fuhr die Tür zur Seite und er betrat den Raum.

Er sah sie sofort, obwohl das Licht abgedunkelt war. Sie trug ein weißes Kleid und lag auf dem Rücken in ihrem Bett. Ihr Gesicht sah blass und so abgezehrt aus, als wäre sie plötzlich um Jahre gealtert. Der feine Nebel, der es für gewöhnlich überdeckte, war verschwunden. Ihre Haare hatten ihr Volumen verloren und lagen eng am Kopf. Sie hielt die Augen geschlossen.

»Tarr-Mocay!«, rief er. »Wacht auf!«

Doch sie rührte sich nicht. Ein Antlitz tauchte unerwünscht in seinen Gedanken auf. Es gehörte seiner Mutter, Djalin. Vor fünf Lichtzyklen hatte er sie in einem ähnlichen Zustand in ihrem Schlafzimmer vorgefunden. Der schnell herbeigerufene Mediker hatte nur noch ihren Tod feststellen können. Er musste verhindern, dass die junge Frau dasselbe Schicksal erlitt. Noch schien sie zu atmen, denn ihre Brust hob und senkte sich.

»Tarr-Mocay!« Er fasste sie an den Schultern und tat das Undenkbare, verzweifelt wegen ihrer Reglosigkeit schüttelte er sie. Nach einigen Minuten öffnete sie ihre Augen.

»Was los sein? Was Urpas von Tarr-Mocay wollen?« Ihre Stimme war so zittrig, er verstand sie kaum. Das leise Klingen von Kristallen, das ihre Worte sonst begleitete, blieb aus.

»Ihr werdet immer schwächer«, erwiderte er besorgt. »Habt Ihr heute schon etwas gegessen?«

»Nein … keinen Hunger haben.«

»Oder etwas getrunken?«

»Nein.«

»Verflucht, Tarr-Mocay! Ihr seid so schwach. Ich habe Angst, Ihr könntet sterben. Ihr müsst essen und trinken!«

»Nicht können«, murmelte sie, bevor sie die Augen wieder schloss.

Ihm wurde es himmelangst um sie. Er aktivierte den Arm-Komm, um die Verbindung zu Parasol aufzubauen.

Kaum wurde dessen Kopf im Holo abgebildet, sprach Urpas schon. »Tarr-Mocay wird jeden Tag schwächer. Ich brauche dringend Rat von einem Mediker, der Wissen über Para-Gaben hat.« Dabei schwenkte er den Aufnahmewinkel so, dass das Antlitz der Kranken erfasst wurde.

Die Gesichtszüge Parasols erstarrten. »Bei den Göttern!«, rief er erschrocken aus, dann fasste er sich. »Erosaar wird Euch gleich kontaktieren.« Er brach die Verbindung ab.

Zwei Minuten vergingen, die sich für Urpas wie Stunden anfühlten, bevor sich das Holo mit dem Kopf eines uralten Manns über dem ArmKomm aufbaute. Es war ein Myrthone adliger Herkunft mit langen weißen Haaren und orangeroten Augen. Er schien schon das Ende der Lebensleiter erklommen zu haben. Sein Antlitz bestand aus mehr Falten als glatten Flächen, selbst die Stirn war zerklüftet.

»Hier spricht Erosaar«, meldete er sich kurzangebunden. »Zeigt mir das Gesicht der Patientin!«

Urpas tat, wie ihm geheißen. »Sie hat sich zweimal innerhalb von Stunden bei der Anwendung ihrer Para-Gaben total verausgabt. Jetzt ist es ihr unmöglich zu essen oder zu trinken. Sie wird von Tag zu Tag schwächer.«

»Wie lang ist sie schon ohne Para-Energie?«, fragte der Mediker.

»Heute ist der vierte Tag.«

Erosaar setzte ein ernstes Gesicht auf. »Sie wird heute Nacht sterben.« Der Ton seiner Stimme ließ nicht den geringsten Zweifel an der Wahrheit seiner Aussage aufkommen.

»Unmöglich!«, rief Urpas erschüttert. Er sah seine schlimmste Ahnung noch übertroffen. So schnell hatte er ihren Tod nicht erwartet. »Gibt es denn keine Medikamente, die ihr helfen können?«

»Nein«, eröffnete ihm der Mediker. »Jeder adlige Myrthone im Sternenreich, der über eine Para-Gabe verfügt, wird über das Risiko des Verausgabens aufgeklärt. Die einzige Chance, die sie noch hat, ist, jemanden zu finden, dessen Para-Sinn kompatibel zu ihrem ist. Aber dafür fehlt die Zeit. Und selbst wenn es jemanden geben sollte, einer derart ausgezehrten Person Energie abzugeben, ist im höchsten Maß lebensgefährlich.«

»Ich bin kompatibel zu ihr«, eröffnete Urpas dem Mediker. »Dieses Problem ist also gelöst. Könnt Ihr mir sagen, wie ich die Energiezufuhr unterbinde, wenn sie nicht aufhören kann, zu saugen?«

Erosaar schüttelte den Kopf. »Ihr werdet beide in einen Rauschzustand verfallen. Und jede Person, die Euch trennen will, wird ebenso davon erfasst und damit extrem gefährdet.«

»Hat ein Roboter bessere Chancen?«

»Nein.« Der Mediker runzelte die Stirn, was sie noch hässlicher aussehen ließ. »Er wird lahmgelegt. Nichts an ihm wird funktionieren. Nur Euer fester Wille kann Euch schützen. Die Aussichten, dass Ihr widersteht, sind denkbar gering. Mein Rat an Euch, lasst sie sterben und bleibt selbst am Leben!« Damit unterbrach er die Verbindung. Urpas sah noch einige Augenblicke erschüttert auf die Stelle, an der sich Erosaars Kopf befunden hatte. Er konnte es nicht fassen. Tarr-Mocay würde ihn heute Nacht für immer verlassen. Sein Herz schien zu bersten ob dieser qualvollen Wahrheit. So sehr er sich auch bemühte, den Schmerz abzustreifen, um sich darauf zu konzentrieren, wie er ihr helfen könnte, es gelang ihm nicht. Sicher war die Verbindung ihrer beiden Para-Sinne daran schuld.

Unvermittelt fühlte er sich so elend wie in seinem ganzen bisherigen Leben noch nicht. Sollte ihn seine Para-Gabe nicht unterstützen, sobald er auf Rettung sann? Stattdessen wurde er von ihr gehemmt. Er wusste, in diesem Zustand würde er keine Lösung finden, falls es überhaupt eine gab. Sterben lassen konnte er Tarr-Mocay auch nicht. Ihr Tod würde ihn vermutlich mit sich reißen. Und selbst wenn das nicht geschah, so würde er es sich bis an sein Lebensende vorwerfen, nichts getan zu haben, um die zu retten, der sein Herz gehörte. Denn dass es so war, spürte Urpas jetzt überdeutlich.

Nein, es gab nur noch eine Möglichkeit, die ihr blieb. Er setzte sich zu ihr auf das Bett, schob seine Arme unter ihren Oberkörper und richtete ihn auf. Mit einer Hand stützte er ihren Kopf. Nichts deutete darauf hin, dass sie bei Bewusstsein war. Unsicherheit erfasste ihn. Sollte er sie wirklich küssen, ohne sie vorher zu fragen? Er, der die Moral bisher immer nach seinen Bedürfnissen zurechtgebogen hatte, zögerte mit einem Mal. Im selben Atemzug wusste er, er würde sie nicht wach bekommen und wenn doch, war sie vielleicht gar nicht mehr in der Lage, die notwendige Entscheidung zu treffen. So presste er seine Lippen auf ihren Mund und schloss die Augen. Zuerst geschah gar nichts. Irgendwo in diesem Raum stand ein Zeitgeber, der die Sekunden akustisch wiedergab. Bisher war ihm das Ticken entgangen. Doch nun dröhnte es durch seine Ohren, lauter und immer lauter. Dann brach es unvermittelt ab und die Dunkelheit verschwand vor seinen Augen.

Er blickte auf eine Ebene mit staubigem, vertrocknetem Boden. Nur in ihrer Mitte lugten noch ein paar halb verwelkte Grasbüschel hervor. Linker Hand wurde sie durch eine Felswand vom angrenzenden Bergland getrennt, in dem ein riesiger See lag. Eine seiner Ausbuchtungen schob sich bis zum Felsen, der hier zu einem Überhang geformt war. Urpas sah, wie an der Felsspitze aus grauem Stein ein Tropfen perlte, der immer größer wurde, schließlich den Halt verlor und fiel. Wo er auftraf, wurde er so rasch aufgesogen, dass nichts von ihm übrigblieb, nicht einmal eine feuchte Stelle. Doch schon war ein weiterer unterwegs. Und dann tröpfelte es in schneller Folge, bis sich ein Rinnsal bildete. Endlich war ein dunkler Fleck auf der sonst so dürren Erde zu sehen. Und er vergrößerte sich zusehends, während der dünne Wasserlauf zu einem Bach anwuchs, der nun kaskadenartig abwärts stürzte.

Inzwischen waren die Grasbüschel in der Mitte der Ebene nicht mehr welk, sondern glänzten im Licht der untergehenden Sonne in einem satten Grünton. Wie in Zeitlupe schoben sich nun rund um dieses Zentrum Pflanzenstängel aus der Erde. Sie wuchsen, entfalteten Blätter und danach Blüten, die in allen Farben leuchteten. Der Bach vergrößerte sich zu einem Fluss und die Vielfalt der Pflanzen breitete sich über die Ebene aus. Seidenflügler schwangen sich durch die Luft und ein allgegenwärtiges Summen und Raunen drang an sein Ohr. Die Dämmerung brach herein und wurde von der Nacht abgelöst. Myriaden von Leuchtinsekten tauchten die Pflanzenwelt punktuell in farbige Helligkeit. Licht und Dunkelheit paarten sich zu einem unvergesslichen Reigen. Es war wie ein faszinierendes Gemälde, das sich ständig veränderte, Blüten der Finsternis entriss, um andere darin versinken zu lassen.

Urpas vergaß Tarr-Mocay. Er wusste nicht einmal mehr, wer er war.

Die Ebene, auf der Lichtschein und Schatten tanzten, erfüllte ihn mit ihrer Schönheit. Was kümmerte es ihn, dass das Brausen des herabstürzenden Flusses verstummt war und dafür das Plätschern eines Bachs ertönte. Was bedeutete das Leben schon, wenn man den Anblick dieser magisch erscheinenden Bildsymphonie nicht mehr genießen konnte?

Schmerz! Etwas drückte gegen seine Brust. Doch er ignorierte es und sah voller Begierde weiter der bewegten Anmut auf der Ebene zu.

Wieder meldeten sich schrill seine Sinne. Diesmal war es der Hals. Er tat verdammt weh, als hätten ihn an mehreren Stellen Nadeln durchstoßen, und das an beiden Seiten. Er wollte nach Luft schnappen, um den plötzlichen Schock zu dämpfen. Da berührte etwas Kühles seine Lippen und das Bild, das ihn so begeistert hatte, verschwand vor seinen Augen.

»Urpas sterben wollen?«, ertönte eine Stimme ganz nah bei ihm. Das leise Klingen von Kristallen begleitete sie wieder und ein Hauch Zynismus schwang mit. »Dann Urpas ruhig weiter küssen und Tarr-Mocay alle Energie geben, bis er tot sein.«

Er riss die Augen auf. Es schien ihm, als würde ihr Gesicht vor ihm schweben. Es war sehr blass, aber den Göttern sei Dank, wurde es wieder von einem leichten Nebel verdeckt. Auch ihre Haare wiegten sich erneut in einem imaginären Wind. Sie war ganz eindeutig gerettet.

»Urpas nicht denken daran!«, eröffnete sie ihm gerade mit scharfer Stimme. »Wenn Urpas Tod sein, Tarr-Mocay mit ihm gehen müssen. Der Bund der Odem Hellons das verlangen so. Also Urpas Tarr-Mocay nicht mehr küssen!«

Schmerzhaft spürte er, wie sie ihn von sich wegdrückte. Er öffnete die Umarmung und ließ sie auf das Bett sinken. Etwas löste sich von seinen Lippen. Es war der Anhänger der Talismankette, der wie von Geisterhand geführt langsam auf ihre Brust hinab schwebte. Das Schmuckstück war ein Geschenk von ihm an Tarr-Mocay, das sie seit dem ersten Umlegen immer trug. Die Fingernägel ihrer beiden Hände kamen in seinen Sichtbereich. Sie waren blutig.

»Was habt Ihr getan?«, fragte er sie erschüttert, während er darauf deutete.

»Urpas nur noch wenig Energie haben«, erwiderte sie, »aber Urpas nicht aufhören wollen, zu küssen. Tarr-Mocay Nägel von Fingern in seinen Hals graben. Dann Urpas abgelenkt sein und Tarr-Mocay Anhänger von Kette zwischen Lippen schieben können.«

Er nickte. »Damit habt Ihr die Verbindung unserer Para-Sinne unterbrochen. Auf andere Art wäre es Euch vermutlich nicht gelungen. Ihr seid Euch hoffentlich bewusst, dass Ihr sowohl mein als auch Euer Leben gerettet habt?«

Sie lächelte. »Tarr-Mocay den Rat von Erosaar hören. Urpas Rat ignorieren und Tarr-Mocay Energie geben. Urpas großen Mut haben. Urpas für Tarr-Mocay sein Leben opfern. Tarr-Mocay das nie vergessen werden. Urpas tief in Tarr-Mocays Herzen sein.« Mit der Hand wischte er sich über die Augen, da Tränenflüssigkeit hervorzuquellen drohte.

Ihre Worte hatten ihn zutiefst berührt. Erst jetzt spürte er, wie schwach und zittrig er war. Bevor er ihr noch dafür danken konnte, fuhr sie mit ihrer Rede fort.

»Tarr-Mocay Hände waschen jetzt und dann Urpas verbinden. Danach Tarr-Mocay viel, viel Essen, da großen Hunger haben.«

Als sie später in der Messe saßen und jeder von ihnen mehrere leere Teller vor sich aufgestapelt hatte, fühlte er sich schon bedeutend besser. Sie ließen die gemeinsame Vergangenheit Revue passieren und plauderten danach über die Zukunft auf der Station.

Kurz bevor sie gingen, bat sie ihn um einen Gefallen. »Wenn Urpas und Tarr-Mocay allein sein, Urpas Tarr-Mocay dann Angh-Sanh nennen.«

»Ich danke Euch, dass Ihr mir diese Ehre zuteilwerden lasst, Angh-Sanh«, erwiderte er erfreut. »Selbstverständlich werde ich Euren Wunsch erfüllen. Jedoch möchte ich Euch ebenfalls um etwas bitten. Wenn wir unter uns sind, sprecht so mit mir, wie es Myrthonen untereinander tun. Ich weiß, Ihr seid dazu in der Lage.«

Tarr-Mocay sah ihn lang an, ehe sie ihm bedächtig antwortete, »niemand hat es mehr verdient als Ihr, von nun an haben wir eine besondere Verbindung zueinander.«

Urpas fiel ein Stein vom Herzen. Nicht so sehr, weil sie seine Bitte erhört hatte. Vielmehr war die Befürchtung nicht eingetreten, das Fehlen ihrer speziellen Ausdrucksweise könnte das Flair beeinträchtigen, das sie umgab. Es waren andere Dinge, die sie in seinen Augen zur Göttin erhoben. Das war das leise kristallene Klingen, das ihre Worte begleitete, das Wehen ihrer voluminösen Haare im imaginären Wind, ihr Duft, ihre Bewegung und tausend weitere Kleinigkeiten.

Er freute sich ungemein über die unerwartete Annäherung zu ihr und er wusste, er würde jederzeit erneut sein Leben für sie aufs Spiel setzen.

Die Offenbarung des Navigators

Schlachtkreuzer Tirkum, Rikay-System
26. Tag, 2. Monat, 8553. Lichtzyklus sME, 20. Stunde

Antor

Er saß immer noch in einem der Besprechungsräume der Tirkum und grübelte. Torgar und die Truppführerin des 2. Kampftrupps waren vor wenigen Augenblicken gegangen. Seitdem versuchte Antor, die Fakten, die er Sharlyns Bericht entnommen hatte, wie bei einem Puzzle zusammenzufügen. Doch noch ergab sich kein klares Bild. Die Fragen, wer die Fremdintelligenzen waren und woher sie kamen, blieben offen.

Wie aus dem Nichts waren sie aufgetaucht und hatten die Station der Zerker überfallen. Niemand von der Besatzung war am Leben geblieben. In der Brust der Leichen waren die Aushöhlungen von jeweils sechs Eiern gefunden worden. Offenbar sollten die Toten den Nachkommen der insektoiden Invasoren als Nahrung dienen. Doch die Gelege waren nach dem Tod des letzten feindlichen Kämpfers verschwunden, so wie die Gigant-Xusar zuvor. Alle gefallenen Feinde mitsamt ihren Waffen und Robotern hatten sich in Luft aufgelöst. Auch das Ei war nicht mehr vorhanden, das Illian Sarkoss dem ersten toten Zerker entnehmen konnte, auf den sie gestoßen waren. Nur noch die Überreste des herausgeschnittenen Fleisches.

Schuld daran war zweifellos der letzte feindliche Kämpfer. Er schien etwas Besonderes zu sein. Nach den Trivideo-Bildern von Kerasors Brustkamera war er mindestens doppelt so groß wie Darima Voss, die ihn angegriffen hatte. Er unterschied sich deutlich von den anderen Insekten. Statt vier besaß er sechs Beine, doch erst der Legestachel, der vom Hinterleib ausgehend einen Bogen beschrieb und zitternd weit über dem Kopf hing, stützte Torgars Theorie. Seiner Meinung nach handelte es sich um die Königin des Insektenvolks. Als solche war sie wohl prädestiniert dafür, den Auflösungsbefehl zu geben. Auch sich selbst hatte sie davon nicht ausgenommen.

Leider erst, nachdem zwei Mitglieder der Kampfgruppe 2 und ein Roboter ihrem Auflösungsstrahler zum Opfer gefallen waren. Damit gelang ihr etwas ganz Unmögliches. Denn sowohl die Raumanzüge der Flotte als auch die Oberfläche der Kampfroboter trugen eine Versiegelung, die eine Auflösung verhinderte.

Doch zurück zur Königinnen-Theorie. Antor konnte sich mit dieser Idee nicht anfreunden. Es gab auf vielen Welten des Sternenreichs Insektenvölker. Keine der Stammesmütter beteiligte sich an Kämpfen, nachdem sie mit dem Legen der Eier begonnen hatte. Dafür war ihr Volk zuständig. Sollte es bei den Fremdintelligenzen anders sein? Oder war die angebliche Königin vielleicht nur eine Art Zwischenglied? Er wusste es nicht. Ihm wurde klar, es war müßig, sich bei dem gegenwärtigen Wissensstand darüber Gedanken zu machen. Er musste sich an Fakten halten. Und Fakt war, die geschlüpfte Brut wurde anscheinend von einer Gigant-Xusar aufgezogen.

Das Monstrum konnte in rhythmischen Abständen Energiewellen abstrahlen. Die ließen nicht nur Schirmfelder zusammenbrechen. Myrthonen, die ungeschützt mit ihnen in Berührung kamen, wurden von neuronaler Energie überflutet und brachen zusammen. Der Schmerz war nur auszuhalten, wenn man bewegungslos dalag. Roboter ohne Schirm erstarrten. Ihre KI musste neu hochgefahren werden. Die Steuerung von Handwaffen dagegen blieb davon unberührt.

Es gab einen weiteren Fakt. Alle Fremdwesen trugen eine Panzerung am Körper, die in der Lage war, Strahltreffer aber auch Schirmfeldenergie aufzusaugen. Selbst die Junginsekten, die von der Gigant-Xusar in den Kampf geschickt worden waren, verfügten darüber. Nur die Kombination von Schreddergewehr und Bolzenschleuder war in der Lage, den Panzer zu überwinden. Die Gewehre des Gegners sandten nur schwache Energiestrahlen aus. Sie konnten von sich aus die Schirmfelder der Kampffunken nicht gefährden. Antor vermutete, Waffe und Panzerung waren miteinander verbunden. Ein durch Strahlschüsse aufgeladener Panzer schien die Abgabeenergie des Strahlgewehrs enorm zu steigern. Wie sonst ließ es sich erklären, dass der Schirmfeldgenerator des ersten toten Verteidigers, auf den sie an Bord der Station gestoßen waren, als zerschmolzener Klumpen an dessen Gürtel hing. Zerker verfügten über die stärksten Generatoren im ganzen Sternenreich. Das war auch der Grund, warum er den eigenen Kampftruppen empfohlen hatte, auf Strahlwaffen zu verzichten.

Antor erhob sich und sah sinnend auf die Gaswelt. Sie wurde in Echtzeit auf einer der Holowände abgebildet. Wolkenmassen in Gelb und Grün schoben sich dort ineinander, ohne sich miteinander zu vermischen.

Angeblich hatte die Priesterschaft in früheren Zeiten versucht, aus den dadurch entstehenden bildhaften Umrissen, die Zukunft des Sternenreichs zu deuten. Er hatte keinerlei Ambitionen in dieser Richtung. Für ihn bedeutete der Anblick nur eine kurze Pause, bevor er sich wieder dem eigentlichen Problem zuwandte.

Doch er wurde aus seiner Betrachtung gerissen. Sein Arm-Komm meldete sich. Ein Holo mit dem Kopf von Kossom Elronk baute sich auf.

»Störe ich, Lichtträger?« Der Stellvertreter Sharlyns verzichtete auf den Gruß zu Ehren von Myrthon und dem Myrth.

Antor nahm es in dieser Situation wohlwollend wahr. Dann schüttelte er den Kopf. »Was gibt es?«

»Ich befinde mich noch in der Zentrale der Abbaustation der Zerker. Dem Technikteam ist es gelungen, den Tathergang zu rekonstruieren, wie es zu der furchtbaren Explosion an Bord gekommen ist.«

Endlich, durchfuhr es Antor, *endlich erfahre ich, wie die Invasoren in die Station gelangt sind.* »Das sind gute Neuigkeiten. Sprecht! Aber nach diesem Bericht kommt ihr zur TIRKUM zurück. Ihr seid schon lang genug auf den Beinen.«

»Wie Ihr wünscht, Lichtträger!« Kossom Elronk sah einen Augenblick nach unten, vermutlich auf seine Fußspitzen, dann hob er den Blick wieder. »Am 22. Tag, 16. Stunde, 36. Minute näherte sich ein unbekanntes Raumschiff der Station. Es war kugelförmig, von etwa einhundert Metern Durchmesser und reagierte auf keinerlei Anfragen. Auch ein Warnschuss konnte es nicht stoppen. Man entschloss sich, Energiestrahlen auf das Schiff abzufeuern. Obwohl es durch kein Schirmfeld geschützt war, blieb es von den Treffern völlig unberührt. Im Gegenteil schleuste es in aller Ruhe zwei Beiboote aus, die es begleiteten.

Dann schoss es selbst. Der Schirm brach sofort in sich zusammen, die Station blieb unversehrt. Der Zerker, der für die Waffensteuerung zuständig war, schien einer Panikattacke zum Opfer gefallen zu sein, denn er drückte auf alle Knöpfe gleichzeitig. Statt der nutzlosen Strahlgeschütze wurden nun sowohl Torpedos mit Schredderladungen abgefeuert als auch ein schwerer Raumtorpedo, der nur für Gegner in weiter Entfernung bestimmt ist.« Kossom Elronk verstummte, erwartete offensichtlich eine Reaktion. Antor nickte.

»Die feindlichen Schiffe waren aber zu nahe«, setzte er beruhigt fort. »Bedingt durch die sich auflösende Panzerung wurden die Raumschiffe vernichtet. Nur aus einem der Beiboote konnte sich die Besatzung rechtzeitig ausschleusen, bevor es explodierte. Das waren die Invasoren, auf die wir getroffen sind. Leider rissen Splitter des Raumtorpedos auch einen Gastank der Station auf. Das Gas entzündete sich. Eine Explosion verursachte den uns heute bekannten Schaden. Danach begann der aussichtslose Kampf der Besatzung gegen die Invasoren. Es konnte niemand zu Hilfe gerufen werden, da aus einem der Sonnentunnel schwarze Energie hervorbrach. Sowohl die Kommunikation als auch der Fädlerverkehr sind seitdem unterbrochen. Mehr haben wir nicht herausgefunden.«

»Danke für den Bericht«, erwiderte Antor. »Das bringt wenigstens etwas Licht in die Sache. Wir beenden die Mission sofort und werden exakt am 27. Tag zur 8. Stunde in Richtung Sonne aufbrechen. Gebt diese Nachricht an alle weiter, die sich noch an Bord der Station aufhalten.«

»Ich habe verstanden und werde gemäß Eurer Anweisung handeln, Lichtträger. Aber«, er lächelte, »ich habe noch eine weitere Meldung für Euch, diesmal eine erfreuliche. Die Passiv-Ortung der Abbaustation hat am 20. Tag, 20. Stunde, 29 Minute einen Raumer in Pyramidenform erfasst, der vom Portal ins System geschleudert wurde. Der Planet schob sich wenige Minuten später vor das Zielobjekt. Zur 24. Stunde, 52. Minute wurde das Sonnenwurzelwerk erschüttert. Das bedeutet, zu dieser Zeit hatte er das *Rikay-System* verlassen.«

Antor schloss die Augen und wischte mit den Fingerkuppen über die Lider, bevor er sie wieder öffnete. »Wann wurde die

Ankunft der Fremdintelligenzen im Sonnensystem verzeichnet?«

»Zur 25. Stunde, 23. Minute.«

»Glücklicherweise erst, nachdem die PARAMUR in das ST-Portal eingetaucht ist.« Antor nickte Kossom Elronk zu, dann unterbrach er die Verbindung.

Grübelnd verließ er den Besprechungsraum. Sollte das Schulungsschiff doch den Tunnel in Richtung *Malek* durchtaucht haben? Soron sprach aber davon, dass die Energiefront hier im *Rikay-System* ihren Ausgangspunkt gehabt hatte. Merkwürdig. Er musste ihn unbedingt sprechen.

Seine Schritte führten ihn zur Bordklinik. Dort fragte er einen der Medikroboter nach dem Navigator.

»Soron aus dem schattenumwobenen Haus derer von Dasur hat die Klinik vor etwa fünf Minuten verlassen«, scholl es ihm entgegen. »Er wurde vom Kommandanten aufgefordert, in die Zentrale zu kommen. Ich habe ihn nach Rücksprache mit der Medikerin Aleija aus dem lichtdurchfluteten Haus derer von Soyun entlassen.«

»Gut«, erwiderte Antor, »dann zeige mir, wo sich die Funken der Kampfgruppe 5 aufhalten.« Wenn er schon einmal hier war, konnte er gleich ein paar Worte an die Verletzten richten.

»Folgt mir, Lichtträger.« Der Medikroboter verließ den Raum, schwebte wenige Meter den Gang entlang und ließ eine Tür auf der gegenüberliegenden Seite aufgleiten. »Hier sind die Gesuchten. Benötigt Ihr noch meine Dienste?«

»Nein!« Antor ging durch die Tür. Er nahm wahr, wie der Roboter davonschwebte.

Ein größerer Raum öffnete sich vor ihm mit acht Betten, von denen vier belegt waren.

Sharlyn stand in der Mitte des Zimmers und unterbrach verdutzt ihre Rede. Anscheinend hatte sie ihn hier nicht erwartet. Ihm ging es ebenso. Obwohl es nicht abwegig war, wenn eine Truppführerin verletzte Mitglieder ihrer Kampfgruppen besuchte. Die Stimmung schien ihm allerdings gedrückt zu sein. Das lag vielleicht an den zwei Totalverlusten, die sie hatten hinnehmen müssen.

»Lasst Euch bitte nicht unterbrechen«, wandte er sich an Sharlyn, »ich wollte nur sehen, ob Eure Leute den Angriff der Gigant-Xusar gut überstanden haben.«

Bevor sie etwas darauf antworten konnte, meldete sich Tranthar zu Wort. »Entschuldigt, Lichtträger. Die Truppführerin hat uns erzählt, sie wäre von Euch streng gerügt worden, weil sie zwei andere Mitglieder ihrer Gruppe in Sicherheit gebracht, mich aber kurzzeitig zurückgelassen hat. Ich möchte dazu sagen, sie ist damit meiner Bitte gefolgt. Wenn es um neuronale Energien im Körper geht, bin ich nicht so hilflos, wie es aussehen mag. Die wenigen Augenblicke, bis sie Uranor Follsom und mich holen würde, hätte ich gut überbrücken können. Aber leider wurde Sharlyn auf dem Rückweg angegriffen. Das gab der Gigant-Xusar die Zeit, um bis zu uns vorzudringen. Ihr wisst wahrscheinlich, dass ich sogar auf sie geschossen habe. Ein paar ...«

»Geschossen habe ...?«, unterbrach die Truppführerin Tranthar. »Das ist die Untertreibung der letzten Lichtzyklen! Kadettenanwärter, Ihr habt das Schirmfeld, das eines ihrer Augen geschützt hat, zum Zusammenbruch gebracht. Nur deshalb konnte ich die Gigant-Xusar so schnell töten.«

Antor verschlug es kurz die Sprache. Er war hierhergekommen, um sich für den erfolgreichen Einsatz der Kampfgruppe zu bedanken. Jetzt schien es so, als müsse er sich wegen seiner Worte an Sharlyn bei der Besprechung rechtfertigen. Ärger stieg in ihm hoch.

»Bei den Schattenfunken Hellons!«, rief er. »Selbst wenn es unschön klingt, Kampffunken sind dazu bestimmt, sich in gefährliche Missionen zu begeben, bei denen sie auch sterben können. Kadetten sollen in der Raumakademie nur eines tun, nämlich lernen. Sie dürfen niemals zu Tode kommen, sonst muss ich mich vor dem Myrth verantworten. Welche Auswirkungen es hat, falls Eltern gegen die Raumakademie klagen, darüber will ich gar nicht erst nachdenken. Wenn ich also den Befehl ausgebe, *die Kadetten sind zu schützen*, dann haltet Euch daran. Ich möchte nicht mehr erleben müssen, dass in einer tödlichen Situation zuerst Kampffunken in Sicherheit gebracht werden. Ist das allen hier klar?«

»Ja, Lichtträger«, kam es verhalten von der Kampfgruppe zurück.

Sharlyns Gesicht nahm gerade eine leichenartige Blässe an. Es schien ihr mehr als unangenehm zu sein, dass Tranthar dieses Thema hochgekocht hatte.

»Aber deswegen bin ich nicht hier«, sagte Antor, nun wieder ruhiger, »euer Einsatz an Bord der Abbaustation hat mich beeindruckt. Die Trivideos von den Brustkameras zeigen, wie schnell und konsequent ihr trotz des unbekannten Gegners gehandelt habt. Das gilt auch für die Anwärter, die noch niemals eine solche Situation bewältigen mussten. Mein tiefster Respekt ist euch allen gewiss.« Er senkte kurz den Kopf vor den Zuhörern.

Ihre Gesichter waren von Überraschung geprägt. Dann schritt er zur Tür. Davor blieb er stehen und wandte sich um.

»Sharlyn«, sagte er, »bitte gebt meine Worte an den Rest der beteiligten Kampfgruppen weiter. Tranthar, Ihr sorgt dafür, dass sie auch den anderen Kadetten zu Ohren kommen.« Er wartete die Bestätigung seiner Befehle nicht ab, sondern verließ sofort den Raum.

Minuten später betrat er die Zentrale. Celur hatte Etron abgelöst und wieder den Platz des Kommandanten eingenommen. Der Navigator saß auf seinem Kontursitz und las in einem Buch, das er auf dem ArmKomm aufgeblendet hatte.

»Schön«, eröffnete Antor das Gespräch, während er sich neben ihm niederließ, »offenbar habt Ihr Euch von Eurer Bewusstlosigkeit erholt. Ich frage mich, wie es dazu gekommen ist? Ich dachte, Sonnentunnel zu erfühlen gehört zu Euren Lieblingstätigkeiten.«

»Da habt Ihr nicht ganz unrecht«, Soron grinste. »Es sei denn, ich werde mit den nachhallenden Resten eines ehemaligen Tunnels konfrontiert.«

Antor sah ihn überrascht an. »Was meint Ihr damit?«

Der Navigator wurde ernst. »Vor wenigen Tagen ist ein neuer Sonnentunnel in diesem System entstanden. Er war nur kurz aktiv. Die Auswirkung des Zusammenbruchs ist Euch bekannt.«

»Ein neuer Tunnel entsteht«, schaltete sich Celur in das Gespräch ein, »die PARAMUR verschwindet. Invasoren tauchen plötzlich auf. Sagt jetzt bitte nicht, das alles hat nichts miteinander zu tun.«

»Bei Hellon!«, rief Antor. »Ihr habt recht. Die Invasoren auf der Station der Zerker kamen aus dem neu entstandenen Tunnel.«

»Und das Beste ist«, ergänzte Soron in einem sarkastischen Tonfall, »dieser Sonnentunnel ist dabei, sich neu aufzubauen, und wird in Kürze wieder entstehen. Es kann sich um Stunden oder um Tage handeln.«

»Er wird uns eventuell die PARAMUR zurückbringen oder eine Flotte der Invasoren«, spann Celur den Gedanken fort.

Antor spürte die Gefahr bereits, die der Kommandant heraufbeschworen hatte. »Ich lasse einen Roboter an Bord der Station zurück, der ständig versucht, Verbindung zum Myrth aufzunehmen. Irgendwann muss der ST-Funk ja wieder funktionieren. Sharlyn wird zusammen mit den Wissenschaftlern dieses Schiffs in einer Stunde den Text ausarbeiten, der alle Informationen über die Invasoren enthält. Zur Sicherheit schleusen wir in der Nähe der Sonne eine Sonde aus, die diese Nachricht ebenfalls in Richtung der Sonnentunnel sendet. Ich kann nur hoffen, dass die Kommunikation der Tunnel schneller wieder in Gang kommt als der Aufbau eines neuen Portals.«

Soron verzog die Mundwinkel. »Leider muss ich Euch diese Hoffnung rauben. Höchste Priorität hat in dem Tunnelnetzwerk die Transportfähigkeit für Raumschiffe. Wenn das gesichert ist, finden die weiteren Reparaturen statt. Ich vermute, solange der neue Tunnel nicht steht, wird keine Energie für anderes verschwendet.«

»Dann«, orakelte Antor, »müssen wir eben allein mit dem Gegner zurechtkommen.«

KAPITEL III

Oberster Hüter der Qualen,
wir haben den Myrth-Palast mehrfach überprüft. Obwohl er schon seit Tausenden von Lichtzyklen existiert, ist seine Sicherheitsbarriere voll funktionsfähig. Sie entspricht den Anforderungen unserer Zeit. Von außen kann sie niemals überwunden werden. Weder Spionageprogramme noch Saboteure sind dazu in der Lage. Grund dafür ist die Aufteilung der Sicherheitsaufgaben auf verschiedene KIs, die voneinander unabhängig agieren. Fällt eine aus oder wird kompromittiert, wird sie sofort aus dem System genommen und durch einen Nachfolger ersetzt. Der einzige Schwachpunkt ist die zentrale Steuerung, die über all diese KIs wacht. Da sie keinen festen Standort hat, mobil ist und niemand außer Euch weiß, wer oder was sie ist, kann sie nicht angegriffen werden. Doch wehe dem Tag, an dem der Gegner deren Identität herausfindet. Nur Ihr kennt die Wahrscheinlichkeit dafür. Ist sie hoch genug, um sich ein neues Sicherheitskonzept überlegen zu müssen?

Garreth aus dem Damant Palorat,
Sicherheitsexperte der Myrthonischen Verwaltung,
an den Myrth, Beherrscher des Sternenreichs
Myrth-Palast, 2. Tag, 1. Monat, 8553. Lichtzyklus sME

Im Palast des Myrths

Raumjacht Ovasa, Raumhafen Myrthon-Malik, Mathuma-System
27. Tag, 2. Monat, 8553. Lichtzyklus sME, 9. Stunde, 22. Minute

Chyra

Auf dem Holoschirm in der Zentrale der Raumjacht zeichnete sich die Betriebsamkeit des Raumhafens von *Myrthon-Malik* ab. In großer Zahl flogen Lastenschweber zwischen Transporträumern und den Warendepots hin und her.

Vor etwa einer Stunde war Chyra hier gelandet. Ein Prüfungsteam der Raumhafenbehörde hatte bereits den Weg zur Ovasa gefunden, um sie zu durchsuchen. Ohne verbotene Waren zu finden, zogen sie wieder ab.

Sie hoffte nun, die Jacht bald verlassen zu dürfen.

Araya schien frustriert zu sein. Zuerst konnte sie keine Verbindung nach *Paluran* bekommen, um sich bei Asata zu melden. Nun versuchte sie schon seit dreißig Minuten, das Vorzimmer des Myrths zu erreichen. Sie wollte unbedingt ihrem Adoptivvater, wenn er es denn tatsächlich war, vom Vorfall im Sonnentunnel berichten. Ein wesentlicher Aspekt dabei war Chyras Vision, die sie in der Bewusstlosigkeit gehabt hatte.

Sie wurde aus ihren Gedanken gerissen. Etwas rüttelte an ihrem Handgelenk. Ihr ArmKomm vibrierte. Es zeigte eine Verbindungsanfrage an. Astron aus dem Damant Daromas wollte sie sprechen. Das Holo seines Kopfs erschien. Er schien mittleren Alters zu sein, mochte etwa einhundertzwanzig Jahre durchlebt haben. Sein ernstes Gesicht wurde an der Stirn von kurzen, aufrechtstehenden Haaren abgeschlossen. Sie waren silberweiß und an den Schläfen abrasiert. Die Haarfarbe und die orangegoldenen Augen kennzeichneten ihn als Angehörigen des Kernweltadels. Unter seinem Namen stand: *Leiter der Raumhafenbehörde von Myrthon-Malik. Was will die oberste Instanz des Raumhafens von mir?* Sie gab die Verbindung frei.

»Chyra aus dem lichtdurchfluteten Haus derer von Valura«, meldete sie sich.

»Entschuldigt bitte die Störung«, entgegnete der Anrufer. »Wir vermissen einige Raumschiffe, die sich seit Tagen angekündigt hatten. Hinzu kommt, dass wir mit den Systemen in Richtung *Eugnith* in der einen und *Sanatur* in der anderen Richtung keinerlei ST-Funkverbindung aufbauen können. Seid Ihr in der Lage, mir zu sagen, ob Ihr auf ungewöhnliche Vorkommnisse im Sonnentunnel gestoßen seid?«

Chyra lächelte. Sie sah plötzlich eine Möglichkeit, Araya bei ihrem Bemühen zu helfen, zu ihrem Adoptivvater durchzudringen. »Ja«, entgegnete sie mit ernster Stimme. »Die gibt es in der Tat. Und deren Auswirkungen würde ich ungeschminkt als Katastrophe bezeichnen.«

Sie lehnte sich in ihren Kontursitz zurück. »Wir versuchen schon seit einer halben Stunde, eine Verbindung zum Myrth zu bekommen. Nur er kann entscheiden, inwieweit die Wahrheit darüber an die Öffentlichkeit gelangen darf. Die Lage ist kritischer als Ihr vermutet.«

Astron kniff die Augen etwas zusammen. »Haltet Ihr mich für die Öffentlichkeit?«

»Durchaus«, erwiderte Chyra. »Zumindest steht Ihr in ihrem Dienst. Ich vermute, Ihr gehört, ebenso wie ich, der *Myrthonischen Verwaltung* an.«

»Das schon«, gab er zu, »doch in meiner Position ist mit inbegriffen, Geheimnisse zu bewahren.«

»Eure Position ermöglicht es Euch sicher, sofort eine Verbindung zum Myrth herzustellen, wenn es die Lage erfordert. Bitte tut das für das Sternenreich.«

Astron runzelte die Stirn. Sein abweisender Blick sagte ihr, er hatte seine Entscheidung bereits getroffen.

Bevor er ihr Ansinnen ablehnen konnte, fügte sie schnell noch hinzu: »Und teilt ihm mit, seine Adoptivtochter, Araya aus dem schattenumwobenen Haus derer von Es'orante, ist an Bord.«

Die Überraschung war Astron anzumerken. Er hatte seinen Mund schon für eine Antwort geöffnet. Nun schloss er ihn wieder. »Verzeiht, wieso trägt ein Mädchen, das vom Myrth adoptiert worden ist, den Namen eines anderen Hauses? Und warum nimmt er sich seiner an, wenn er genügend eigene Kinder hat?«

»Das fragt ihn am besten selbst. Ich kann Euch nur versichern, Araya verfügt über eine Adoptionsurkunde, die das bestätigt. Und im Übrigen ist sie kein Mädchen mehr.«

Chyra stellte ihren ArmKomm von Porträt auf Weitwinkel. Dann drehte sie ihren Kontursessel nach hinten, sodass Araya, die auf einem der Besucherplätze neben dem Schott saß, davon erfasst wurde. Sie trug wieder ihr pastellgrünes Wickelkleid und die dazu farblich passenden Schuhe mit den hohen Absätzen. Ihr Aussehen und ihre Körperhaltung waren die einer Sternenfürstin. Astron schien von ihrem Anblick hingerissen zu sein. Erst nachdem ein paar Sekunden vergangen waren, räusperte er sich. »Ich melde mich, wenn ich den Myrth erreicht habe«, offenbarte er ihr. Dann fiel das Holo mit seinem Kopf in sich zusammen. Die Verbindung war unterbrochen.

Araya

Seit wenigen Minuten saß sie mit Chyra in einem Besprechungsraum. Männer der Garde des Myrths in schwarzgoldenen Uniformen hatten sie von der OVASA abgeholt und mit einem Kampfschweber zum Palast geflogen. Ihre Begleiter waren erst von ihnen gewichen, nachdem sie diesen Raum betreten hatten.

Er war zehn mal sechs Meter in der Abmessung und enthielt eine rechteckige Tischplatte, die durch Schwebekräfte in der Luft gehalten wurde. Je ein Kontursessel stand an der Stirnseite und je drei davon an den Längsseiten. Mehr Einrichtung gab es nicht. Nur das Notwendigste war vorhanden. Es schien ein Raum für schnelle Gespräche zu sein. Aber zumindest sollte ein Holoprojektor zur Verfügung stehen. Araya schloss die Augen. Sie tastete mit ihren erweiterten Sinnen nach Geräten in der Decke. Sie fand den Projektor und ein Dutzend weiterer Gerätschaften, die alle der Überwachung dienten. Sogar ausfahrbare Schockwaffen waren vorhanden. Die Wände enthielten nur die Steuerungen der Atomstruktur ihrer Oberfläche und der jeweiligen Farbanpassung. Das bedeutete: War sie aus Stahl, konnten sie innerhalb von Sekunden zu Holz umfunktioniert und die Farbe entsprechend angepasst werden.

»Schlaft Ihr?«, erklang Chyras Stimme neben ihr.

Araya öffnete die Augen. »Nein. Der Raum wird überwacht. Das habe ich eben herausgefunden.«

Bevor Chyra etwas darauf entgegnen konnte, fuhr die Tür zischend in die Wand. Ein Priester trat ein. Sein Kopf war kahlgeschoren. Er schien mittleren Alters zu sein und trug ein festliches weißes Gewand. Es war lang. Seine Füße waren nicht zu sehen.

Völlig überrascht registrierte Araya, dass Chyra aufgesprungen war. »Ihr!«, stieß sie hervor. »Wer seid Ihr und was tut Ihr hier?«

Die Lippen in seinem prägnanten Gesicht mit dem vorspringenden Kinn verzogen sich kurz. »Verzeiht, Höchst-Erleuchtete«, antwortete er. »Ich habe einen Auftrag des Myrths auszuführen. Danach will ich Euch gern Eure Fragen beantworten. Seid Ihr Araya?«

»Nein«, erwiderte Chyra und deutete auf ihre Reisebegleitung, »sie ist das.«

Der Priester wandte sich ihr sofort zu. »Erstrahlende. Der Myrth möchte Euch sehen. Bitte tretet auf den Gang. Eine Eskorte wird Euch zu ihm bringen.«

»Danke für die Nachricht. Hat Chyra auch eine Audienz bei ihm?« Sie erhob sich.

»Wir beide werden nach Eurem Gespräch mit dem Myrth zu Euch stoßen. Euren Erlebnissen im Sonnentunnel auf dem Weg nach Myrthon wird dann ausreichend Zeit eingeräumt.«

»Bis dann, Myrathor Peran!« Sie sah, wie ein kurzer Anflug von Überraschung über sein Antlitz glitt. Er hatte sich ihr nicht vorgestellt und wusste natürlich nicht, woher sie ihn kannte. Er konnte ja nicht ahnen, dass sie in der Lage war, auf den Speicher seines ArmKomms zuzugreifen. Ihrem Wissen zur Folge war ein Myrathor ein religiöser Führer, der hauptsächlich Myrathon-Hel anbetete. Er hatte einen Sitz im *Licht- und Schattenrat*, einem Gegenpol zum weltlich orientierten *Unterstützenden Rat*. Beide Gruppierungen berieten das Oberhaupt des Sternenreichs.

Sie schritt an ihm vorbei und trat durch die Türöffnung.

Vier Männer in der schwarzgoldenen Uniform der Myrth-Garde nahmen sie in die Mitte.

»Bitte folgt mir, Erstrahlende«, forderte sie der Gardist an der Spitze auf. Dann ging es im Gleichschritt mehrere Gänge entlang. Araya bereitete es keine Mühe, sich dem Marschtempo anzupassen. Die Ganghöhe war inzwischen auf das Doppelte angewachsen.

Vor einem Portal blieben sie stehen. Es reichte bis zur Decke. Die beiden Portalflügel waren schwarz gefärbt, an ihren Rahmen glänzte ein handspannenbreiter Goldstreifen. Und in der jeweiligen Mitte prangte das Siegel des Myrths, eine blaue Pyramide vor einer goldenen Sonnenscheibe.

Der vorderste Gardist blieb einen Meter vor dem Portal stehen. »Palast-KI«, sagte er, »wir bringen die Erstrahlende.« Dann salutierte er, indem er die geöffnete rechte Handfläche auf eine Stelle oberhalb der linken Brust legte. Seine Begleiter taten es ihm gleich. Zugleich drehten sie sich in die Richtung, aus der sie gekommen waren, und marschierten im Gleichschritt zurück.

»Willkommen, Araya aus dem schattenumwobenen Haus derer von Es'orante«, ertönte die weibliche Stimme der Palast-KI. Sogleich öffneten sich die Flügel des Portals langsam nach innen. »Durchquert die Empfangshalle. Am anderen Ende wartet der Myrth auf Euch.«

Sie lief bereits los, als der Spalt zwischen den Portalflügeln gerade groß genug war, um sie passieren zu lassen.

Die Halle war riesig. Die Decke wölbte sich kuppelartig bis in eine Höhe von etwa zwanzig Metern und war über und über mit holografischen Gemälden aus der Frühzeit des Sternenreichs bedeckt. Gestützt wurde sie durch Gebinde aus filigran geschliffenen Kristallstäben. In Windungen schraubten sie sich empor und trugen hunderte von Blüten, die das Licht in den verschiedensten Farben emittierten. Die Kristallsäulen säumten auf Portalbreite den Weg zur gegenüberliegenden Hallenwand, dessen Ende noch nicht zu sehen war. Der Boden bestand aus polierten schwarzen Steinplatten, die sich fast fugenlos aneinanderreihten, aber kein Schrittgeräusch zuließen. Sternenlicht schien sich in ihnen zu spiegeln, funkelnde Lichtpunkte, wohin sie auch sah. Eine leise sphärische Musik drang an ihr Ohr.

Irgendwie vermeinte sie, zu schweben. Es war eine Pracht, die sich vor ihr aufgetan hatte, und angesichts dieser beschlich sie das Gefühl ihrer eigenen Bedeutungslosigkeit.

Der Versuch, auf ihre erweiterten Sinne zuzugreifen, schlug fehl. Ihr Geist war hier auf die normalen Möglichkeiten eines Myrthonen reduziert.

Dann kam es ihr so vor, als lüfte sich der Schleier etwas um ihre Erinnerungen. Die Halle, die ihr eben noch so fremd und beeindruckend vorgekommen war, schien ihr plötzlich vertraut.

Ehe sie es verhindern konnte, sagte sie mit befehlsgewohnter Stimme: »Palast-KI, schalte auf Normalsicht um.« Und innerlich wusste sie, dass sie diesen Befehl schon sehr oft gegeben hatte.

»Wie Ihr wünscht, Erstrahlende«, kam es zurück.

Der Saal veränderte sich. Noch immer gab es die Gebinde aus Kristallstäben, doch ihre Blüten leuchteten nicht mehr und die Decke war frei von Holo-Gemälden. Die schwarzen Bodenplatten emittierten nicht länger das Licht von Sternen. Dafür sah sie jetzt die Wände, zwar in weiter Ferne liegend, jedoch greifbar. Jenseits der Kristallsäulen, die den Weg durch die Halle markierten, erschienen Sitzlandschaften, hunderte oder gar tausende, teils mit dem Boden verhaftet, teils in der Luft schwebend.

Ein Bild aus der Vergangenheit entstand vor Arayas Augen. Es zeigte sie selbst in jungen Lichtzyklen, gekleidet in einen lindgrünen Saffan. Sie saß auf einem der miteinander verketteten Kontursessel mit Tisch in der Mitte und steuerte das ganze Gebilde, das auf einer dünnen Metallplatte montiert war, in zehn Metern Höhe durch den Saal. Ihr Blick glitt von einer weiteren Sitzgruppe zur nächsten. Sie schien jemanden zu suchen. Dann entdeckte sie ein schmales Gesicht. Es lugte kurz unter einer Tischplatte hervor, die zu einer am Boden stehenden Sitzlandschaft gehörte.

Sie landete knapp daneben. »Komm heraus«, hörte sie sich rufen. »Ich habe dich gesehen.«

Einen Augenblick später erschien die schlanke Gestalt eines Mädchens. Es war nicht älter als neun Lichtzyklen. Ihr Gesicht war so hübsch, als wäre es das einer Puppe. Ihre silberweißen Haare waren in die Stirn gekämmt und hinten zu einem Porangschweif zusammengefasst, der bis zu ihren Schulterblättern hinabreichte. Sie trug ein blaues Seidenkleid und schwarze Lackschuhe.

Dabejis hallte es durch ihren Kopf und das Bild verschwand. Sie wusste, das Mädchen, an das sie sich erinnerte, war ihre Schwester. Und damit wurde ihr bewusst, sie hatte einen Teil ihrer Jugend hier mit ihr verbracht. Der Saal, der während des

Tags nur selten genutzt worden war, hatte ihnen als Spielzimmer gedient. Doch weitere Erinnerungen aus dieser Zeit entzogen sich ihr. Trotzdem spürte sie, wie sich Flüssigkeit in ihren Augen sammelte. Fragen stauten sich in ihr auf und Emotionen. *Kann es denn sein, dass ich damals ein normales Kind gewesen bin? So wie Dabejis? Habe ich erst später den künstlichen Körper erhalten? Aber warum? Was ist geschehen?*

Sie wurde aus ihren Gedanken gerissen. Sie wischte sogleich die Nässe aus den Augenwinkeln. Waren das Tränen? Das war doch nicht möglich. Roboter weinten nicht. Sie verbot es sich, weiter über die Konsequenzen nachzudenken, die sich daraus ergaben. Dafür hatte sie jetzt keine Zeit. Mehr als die Hälfte des Wegs durch den Saal mochte sie bereits zurückgelegt haben.

Gleich würde sie dem Myrth gegenüberstehen. Wie sollte sie sich ihm gegenüber verhalten? Er regierte das Sternenreich und laut Asata war er mit unglaublicher Macht ausgestattet. Wie konnte sie solch Wissen ignorieren und ihn als Adoptivvater behandeln? Ein Schatten warf sich über ihren Weg. Er stammte von einer jungen Frau, die hinter einer Säule hervortrat. Sie trug eine blaue Arbeitshose, die von Hosenträgern gehalten wurde, und darunter ein hellblaues Shirt mit kurzen Ärmeln. Ihre Füße steckten in schwarzen, grob geformten Stiefeln. Araya empfand es als überaus schrecklich, diese Kleidung an jemandem zu sehen, der adeliger Abstammung war. Zumindest schloss sie das aus den orangegoldenen Augen und den silberweißen Haaren, die fingerlang geschnitten und nach hinten gekämmt waren. Das Gesicht der jungen Frau war verschlossen, es zeigte nicht die geringste emotionale Regung, genau wie ihre Stimme, als sie fragte: »Seid Ihr Araya aus dem schattenumwobenen Haus derer von Es'orante?«

»Die bin ich«, erwiderte sie. »Und wer seid Ihr?«

»Unwichtig! Ich begleite Euch zum Myrth. Folgt mir!« Mit diesen Worten wandte sie sich um und schritt weiter auf die Wand zu, aus der sich langsam die Umrisse einer Tür schälten.

Araya gab nicht so schnell auf. »Ihr seid nicht zufällig Dabejis?«, offenbarte sie ihren Verdacht. Und mehr als eine Vermutung war es nicht. Sie hatte das Antlitz ihrer Schwester nur kurz gesehen. Aber die war zu diesem Zeitpunkt noch ein Kind gewesen und hatte eine ganz andere Frisur getragen. Normalerweise wäre es für sie kein Problem, die Bilder der beiden Gesichter übereinander zu blenden, um so zu sehen, ob ihr Verdacht gerechtfertigt war. Doch das wurde ihr verwehrt. Alle robotischen Funktionen, die nicht ihrer Grundversorgung dienten, waren hier außer Kraft gesetzt.

»Und wenn es so wäre?«, erwiderte die junge Frau. »Was würde Euch das bringen? Ihr seid nicht meine Auftraggeberin. Es betrifft Euch in keiner Weise.« Sie gab ihre Worte nicht flüssig von sich, sondern mit kurzen Pausen. Es war so, als würde sie wenig Übung darin haben, mit jemandem zu sprechen. Sie schien nach den richtigen Begriffen zu suchen.

»Es betrifft mich sogar sehr stark«, entgegnete Araya. »Wenn Ihr Dabejis aus dem schattenumwobenen Haus derer von Es'orante seid, dann bin ich Eure Schwester.« Sie lächelte kurz. Vor wenigen Tagen hatte sie erst von ihr erfahren, als sie Chyra das Dokument gezeigt hatte, das ihr einst vom Myrth übergeben worden war. Und nun versiegten die Zweifel, dass sie es war, die vor ihr herlief.

»Was ist das, eine Schwester? Ich kenne diesen Begriff nicht.« Inzwischen baute sich die Tür vor ihnen auf. Dabejis hielt die Innenfläche ihrer Hand auf den Öffnungsmechanismus und das Türblatt glitt zur Seite. Beide schritten sie durch die Öffnung in einen hohen hellerleuchteten Gang.

»Nun«, erklärte Araya, »das bedeutet, Ihr und ich wurden von derselben Mutter geboren. Es gibt wenig, was mehr verbindet als das.«

Die junge Frau blieb vor einer weiteren Tür stehen und drehte sich nach ihr um. »Ihr täuscht Euch«, sagte sie. »Ich wurde erbaut und bin robotischen Ursprungs. Bei uns gibt es keine Schwestern, sondern nur baugleiche Typen. Die haben keine Verbindung zueinander, außer dass sie die gleichen Ersatzteile verwenden können.«

Die Tür öffnete sich. Dabejis trat hindurch und sie folgte ihr.

Es war ein kleiner Raum, vollgestopft mit verschlossenen Regalwänden. Im Zentrum stand ein Arbeitstisch mit einer Mini-KI und dahinter saß ein Mann in mittleren Lichtzyklen. Sie erkannte ihn sofort. Es war der Myrth.

Die mit einer kristallbesetzten Spange zusammengefassten silberweißen Haare reichten ihm bis zu den Schulterblättern. Vor dem rechten Auge trug er einen silbrig glänzenden Ring, der durch Schwebefelder an seinem Platz gehalten wurde. Unvermittelt wusste sie, mit einer Bewegung seiner Augenbraue konnte er ein energetisches Feld darin projizieren. Wozu es gut war, entzog sich ihrer Kenntnis.

Sein markantes Gesicht mit den eher harten Konturen wirkte jetzt weich, als er aufstand. Er trug eine schwarzgoldene Uniform, so wie seine Garde, nur war der Goldanteil wesentlich höher. Das Zeichen des Herrschers war auf der linken Brust seiner Uniformjacke eingearbeitet: Die blaue Pyramide vor einer goldenen Sonnenscheibe.

Schnell senkte Araya den Kopf und wollte die traditionellen Worte zur Begrüßung sagen. Sie hatte sich an Bord der OVASA schon eingehend über die Begrüßungszeremonie informiert. Gerade hob sie die geöffnete rechte Hand, da wurde sie von der Stimme des Myrths unterbrochen.

»Das ist nicht nötig. Innerhalb der Familie verzichten wir auf solche Formalitäten.« Er kam hinter seinem Arbeitstisch hervor und sagte zu ihrer Schwester: »Vielen Dank, Dabejis, du hast deinen Auftrag zu meiner Zufriedenheit erfüllt. Geh nun zurück zu Farenghis und richte ihr das aus.«

»Wie du wünschst.«

Kein Lächeln ob des Lobs wanderte über ihr Gesicht. Nicht um eine Nuance hob sie ihre Stimme an. Alles war gleichförmig, frei jeglicher Emotion. Sie wandte sich um, verließ den Raum.

»Entschuldige bitte.« Ihr Adoptivvater deutete auf einen der zwei Kontursitze vor seinem Arbeitstisch, während er sich selbst auf den anderen setzte. Sie nahm das Angebot dankend an. »Ich musste deine Schwester wegschicken, denn das, was ich dir sagen will, darf sie noch nicht erfahren.«

Araya sah ihn erwartungsvoll an.

»Um ehrlich zu sein«, flüsterte er fast, als hätte er Angst, es könne jemand hören, »habe ich daran gezweifelt, eine von euch beiden würde doch noch menschliche Züge zeigen.«

»Ich habe meinen Zustand Asata aus dem schattenumwobenen Haus derer von Pa'tong zu verdanken.« Mit einigen Sätzen beschrieb Araya, wie ihre Mentorin ihr dazu verholfen hatte, Gefühle zu entwickeln. »Hast du mich an Antor verschenkt, weil du nicht mehr an einen Erfolg geglaubt hast?«, fragte sie am Ende ihres Berichts.

Der Myrth drehte erst seinen Kontursitz, dann den ihren. So konnten sie sich direkt in die Augen sehen »Nein«, antwortete er. »Dass ich dich weggab, war der Wunsch deines Vaters. Ich konnte ihn nur erfüllen, indem ich dich damals gänzlich aus meiner Obhut entlassen habe. Aber lass mich ganz von vorn beginnen.«

Araya nickte zustimmend.

»Dein Vater, Askolar aus dem schattenumwobenen Haus derer von Es'orante, war mein bester Freund. Wir verbrachten unsere Jugend miteinander. Eines Tages lernte er eine Frau kennen, verliebte sich in sie und heiratete sie. Sie hieß Delare und entstammte einem licht- und schattenlosen Haus der Randwelten. Doch schon nach einem Jahr befiel sie eine seltsame Krankheit. Sie fiel in Ohnmacht. Zugleich stellten Geräte ihren Dienst ein, die mit ST-Kristallen ausgestattet waren, da sie ihre Kraft verloren hatten. Als Delare erwachte, trug sie ein silbernes Band um ihr rechtes Handgelenk, etwa zwei Finger breit. Seine Struktur wirkte wie das Astgewirr eines Saratstrauchs, sogar kleine Dornen wuchsen seitlich in die Hautoberfläche.« Er verlor sich einen Moment in der Erinnerung. »Es sah im Grunde schön aus, doch leider war es ganz und gar nicht schön. Kein Schmuck. Es war ein Material, das die Haut ersetzte. Alle Bemühungen Askolars, das Band zu entfernen, verliefen im Sand. Es fand sich kein Mediker, der dieser Aufgabe gewachsen war. Auch die Wissenschaftler versagten, die den Werkstoff bestimmen sollten. Niemand wusste, wie man sich mit dieser Krankheit infizierte und wie sie zu heilen war. Letztlich blieb nur die Beobachtung, die eines an den Tag brachte, immer wenn Delare unter hohem Stress stand, befand sie sich in Gefahr, einen weiteren Teil ihrer Haut einzubüßen. Und irgendwann würde sie daran ersticken.« Sein Blick zu Araya wirkte wehmütig. »In der Zwischenzeit gebar sie ihm zwei Mädchen. Zuerst dich, drei Lichtzyklen später Dabejis, deine Schwester. Ihr bekamt euren Vater kaum zu Gesicht. Er war damals schon ein genialer Entwickler kybernetischer Geräte. Es gab einen Zeitpunkt, ab da erschien es ihm hoffnungslos, etwas zu finden, das Delare heilen konnte. Da er ihren baldigen Tod bereits erahnte, beschloss er, für sie einen Robotkörper zu bauen. Er sollte wie sie aussehen und ihr Bewusstsein aufnehmen. Lichtzyklenlang versuchte Askolar, den Geist von Myrthonen mit einer Robotsteuerung zu verschmelzen. Er verdoppelte seine Anstrengungen noch, als er mitansehen musste, wie auch du und deine Schwester von demselben Leiden befallen wurdet. Die Rückschläge ließen ihn jedoch schier verzweifeln. Die Testpersonen verfielen alle dem Wahnsinn.«

Unvermittelt vermutete Araya hier einen Bruch der Moral, die Asata sie gelehrt hatte. »Ich möchte gern eine Frage stellen«, bat sie den Myrth.

»Nur zu«, forderte er sie auf.

»Zwang mein Vater die Myrthonen, an diesen Experimenten teilzunehmen?«

»Nein. Du bist umsonst besorgt. Es handelte sich um tödlich Erkrankte, die sich durch ihre Teilnahme an diesem Projekt Heilung versprachen. Es war ein Fluch und ein Segen zugleich, aber das wirst du gleich hören.«

»Und was verstehst du hinsichtlich der Verschmelzung unter dem *Geist von Myrthonen*?«

»Auf dich bezogen ist er alles das, was dich ausmacht, dein Bewusstseinsinhalt und die Aura, welche die Priester als Seele bezeichnen. Frag mich aber nicht, wie euer Vater das bei dir und Dabejis vollbracht hat. In meinen Augen hat er Übermenschliches geleistet.« Er schwieg einen Augenblick, während in Arayas Verstand nur sehr langsam einsickerte, dass sie tatsächlich ein Mensch mit einem künstlichen Körper war. Sie hatte nicht nur eine Schwester, sondern auch einen Vater und eine Mutter. Die Konsequenzen daraus konnte sie noch gar nicht absehen.

»Doch schließlich löste Askolar das Problem«, fuhr der Myrth fort. »Er fand heraus, es war lebensnotwendig, zu Beginn der Verschmelzung das menschliche Bewusstsein komplett zu unterdrücken. Nur die robotische Steuerung durfte agieren, die fest davon überzeugt sein musste, nichts anderes zu sein als eben das. Erst nach Lichtzyklen konnte dann der Geist aus seinem unfreiwilligen Schlaf erweckt werden, Stufe für Stufe. Askolar gelang ein Erfolg, aufgrund dessen er dich und deine Schwester denselben Prozess durchlaufen ließ. Doch dies hat ihn einen hohen Preis gekostet.« Er seufzte, während sein Gesicht von Traurigkeit gezeichnet blieb.

»Welchen denn?«, frage Araya, Böses ahnend.

»Askolar musste einen der drei robotischen Körper, die ihm zur Verfügung standen, an die erfolgreiche Testperson übergeben. Das war die Vereinbarung. Es handelte sich um den, der eigentlich für Delare gedacht gewesen war.«

Araya erschrak. »Was heißt das? Ist meine Mutter etwa deswegen gestorben?«

Der Myrth schüttelte den Kopf. »Sie liegt im Kryoschlaf und wartet auf die Rückgabe des Körpers. Die Testperson war schon recht alt und hätte, wenn sie nicht tödlich erkrankt gewesen wäre, eine Lebenserwartung von maximal fünfzig Lichtzyklen gehabt. Diese Zeit hat ihr dein Vater zugesichert. Delare muss nun noch zweiundvierzig Lichtzyklen warten, bis sie wiedererweckt werden kann.«

Er seufzte erneut. »Es ist einfach bedrückend. So viel verlorene Zeit, die Askolar nicht mit seiner geliebten Frau verbringen kann. Ich hoffe, es ist ihm wenigstens vergönnt, bald Euch und Dabejis in die Arme zu schließen.«

Mit der Eröffnung des Myrths konnte Araya zuerst nicht viel anfangen. Sie wusste, Menschen waren gefühlsmäßig miteinander verbunden. Am stärksten war dies zwischen einem Ehepaar und zwischen Eltern und Kindern. Sie selbst hatte bisher keine Bindung, bis auf die zu Asata.

Sie stellte sich vor, sie würde ihre Mentorin nicht nur einige Wochen nicht sehen, sondern Dutzende von Lichtzyklen lang oder gar nicht mehr. Allein der Gedanke daran ließ sie erzittern. Nur Asata war es zu verdanken, dass sie die Welt der Menschen einigermaßen verstand. Erst jetzt vermochte sie zu empfinden, welch ein ungeheurer Verlust das für sie wäre. Gleiches musste auch ihr Vater fühlen, doch sehr viel stärker. Wie war es ihm nur möglich, mit der Zersplitterung seiner Familie zurechtzukommen? Aber weshalb war es notwendig gewesen, ihre Mutter in den Kryoschlaf zu schicken? Roboter konnten doch industriell hergestellt werden, wenn man einmal einen Prototyp angefertigt hatte. Da kannte sie sich aus.

»Wieso gibt es nur drei dieser Robotkörper?«, gab sie ihrer Frage Ausdruck.

Der Myrth ließ sich einen Augenblick lang Zeit mit der Antwort. »Die Körper sind nicht das Problem. Um den Geist mit der Steuerung verschmelzen zu können, ist Arvenalium notwendig. Es handelt sich dabei um ein extrem seltenes Metall, das Bewusstsein und Seele in sich speichern kann. Askolar kaufte auf, was er kriegen konnte, und gab einen Großteil seines Vermögens dafür aus. Er erhielt gerade genug Material, um drei dieser Körper bauen zu können. Jedoch musste er der letzten Testperson etwas versprechen. Er sollte ihren Geist auch nach den fünfzig Lichtzyklen nicht löschen, sondern ihn in einen neuen Robotkörper einbauen, falls das Arvenalium bis dahin kein Problem mehr darstellen sollte. Sie würde für die Kosten aufkommen. Da Askolar ihr den Durchbruch verdankt und er es für sicherer hält, bei Delare ungenutztes Speichermaterial einzusetzen, wird er alles dafür tun, um eine genügende Menge des Arvenaliums zu finden. Deswegen ist er momentan mit einem Raumschiff zerkischer Prospektoren unterwegs. Und soweit ich weiß, spielt er mit dem Gedanken, sich ebenfalls so einen Körper anzufertigen, damit er noch möglichst viel Zeit mit seiner Familie verbringen kann. Denn die Lebenserwartung wird sich damit vervielfachen.« Der Myrth lächelte Araya tröstend zu. »Du wirst ihn also in der nächsten Zeit nicht treffen können. Ich gebe dir jedoch mein Wort, ich werde ihn benachrichtigen. Allerdings gilt er in der Öffentlichkeit als verstorben. Nur so war es mir möglich, euch beide zu adoptieren, um euch in der Zeit seiner Abwesenheit unter meine Fittiche zu nehmen.«

Langsam begriff Araya die Tragödie, die ihr offenbart worden war. Eigentlich hätte ihr Vater Delare gleichzeitig mit den Töchtern in einen der drei Robotkörper integrieren können. Durch seine Vereinbarung verlor er fünfzig Lichtzyklen zuzüglich der Zeit der Anpassung von Geist und Steuerung, die er nicht mit ihr verbringen konnte. Und wer wusste, ob es ihm bis dahin gelang, Arvenalium zu finden. Eventuell verzögerte sich alles noch weiter, falls er es ablehnte, den Intellekt der Testperson zu löschen.

»Wer hat meinem Vater die Vereinbarung abgerungen?«, fragte Araya. »Und, wenn er schon nicht erreichbar ist, kann ich wenigstens meine Mutter sehen? Ich nehme an, es gibt Kameras, die ihren Schlaf überwachen.«

Sie spürte die Blicke des Myrths auf sich ruhen. Er kniff etwas die Augen zusammen, als er antwortete. »Die Identität der Testperson ist geheim. Und so bleibt es auch. Bedenke, sie hat sich deinem Vater zur Verfügung gestellt, obwohl sie von den fehlgeschlagenen Versuchen wusste. Ohne sie wärt vielleicht du und deine Schwester heute ebenfalls im Kryoschlaf.« Mit den Händen umfasste er die ihren. »Deine Mutter ist von der Krankheit entstellt, Araya. Verzichte bitte auf ihren Anblick. Du wirst von heute an im Palast wohnen. Du kannst dir, wenn du eingezogen bist, von der Palast-KI Filmsequenzen aus vergangenen Zeiten von Delare und Askolar vorspielen lassen, so oft du möchtest.«

»Ich habe einen Befehl von Antor zu befolgen«, gab Araya zu bedenken. »Meine Aufgabe ist es, Chyra zu begleiten, um sie vor ihrem Ehemann zu schützen.«

»Das ist nun hinfällig«, gab er mit harter Stimme zurück. »Für mich ist es wichtiger, das Versprechen an meinen Freund einzulösen. Chyra muss ohne dich zurechtkommen. Du wirst hier gebraucht. Kümmere dich um deine Schwester. Gewinne ihr Vertrauen. Wenn es so weit ist, wirst du mit Dabejis zur *Raumakademie Paluran* zurückkehren und sie zusammen mit Asata aus dem schattenumwobenen Haus derer von Pa'tong lehren, ein Mensch zu sein.«

»Weswegen hast du mich an Antor verschenkt?«, griff Araya das Thema erneut auf. »Und warum kannst du das so schnell wieder rückgängig machen?«

Der Myrth ließ ihre Hände los und lehnte sich zurück. Seine Miene war immer noch sehr ernst.

»Ich habe das nicht gern getan«, entgegnete er gedehnt, »aber dein Vater hat darauf bestanden, dass du den Palast verlassen musst. Vermutlich war es der Zeitpunkt, an dem dein Verstand Zug um Zug geweckt werden würde. Ich durfte dich nicht kontaktieren oder überwachen lassen. Der sicherste Weg, mich daran zu halten, war, dich an Antor zu geben. Er ist die vertrauenswürdigste Person, die ich kenne. Du bekamst mit, dass du verschenkt worden bist. Deswegen wärst du nicht auf den Gedanken gekommen, kein Roboter zu sein. Dein Intellekt wurde getäuscht. Askolar befürchtete, er würde trotz der Sicherheitsmaßnahmen auf der Steuerungsseite rebellieren, da du damals noch nicht bereit zur Integration gewesen bist. Nun hast du die robotische Steuerung in deine Persönlichkeit integriert. Denke bitte daran, Dabejis darf jetzt noch nicht erfahren, wer sie wirklich ist.« Er schwieg einen Moment, während er sinnend vor sich hinsah. »Die Schenkung war an eine Bedingung geknüpft. Falls bei dir menschliche Züge entdeckt werden, ist sie gegenstandslos. Das heißt, du bist nicht mehr in Antors Besitz. Du bist nun ein freier Mensch. Am morgigen Tag erhältst du die Unterlagen, die du benötigst, um dich im Sternenreich aufhalten zu können. Außerdem ...« Er stand auf, beugte sich zu ihr hinunter und flüsterte ihr etwas ins Ohr, das sie nicht verstand. Dann setzte er sich wieder. »... sind deine Fähigkeiten, die dir dein Robotkörper ermöglicht, auf ein Mindestmaß reduziert. Ich habe die Bremse nun durch ein Passwort eliminiert. Wenn du meinen persönlichen Bereich verlässt, wirst du es bemerken. Sei also vorsichtig mit allem, was du tust. Gewöhne dich erst daran. Jetzt aber will ich hören, was deine Begleiterin Chyra uns über die Katastrophe im Sonnentunnel zu berichten hat.«

Wieder stand er auf, öffnete die Schublade einer Regalwand und entnahm ihr zwei Helme. Einen davon gab er ihr, während er sich den anderen aufsetzte. Kaum umschloss er ihren Kopf, verschwand das Zimmer vor ihren Augen und sie befand sich unvermittelt in einem Thronsaal.

Chyra

Nachdem Araya den Raum verlassen hatte, wandte sich der Priester ihr zu. »Ihr lasst es an dem nötigen Respekt fehlen!«, fuhr er sie an. »Immerhin repräsentiere ich Myrathon-Hel und eine Stimme im *Licht- und Schattenrat*!«

Doch Chyra war nicht in der Stimmung, sich abkanzeln zu lassen. Sie wollte endlich Klarheit erhalten. Der Albtraum vor ihrem Flug nach Myrthon drückte immer noch auf ihre Psyche. »Ich habe Euch im Traum gesehen«, entgegnete sie, »und zwar so, wie Ihr hier vor mir steht, ohne dass ich Euch jemals zuvor zu Gesicht bekommen habe. Ihr solltet eine Hochzeitszeremonie im Imonar-Hel-Tempel abhalten, führtet uns aber zum Altar Myrathon-Hels. Das Gebäude wurde kurz darauf von insektoiden Heerscharen gestürmt.«

»Und deswegen«, erwiderte der Priester mit etwas gedämpfterer Stimme, »glaubt Ihr, Euch nicht standesgemäß verhalten zu müssen?«

»Wie würdet Ihr Euch fühlen, wenn Ihr plötzlich einen unbekannten Menschen aus einem schrecklichen Traum vor Euch stehen seht? Wäre es zu weit hergeholt, zu denken, alles andere könnte auch der Wahrheit entsprechen?«

Der Priester, den Araya als Myrathor Peran bezeichnet hatte, zog die Augenbrauen zusammen und musterte sie misstrauisch. Nach ein oder zwei Atemzügen vernahm sie, wie er hörbar die Luft einsog. »Ihr verfügt über den Odem Hellons, das spüre ich jetzt deutlich. Es wäre durchaus möglich, dass Euer Traum in Teilen real wird.«

Chyra erblasste und flüsterte: »Nein, bitte nicht, das darf nie und nimmer geschehen.« Sie schüttelte das Grauen ab, von dem sie nicht wusste, ob es von Serpon herrührte, den sie in der Annahme, er wäre Antor, fast geküsst hätte, oder von dem käferartigen Krieger, der eine Waffe auf sie abgefeuert hatte. »Ihr müsst Euch täuschen«, allmählich beruhigte sie sich, »bei mir wurde nach der Para-Erweckung keine Gabe festgestellt.«

Ein kurzes Lächeln glitt über das Gesicht des Priesters. Er deutete auf die Kontursitze. »Setzen wir uns, bevor ich dieses Thema vertiefe.«

»Also gut«, Chyra nahm an dem Tisch Platz.

Myrathor Peran wählte die Position ihr gegenüber. »Bei den Feierlichkeiten zu Eurer Volljährigkeit geschahen zwei Dinge. Euch wurde eine Krone aufgesetzt, die Euch sichtbar als Mittelpunkt der Feier kennzeichnete. Zudem habt Ihr die doppelte Menge an Tränen Imonar-Hels erhalten. Sollte der Odem Hellons in Euch schlummern, wird er durch die vermehrte Einnahme des lebensverlängernden Mittels erweckt.« Er strich sich mit

der Hand über den kahlen Kopf »Ist Euch das soweit alles klar?«
Chyra nickte.

»Gut. Die kronenförmige Apparatur misst nicht die Werte der schlummernden und der aktivierten Gabe, sondern nur den Differenzwert. Das bedeutet, wenn Ihr bereits über einen aktiven Odem Hellons verfügt habt, ohne davon zu wissen, werdet Ihr als unauffällig angesehen.«

»Ist es nicht idiotisch, die Messung so durchzuführen?« fragte Chyra.

Myrathor Peran faltete die Hände auf seinem Bauch zusammen. »Nein. Eine aktivierte Gabe kommt immer zum Vorschein. Die Mitarbeiter der *Myrthonischen Verwaltung,* welche die Messkronen auswerten, werden bereits vorher über die Gabe informiert. Doch nur, wenn der Betroffene keine Maßnahme ergreift, um sie zu verbergen. Davon rate ich ab, weil dadurch die Gesundheit schwerwiegend geschädigt werden kann. Wie sieht es in dieser Hinsicht bei Euch aus?«

»Ich weiß von keiner Gabe. Es handelt sich wirklich nur um diesen einen Traum, von dem ich Euch berichtet habe.«

»Hm!« Der Priester kratzte sich kurz mit allen fünf Fingern am Hals. »Aber vielleicht gibt es jemanden, der es vor Euch verbergen möchte. Nehmt Ihr regelmäßig Medikamente ein?«

»Ja, seit meiner Jugend.« Sie aktivierte ihren ArmKomm und blätterte durch ihre Menüs bis schließlich eine Medikamentenpackung als Holo aufgeblendet wurde. »Das hier!«

»Das kenne ich.« Myrathor Peran nickte. »Es unterdrückt die Gabe in Euch. Vermutlich reicht die Dosis nicht mehr aus, die Ihr nehmt. Deswegen hattet Ihr diesen Traum. Weiter nehme ich an, Ihr könnt künftige Ereignisse vorausahnen. Inwieweit diese Voraussage dann brauchbar ist, muss getestet werden, und zwar unter fachkundiger Leitung. Im schlimmsten Fall nehmt Ihr Euer Medikament weiter. Bestenfalls seid Ihr unabdingbar für das Sternenreich. Ich biete Euch an, kommt mit mir zum Myrathon-Hel-Tempel nach *Gorasan*. Diese Stadt liegt auf dem Planeten *Ereometua* im *Golgal-System*. Ich schätze, binnen eines halben Lichtzyklus wissen wir, welcher Odem Hellons in Euch ruht.«

»Langsam, langsam«, stieß Chyra hervor. »Ich muss bis Ende des nächsten Monats auf *Myrthon* bleiben, um dort meinen Ehevertrag mit Serpon zu beenden. Danach möchte ich in der Nähe des Manns auf *Paluran* leben, den ich liebe. Schon einmal haben wir uns aus den Augen verloren, weil bei ihm ein Geheimprojekt dazwischenkam. Ich werde nichts dergleichen tun, um der Gefahr zu entgehen, ihn vielleicht erneut zu verlieren.«

»Ich habe damit kein Problem«, erwiderte Myrathor Peran. »Behaltet es aber im Hinterkopf. Der Myrth weiß mit Sicherheit bald Bescheid, denn alle Gespräche im Palast werden aufgezeichnet. Was er dann entscheidet, steht auf einem anderen Blatt.« Bevor Chyra etwas darauf sagen konnte, fuhr er fort: »Erzählt mir bitte noch einmal von Eurem Traum. Diesmal jedoch mit allen Details. Vielleicht kann ich herausfinden, wie stark Eure Fähigkeit ist.«

Sie ergab sich in ihr Schicksal, musste sowieso mit dem Priester zusammen hier ausharren, bis der Myrth mit Araya kam. Also fing sie an, detailgetreu zu berichten.

Myrathor Peran stellte ab und zu Fragen, ansonsten lauschte er gebannt ihren Worten.

Kaum war sie am Ende angekommen, da tönte die Stimme der Palast-KI durch den Raum. »Achtung! Bitte bleibt sitzen. Bewegt Euch nicht. Euer Transfer zum Thronsaal wird vorbereitet.«

Chyra hörte über sich Geräusche. Als sie zur Decke blickte, sah sie, dass zwei Öffnungen darin entstanden waren, aus denen sich jeweils eine metallisch glänzende Haube schob. Langsam sanken sie nach unten, vermutlich von Schwebefeldern getragen. Dann berührte sie etwas am Haar und stülpte sich über ihren Kopf. Sogleich verschwand ihre Umgebung.

Unvermittelt befand sie sich in einem großen Raum, an dessen einem Ende ein goldener Thron stand, in dem schwarzglitzernde Runen eingraviert waren. Die Wand dahinter versank im Schatten, genau wie die Seitenwände und die Rückwand, die nur wenige Schritte von ihnen entfernt waren. Die Plattform, die den Thron trug, die an drei Seiten nach unten führenden Stufen sowie der Boden des Saals sahen aus, als wären sie mit schwarzen Kristallen übersät. Überall glitzerte und glimmerte es.

Der Priester und sie saßen nebeneinander auf Kontursesseln. Er räusperte sich. »Falls Ihr Euch wundert, warum der Thronsaal keine Türen besitzt, er ist rein virtuell. Mit jedem weiteren Besucher vergrößert er sich. Hier finden alle offiziellen Veranstaltungen des Sternenreichs statt. Nur den engsten Vertrauten ist es erlaubt, dem Myrth real zu begegnen. Die Gefahr eines Attentats ist einfach zu groß.«

»Aha«, gab Chyra von sich. »Irgendwie bin ich vom Erscheinungsbild des Saals enttäuscht. Ich hatte mit etwas Beeindruckenderem gerechnet.«

Myrathor Peran lächelte. »Kein Wunder«, meinte er dann. »Wir erleben hier die unterste Repräsentationsstufe. Um ehrlich zu sein, ich hasse diesen glitzernden Boden.«

»Bedeutet das, je wichtiger eine Veranstaltung im Thronsaal ist, umso besser wird er virtuell ausgestattet?«

Der Priester kam zu keiner Antwort mehr. Die Palast-KI meldete sich mit den Worten: »Achtung! Der Myrth erscheint!«

»Aufstehen«, flüsterte Myrathor Peran, während er selbst dem Rat folgte.

Doch Chyra hätte dieser Aufforderung nicht bedurft. Jeder Angehörige des Adels wurde von seinem Haus auf eine Begegnung mit dem Oberhaupt des Sternenreichs von Kindesbeinen an vorbereitet.

Der Myrth erschien, sitzend auf dem Thron. Ein leuchtend weißes Gewand, das bis zum Hals geschlossen war, kleidete ihn. In der rechten Hand hielt er einen schwarzen Stab und auf seiner Stirn prangte die goldene Sonnenscheibe, die von einem Reif gehalten wurde, mit der blauen Pyramide in ihrer Mitte. Auf der ersten Treppenstufe links vom Thron saß die Adoptivtochter, in ein ebensolches Gewand gehüllt.

»Begrüßt den Myrth, Verlorn IV.«, ertönte die Stimme der Palast-KI, »und Araya aus dem schattenumwobenen Haus derer von Es'orante!«

Fast gleichzeitig legten sich der Priester und Chyra die offene Handfläche der rechten Hand über die linke Brust. »Ehre für *Myrthon* und dem Myrth!«, riefen sie nahezu synchron.

»Bitte setzt Euch«, kam die Anweisung der Palast-KI, der sie sofort nachkamen.

»Ich grüße Euch ebenfalls«, schallte die Stimme von Verlorn IV. auf, sobald die Besucher saßen. »Chyra aus dem lichtdurchfluteten Haus derer von Valura und Myrathor Peran vom Myrathon-Hel-Tempel auf *Ereometua,* ich heiße Euch willkommen.« Er unterstrich diese Worte mit einer einladenden Handbewegung. »Was könnt Ihr mir von Eurer Reise im Sonnentunnel berichten, Höchst-Erleuchtete?«, fuhr er fort. »Bitte bleibt sitzen und informiert mich.«

Chyra konzentrierte sich einen Augenblick, ehe sie in eindringlichen Worten schilderte, was sie bei ihrer Tauchfahrt im Tunnel erlebt hatte. Insbesondere verwies sie auf ihre Vision vom Zusammenbruch des Tunnelsystems.

Nach dem Beenden ihres Berichts ergänzte Araya ihn um die Zeit, in der ihre Begleiterin das Bewusstsein verloren hatte.

»Myrathor Peran«, sprach der Myrth mit ernster Miene den Priester an. »Ihr könnt Euch sicher vorstellen, wie fragwürdig sich das für mich anhört. Habt Ihr bei Eurem Vorgespräch mit Chyra irgendetwas herausgefunden, was es mir erlaubt, den Wahrheitsgehalt abzuschätzen?«

»In der Tat, Verlorn IV.«, antwortete der Angesprochene. »Ich habe bei ihr den Odem Hellons feststellen können. Meiner Vermutung nach kann sie in ihren Träumen in die Zukunft sehen. Das muss ich mir allerdings noch bestätigen lassen. Dazu ist es unabdingbar, dass sie mich nach *Ereometua* begleitet.«

»Was sagt Ihr zu diesem Angebot?«, wandte sich der Myrth an Chyra.

»Dafür habe ich keine Zeit.« Sie spürte, wie Zorn in ihr hochkochte. Den Vorschlag des Priesters hatte sie schon im Vorfeld abgelehnt. Jetzt kam er erneut durch die Hintertür damit an. »Ich muss meinen Ehevertrag mit Serpon erfüllen. Der läuft Ende des nächsten Monats aus. Um ehrlich zu sein, kann ich mir keinen Vertragsbruch erlauben. Danach möchte ich nach Paluran zurück.«

»Nun«, der Myrth deutete kurz mit dem schwarzen Stab auf sie. »Ich kann den Vertrag aufheben, wenn ich der Meinung bin, das Sternenreich ist auf Eure Unterstützung angewiesen. Das ist Euch hoffentlich bewusst.«

Chyra schüttelte den Kopf.

»Ich denke darüber nach«, offenbarte er dann, »und werde Euch zu gegebener Zeit das Ergebnis wissen lassen. Vermutlich wird es nicht länger als zwei Tage dauern. Verlasst bis dahin auf keinen Fall *Myrthon*.«

»Wie Ihr wünscht!«

»Ich habe noch eine Frage zu Eurer Aussage, Chyra«, hakte der Myrth nach. »Beim letzten Bild der Nachricht aus dem Tunnelsystem wusstet Ihr nicht genau, wie lang die Sonnentunnel heruntergefahren bleiben. Weswegen sagtet Ihr, mindestens sieben Lichtzyklen?«

»Bei allen Bildern, die ich gesehen habe, war die Zeitangabe über die Siebenecke klar zu erkennen. Das letzte Bild aber zeigte nur den ersten Zahlenwert deutlich, vom zweiten war nur ein Schatten zu sehen, bevor die Vision oder der Traum abbrach. Ich vermute, die Zeitdauer, in der das Sonnentunnelsystem nicht zur Verfügung steht, könnte die sieben Lichtzyklen überschreiten. Um wie viel, das kann ich nicht sagen.«

Der Myrth räusperte sich. »Es könnten also schlimmstenfalls sechsundsiebzig Lichtzyklen sein. Ich hätte gern etwas anderes gehört. Aber es ehrt Euch, dass Ihr die Wahrheit nicht zu meinen Gunsten beugt. Damit ist dieses Treffen beendet. Ihr hört wieder von mir. Hellon und seine Licht- und Schattenfunken mögen mit Euch sein.«

Nach diesen Worten zersplitterte der Thronsaal in kleine Scherben und Chyra befand sich wieder im Besprechungsraum. Die Haube löste sich von ihrem Kopf und stieg zur Decke empor. Ehe sie sich's versah, war Myrathor Peran aufgestanden und öffnete die Tür. »Wir sehen uns sicher noch«, sagte er in ihre Richtung. Ohne auf eine Antwort zu warten, trat er in den Gang und verschwand darin. Ihr blieb nun nichts anderes übrig, als hier allein zu verharren, bis Araya kam.

Es dauerte gar nicht lang, da stand sie vor ihr. »Hier endet unsere gemeinsame Zeit«, meinte sie. »Es tut mir leid, Chyra. Ich werde nicht mit Euch in den Valurapalast kommen. Der Myrth hat unseren Plan zunichtegemacht. Ich muss ab sofort im Palast bleiben und mich um meine Schwester kümmern. Es bleibt mir nur noch übrig, Euch viel Glück bei Eurer Mission zu wünschen. Vielleicht sehen wir uns bald wieder.«

Chyra hatte sich am Anfang mit Händen und Füßen gegen die Begleitung von Araya gewehrt. Jetzt aber fühlte sie Bedauern in sich aufsteigen. Sie nickte. »Hellon und seine Inkarnationen mögen Euch gewogen sein«, brachte sie nur hervor. Dann schnürte sich ihre Kehle zu.

Araya schritt auf den Gang hinaus. Dort blieb sie noch einmal stehen. »Ach ja«, rief sie zurück. »Ich bin Euch noch eine Antwort schuldig. Ich bin kein Roboter, sondern ein Mensch in einem künstlichen Körper.« Dann verschwand sie aus Chyras Sicht.

Der Angriff beginnt

Schlachtkreuzer MASFERRAT, *Stützpunkt der Bol-mot-Ut*
28. Tag, 2. Monat, 8553. Lichtzyklus sME, 9. Stunde

Urpas

Er befand sich in der Zentrale der MASFERRAT, dem Flaggschiff der kleinen Flotte.

Es handelte sich dabei um einen Schlachtkreuzer der Hyrophor-Klasse, wie sie vor allem in den Systemflotten zu finden waren. Der Rumpf war diskusförmig, maß 320 Meter im Durchmesser und besaß eine maximale Höhe von 120 Metern. Die äußere Form glich den Kampfraumern der Squor, dem Erzfeind der Myrthonen, dem es vor etwa 5000 Lichtzyklen fast gelungen war, das Sternenreich zu besiegen. Die schlagkräftigeren Raumer in Pyramidenform waren der Sternenreichsflotte, der Gardeflotte des Myrths, den Flotten der Sektorwächter und den Raumakademien vorbehalten.

Pünktlich zur 9. Stunde verließ der Schlachtkreuzer den unterirdischen Hangar des Stützpunkts. Begleitet wurde er von drei schweren und acht leichten Kreuzern derselben Bauform.

Am Rand der kreisförmigen Zentrale saß Angh-Sanh im Kontursitz neben ihm. In seinen Augen sah sie noch sehr mitgenommen aus. Er bezweifelte jedoch, dass jemandem von der Besatzung ihr derzeitiger Zustand auffallen würde. Auf dem Weg hierher hatte er sie diskret gestützt, da ihm ihre Unsicherheit beim Gehen aufgefallen war. Anstatt sich von ihrer parapsychischen Verausgabung erholen zu können, musste sie ihn begleiten. Seit ihre Para-Sinne sich miteinander verbunden hatten, konnten sie sich nicht weiter als zweihundert Meter voneinander entfernen, ohne eine unermessliche Leere in sich zu spüren. Niemand wusste, was genau geschehen würde, wenn sie sich in zwei unterschiedlichen Systemen aufhielten. Aber er befürchtete, zumindest für Angh-Sanh in ihrem gegenwärtigen Zustand würde das den Tod bedeuten.

»Tarr-Mocay wissen wollen«, sagte sie leise, »wann im *Sulva-System* wir sein werden?« Obwohl sie, so wie er, eine der grauen unverwüstlichen Bordkombinationen trug, strahlte sie jene Exotik aus, die ihm so an ihr gefiel. Er bedauerte, dass sie in ihre alte Rolle schlüpfte, sobald sie nicht mehr allein waren. Auf die Frage nach dem Warum hatte ihre Antwort gelautet: »Niemand außer Euch hat es verdient, meinen wahren Namen zu kennen und zu wissen, wer ich wirklich bin.«

Er seufzte innerlich. »Die Flotte benötigt etwa sechs Stunden bis zum Portal«, erwiderte er. »Dort taucht sie in den Sonnentunnel ein und wird ihn innerhalb von sechzehn Stunden durchfliegen. Bis zum Asteroidenring und damit zur ST-Kristallmine sind es dann noch einmal fünf Stunden. Die Ankunftszeit am Zielobjekt prognostiziere ich für den morgigen Tag um die 10. Stunde herum, mit einer Toleranz von plus/minus einer Stunde.«

»Mine auf Asteroid sein?«

»Ja!«, antwortete er. »Allerdings scheint mir das Wort Mine hier irreführend zu sein. Um das zu erklären, müsste ich etwas weiter ausholen.«

Sie nickte ihm aufmunternd zu.

»ST-Kristalle entstehen durch eine natürliche Fluktuation an den Membranen von nicht oder sehr selten genutzten Portalen. Sobald sie in unser Universum eintreten, beginnen sie damit, ST-Energie abzugeben. Ihr Weg führt sie immer zum Sonnenkern. Doch bevor sie den erreichen, haben sie sich schon selbst zerstrahlt.«

Ein Blick in ihr von zartem Nebel verschleierten Gesicht zeigte ihm, sie hörte noch interessiert zu.

»Die Auftragnehmer des Hauses Valura«, führte er weiter aus, »fangen die Rohkristalle ein. Dazu legen sie Netze aus, welche die Selbstzerstrahlung verhindern. Ist eines davon gefüllt, transportieren sie es zur Mine. Während der Entleerung findet bereits die Sortierung nach Größe und Aufladung statt. Dann werden die Kristalle nachbehandelt und in spezielle Behältnisse gegeben, die zugleich einen Anschluss für unsere Geräte aufweisen.«

»Netze an Ort und Stelle bleiben? Der Gravitation und Hitze von Sonne trotzen?«

»Es sind keine herkömmlichen Netze, sondern eine Vielzahl von hochentwickelten technischen Geräten, die durch Netztrossen verbunden sind. Sie sind unempfindlich gegen die Hitze, die in der Nähe von Portalen herrscht. Zudem sind sie mit Triebwerken ausgestattet, die es ihnen erlauben, ihre Position zu halten. Dazu nutzen sie die Energie der Sonne.«

Angh-Sanh fuhr sich mit der Hand durch ihr weißes Haar, das noch weit davon entfernt war, die Fülle anzunehmen, die es vor ihrer fast tödlichen Schwäche hatte. Es bewegte sich kaum und das Rauschen, als würde ein Wind durch blättriges Geäst fahren, war kaum wahrnehmbar. Es schmerzte ihn, sie so zu sehen, schwach und angreifbar. Urpas fragte sich, ob er die Handbewegung als Zeichen deuten sollte, dass bei ihr schon Langeweile aufgekommen war.

Aber dann stellte sie ihm eine weitere Frage. »Wozu Kristalle verwenden?«

Er räusperte sich und drängte die Sorge beiseite, die er um sie hegte. »Die mit geringem ST-Energiepotenzial finden unter anderem für die Einspeisung von Kommunikationsdaten in das Sonnenwurzelwerk oder für die Dateninduktion bei GWI-Geräten Verwendung.«

»Was GWI bedeuten?«

»GWI ist die Abkürzung für Gehirnwelleninduktion.« Er sah ihr sofort an, dass ihr dieser Begriff nichts sagte. »Sie dient dazu, Wissen in das menschliche Gehirn zu induzieren.«

»Tarr-Mocay das kennen«, sie lächelte nun, während sie hoheitsvoll nickte. »Luklon Tarr-Mocay vom brennenden Schiff retten. Danach Luklon Tarr-Mocay Helm aufsetzen. Dann Tarr-Mocay viel wissen.«

»Ihr benötigt Monate, um das zu lernen, was Euch das GWI-Gerät an einem Tag beibringt. Es ist zwar sehr effektiv, kann aber auch der Gesundheit schaden, wenn die Lernfülle zu hoch für das Gehirn eingestellt ist. Bleibt man aber bei der Standardeinstellung, ist es ungefährlich.«

Er überlegte einen Augenblick, ob er das Thema vertiefen sollte. Dann entschied er sich dagegen.

»Zurück zu den ST-Kristallen«, knüpfte er ans ursprüngliche Thema an. »Die mit hohem Energiepotenzial packen wir in aufwändige und mehrfach gesicherte Behältnisse. Bei den Aufgaben, die sie zu erfüllen haben, darf es keine Ausfälle geben.

Beispielsweise speisen sie das Abstoßfeld eines Raumers innerhalb der Sonnentunnel. Ein Versagen bedeutet, Schiff und Besatzung finden sich irgendwo im Normalraum wieder, aber weit weg vom nächsten Portal. Ebenso katastrophal wäre es, wenn in einem Raumkampf die Schirmfelder zusammenbrechen oder die Strahlwaffen nicht mehr mit Energie versorgt werden. Ganz zu schweigen vom Aussetzen des Gravo-Triebwerks. Außerdem …« Bei seinen letzten Worten bemerkte er, wie ihre Augenlider langsam nach unten sanken. Daraufhin brach er ab.

Ihre Augen waren nun ganz geschlossen. Offenbar war sie von ihrer Schwäche überwältigt worden. Die Para-Energie, die er ihr überlassen hatte, war zwar ausreichend gewesen, um sie vor dem Tod zu retten, aber langfristig heilen musste sie sich selbst. Am liebsten hätte er sie geküsst, um den Energietransfer anzustoßen und sie schneller wieder auf die Beine zu bringen, obwohl er den eigenen Energieverlust bei Weitem noch nicht ausgeglichen haben konnte. Hier in der vollbesetzten Zentrale war das jedoch nicht möglich. Aufwecken wollte er sie auch nicht, um sie in ihre Kabine zu führen. Sie brauchte ganz dringend diesen Schlaf.

Vorsorglich bugsierte er ihren Kopf auf seine Schultern, bevor er nach vorn kippen konnte, und ließ sie ruhen. Das relativ harte Material der Bordkombination, das sich nur an Bewegungen, die von innen kamen, anpasste, schien ihr nichts auszumachen.

In Gedanken beschäftigte er sich mit dem bevorstehenden Überfall auf die Mine. Würde das Haus Valura auf den Angriff vorbereitet sein und mit einer verstärkten Wachflotte auf sie warten?

Ein Horror-Szenario tauchte vor dem geistigen Auge auf, in dem ihre Flotte mit der seines Vaters einen Raumkampf austrug. Dabei explodierte das Flaggschiff, auf dem Serpon weilte. Er hoffte nur, das geträumte Gefecht würde nicht zur Realität werden. Zusammen mit den Verlusten, mit denen er die Nord-Werft belastet hatte, als er die fünfzig leichten Kreuzer entführen ließ, würde dessen Ableben sicher den Ruin für das Haus Valura bedeuten. Er überlegte hin und her, wie er eine derartige Situation vermeiden konnte. Aber er kam zu keinem Ergebnis. Die Zeit raste dahin.

Viel schneller, als erwartet, nahm das Portal die ganze Fläche des Holoschirms ein. Eine Warnung für die Besatzung ertönte, dann glitt die MASFERRAT als erstes Schiff der Flotte durch die Membran und tauchte in den Sonnentunnel ein.

Urpas sah auf die Zeitanzeige. Es war der 29. Tag, die 4. Stunde und die 48. Minute. Er seufzte. Die kurze Ruhezeit von sechs Stunden, die an Bord üblich war, behagte ihm gar nicht. Nachdem sie beide die so genannte Nacht in ihren jeweiligen Kabinen verbracht hatten, saß er wieder neben Angh-Sanh auf einem Kontursitz am Rand der Zentrale. Sie schien ebenfalls noch nicht richtig wach zu sein, denn eine Unterhaltung zwischen ihnen kam nicht in Gang.

Der Holoschirm bildete nach wie vor die Umrisse des Sonnentunnels und der darin liegenden Ebenen als Grafik mit schwarzen Flächen und weißgrau verlaufenden Abgrenzungen ab.

Etwa zwölf Minuten noch bis zum Portal im *Sulva-System*. Von den anderen Raumern der Flotte war nichts zu sehen. Jeder von ihnen befand sich auf einem eigenen Existenzniveau innerhalb dieser Tunnelebene. Was bedingte, dass keinerlei Kommunikation zwischen den Schiffen möglich war.

Momentan fühlte er sich etwas missgestimmt. Angh-Sanh hatte sich seinem gutgemeinten Vorschlag verweigert, Energie von ihm anzunehmen. Der Schlaf hatte ihr zwar gutgetan und Urpas musste sie nicht mehr beim Gehen stützen. Doch sonst gab es kaum Fortschritte. Es würden wohl Wochen vergehen, bis sie sich wieder ihrer alten Form annäherte. So zumindest lautete die Diagnose von Erosaar, dem Mediker, der ihm den guten Rat gegeben hatte, Angh-Sanh einfach sterben zu lassen, als es ihr schlecht ging. Vielleicht sollte er dessen Aussage nicht zu sehr vertrauen.

Er wurde abgelenkt. Das Schott öffnete sich und Parasol kam herein. Als er sie beide auf den Gästeplätzen bemerkte, unterbrach er seinen Weg, der ihn unweigerlich zum Kontursessel des Kommandanten geführt hätte, und kam auf sie zu.

»Wie geht es Euch, Tarr-Mocay?«, fragte er sie nach einer allgemeinen Begrüßung. »Ich habe gehört, Ihr seid dem Tod um Haaresbreite entkommen.«

»Urpas Tarr-Mocay retten«, erwiderte sie. »Tarr-Mocay es besser gehen.« Ein warmer Blick aus ihren Augen streifte ihren Para-Sinn-Partner. Er spürte, wie sich seine Stimmung abrupt hob.

»Schont Euch«, riet ihr Parasol. »Ich möcht bald wieder auf eine komplett gesunde Tarr-Mocay zurückgreifen können.« Er wandte sich Urpas zu. »In wenigen Minuten wissen wir, was uns erwartet.« Dann senkte er die Stimme, sodass nur seine beiden Gesprächspartner die Worte hören konnten: »Wir werden die Explosion auf Orvals Raumer erst sehr spät auslösen. Sein Schlachtschiff ist beeindruckend. Es wird uns helfen, unsere Forderung an ST-Kristallen beim Haus Valura durchzusetzen.« Er kniff sein linkes Auge verschwörerisch zu, dann setzte er den Weg fort. Gleich darauf nahm er neben Pielnor, dem Kommandanten der MASFERRAT, Platz und sprach mit ihm.

Angh-Sanh sah Urpas mit finsterer Miene an. »Was Urpas Tarr-Mocay verheimlicht haben?«

Sie war eindeutig erzürnt und erst jetzt wurde ihm bewusst, er hatte sie nicht über das geplante Attentat auf Orval unterrichtet. Im Geiste sah er schon drei Nadeln aus ihren Ärmeln schießen, die sich vor seinem Gesicht positionierten, um auf neue Anweisungen zu warten. Das letzte Mal waren zwei davon durch seine Hände gedrungen und hatten sie an die Armlehnen eines Kontursessels genagelt. Er wischte die wenig erbaulichen Gedanken beiseite. Damals war er ihr Gefangener gewesen. Ihre Para-Sinne waren nun verbunden. Außerdem war sie momentan viel zu schwach, um derartige Dinge zu vollführen.

Flüsternd erzählte er ihr von dem Gespräch mit Parasol, als der ihn auf der Krankenstation besucht hatte. »Ich habe mit dem technischen Leiter gesprochen«, sagte er anschließend, »dessen Leute die Wartungsarbeiten auf den Raumschiffen des Stützpunkts durchführen. Für den Fall, es gibt einen Raumkampf und eines der Schiffe wird so sehr zerstört, dass es unweigerlich dem Feind in die Hände fällt, haben seine Techniker heimlich in jedem Raumer Sprengladungen angebracht. Sie werden im Bedarfsfall von der MASFERRAT aus gezündet. Damit schützen wir die Positionsdaten unserer Basis, die sonst dem Feind in die Hände fallen würden.«

Ihr Blick war immer noch nicht gerade als milde zu bezeichnen. Urpas versuchte, ihn zu ignorieren.

»Für das Schlachtschiff mussten wir eine zusätzliche Aktion planen, weil Orval es vom Stützpunkt fernhielt. Die Techniker wurden mit einem Beiboot an Bord gebracht. Das geschah unter dem Vorwand, ST-Kristalle von Waffen und Antrieb zu tauschen. Nach erledigter Arbeit kann das Schiff nun jederzeit per Fernzündung zur Explosion gebracht werden. Ein Techniker bekam von mir einen Spezialbefehl. Er hat das mit einem Steuersitz ausgerüstete Geschütz, mit dem Orval auf unterlegene Feinde zu schießen pflegt, mit einem Betätigungszünder ausgerüstet.«

Angh-Sanh hörte nicht auf, ihn mit ihrem Blick zu fixieren. In seinem Kopf vibrierte etwas knapp unterhalb der Schmerzgrenze. Ein Schauder jagte ihm den Rücken hinunter, als er begriff, wie ernst es ihr war. Sie ließ ihn ihre Kraft spüren, obwohl sie so ausgezehrt war.

»Urpas mit Tarr-Mocay verbunden sein.« Ein leiser Hauch wehte ihr durchs Haar, für Urpas trotz der schlechten Stimmung ein positives Ereignis, wies es doch auf ihre fortschreitende Erholung hin. »Tarr-Mocay Urpas vertrauen. Urpas das nicht verlieren wollen. Urpas nichts mehr vor Tarr-Mocay verheimlichen. Gar nichts mehr!« Der letzte Satz kam überaus barsch über ihre schönen Lippen.

Er nickte. Als er nach Worten suchte, um sich zu entschuldigen, ertönte die Stimme der Bord-KI. »Achtung! Das Auftauchen durch das Portal im *Sulva-System* findet in genau einer Minute statt.« Danach zählte sie laut die einzelnen Sekunden herunter. Bei der Zahl null durchstießen sie die Membran.

Beim Eintauchen in dem Tunnel war absolut keine Veränderung des eigenen Wohlbefindens zu bemerken gewesen. Doch der Austritt schlug spürbar auf Geist und Körper. Kopfschmerzen und eine leichte Übelkeit war Standard. Das galt auch für Raumfahrer, die ständig zwischen den Systemen pendelten.

Die Mediker vermuteten, das lag an dem Stoß, mit dem ein Schiff vom Portal durch das Raumzeitgefüge in das Systeminnere geschleudert wurde. Auch Urpas kämpfte mit den Nebenwirkungen. Er wusste, sie würden nicht lang anhalten.

Das Gesicht von Angh-Sanh war bleich. Sie schluckte mehrmals krampfhaft. Sie schien wesentlich mehr unter dem Tunnelaustritt zu leiden als er.

»Position der MASFERRAT Grün 33,754° / PE +5,213° / 5.513.441 km vom Mittelpunkt der Sonne entfernt«, kam die Durchsage der Bord-KI. »Alle Raumschiffe der Flotte sind im System angekommen. Automatische Flottenzusammenführung ist aktiviert. Geschätzte Zeit bis zum Abschluss 9 Minuten, 37 Sekunden.«

Urpas stieß erleichtert die Luft aus. In seinen Gedanken sah er jedes Mal Zusammenstöße voraus, wenn mehrere Raumer nahezu gleichzeitig aus dem Portal geschleudert wurden. Das war zwar noch nie vorgekommen, seit es Aufzeichnungen darüber gab, trotzdem konnte er seine Befürchtung nicht abstellen. Vielleicht lag es daran, dass er ein Gespräch seines Vaters mit einem Kommandanten der Systemflotte aufgeschnappt hatte. Demnach schien das Tunnelsystem in den letzten Lichtzyklen nicht mehr optimal zu funktionieren.

Die Zeit, die sie auf den Zusammenschluss der Flotte warten mussten, nutzte der Ortungsoffizier, um das Systeminnere diesseits der Sonne zu scannen. »Außer fünf Frachtschiffen kann ich nichts erkennen«, gab er bekannt. »In diesem Teil des *Sulva-Systems* gibt es keine Kampfschiffe. Auch von Orvals Schiff ist keine Spur zu finden.«

Seine Meldung wurde von den anderen Raumern bestätigt.

»Der KASYS-Kommandeur«, sagte Parasol mit lauter Stimme, »scheint sich zu verspäten.« Offenbar sprach er von Orval.

Urpas wusste aus seiner Zeit in der Raumakademie Toronak, was dieser Rang in der *Myrthonischen Flotte* bedeutete. Der Inhaber durfte ein gemischtes Geschwader einer Systemflotte befehligen. Es setzte sich aus achtzig Diskus-Raumschiffen zusammen. Dazu zählten drei Schlachtschiffe, sechs Schlachtkreuzer und jede Menge kleinerer Raumer, angefangen vom schweren Kreuzer bis zur Korvette. Den Abschluss bildeten zwei Trägerschiffe für vier Jägerverbände sowie ein Werkstattschiff.

»Nachdem das System aber bar jeglicher Verteidiger ist«, entschied Parasol, »werden wir nicht auf ihn warten.« Er wandte sich Urpas und Tarr-Mocay zu. Ein triumphierendes Lächeln überzog sein Gesicht.

»Was habe ich Euch gesagt!«, rief er in ihre Richtung. »Der Adel reagiert zu langsam. Wo sind nun die Raumer Eures Vaters?«

»Dass Ihr sie nicht seht«, gab Urpas in gleicher Lautstärke zurück, »heißt nicht, dass sie nicht da sind!«

Parasol glaubte ihm offenbar nicht. Kopfschüttelnd winkte er ab und gab den Befehl, den Asteroiden mit der ST-Kristallmine anzusteuern.

Zwei Stunden später hatten sie die halbe Entfernung überwunden. Angh-Sanh ging es schon besser. Ab und zu wechselte sie ein paar Worte mit Urpas. Sie hatte Fragen zum *Sulva-System,* die er selbst nicht beantworten konnte und seinen ArmKomm zur Hilfe nehmen musste.

Da meldete sich Chelldak, der Ortungsoffizier. »Ein Raumschiff ist soeben aus einem Sonnentunnel aufgetaucht.«

Spürbare Nervosität machte sich in der Zentrale breit. Auch an Urpas nagte die Ungewissheit. War es feindlich gesinnt, konnte selbst ein einziges Schiff Probleme verursachen?

»Wie groß? Welcher Typ?«, rief Pielnor, der Kommandant.

»Es handelt sich um einen Diskusraumer. Er durchmisst 440 Meter und ist an der dicksten Stelle 165 Meter hoch. Ich vermute, es ist ein Schlachtschiff der Dauzenk-Klasse.«

»Das ist Orvals Raumschiff«, schaltete sich Parasol ein. »Er ist doch noch gekommen.« Kurz überlegte er. »So, wie sich mir die Lage darstellt, benötigen wir ihn zwar nicht. Aber wenn er schon einmal da ist, werden wir seine Unterstützung nicht ablehnen. Belwar, senkt die Geschwindigkeit, damit er aufholen kann!«

Der Pilot bestätigte den Befehl und gab die genauen Daten an die Flotte weiter.

Wenig später meldete der Ortungsoffizier: »Vom unbekannten Raumer wurde uns eine Erkennungs-ID gesendet. Es ist die TZORPEK, Orvals Schlachtschiff.«

Diese Nachricht wurde von der Mannschaft in der Zentrale mit Erleichterung aufgenommen. Urpas konnte sich dem Gefühl nicht anschließen. Dem KASYS-Kommandeur traute er nicht über den Weg, seit Angh-Sanh seinen Geist aus dem Körper gerissen und in eine Traumwelt transportiert hatte, um ihm dort die Positionsdaten des Stützpunkts zu entreißen.

Bereits in der folgenden Nacht mussten sie einen Angriff von Mannschaftsmitgliedern seines Raumers abwehren. Dabei war Urpas verletzt worden. Und er zweifelte keinen Augenblick daran, dass Orvals Rachsucht bei Weitem nicht gestillt war.

Das Ultimatum

Valurapalast, Myrthon, Mathuma-System
28. Tag, 2. Monat, 8553. Lichtzyklus sME, 9. Stunde, 08. Minute

Chyra

»Araya«, flüsterte sie sinnend vor sich hin, während sie von einer inneren Unruhe getrieben durch ihre Räumlichkeiten im Palast schritt. Die Frage, die sie auf dem Weg nach *Myrthon* an ihre Begleiterin gestellt hatte, war nun beantwortet. Es handelte sich also um ein menschliches Wesen in einem künstlichen Körper. Doch ihr war noch nicht klar, wie sie Antors ehemalige Robothaushälterin einordnen sollte. War sie nun eine Nebenbuhlerin oder eher nicht. Laut Farsa[39] wurden auf *Sard* weibliche Roboter hergestellt, deren erotische Ausstrahlung jener einer Myrthonin in nichts nachstanden. Aber egal, wie auch die Antwort darauf ausfallen mochte, Tatsache war, sie würde Arayas Anwesenheit inzwischen begrüßen. Doch leider befand die sich im Regierungspalast, um sich auf Anweisung des Myrths um ihre Schwester zu kümmern. *Seltsam*, dachte sie. *An Bord der Ovasa scheine ich mich an Araya gewöhnt zu haben.* Und nun, nachdem sie nicht mehr in ihrer Nähe weilte, spürte sie einen Anflug von Einsamkeit. Aber auch aus einem anderen Grund hätte sie ihre Unterstützung dringend benötigt.

Serpon würde bald vom *Sulva-System* zurückkehren, wenn nicht heute, dann morgen oder übermorgen. Der Gedanke an ihren Ehemann machte ihr Sorgen. Am liebsten wäre sie sofort wieder aufgebrochen, um ihren Vater aufzusuchen.

Doch eine Anfrage im Chin-Tossan-Palast hatte ergeben, er war nicht da, sein Aufenthaltsort nicht bekannt. Auch über ihren ArmKomm konnte sie ihn nicht erreichen. Vielleicht war es ihm gelungen, erneut eine Besuchszeit bei Serane zu ergattern? Chyras Mutter befand sich schon seit langer Zeit in den Fängen der *Bol-mot-Ut*. Die Organisation erpresste mit ihr den Vater. Und wenn ihr Linayis[40], ihre Assistentin, dies nicht verbotener-

[39] Siehe Buch 1, Kapitel III, *Das Gift des Attentäters*.

[40] Siehe Buch 1, Kapitel V, *Gefangen*

weise verraten hätte, wäre sie weiterhin davon ausgegangen, ihre Mam hätte schon vor vielen Lichtzyklen in einem explodierenden Raumschiff das Leben verloren.

Wo konnte sie denn sonst noch hin? Die Räumlichkeiten waren ihr zu eng und sie hatte das Gefühl, die Decke würde ihr auf den Kopf fallen.

Bei ihrer Arbeitsstelle in der *Myrthonischen Verwaltung* kam man im Augenblick ohne sie aus. Erst zwölf Tage nach der Überprüfung der *Raumakademie Paluran* rechnete sie mit einem detaillierten Ergebnis. Es wurde von anderen Abteilungen aus ihren Unterlagen erstellt. Dabei sollte der Endstand nicht sehr weit vom bereits kommunizierten Zwischenergebnis abweichen.

Sie seufzte. Es sah also ganz danach aus, als müsse sie im Valurapalast bleiben. Doch hier konnte sie momentan ebenfalls nichts unternehmen. Für die Repräsentationsarbeit des Hauses Valura musste sie vorher mit Serpon sprechen. Er hatte sie dazu aufgefordert, ständig Rücksprache zuhalten. Nach weiterem Grübeln beschloss sie, den Palastgarten aufzusuchen. Hier hoffte sie, die Ruhe zu finden, um über ihre Lage nachzudenken.

Sie war schon fast an der Tür, als die Palast-KI einen Gast ankündigte. »Feryn aus dem schattenumwobenen Haus derer von Tass'morul möchte Euch aufsuchen, Höchst-Erleuchtete.«

Der Besucher war Serpons Sicherheitschef. Er wirkte auf sie so undurchsichtig, als würde er im Geheimen seine eigenen Knoten knüpfen. Doch ihrem Ehemann gegenüber schien er loyal zu sein. Er wurde niemals laut, trotzdem wurde er wegen seiner prägnanten Stimme gut verstanden. Sie fühlte sich zwar in Feryns Nähe nicht besonders wohl, aber im Augenblick war ihr jede Ablenkung recht.

»Lass ihn ein!«, befahl sie der Palast-KI.

Kaum hatte sie das gesagt, glitt die Tür auf.

Der Chef der Sicherheit trat ein. Er trug die typische schwarze Uniform. Das silberweiße Haar fiel ihm bis auf die Schultern. Er neigte kurz den Kopf. »Ich grüße Euch, Höchst-Erleuchtete. Ihr wart geraume Zeit nicht im Palast?«

»Ihr werdet mich doch nicht vermisst haben«, entgegnete sie mit einem spöttischen Lächeln auf den Lippen, während sie ihr weißes ärmelloses Kleid glattstrich.

Feryn verzog keine Miene in dem von Narben überzogenen Gesicht. Lediglich die tief in den Höhlen liegenden Augen kniff er etwas zusammen, so als wisse er nicht, wie er ihre Worte interpretieren solle.

»Ich war für die *Myrthonische Verwaltung* tätig«, fuhr sie fort, »und hielt mich einige Tage auf *Paluran* auf. Aber wem sage ich das. Wo man mich finden kann, wisst Ihr wahrscheinlich besser als ich.«

»Es zählt zu meinen Aufgaben, immer darüber Bescheid zu wissen, wo Ihr Euch aufhaltet. Dabei lasse ich es aber bewenden. Ich spioniere Euch nicht aus.«

»Gut zu wissen«, entgegnete sie, obwohl seine Antwort nicht ausreichte, ihren Verdacht zu entkräften. Sie zupfte mit den Fingern eine Haarsträhne zurecht und wechselte das Thema. »Weshalb besucht Ihr mich? Mit Sicherheit seid Ihr nicht das Begrüßungskomitee.«

»Ich würde Euch nicht stören«, erwiderte er ernst, »wenn ich nicht einen Auftrag auszuführen hätte.« Er zog ein zusammengerolltes Dokument aus seiner Uniform und überreichte es ihr. »Bitte lest dies.«

Sie nahm die Rolle entgegen und drückte auf die Öffnungsmarkierung. Das Schriftstück entrollte sich. »Erneuerung des Ehevertrags zwischen Serpon und Chyra, beide aus dem Damant Valura«, las sie vor. Natürlich war sie darauf vorbereitet. Aber nachdem ihr Ehemann nicht im Palast weilte, hatte sie sich noch ein paar Tage ohne Konfrontation erhofft. Die Hoffnung war jetzt wie eine Seifenblase zerplatzt.

»Wenn Serpon in den Palast zurückkehrt«, eröffnete er Chyra, »möchte er das Schriftstück unterschrieben von Euch auf seinem Arbeitstisch vorfinden. Das wird voraussichtlich in drei Tagen der Fall sein.«

»Und wenn ich nicht unterschreibe? Was dann?« Sie schob trotzig ihren Unterkiefer nach vorn.

»Ihr kennt Euren Ehemann. Er bekommt immer, was er will, oder er vernichtet denjenigen, der es ihm verweigert. Nehmt Euch die Zeit, über meine Worte nachzudenken.«

Chyra schritt zum Abfallvernichter und warf das Dokument hinein. Interessiert sah sie zu, wie es sich auflöste. Dann wandte sie sich an den Sicherheitschef. »Ich brauche keine Bedenkzeit. Ich habe mich längst entschieden!«

Feryn seufzte und schüttelte den Kopf. »Warum stößt Serpon immer auf Frauen, die mehr Mut aufbringen, als sie sich leisten können.« Ein weiterer Seufzer entrang sich seiner Kehle. »Ich bin zwar für klare Verhältnisse, aber ich hätte mir wirklich gewünscht, Ihr würdet Euch nicht weigern, den Vertrag zu unterschreiben.«

»Was heißt das jetzt?« Chyra ahnte bereits, das Feryn ebenfalls eine Entscheidung getroffen hatte.

Verwundert sah sie, wie er seine Strahlwaffe aus dem Holster zog und auf sie richtete. »Bitte nehmt es nicht persönlich, ich habe Euch immer als Serpons Frau respektiert. Doch ich habe meine Befehle.«

»Das kann nicht Euer Ernst sein«, japste Chyra, wobei sie nicht wusste, ob Überraschung oder Angst die Oberhand über sie gewann. »Ihr wollt doch nicht etwa auf mich schießen?«

»Nur ein ganz klein wenig«, erwiderte Feryn und betätigte den Abzug.

Noch bevor Chyra in Panik verfallen konnte, wurde es schwarz um sie.

Cormet

Der ArmKomm vibrierte. Mit einer Handbewegung schloss er das Buch, das im Holo dargestellt wurde. Das *Tao der Zweisamkeit* hatte ihn bisher enttäuscht. Cormet war auf keine einzige Stelle gestoßen, die ihm eine Entscheidungshilfe geben konnte, wie er sich in Zukunft Danora gegenüber verhalten sollte. Er schob den Gedanken beiseite. Auf den Anruf hatte er schon gewartet, denn er kam von Tesro. War der Zeitpunkt ihres Einsatzes nun gekommen und würde er bald seine Mutter in die Arme schließen können? Aufgeregt nahm er das Gespräch an.

Das Buch wurde durch den Kopf des Sicherheitsmanns ersetzt. »Feryn ist jetzt bei Chyra«, meldete der, ohne Zeit mit einer Begrüßung zu verschwenden. »Haltet Euch bereit.« Dann unterbrach er die Verbindung.

Blitzartig stand Cormet auf und eilte in seinen Schlafraum. Zuerst zog er den Kampfanzug an, den er schon auf dem Bett bereitgelegt hatte, dann die Stiefel. Die Strahlwaffe stellte er auf *Schocken*, bevor er sie in das Holster steckte. Zum Schluss befestigte er den Tarnfeldgenerator an seinem Gürtel, an dem bereits der Generator für das zweifach gestaffelte Schirmfeld hing.

Das alles war Eigentum der Flotte. Die Ausrüstung stand jedem Offizier zur Verfügung, auch wenn er sich im Heimaturlaub befand. Während eines eventuellen Überfalls einer fremden Macht sollte er es so ausgerüstet schaffen, sich zur nächsten Flottenbasis durchzuschlagen.

Cormets Urlaub zog sich allerdings schon über Jahre hinweg, da er seinen gesundheitlich angeschlagenen Vater auf der Südwerft vertreten musste.

Der ArmKomm vibrierte erneut und stellte eine Koordinate im Holo dar. Als er sie mit dem Zeigefinger berührte, wurde daraus ein Plan des Stockwerks, auf dem er sich befand. Eine grüne Linie zeigte ihm den Weg bis zum Treffpunkt an. Er aktivierte das Tarnfeld und verließ seine Räume.

Kurz darauf erreichte er das Ziel. Tesro war schon da. Er konnte ihn zwar nicht sehen, doch er erhielt eine Nachricht von ihm mit den Synchronisierungsdaten. Cormet regelte die Tarnfeldfrequenz seines Generators auf den angegebenen Wert. Kaum war die Anpassung durchgeführt, tauchte der Sicherheitsmann vor ihm auf.

»Ich sehe gerade, etwas stimmt mit Chyras Individualschwingungen nicht«, flüsterte Tesro erregt, während er mit dem Finger über das Anzeigefeld des ArmKomms strich. »Sie sind kaum noch wahrzunehmen. Ich befürchte, sie wurde geschockt. Wir müssen uns beeilen. Ihr Wohnbereich liegt hinter der nächsten Ecke.«

Zügig ging sein Begleiter in die angegebene Richtung. Cormet folgte ihm. Er wusste, eine schnellere Gangart verbot sich von selbst, da sonst die Tarnfelder schwer wahrnehmbare Wischer auf den Aufnahmen der Überwachungskameras hinterließen. Das Dilemma war nicht ganz so ausgeprägt wie bei Tarnkleidung, dafür konnte die nicht geortet werden. Wer sich jedoch mit der Materie auskannte, würde die Störung, egal in welcher Intensität sie auftauchte, richtig interpretieren.

Am Ende des Gangs blieb Tesro stehen und sah um die Ecke in den Quergang hinein. »Verdammt!«, fluchte er leise. »Feryn hat einen Universalroboter bei sich. Der ist durchaus in der Lage, unsere Tarnfelder zu orten.«

Cormet spähte kurz an seinen Begleiter vorbei. Dabei sah er gerade noch, wie der Roboter mit einem vor sich projizierten Schwebefeld im Wohnbereich Chyras verschwand. Er sah aus wie eine schwebende Metallkugel mit einem Durchmesser von knapp einem Meter. Sie war von gelblich blinkenden Lichtern überzogen. »Hm«, meinte er leise. »Diesen Robotertyp kenne ich nicht so genau, weiß aber noch, sein Ortungsgerät ist nicht sehr leistungsfähig. Das ist bei einem Roboter auch sinnvoll, der vor allem im Palast eingesetzt wird. Hinzu kommt, das vergrößerte Schwebefeld wirkt sich störend auf sein Ortungsvermögen aus. Zumindest gilt das für das Spektrum, in dem sich Tarnfelder befinden. Ich schätze, jenseits von vier bis fünf Metern Abstand dürften wir sicher sein.«

Tesro wandte sich zu ihm um. »Selbst wenn das stimmt, reicht das trotzdem aus, um unseren Plan empfindlich zu stören.«

»Wenn ich mich recht entsinne«, flüsterte Cormet zurück, »wollten wir sicherstellen, dass Chyra nicht spurlos verschwindet. Dabei sollten wir auch den Aufenthaltsort meiner Mutter und der von Urpas ausfindig machen. Nun befinden wir uns entweder in Phase 1 des Plans oder in Phase 2. Die erste Phase ist ein Vorgespräch zwischen Feryn und ihr. In diesem Fall würden wir uns zurückziehen und hätten später die Gelegenheit, uns auf den Universalroboter vorzubereiten. Die schwachen Individualschwingungen von Chyra deuten aber bereits auf Phase 2 hin. Damit meine ich die Entführung selbst. Das bedeutet, wir folgen Eurem Chef und dem Roboter und erkunden, wo die Gefangenen versteckt sind. Wenn wir dabei sicheren Abstand zu Feryn halten, ist unser Plan nicht gefährdet.«

»Ich wollte, es wäre so einfach«, erwiderte Tesro leise. »Aber ich habe ein ganz komisches Gefühl bei der Sache. Und das hat mich noch nie getrogen. Wir werden auf Schwierigkeiten stoßen, da könnt Ihr Euch sicher sein.« Er schwieg einen Augenblick, um danach fortzufahren. »Habt Ihr auch bedacht, dass dieser

Roboter über ein ausgezeichnetes Gehör verfügt? Die Schritte Eurer Stiefel auf dem harten Kunststoffboden wird er nicht überhören können, schließlich tragen wir keine Spezialschirme mit akustischer Dämpfung, wie sie beim myrthonischen Geheimdienst eingesetzt werden.«

Cormet setzte zu einer Entgegnung an, aber sein Begleiter hob die Hand. »Still jetzt«, flüsterte er. »Gerade öffnet sich die Tür.«

Schnell aktivierte er die Schrittdämpfung an den Kampfstiefeln. Damit waren seine Schritte auf dem ohnehin dämpfenden Bodenbelag zwar kaum zu hören, dafür setzte das Dämpfungsfeld die Rutschfestigkeit seiner Sohlen außer Kraft. Tesro schob sich um die Ecke. Noch ehe er aus seinem Blickfeld verschwinden konnte, folgte Cormet ihm.

In geschätzten acht Metern Entfernung schwebte der Kugelroboter neben der Tür zu Chyras Wohnräumen. Vor ihm befand sich in seinem Schwebefeld ein in eine Decke gehüllter länglicher Gegenstand. Den Konturen nach handelte es sich um einen Menschen, also um die bewusstlose Chyra.

Eben trat Feryn heraus. Er sah sich um und ging dann mit dem Roboter im Geleit in die andere Richtung, Serpons Wohnräumen entgegen. Hier endete der Gang. Wollte der Chef der Sicherheit die Gefangene dort verbergen? Feryn blieb unvermittelt stehen, drehte sich der Wand zu und begann, verschiedene Stellen des Wandbelags abzutasten. Der Roboter stoppte ebenfalls seinen Schwebeflug. Wenige Atemzüge später öffnete sich eine geheime Tür und legte eine Nische frei. Sie war etwa eineinhalb Meter tief, ebenso breit und halbrund ausgeformt.

Cormet sah, wie Feryn eintrat, doch was er da drinnen genau tat, konnte er nicht beobachten. Die Aktivitäten wurden von dem Robotkörper verdeckt. Dann war die Nische leer. Der Kugelroboter brachte das menschliche Paket in die Vertikale und schwebte hinein. Etwas Transparentes schien ihn zu umhüllen.

»Ein Transportschirm«, flüsterte Cormet erschrocken und lief los, während der Roboter mit seiner Last verschwand. »Das ist ein ST-Fädler«, rief er Tesro zu. »Verdammt!«, kam als Antwort.

Das Dämpfungsfeld unter den Sohlen gab Cormet nicht den Halt auf dem Boden, den er gewohnt war. Es blieb keine Zeit, sich zu bücken und es zu deaktivieren. Deswegen näherte er sich der Nische nicht so schnell, wie er es erhofft hatte. Und doch waren es lediglich acht Meter, die er überwinden musste. Nach der Hälfte der Strecke sah er, wie die Tür anfing, die Öffnung zu verschließen, in der die Verfolgten verschwunden waren. Konnte er es noch schaffen? Bei jedem Schritt verdeckte sie die Nische weiter.

Seine einzige Chance bestand darin, mit einem Hechtsprung zu versuchen, seine Hand in den kleiner werdenden Spalt zu bringen. Er wollte nicht daran denken, dass es vielleicht keine Sicherung gab, welche die Tür bei Kontakt mit einem fremden Gegenstand zurückfuhr. Er hechtete vorwärts und schlug auf dem Boden auf, die Finger nur Millimeter vom Türspalt entfernt. Er rutschte zwar noch etwas weiter, aber da war der Spalt bereits verschwunden.

Tesro raste an ihm vorbei und rammte mit der Schulter gegen die Tür. Die Aktion zeigte kein Ergebnis. Auch alle anderen Versuche, ob mit Gewalt, Technik oder durch Abtasten der umgebenden Wand, scheiterten. Cormet musste sich eingestehen, die Mission war gründlich gescheitert.

Missmutig meldete sich Tesro zu Wort. »Es bleibt uns jetzt nur noch übrig, auf die Rückkehr von Feryn zu warten.«

Doch sie warteten vergebens. Auch nach acht Stunden blieb die Tür geschlossen. Schweren Herzens beschlossen sie, ihr Unternehmen abzubrechen.

Im Visier des Verräters

Schlachtkreuzer MASFERRAT, Sulva-System
29. Tag, 2. Monat, 8553. Lichtzyklus sME, 9. Stunde, 28. Minute

Urpas

Ihm schien es, als würde Parasol immer nervöser werden. Dessen Finger hämmerten ungeduldig auf die Ablage neben der Konsole. Dann hielt es ihn nicht länger. Er sprang vom Kontursitz auf und schritt unruhig durch die Zentrale. Natürlich gab es einen Grund für sein Verhalten. Obwohl die Flotte nur noch zwanzig Minuten von der ST-Kristallmine entfernt war, antwortete die TZORPEK nicht auf Anfragen.

»Warum, bei Myrathon-Hels Schmerzenspfuhl«, rätselte der Stützpunktleiter, »schweigt Orval sich aus, anstatt uns zu antworten? Da stimmt doch etwas nicht.«

Pielnor goss Öl ins Feuer. »Das Schlachtschiff hat bisher auch noch nicht zu uns aufgeschlossen, sondern hält einen gleichbleibenden Abstand zur Flotte. So handelt kein verbündetes Schiff.«

Abrupt blieb Parasol stehen, als wäre er gegen eine Wand gelaufen. »Die TZORPEK wird sofort als feindliches Raumschiff eingestuft«, gab er vernehmlich bekannt. Er wandte sich an den Waffenoffizier. »Telzor, ich ordne höchste Alarmbereitschaft an. Fahrt die Waffen- und Schirmfeldgeneratoren hoch und bringt sie in den Status Leerlauf.«

»Zu Befehl, Höchst-Erleuchteter!«

Drei Minuten später gellte der Alarm durch die Raumschiffe der Flotte.

»Achtung!«, meldete sich Chelldak. »Mehrere Raumer treten aus den Ortungsschatten dreier großer Asteroiden hervor. Moment, die Daten kommen. Es handelt sich um Diskusschiffe. Ich erfasse einen Schlachtkreuzer, sechs schwere und zwölf leichte Kreuzer. Sie scheinen mit maximalem Schub zu beschleunigen. Wenn wir unsere Geschwindigkeit halten, treffen wir in etwa zehn Minuten auf sie.«

»Bei Hellons Verdammnis!«, brüllte Parasol auf, beherrschte sich aber gleich wieder. »Selbst wenn die TZORPEK mit uns kämpft, hat keine Seite die Übermacht. Wir können unter diesen

Umständen die Kristallfrachter nicht entführen. Mein Entschluss steht fest, wir brechen die Mission ab.«

Der Kommandant reagierte prompt. »Belwar! Leitet sofort das Bremsmanöver für vier Minuten ein. Wir fliegen einen Bogen um 180 Grad und nehmen mit voller Beschleunigung Kurs auf das Portal, durch das wir gekommen sind.«

Der Pilot bestätigte den Befehl. Kurz darauf durchdrang das Wummern der Bremstriebwerke die Geräuschisolation.

»Die TZORPEK nimmt Verbindung zu uns auf, Höchst-Erleuchteter«, meldete Dyria, die Funkoffizierin.

»Auf den Schirm damit«, befahl Parasol.

Das Holo, das bisher den Ausschnitt des Sulva-Systems gezeigt hatte, in dessen Zentrum sich der Asteroid mit der ST-Kristallmine befand, wurde nun geteilt.

Orvals Gesicht erschien in einer breiten Spalte am rechten Rand. Seine höchst gelangweilte Miene veränderten sich jedoch, als er Angh-Sanh erblickte. Blanker Hass spiegelte sich unvermittelt in ihnen.

»Wieso schleicht Ihr hinter uns her und verweigert jede Kontaktaufnahme?«, fuhr ihn Parasol entrüstet an.

Orvals Gesicht nahm wieder den gewohnt überlegenen Ausdruck an. »Ich sehe, die Flotte bremst mit voller Kraft ab. Wollt Ihr etwa in das Portal entschwinden, bevor die Schiffe der Verteidiger Euch erreichen? Was ist mit Eurem wohl ausgetüftelten Plan?« Seine Stimme troff vor Zynismus. »Keine Angst, ich sorge dafür, dass Ihr Euren Schlagabtausch mit der Verfolgerflotte bekommt.«

»Wie meint Ihr das?«, entgegnete Parasol, sichtlich misstrauisch. »Wollt Ihr uns etwa aufhalten?«

»Wie könnte ich mich gegen Euch stellen? Das ist schier undenkbar.« Ein Lächeln stahl sich auf Orvals Gesicht. »Zumindest dann, wenn Ihr mir in einer Sache entgegenkommt.«

»Welche Sache?«

»Ich will Urpas und Tarr-Mocay bei mir an Bord haben.« Seine Stimme klang so hart wie Mathumastahl.

»Verräter!«, schrie Angh-Sanh dazwischen. »Orval die Mission der *Bol-mot-Ut* kaputt machen. Orval Feigling sein! Tarr-Mocay Euch töten!«

Das Lächeln des KASYS-Kommandeurs verstärkte sich. »Die Hexe müsst ihr betäuben«, forderte er, »bevor ihr beide gefesselt in ein Beiboot steckt.«

Ein Schrei der Entrüstung drang aus ihrer Kehle.

Urpas griff nach ihrer Hand. »Beruhigt Euch, lasst ihn nicht über Euch triumphieren, indem Ihr die Fassung verliert.«

»Und wer soll das Boot steuern?«, fragte Parasol, ohne auf ihren Zwischenruf einzugehen. Es hatte den Anschein, als hätte er die Übergabe schon beschlossen.

»Der Autopilot! Ihr bekommt von mir die Anflugdaten, damit ihr wisst, in welchem Hangar das Beiboot landen soll.«

Urpas hatte geahnt, dass Orval seine persönliche Rache dem gemeinsamen Angriff auf die ST-Kristallmine vorziehen würde. Nun war es an ihm, einzugreifen. Einerseits, weil er Angh-Sanh und sich retten musste, und andererseits, weil Parasol ein wichtiges Detail übersah. Er löste die Gurte, stand auf und schritt auf den Leiter des *Bol-mot-Ut*-Stützpunkts zu, um sich an der Unterhaltung zu beteiligen.

Doch Orval machte ihm einen Strich durch die Rechnung. »Ich beende die Verbindung. Ihr habt fünfzehn Minuten Bedenkzeit.« Dann verschwand sein Antlitz vom Holoschirm.

Kaum war das geschehen, wandte sich Parasol an Pielnor. »Können wir in den Sonnentunnel eintauchen, bevor uns die feindliche Flotte erreicht? Wie ist Eure Einschätzung dazu?«

»Durch das Bremsmanöver haben wir Zeit gewonnen«, erwiderte der Kommandant. Das Wummern der Bremstriebwerke verstummte. »Unsere Schiffe fliegen nun den Bogen und beschleunigen dann wieder. Damit halten wir die Verteidigungsflotte auf Abstand. Doch um in den Sonnentunnel eintauchen zu können, müssen wir auf unter 0,003 Licht abbremsen. Das wird uns, wenn überhaupt, nur knapp vor einem Kontakt mit den Verfolgern gelingen. Die Voraussetzung dafür ist aber, dass die TZORPEK uns nicht behindert.«

»Wo befindet sie sich jetzt?«, fragte Parasol.

Chelldak meldete sich. »Sie hat unser Manöver mitgemacht und steht immer noch zwischen der Flotte und dem Portal.«

»Ich befürchte«, mutmaßte der Stützpunktleiter, »Orval wird sich querstellen, wenn wir seine Forderung nicht erfüllen.«

»Dann«, entgegnete Pielnor, »müssen wir bereit zum Kampf sein.«

Parasol lachte auf. »Mit einem Schlachtschiff im Rücken, dem ich zutraue, dass es im ungünstigsten Augenblick für uns zuschlägt? Oh nein! Das Gefecht hätten wir schnell verloren.«

»Das würde Orval nie tun«, entrüstete sich der Kommandant. »Er gehört ebenso wie wir der *Bol-mot-Ut* an.«

»Oh doch«, warf nun Urpas ein. »Genau das wird er tun. Seine persönliche Rache ist ihm wichtiger als die Organisation.«

»Ihr sägt an dem Ast, auf dem Ihr sitzt«, Parasol lachte kopfschüttelnd. »Was hindert mich daran, Euch und Tarr-Mocay an ihn auszuliefern? Ich bin noch unschlüssig, ob Ihr mir von Nutzen sein werdet. Und Eure Partnerin kann ich die nächsten Wochen als Totalausfall verbuchen.«

»Ihr glaubt doch nicht, dass Orval Euch nach der Übergabe in Frieden ziehen lasst?«

»Warum sollte er sich nicht an sein Wort halten?«

Urpas entschuldigte sich beim Kommandanten und zog den Stützpunktleiter ein paar Schritte zur Seite.

Danach aktivierte er an seiner Bordkombination den Lauschschutz. Er schloss seinen Gesprächspartner in das Abschirmfeld mit ein. »Weil er weiß«, offenbarte er dann, »dass die TZORPEK explodieren wird, wenn Ihr auf den Knopf drückt.«

»Habt Ihr ihm das verraten?«, fragte Parasol. Obwohl er sichtlich verärgert war, sprach er trotzdem mit gedrosselter Lautstärke. Offenbar misstraute er der Schutzmaßnahme.

»Nein! Aber ich habe den technischen Leiter im Hintergrund der Zentrale erkannt. Ihr wisst, wen ich meine. Es ist der Myrthone, mit dem ich mich wegen der Sprengung von lahmgeschossenen Raumern beraten habe. Auf meinen Befehl hin hat er den Sprengstoff von seinen Leuten in die Schiffe der Flotte einbauen lassen, auch in die TZORPEK. Er wäre nicht an Bord des Schlachtschiffs, wenn die Zündung über unsere Funkanlage noch funktionieren würde.«

Parasol wurde bleich. »Heißt das, Orval weiß, dass ich es auf ihn abgesehen habe?«

»Er könnte es vermuten. Den Befehl habe zwar ich gegeben. Doch Ihr habt die Besprechung anberaumt. Noch könnte er der

Meinung sein, es handelt sich um eine Sicherungsmaßnahme, um die Koordinaten des Stützpunkts geheimzuhalten. Aber es wird ihm ganz und gar nicht gefallen, dass Ihr ihn nicht informiert habt. Ich denke, er wird Euch an den Feind verraten, selbst wenn Ihr Tarr-Mocay und mich ausliefert.«

»Bei Hellons Verdammnis!« Parasol machte seiner Enttäuschung Luft. »Nun gibt es keine Möglichkeit mehr, Orval ins Jenseits zu befördern.«

»Oh doch!«, erwiderte Urpas. »Ich wollte damals nicht die ganze Besatzung mit ihm in den Tod schicken und habe meine Bedenken zu Eurem Plan geäußert. Erinnert Ihr Euch noch daran?« Zögernd nickte der Stützpunktleiter. »Deswegen habe ich von einem der Techniker das Geschütz präparieren lassen, mit dem er mit Vorliebe auf unterlegene Raumer feuert. Die Explosion wird nicht durch einen Funkimpuls ausgelöst, sondern durch die Aktivierung der Zielverfolgung. Diese Möglichkeit bleibt uns also noch. Wir müssen für ihn nur ein motivierendes Ziel bereitstellen, ohne dass wir dadurch eines unserer Schiffe gefährden. Der technische Leiter dürfte ahnungslos sein. Den Techniker habe ich darum gebeten, äußerstes Stillschweigen zu bewahren.«

»Hm«, sinnierte Parasol vor sich hin. »Tarr-Mocay und Ihr gefesselt in einem Beiboot, das auf dem Weg zur TZORPEK ist.« Er kratzte sich am Kinn. »Da überkommen mich Zweifel. Auf eine Mitarbeiterin mit einer derart ausgeprägten Para-Gabe kann ich doch nicht verzichten. Das Boot kehrt per Fernsteuerung zur MASFERRAT zurück. Was würdet Ihr tun, wenn Euch Euer Opfer im letzten Moment vor der Nase weggeschnappt wird?«

Urpas überlegte einige Sekunden. »Ich würde einen Transportstrahl aussenden, der das Beiboot trotz seines Antriebs weiter zur Schleuse der TZORPEK befördert.«

»Ja«, Parasol strich sich nachdenklich über den Kopf, »das wäre ihm tatsächlich zuzutrauen. Einen solchen Strahl haben wir auch und ich werde nicht zögern, ihn einzusetzen. Zusammen mit dem Bootsantrieb wird Orval seine sicher geglaubte Beute verlieren. Wie glaubt Ihr, wird er darauf reagieren?«

Urpas lächelte. »Der Plan ist genial! Er wird sein Geschütz aktivieren und auf das Boot schießen. So weit, so gut. Aber was bringt es uns, wenn Tarr-Mocay und ich unter dem Strahlbeschuss das Zeitliche segnen?«

»Ganz einfach«, auch Parasol lächelte, »Ihr seid nicht an Bord, nur eure Holoprojektionen. Wir bringen euch in ein gleichartiges Beiboot. Dort werden die Holos aufgezeichnet, die wir dann bei dem Beiboot, das ausgeschleust werden soll, in Endlosschleife abspielen. Damit Orval den Trick nicht durchschauen kann, schocke ich neben Tarr-Mocay auch Euch. Das jedoch mit der geringsten Intensität. Ihr dürftet nur ein Kitzeln verspüren. Also müsst ihr die Geschockten spielen, denn ich werde das veranstalten, während die Verbindung zur TZORPEK steht. Und noch etwas, eigentlich sollte das Geschütz an Orvals Schlachtschiff erst explodieren, nachdem wir Gefechtskontakt mit der Verteidigerflotte hatten, damit niemand denkt, ich wollte ihn beseitigen. Aber nachdem er uns bedroht, habe ich keine Bedenken mehr. Im Gegenteil, wir sollten das Schlachtschiff ausschalten, solange die gegnerische Flotte uns noch nicht erreicht hat.«

Alles schien nach Plan zu verlaufen. Doch zum vereinbarten Zeitpunkt kam keine Verbindung zur TZORPEK zustande. Zum Überdruss bremste die verhalten ab und verlangsamte damit auch die Schiffe der *Bol-mot-Ut*. Erst als die Valura-Flotte in unmittelbarer Nähe war und in den nächsten Minuten mit einem Angriff gerechnet werden musste, erschien der KASYS-Kommandeur auf dem Holoschirm.

Parasol unterband dessen Versuch, ihn in ein langes Gespräch zu verwickeln, indem er der Forderung sofort zustimmte. Dann zog er, wie es vereinbart war, seine Waffe und schockte zuerst Tarr-Mocay, die inzwischen neben ihm stand, und danach Urpas. Orvals Protestschrei ignorierte er geflissentlich.

Sie ließen sich zu Boden fallen. Das angekündigte Kitzeln empfand er als schmerzhaftes Reißen in den Gliedern, das ihm fast die Schweißtropfen auf die Stirn trieb. Er hoffte, Angh-Sanh würde der Schocktreffer nicht zu sehr zusetzen. Dann fühlte er sich durch ein Schwebefeld angehoben. Vermutlich wurden sie zu den Beiboot-Hangars getragen.

Als sie die Zentrale verließen, hörte er noch den Befehl des Kommandanten an die Flotte, eine Ringformation anzunehmen. Anscheinend stand die Raumschlacht gegen die Verteidigerflotte kurz bevor.

Urpas wusste nicht, ob Orval den Abtransport beobachtete. Deswegen stellte er sich weiterhin geschockt.

Schließlich wurden sie auf den Kontursitzen im Beiboot abgeladen und festgeschnallt.

»Die Aufnahmen sind fertig und übertragen«, hörte er jemand neben sich sagen.

Wenig später ertönte die Warnung der Bord-KI, dass sich die Hangarschleuse öffnen würde. Als er seine Augenlider anhob, sah er, wie das nebenliegende Boot abhob und durch die Schleuse schwebte, die gleich darauf wieder zuglitt.

Er richtete sich auf und sah zu Angh-Sanh. »Geht es Euch gut?«, fragte er besorgt. Sie nickte. Aber an ihrem angespannten Gesicht erkannte er, dass sie noch unter den Folgen des Schockstrahls litt.

Mit einem Handgriff schaltete er den Holoschirm des Beiboots ein. Dann rief er den Taktikbildschirm auf, der momentan auch in der Zentrale zu sehen sein sollte. In einer schrägen Ansicht nahm er wahr, wie das Boot mit den Holoprojektionen die Hälfte der Entfernung zur TZORPEK erreichte. Dort bremste es auf die relative Geschwindigkeit des Mutterschiffs und begann wieder zurückzufliegen. Nur wenige Sekunden behielt es den Kurs bei, dann wurde es rückwärts auf das Schlachtschiff zugezogen. Wahrscheinlich war das auf den Einsatz eines Transportstrahls zurückzuführen. Kurz darauf driftete es erneut auf das eigene Schiff zu.

Jetzt, dachte Urpas, *jetzt muss das Geschütz feuern.*

Doch er irrte sich. Stattdessen glitt die Schleuse eines Hangars der TZORPEK auf der oberen Schiffshälfte auf und eine diskusförmige Korvette schob sich daraus hervor.

»Bei den Schattenfunken!«, rief Urpas, während er erbost mit der Faust auf die Lehne des Kontursitzes schlug. »Damit könnten sie das Beiboot abfangen und unser Plan wäre hinfällig.« Ihm war bewusst, sobald Orval herausfand, dass sie ihm nur Holo-Projektionen geschickt hatten, würde er ihr Schiff angreifen. Er hatte kurz den Holoschirm aus den Augen gelassen.

Da deutete Angh-Sanh aufgeregt darauf. »Urpas ansehen«, rief sie.

Er sah gerade noch, wie die ausgeschleuste Korvette offenbar nicht das erste Mal von einem Strahl der MASFERRAT getroffen wurde und in einer Explosion verging.

»Treffer Schutzfeld vorher wegmachen«, erklärte sie.

Urpas seufzte, weil Angh-Sanh ihre seltsame Sprechweise beibehielt, obwohl sie allein waren. Andererseits musste er zugeben, es bestand die Möglichkeit, dass sie hier abgehört wurden.

So nickte er ihr freundlich zu. »Vermutlich war es noch nicht voll aufgebaut.« Einen Moment schwieg er. »Parasol erscheint mir mutiger, als ich dachte. Er fordert Orval tatsächlich heraus. Allerdings ist das Risiko ziemlich hoch, dass wir scheitern. Wird der KASYS-Kommandeur mit dem präparierten Geschütz auf das Beiboot schießen oder macht die TZORPEK vorher Kleinholz aus uns?«

Es vergingen Minuten, in denen Urpas jeden Augenblick die turmdicken Strahlbahnen des Schlachtschiffs in die Schirmfelder der MASFERRAT einschlagen sah.

Angh-Sanh fasste nach seiner Hand. Sie war eiskalt und er spürte ihr Zittern. Der Schockstrahl, so gering seine Intensität auch gewesen sein mochte, in ihrem gegenwärtigen Zustand war er pures Gift. Bevor er sich noch mehr Gedanken um sie machen konnte, beantwortete sich seine Frage von selbst.

Das Beiboot wurde von einer Strahlbahn getroffen und zerbarst. Trümmer fegten in das Schirmfeld der MASFERRAT, das Parasol vorsorglich hatte aufbauen lassen.

Gleichzeitig erschütterte eine Explosion Orvals Schiff. Trümmerstücke, Staub, Rauch und gefrierende Atemluft schossen ins All. Der Schaden schien etwa ein Viertel des Rumpfs zu betreffen. Dieses Ausmaß konnte nicht allein vom Sprengstoff hervorgerufen worden sein. Vielmehr sah es danach aus, als ob der Kristall im Strahlgeschütz innerhalb eines Moments seine gesamte ST-Energie abgegeben hätte. Zu der Theorie passte auch das Verflüchtigen der zweifach gestaffelten Schirmfelder des Schlachtschiffs. Der zugehörige Generator nutzte ebenfalls diese Energiebasis.

Zuerst schien es, als würde die Mannschaft der TZORPEK unter Schock stehen. Dann aber beschleunigte der Raumer in Richtung Sonne. Er zog eine Trümmerwolke hinter sich her.

Unvermittelt lief ein Beben durch die MASFERRAT. Es war heftig, da es sogar im Inneren des Beiboots spürbar war.

Ein Blick auf die Instrumentenkonsole zeigte Urpas, die schiffsinterne Kommunikation in ihrem Boot war abgeschaltet. Er aktivierte sie. Sofort hörte er die Warnmeldung der Bord-KI. Die Verteidigerflotte griff an. Mit einer Fingergeste verkleinerte er die Darstellung im Taktikbildschirm. Nun konnte er die angreifenden Raumer erkennen. Sie waren bis auf Schussreichweite herangekommen, bildeten die Formation eines Hohlspiegels. Die eigenen Schiffe hatten sich in einer senkrecht stehenden Ringformation aufgestellt.

Strahlbahnen standen im All. Viele davon zerplatzten an dem äußeren Schirmfeld der MASFERRAT und erschütterten sie in den Grundfesten. Aber nicht lang, denn der Ring ihrer Flotte begann sich zu bewegen, und zwar willkürlich die Richtung wechselnd. Sofort ließ das Beben etwas nach, bis die Zielautomatik des Gegners die Strahlgeschütze nachjustiert hatte. Dann sah Urpas, wie Wolken von Schredderkugeln auf die feindlichen Schiffe zuglitten. Ihnen folgten Raumtorpedos. Eine mustergültige Abwehr, wie sie auf der Raumakademie gelehrt wurde. Wenn die erste Welle die Schutzschirme angezapft und die zweite Welle diese durch die Explosionen schwer angeschlagen oder ganz zum Zusammenbruch gebracht hatte, dann würden die Strahlkanonen sprechen.

Doch die Rechnung ging nicht auf. Der Gegner reagierte schnell. Seine Flotte löste die Formation auf, teilte sich und wich jeweils seitlich zurück. So wurden nur zwei der leichten Kreuzer, die nicht mehr rechtzeitig ausweichen konnten, von den energieabsaugenden Kugeln attackiert. Einer davon wurde zudem von einem Raumtorpedo getroffen und taumelte haltlos durch den Weltraum. Alle anderen Torpedos fielen den Abwehrstrahlen zum Opfer oder konnten die Schirmfelder nur schwächen.

Dann stoben Raumjäger von beiden Flotten aus den Hangars ins All. Der Kampf der schnellen Jäger entbrannte, während die Raumer ihre Waffen zurückhielten, um nicht die eigenen Maschinen zu gefährden.

»Wunderschön seien«, hörte er Angh-Sanh murmeln.

Sie hatte recht, das Strahlgewirr, die sich nachziehenden leicht grünlich schimmernden Gravo-Pulseffekte der Triebwerke sowie die Explosionen von Raumjägern zeichneten ein überwältigendes Bild in die Schwärze des Alls.

Urpas hätte es genießen können, wenn ihm das Wissen versagt geblieben wäre, dass dabei Menschen starben und Milliarden an Myraths vernichtet wurden. *So wie bei jedem ernstzunehmenden Kampf,* dachte er. *In dieser Auseinandersetzung kann es nur eines geben: Verlierer.*

Er löste seinen Blick vom Holoschirm und sah zu Angh-Sanh. Erst jetzt wurde er sich bewusst, er hielt noch immer ihre Hand. Sie blickte ihn ebenfalls an.

Der feine Nebel, der sonst ihr Gesicht bedeckte, war durchlässig geworden. Ganz klar hoben sich ihre smaragdgrünen Augen hervor, in denen er zu versinken drohte. Schon nahm er wahr, wie sich sein Kopf anschickte, sich in ihre Richtung zu bewegen, um sie zu küssen, und wie sich ihre Lider schlossen. Doch dann hielt er inne.

Der Innenraum des Beiboots wurde überwacht. Er wollte Parasol nicht die Gefühle offenbaren, die er für Tarr-Mocay hegte. So wandte er sich wieder dem Holoschirm zu. Ihre Hand behielt er jedoch in der seinen.

»Die Lage hat sich grundsätzlich geändert«, erklärte er Angh-Sanh. »Die feindlichen Raumjäger und die unseren ziehen sich zurück. Als Nächstes werden sich die Raumer des Gegners unter wildem Strahlfeuer erneut auf uns stürzen, um uns aus der Nähe mit Schredderkugeln und Raumtorpedos zu beharken. Das wird kein Spaß. Im schlimmsten Fall werden sich beide Flotten gegenseitig vernichten.«

»Wir sterben werden?«, fragte Angh-Sanh.

Er wandte sich ihr zu und nickte. »Es tut mir leid, das sagen zu müssen, aber die Wahrscheinlichkeit dafür ist ziemlich hoch.«

Leise seufzte sie. »Ich möchte mich bei Euch bedanken«, sagte sie langsam, sie schien sich jedes Wort zu überlegen. »Seit Luklon mich aus dem brennenden Raumschiff geholt hat, bin ich mehr tot als lebendig. Mutter, Vater und alle, die ich kannte, starben durch die Hand der Piraten. Ich war plötzlich allein unter Fremden. Mein Leben galt nur der Rache und ich wurde zum Folterknecht. Doch Ihr habt mich davon befreit, Urpas, Euch sofort um mich gekümmert und mich sogar vor der Auszehrung durch Hellons Odem bewahrt. Das Eis, das mich umfing, habt Ihr durchbrochen. Ich kann mich nun für Euch entscheiden, wie es mein Para-Sinn bereits getan hat, und ich folge seinem Beispiel.« Angh-Sanh ließ seine Hand los und legte ihm ihre in den Nacken.

Dann fühlte er sich sanft zu ihr hingezogen. Er warf seine Bedenken über Bord, die ihn vorher davon abgehalten hatten, und ihre Lippen trafen sich. Für einen Moment war er überrascht, denn sie saugte ihm keine Energie ab. Es musste sie viel Willenskraft kosten, ihren Para-Sinn zu kontrollieren, damit der sich nicht an seinem bereicherte. Der Kuss jedoch war nun das, was er sich schon die ganze Zeit über von ihr gewünscht hatte, ein Zeichen ihrer Zuneigung.

Das Beiboot fing wieder an, zu beben. Es konnte nicht mehr lang dauern, bis die feindlichen Energiestrahlen in den Körper der MASFERRAT fuhren und sie zerstörten. *Jetzt,* dachte er, während ihre Zungen miteinander spielten, *wäre der richtige Zeitpunkt, von einem Hitzestrahl in alle Atome zerstäubt zu werden. Wenn er im Höhepunkt des Glücks zusammen mit Angh-Sanh starb, bedeutete das nicht ein perfektes Ende für sein Leben?*

Doch als nichts geschah, fragte er sich, ob er wirklich schon die oberste Spitze mit ihr erklommen hatte. Die Antwort lautete ganz klar nein. Das war erst der Anfang. Und er hoffte, noch viele Stunden, Tage, Monate und Lichtzyklen mit ihr zu verbringen. Doch würde das die feindliche Flotte zulassen?

Das Beben verstärkte sich. Er ignorierte es und versank erneut in dem Kuss, den Angh-Sanh schließlich beendete. Er drückte sie an sich, soweit es die Bordkombinationen zuließen.

»Tarr-Mocay alles gesagt haben«, verfiel sie wieder in ihre Art des Sprechens. »Was Urpas darüber denken?«

Er schob sie ein klein wenig von sich, damit er in ihr Antlitz blicken konnte. Bis zu dem Zeitpunkt, an dem er sie kennengelernt hatte, wäre er nicht in der Lage gewesen, den berühmten Satz zu sagen, denn keine Frau hatte ihm je etwas bedeutet.

Doch nun kam er ihm wie von selbst über die Lippen. »Ich liebe dich, Angh-Sanh. Und das, seit ich dich das erste Mal gesehen habe, und noch mehr, nachdem du mir dein Gedicht vorgetragen hast. Danke, dass du mir deine Gefühle preisgegeben hast.«

Ein Kreischen unterbrach ihn. Es hörte sich an, als wäre der Generator eines Schirmfelds überlastet worden. Die MASFERRAT schüttelte sich. Die Zeit, die ihm für seine Worte blieb, konnte knapp werden. »Ich kann nicht mehr ohne dich leben«, sagte er schnell. »Und ich werde alles tun, um dich zu beschützen und dich glücklich zu machen.« Gleichzeitig empfand er tiefes Bedauern. Er konnte dieses Versprechen nicht erfüllen, wenn das Schiff dem Beschuss nicht standhielt. Das Beben und Schütteln schienen seine Befürchtungen zu bestätigen.

Sie legte ihm den Finger auf die Lippen, um seinen Redefluss zu stoppen. »Beides Urpas schon getan hat«, sagte sie lächelnd.

Lächeln war etwas, was er noch nie an ihr gesehen hatte. Es verlieh ihrer exotischen Schönheit eine Wärme, die ihm in der Seele guttat. Es war für ihn wie ein Puzzleteil, das bisher in einem wunderschönen Bild gefehlt hatte, ohne dass es ihm aufgefallen wäre, es aber nun perfektionierte.

»Urpas und Tarr-Mocay jetzt sterben können. Alles gesagt sein, was Tarr-Mocay auf dem Herzen liegen.«

Sterben? Etwas hatte sich verändert. Waren die Erschütterungen nicht weniger geworden? Flauten sie nicht ganz ab? Warum? Nichts deutete mehr darauf hin, dass die MASFERRAT unter gegnerischem Feuer lag.

War das die Ruhe vor dem Sturm? Wieso blieb das Ende so lang aus? Er drehte sich zum Holoschirm um. Was er sah, überraschte ihn. Die feindliche Flotte zog sich zurück. Sie hatte ihre Formation aufgegeben und schien das All um sich herum nach Rettungskapseln abzusuchen.

»Sterben scheint im Moment nicht mehr die wahrscheinlichste Option zu sein«, sagte er, obwohl er es selbst kaum zu hoffen wagte. »Der Raumkampf ist meiner Ansicht nach beendet. Wir müssen in die Zentrale, um Genaueres zu erfahren.«

Angh-Sanh blies die Luft langsam aus. Vielleicht deshalb, weil die Lebensgefahr gebannt schien oder gar, weil sie es bereute, ihre Gefühle für ihn jetzt schon offenbart zu haben. Unsicher über den wahren Grund öffnete er den Ausstieg.

»Wir haben einen Waffenstillstand«, offenbarte ihnen Parasol. »Die gegnerische Flotte hat zwei leichte und einen schweren Kreuzer verloren. Uns blieb ein Totalausfall erspart. Doch vier unserer Schiffe können noch durch den Weltraum humpeln. Wir selbst müssen 283 Tote beklagen, die Verteidigerflotte mit Sicherheit ein Vielfaches davon. Der Preis war dem feindlichen Flottenkommandeur zu hoch angesichts der Tatsache, dass wir sowieso dabei sind, das *Sulva-System* zu verlassen.«

»Das klingt aber nicht nach meinem Vater. War er nicht der Kommandeur der Valura-Flotte?«, fragte Urpas.

Parasol schüttelte den Kopf. »Es war ein gewisser Feryn aus dem schattenumwobenen Haus derer von Tass'morul.«

»Das ist der Sicherheitschef unseres Palasts auf Myrthon. Was tut er hier im *Sulva-System*?«

»Nun, offenbar kann er eine Flotte führen. Er scheint vielerlei Talente zu besitzen. Momentan sammelt seine Flotte die Rettungskapseln der Schiffe ein, die zu Wracks geschossen wurden. Wir könnten nun ganz unbesorgt durch das Portal tauchen, wenn nicht die TZORPEK dazwischenstehen würde.«

»Ich dachte«, sagte Urpas überrascht, »sie ist längst im Sonnentunnel verschwunden. Ist sie noch eine Gefahr für uns?«

Parasol wiegte zweifelnd den Kopf. »Ein Schlachtschiff ist immer eine Bedrohung. Das gilt auch, wenn es sich nur noch um ein halbes Wrack handelt. Und nein, die TZORPEK hat das Portal noch lang nicht erreicht. Sie ist nicht allzu weit von uns entfernt, da wir bei der Raumschlacht unsere Geschwindigkeit beibehalten haben.«

Stunden vergingen, bis der Zugang zum Sonnentunnel in greifbarer Nähe lag. Orvals Raumschiff stand davor. Es hatte den Anschein, als wolle es auf sie warten.

Urpas betrachtete gerade das Antlitz von Angh-Sanh, die in ihrem Kontursitz friedlich zu schlummern schien.

Da erklang Dyrias Stimme. »Die TZORPEK meldet sich, Höchst-Erleuchteter.«

»Auf den Holoschirm damit«, befahl der Stützpunktleiter.

Urpas hielt die Luft vor Überraschung an, als er das Gesicht des Anrufers erkannte. Es war Orval. »Seid Ihr enttäuscht, Parasol«, ätzte er überaus spöttisch, »dass ich nicht Teil der Explosion bin, die Ihr auf meinem Schiff verursacht habt? Wenn Ihr besser recherchiert hättet, wäre Euch bekannt gewesen, dass sich mein Lieblingsgeschütz nicht nur manuell bedienen lässt. Manchmal steuere ich es von der Zentrale aus. Grämt Euch nicht. Beim nächsten Mal seid ihr vielleicht erfolgreich, falls Ihr Eure Nachlässigkeiten abstellt.«

Ehe Parasol antworten konnte, fuhr Orval im bedrohlichen Tonfall fort. »Ich werde Euer hinterhältiges Treiben nicht länger dulden. Seit gewiss, irgendwann, wenn Ihr nicht daran denkt, mache ich Euren Stützpunkt dem Erdboden gleich. Solltet Ihr, Urpas oder die Hexe in diesem Augenblick woanders weilen, werde ich Euch jagen, bis ich Euch zur Strecke gebracht habe. Das schwöre ich bei Hellon, Imonar-Hel, Myrathon-Hel und den Licht- und Schattenfunken.« Dann brach er den Kontakt ab.

»Die TZORPEK ist gerade in den Sonnentunnel eingetaucht«, meldete Chelldak einige Minuten später.

Urpas fiel eine Zentnerlast von den Schultern. Seit er Orvals Schwur gehört hatte, war in ihm die Befürchtung erwacht, dass sie einen weiteren Kampf mit dem Schlachtschiff ausfechten mussten.

Das blieb der Flotte nun erspart. Doch wie und wann er zuschlagen würde, wusste keiner von ihnen. Sie konnten sich nur darauf vorbereiten.

Parasol stand plötzlich vor ihm. »Ihr hattet recht«, sagte er ernst. »Euer Vater hat verdammt schnell reagiert. Nur durch die Vernunft des feindlichen Kommandeurs war es möglich, dass wir mit glimpflichen Verlusten davongekommen sind. Auch beim Ausweichstützpunkt seid Ihr richtig gelegen. Zum Glück habe ich schon etwas Adäquates gefunden. Der Ausbau und der Umzug werden etwa einen Monat in Anspruch nehmen. Früher dürfte Orval das Schlachtschiff auch nicht repariert haben. Wenn Ihr Euch fragt, worauf ich hinauswill, Ihr und Tarr-Mocay werdet ab sofort meine Berater.« Dann wandte er sich um und setzte sich bald darauf neben dem Kommandanten.

Wenn ein Umzug nur reichen würde. Urpas strich sich nachdenklich die langen Haare aus dem Gesicht. Er blickte mit Bedenken in die sonst so strahlend aussehende Zukunft mit Angh-Sanh. Denn im Hintergrund lauerte Orval und in seinem Inneren begann sich ein ganz übles Gefühl auszubreiten.

Nachricht für Chyra

Palast des Myrths, Talura, Myrthon, Mathuma-System
29. Tag, 2. Monat, 8553. Lichtzyklus sME, 9. Stunde, 58. Minute

Araya

Der virtuelle Konferenzraum umgab sie. Sie saß an einem rechteckigen Tisch mit weißer Oberfläche, die im Licht der Deckenbeleuchtung verhalten glänzte.

Von ihrem Adoptivvater, dem Myrth, hatte sie den Zugang zu diesem Raum erhalten. Es waren noch zwei Minuten bis zum Sitzungsbeginn. Pünktlich zur 10. Stunde tauchte seine Projektion am Tisch ihr gegenüber auf. »Araya«, meldete sie sich, »entschuldige die Umstände. Wir treffen uns am Delos-Denkmal im Palastgarten. Komm, so schnell du kannst. Nimm den Flugsitz neben dem Eingang zu deinem Wohnraum.«

Dann verschwammen die Konturen. Sie löste sich auf und mit ihr der virtuelle Konferenzraum. Sie saß wieder vor der Konsole mit dem Holoschirm in ihren Räumlichkeiten. Mit ihrem KI-Sinn wäre sie in der Lage gewesen, sowohl den realen als auch den imaginären Raum zu erkennen. Doch sie wusste aus Erfahrung, das hätte sie nur verwirrt. Vielleicht würde sie, wenn sich ihr kybernetischer Sinn und ihr menschliches Bewusstsein besser aneinander gewöhnt hatten, nicht mehr durch ein Zuviel an Informationen eingeschränkt sein. *Keine Zeit für solche Gedanken* durchfuhr es sie. *Der Myrth wartet auf mich.* Sie stand auf und schritt zum Flugsitz. Dank des KI-Sinns war sie sofort in der Lage, die Steuerung des Gefährts zu verstehen. Der Sitz mit Rücken- und Armlehnen war bequem und gab ihr Halt. Gurte vervollständigten die Sicherheit. Sie hob ab und schwebte aus dem Raum. Das Ziel, für dessen Eingabe ein normaler Myrthone sein ArmKomm benutzen musste, transferierte sie in Maschinensprache direkt in die Navigations-KI. Steuern wollte sie jedoch selbst.

Der Myrth-Palast war weitläufig. Sie dirigierte den Flugsitz durch eine Vielzahl breit angelegter Gänge. Durch ein doppelflügeliges Tor flog sie in den Palastgarten. Er war in das Gebäude integriert. Von der Decke, die sich hier in ungefähr dreißig

Metern Höhe über den Garten spannte, strahlte die Imitation eines wolkenlosen Himmels herab. Auf beiden Seiten begrenzten Prallschirme den Weg. Dahinter befanden sich Tiere und Gewächse des Planeten *Chorun* im *Pylark-System*. Gleich ob Fell, Rinde, Blattwerk oder Stängel, kristalline Pigmente durchsetzten alles. Deswegen schimmerte und glitzerte es bis in die luftigen Höhen, in der die Bäume ihre mit filigranen Blättern besetzten Äste emporschwangen. Wie blitzende Diamanten schwirrten Insekten in großen Schwärmen in den unteren Regionen umher. Von Zeit zu Zeit bekam Araya einen der scheuen Chorun-Hirsche zu sehen, dessen Gehörn aus reinstem Smaragd zu bestehen schien.

Sie hatte Dokumentationen über diesen Planeten gesehen. Es lebten Tiere dort, die ihre Oberfläche bei Gefahr in Kristalle umwandelten und damit hart wie Stein wurden. Falls sie vorher bis zur Erschöpfung gejagt worden waren, konnte es geschehen, dass sie keine Kraft mehr besaßen, die Verwandlung rückgängig zu machen. Sie starben nach wenigen Tagen und kristallisierten sich komplett aus. Innerhalb von hunderten von Lichtzyklen wurde der Kristallkörper des toten Geschöpfs zu reinstem Diamant. Solche Tierstatuen wurden zu Höchstpreisen an den Adel verkauft. Die Jagd auf dem Planeten oder der Export von Tieren war bei Todesstrafe verboten.

Wieso der Myrth diesen Gartenbereich hatte anlegen lassen, blieb ihr zunächst schleierhaft. Doch durch ihren KI-Sinn erkannte sie, die Fauna von *Chorun* wurde durch Hologramme simuliert. Die Flora hingegen war real.

Ein großer Platz lag nun vor ihr, aus dessen Mittelpunkt sich eine Statue erhob. Sie stellte eine junge Frau von unglaublicher Schönheit dar. Obwohl sie mindestens fünfzehn Meter hoch war, hatte Araya trotzdem das Gefühl, es handle sich um eine adlige Myrthonin aus Fleisch und Blut. Sowohl ihre gebräunte Haut, die nur sporadisch von einer ärmellosen weißen Kombination bedeckt war, als auch die orangegoldenen Augen und die silberweißen Haare sahen lebendig aus. Der schwarze Umhang mit dem goldenen Reichssymbol schien im Wind zu flattern.

Sie riss sich von dem Anblick los und entdeckte eine von vielen Säulen am Rande des Platzes, an deren oberen Ende bereits zwei Flugsitze angedockt waren. Araya steuerte darauf zu. Ihr Adoptivvater und ein religiöser Führer des Licht- und Schattenrats sahen ihr entgegen.

Es war Myrathor Peran, derjenige, der am 27. Tag mit Chyra zusammen dem Myrth im virtuellen Thronsaal einen Besuch abgestattet hatte.

»Darf ich Euch meine Adoptivtochter vorstellen«, eröffnete Velorn IV. das Gespräch, nachdem sie sich mit ihrem Flugsitz zu den beiden anderen gesellt hatte. Dabei deutete er mit der Handfläche auf sie.

»Ich bin Araya aus dem schattenumwobenen Haus derer von Es'orante«, gab sie förmlich bekannt, während sie den Kopf zur Begrüßung neigte. »Wir hatten bereits das Vergnügen.«

Der kahlköpfige Priester verneigte sich ebenfalls. Danach sprach er mit freundlicher, dunkler Stimme zu ihr. »Erstrahlende. Ihr seid also die Tochter von Askolar, unserem Freund aus frühen Tagen der Kindheit. Mir scheint es, als wärt Ihr menschlicher als Eure Schwester.«

»Ich hatte eine wunderbare Mentorin auf der *Raumakademie Paluran*«, erwiderte Araya. »Dass ich menschlich geworden bin, ist allein ihr Verdienst. Sie wird auch an Dabejis nicht scheitern.« Während sie das sagte, fielen ihr die violetten Augen des Priesters auf. Sollten seine Iriden nicht orangegolden gefärbt sein? Sie spürte die Macht der Tränen in ihm. Wie ihr das gelingen konnte, obwohl er ein Mensch und kein Roboter war, wusste sie nicht. Doch er wurde nicht von der Hoffnung Imonar-Hels durchpulst, die einem das Lichttränenbrot gab. Bei ihm war nur eines fühlbar: Schmerz.

»Ihr verzehrt das Brot Myrathon-Hels«, offenbarte sie ihm ihre Erkenntnis, »und seid erfüllt von der Pein, welche die Inkarnation Hellons uns allen verheißen hat.«

Dem Priester entrang sich ein Laut der Überraschung.

»Was meint Araya damit?«, fragte der Myrth mit einem lauernden Unterton. »Heißt das, Ihr habt ein Vorkommen von Lichttränen gefunden, nachdem wir schon so lang vergeblich gesucht haben?«

Myrathor Peran warf ihr einen Blick zu, der Hochachtung bedeuten konnte. Doch sein verzogener Mundwinkel wies eher darauf hin, dass er sich ärgerte, über wen auch immer. »Eure Adoptivtochter ist mir zuvorgekommen«, erklärte er und kramte aus seinem Gewand ein Fläschchen hervor, das mit einer violetten Flüssigkeit gefüllt war. Er stellte es auf das Säulenende, das als Tischplatte fungierte. »Unsere Priesterschaft hat in der Tat einen Planeten mit diesem Vorkommen gefunden. Aber die Tränen Myrathon-Hels haben ihre Tücken.«

Der Myrth nahm die kleine Flasche und hielt sie gegen das Licht des simulierten Himmels. »Die Substanz sieht bis auf die Farbe ähnlich aus«, murmelte er, »wie die, mit der wir das Brot der Lichttränen tränken. Sie scheint ebenfalls eine ölige Konsistenz zu haben.«

»Sie sieht harmlos aus«, erwiderte Myrathor Peran, »ist es aber nicht. Wir sind noch in der Testphase. Dreißig Prozent der Priester, die daran teilgenommen haben, konnten die Qualen nicht ertragen. Sie nahmen sich selbst das Leben. Und das, obwohl sie Schmerz und Pein gewohnt sind.« Er griff nach dem Fläschchen, das ihm der Myrth entgegenhielt und steckte es wieder ein. »Aber etwas Positives gibt es trotzdem zu berichten. Ich habe vor drei Lichtzyklen eine Dosis genommen. Und bis jetzt habe ich nicht das Gefühl, ich bräuchte Nachschub, so wie es bei den Tränen Imonar-Hels der Fall ist. Ich leide auch nicht an Desorientierung. Wir werden unsere Tests ausweiten. Aber ich kann heute schon die Aussage treffen, es ist nicht für die Masse geeignet, für die Ihr es benötigen würdet.«

Der Myrth nickte. »Es scheint nur für die Widerstandsfähigsten zu sein.« Er blickte einen Augenblick nach oben. »Wie ertragt Ihr den Schmerz?«, fragte er dann.

»Am Tage ohne Probleme. Man gewöhnt sich im Laufe der Jahre an ihn. Aber nachts muss ich ein starkes Schlafmittel nehmen, sonst mache ich kein Auge zu.«

»Wann hättet Ihr mir von den Tränen Myrathon-Hels erzählt?«

Der Priester lächelte. »Um ehrlich zu sein, nachdem ich Euch auf Chyra angesprochen hätte. Ich habe eine gewisse Chance gesehen, Ihr würdet dann Eure Meinung ändern. Ich möchte ihre Para-Gabe wirklich gern im Myrathon-Hel-Tempel in *Gorasan* betreuen.«

Der Myrth schüttelte lächelnd den Kopf. »Nein! Darauf lasse ich mich nicht ein. Sie wird im Palast wohnen und ihn für lange Zeit nicht verlassen, um jedwede Ablenkung zu vermeiden. Und Ihr werdet dafür sorgen, dass ihre Gabe hier voll zur Entfaltung kommt. Über die violette Flüssigkeit werden wir noch sprechen, allerdings unabhängig davon.«

Myrathor Peran verzog das Gesicht. »Wenn Ihr meint«, sagte er kühl. »Aber wir benötigen sie sofort wegen ihrer Vision im Tunnel. Wir müssen detailliert Punkt für Punkt mit ihr durchgehen, was sie dort gesehen hat, und das Ergebnis mit ihrem ersten Bericht vergleichen.«

Araya wandte sich an ihren Adoptivvater. »Was meinst du mit deiner Aussage: *Sie wird den Palast für lange Zeit nicht verlassen?* Dir ist hoffentlich bewusst …« Sie unterbrach sich und warf dem Priester einen Blick zu. »Kann ich Myrathor Peran vertrauen, dass er über alles, was hier gesprochen wird, Stillschweigen bewahrt?«

Der Myrth nickte. »Ich lege für ihn meine Hand ins Feuer.«

»Ich werde es zu vermeiden wissen«, entgegnete der Priester, »dass Ihr Eure Zuversicht mich betreffend nicht eines Tags bereut.«

»Also gut«, spann Araya ihren Faden fort. »Dir ist hoffentlich bewusst, dass Antor aus dem lichtdurchfluteten Haus derer von Gorathur und Chyra ein Paar sind.«

Der Myrth sah sie irritiert an. »Nein«, sagte er. »Das ist völlig neu für mich. Außerdem ist sie doch mit Serpon verehelicht und wohnt derzeit im Valurapalast.«

»Du hast recht. Das ist sie tatsächlich. Aber nur wegen einer Intrige seinerseits. Antor und Chyra planten bereits ein gemeinsames Leben. Da schicktest du ihn zusammen mit Vorcass auf eine Geheimmission, um unbemerkt vom Adel die *Raumakademie Paluran* aufzubauen. Innerhalb dieser Zeit trennte Serpon die beiden voneinander, indem er Chyra den Status einer geheimen Person überstülpte. Danach konnte keiner den anderen mehr erreichen oder gar finden. Die frustrierte Chyra nahm schließlich das Angebot der Ehe mit Serpon an. Ihre Bedingung, dass sie nur das Haus repräsentieren müsse und eheliche Pflichten ausgespart blieben, wurden in den Vertrag aufgenommen. Vor ein paar Tagen haben sich Chyra und Antor durch Zufall auf der *Raumakademie Paluran* getroffen und ihr gegenseitiges Versprechen erneuert. Der Ehevertrag mit Serpon läuft im nächsten Monat aus. Doch er hat ihr bereits einen neuen weitergehenden Vertrag angedroht. Da es Serpon nachgesagt wird, er setze seinen Willen mit allen Mitteln durch, hat mich Antor gebeten, Chyra zu unterstützen. Deswegen kenne ich nun auch alle Details. Also ja, hole sie so schnell wie möglich in den Palast, aber gewähre ihr einen eigenen Wohnbereich und Antor uneingeschränkten Zutritt zu ihr. Sobald der Vertrag mit Serpon abgelaufen ist, solltest du die Betreuung ihrer Gabe nach *Paluran* verlegen. Das ist mein Rat an dich.«

»Hmm«, brummte der Myrth vor sich hin. »Das kommt jetzt überraschend. Wo und wie Chyra untergebracht wird, überlege ich mir noch. Aber ich sehe ein, ihr Umzug in den Palast sollte so schnell wie möglich stattfinden.«

»Serpon traue ich nicht über den Weg«, pflichtete Myrathor Peran bei. »Dafür habe ich ihn schon zu oft in den gemeinsamen Sitzungen mit dem *Unterstützenden Rat* genossen. Aber *Paluran* kommt nicht in Frage. Euer Palast ist bereits ein Entgegenkommen unsererseits.«

»Dann sind wir uns im Prinzip einig«, erwiderte der Myrth. Er aktivierte sein ArmKomm. »Stelle eine Verbindung zum Valurapalast her«, befahl er. Araya konnte den Gesprächspartner weder wahrnehmen noch hören, was er sagte. Nur die Worte ihres Adoptivvaters drangen an ihr Ohr. »Ich erwarte, Chyra innerhalb von zwei Stunden vor mir zu sehen.«

Er lauschte einen Augenblick, danach sprach er weiter. »Ja, das ist ein Befehl der höchsten Priorität. Das Schicksal des Sternenreichs ist davon abhängig. Bei Nichtbefolgen drohen einschneidende Maßnahmen. Auch die Verbannung des Hauses Valura von *Myrthon* ist denkbar. Ja! Ich bin die nächsten Stunden erreichbar.«

»Da fahrt Ihr gewaltige Geschütze auf«, bemerkte der Priester.

Der Myrth seufzte. »Ich bin es leid, mir immer nur Entschuldigungen anhören zu müssen, warum mein Befehl gerade nicht ausgeführt werden kann. Die Aussicht auf drastische Maßnahmen erleichtert mir das Leben doch sehr.«

Damit war der Punkt Chyra auf der Tagesordnung abgehakt. So erschien es Araya zumindest.

Als Nächstes kam der Myrth auf die politische Lage zu sprechen. Er wollte die Meinung des Priesters kennen, bevor er mit diesem Thema vor dem *Unterstützenden Rat* trat.

Eine Untergrundorganisation machte von sich Reden. Sie nannte sich *Bol-mot-Ut*. Vor einigen Tagen hatte sie eine Mine überfallen, in der ST-Kristalle aufbereitet wurden. Es gab keine Todesopfer zu beklagen, doch drei vollbeladene Raumfrachter waren entführt worden. Dieser Raub bekam dadurch eine gewisse Brisanz, da es sich bei dem Minenbesitzer um Serpon handelte.

Die beiden Männer erörterten Maßnahmen, um solchen Raubzügen einen Riegel vorzuschieben. Es war ein zielgerichteter Austausch von Argumenten, die Araya jedoch an sich vorbeirauschen ließ.

Dann kam Myrathor Peran anscheinend auf sein Lieblingsthema zu sprechen, denn er war mit Eifer bei der Sache. Er beschwor den Myrth, die Religiosität im Sternenreich zu fördern. »Es sind nur noch acht Lichtzyklen, bis Myrathon-Hel erscheint«, warnte er eindringlich. »Wir müssen möglichst viele Menschen bis dahin zum Glauben bekehren, sonst werden wir vom Schattengespinst aus dem All gefegt.«

Der ArmKomm ihres Adoptivvaters ertönte. Er aktivierte die Verbindung. Araya sah, wie der Kopf eines Adligen der Kernwelten erschien, diesmal als Holo. Sein Antlitz war von Narben übersät.

»Ehre für Myrthon und dem Myrth«, meldete der sich ehrerbietig. »Mein Name ist Feryn aus dem schattenumwobenen Haus derer von Tass'morul.«

Sein Gesicht wurde kurz unscharf. Es schien zu zittern. Irgendetwas schrillte im Hintergrund. »Ich melde mich wegen Eures Befehls, Chyra innerhalb von zwei Stunden zu Euch zu bringen. Ich brauche einen Aufschub, denn ich bin momentan an Bord eines Schlachtkreuzers und stehe mitten in einer Raumschlacht im *Sulva-System*. Einheiten der *Bol-mot-Ut* sind hier eingefallen. Wir waren bis jetzt bestrebt, sie zum ST-Portal zu treiben. Aber das dauert zu lang. Da Chyra weder im Palast noch auf Myrthon auffindbar ist, muss ich sie suchen. Aber das kann ich erst, wenn ich wieder auf *Myrthon* bin.«

»Bis wann könnt Ihr sie zu mir schaffen?«

»Ich muss einen Waffenstillstand aushandeln. Da Fädler auf Raumschiffen nicht funktionieren, bleibt mir nichts anderes übrig, als zu unserer Aufbereitungsanlage zu fliegen, um in das dortige Gerät zu steigen.« Wieder bebte sein Antlitz. »In geschätzten drei Stunden könnte ich dort sein. Wann ich sie finde, ist die nächste Frage. Dazu kann ich noch keine Aussage treffen. Momentan weiß ich nicht, wo sie sich aufhält.«

»Es droht eine galaxisweite Katastrophe«, antwortete der Myrth mit scharfer Stimme. »Nur Chyra ist in der Lage, uns auf diese Situation vorzubereiten. Ich gebe Euch von jetzt an noch sechs Stunden Zeit. Solltet Ihr sie zu spät oder gar nicht finden, werde ich das Haus Valura degradieren und aus der Kernzone verbannen. Das ist mein voller Ernst.« Er deaktivierte den Arm-Komm und wandte sich an seine beiden Gesprächspartner. »Ich hoffe, dieses Gespräch hat auch den eifrigsten Verfechter verbrecherischer Absichten davon überzeugt, seine gierigen Finger von Chyra zu lassen.«

»Wir werden schon bald den Willen Hellons erfahren«, warf der Priester ein.

Araya war verwirrt. *Wie konnte ihre Begleiterin nur so schnell von der Bildfläche verschwinden?* Auch ihr KI-Sinn war für diesen Fall von einer Wahrscheinlichkeit von unter einem Prozent ausgegangen. Selbst wenn sie Chyra in den Palast begleitet hätte, bezweifelte sie doch sehr, dass sie in der Lage gewesen wäre, ihr ausreichend beizustehen. Das Eingreifen des Myrths erleichterte sie. Trotzdem würde sie sich erst dann entspannen können, sobald die Kommissarin wieder vor ihr stand. Noch war nicht gesagt, ob die Drohung ihres Adoptivvaters auch wirklich griff.

DIE ZWEITE CHANCE

Valurapalast, Myrthon, Mathuma-System
29. Tag, 2. Monat, 8553. Lichtzyklus sME, 12. Stunde, 25. Minute

Cormet

Es klingelte. Die Stimme der Wohnungs-KI erklang. »Tesro kommt im Auftrag der Palastsicherheit. Er wünscht Euch zu sprechen, Höchst-Erleuchteter.«

»Öffne die Tür!«, gab Cormet die Anweisung. Er hörte den Besucher den Flur durchschreiten. Dann trat er in den Wohnraum. »Ihr habt sofort Zeit für mich gefunden. Dafür danke ich Euch, Höchst-Erleuchteter. Ihr werdet es nicht bereuen, denn mir liegen wichtige Neuigkeiten vor.«

Cormet deutete auf einen der Sessel der Wohnlandschaft ihm gegenüber. »Habt Ihr herausgefunden, wo sich Chyra befindet?« Seiner Stimme gab er einen schneidenden Unterton. Er wollte so Tesro daran erinnern, wem die Herrin dieses Palasts ihre Entführung zu verdanken hatte.

»Nein«, erwiderte der Sicherheitsmann bedrückt, während er Platz nahm. »Ich gebe zu, ich habe Feryn gründlich unterschätzt. Wäre ich auf den Begleitroboter vorbereitet gewesen, hätte er sich uns mit Chyra nicht entziehen können.« Er wischte sich mit der Hand über die Stirn. Die Falte zwischen seinen Augenbrauen deutete darauf hin, wie sehr ihn der Misserfolg ärgerte. »Aber wir erhalten eine zweite Chance.«

»Wie das?« Die Nacht hatte Cormet damit verbracht, jede Möglichkeit im Geist durchzugehen, wie sie doch noch herausfinden konnten, wo Serpon Chyra, seine Mutter und die von Urpas verbarg. Die Grübelei hatte nichts gebracht außer Schlaflosigkeit. Umso gespannter war er, worauf Tesro gestoßen war.

»Ich habe in unserer Zentrale eine Aufzeichnung eines ST-Gesprächs gefunden. Sie ist von heute, nahe der 11. Stunde, 30. Minute. Darin hat der Myrth Feryn ein Ultimatum gestellt. Innerhalb von sechs Stunden muss er Chyra in den Palast bringen, sonst wird der Damant Valura von *Myrthon* verbannt.«

Im ersten Augenblick verschlug es Cormet die Sprache. Was mochte den Herrscher über das Sternenreich dazu bewogen haben, dem Haus derart fatale Konsequenzen anzudrohen? Dann begann er, die Lage zu analysieren.

Mein Vater befindet sich im Moment auf Anderfa in der Obhut des Medik-Wissenschaftlers Ak-Den Gorp. Er ist dort für niemanden zu erreichen. Die Verantwortung liegt momentan beim ältesten Sohn, folglich bei mir. Doch Feryn glaubt mich noch verschollen und kümmert sich ersatzweise selbst um die Belange des Hauses. Tesro hält die Information meiner Ankunft vor seinem Vorgesetzten verborgen, da er glaubt, das Wissen darüber ändert wenig an der Situation. Der Chef der Sicherheit findet sicher eine Möglichkeit, die Hierarchie zum Wohle Serpons zu umgehen. Sollten wir bei unserem Vorhaben vorzeitig entdeckt werden, können wir meine überraschende Anwesenheit zu unserem Vorteil nutzen. Und eines ist klar, Feryn setzt die Zukunft des Damants nicht aufs Spiel. Das bedeutet, er bringt Chyra bis zur 17. Stunde 30. Minute in den Palast des Myrths. Dazu taucht er hoffentlich am geheimen Fädler auf.

»Wie gehen wir vor?«, fragte er. »So wie bei unserem ersten Versuch?«

»In etwa.« Tesro rieb sich grübelnd die Stirn. »Mein Chef befand sich zum Zeitpunkt des Gesprächs im *Sulva-System*. Er war mit der Valura-Flotte in einem Raumkampf gegen Einheiten einer Organisation verwickelt, die sich *Bol-mot-Ut* nennt. Seinen Angaben zufolge strebte er einen Waffenstillstand an, um Chyra termingerecht dem Myrth übergeben zu können. Er gab an, er würde es innerhalb von drei Stunden schaffen, in Eurer ST-Kristallmine zu sein und von dort den Fädler nach Myrthon zu nehmen. Für uns bedeutet das, wir legen uns ab der 14. Stunde vor dem geheimen Fädlerraum auf die Lauer, in dem Feryn das letzte Mal vor unseren Augen verschwunden ist.«

Cormet gefiel nicht, dass er situationsbedingt über die Lage im *Sulva-System* nicht informiert worden war. Er hätte bei dieser Krise eingreifen müssen. Er schluckte diese bittere Pille. Für ihn bedeutete es einen Grund mehr, den Plan Tesros, Chyra als Lockvogel zu missbrauchen, innerlich zu verwünschen.

Der Mann von der Sicherheit erhob sich. »Seid zehn Minuten vorher da. Bringt einen Strahler mit, der das Schirmfeld eines Roboters niederreißen kann. Ich sorge dafür, dass danach die KI außer Gefecht gesetzt wird.«

Cormet lächelte. »Kein Problem. Solange es sich nicht um einen Kampfroboter handelt.«

»Nein«, antwortete Tesro. »Damit rechne ich nicht. Vermutlich greift Feryn wieder auf den Begleitroboter zurück.« Mit diesen Worten verließ er den Raum.

Chyra

Sie konnte es noch immer nicht fassen. Feryn hatte offenbar eine Schockwaffe auf sie abgefeuert und sie irgendwohin transportiert. Von da an umgab sie Stille. Ihr war klar, was eine Paralyse bedeutete. Ihre Körperfunktionen wurden auf ein absolutes Minimum reduziert. Ihr Geist funktionierte normal und sie konnte hören und sehen. Doch sie war zur Bewegungslosigkeit verurteilt, nicht in der Lage, ihren Körper zu fühlen und wusste nicht, was mit ihm geschah. Zum Glück hatte Feryn ihr die Lider geschlossen und damit die Augen vor dem Austrocknen bewahrt. Nun herrschte ein Halbdunkel um sie herum. Allzu lang würde die Paralyse nicht andauern. Vielleicht zehn bis vierzehn Stunden je nach Intensität des Strahls. Normalerweise war diese Zeitspanne nichts, worüber man sich Gedanken machen musste. Doch in ihrem jetzigen Zustand konnte das eine gefühlte Ewigkeit sein. Chyra verstand das Universum nicht mehr. Warum war sie schon wieder zum Opfer einer Entführung geworden? Hatte sie Hellon verärgert? Gut, eine Konfrontation war in der Luft gelegen, weil sie den erneuerten Ehevertrag nicht unterzeichnen wollte. Aber war das ein Grund, sie zu schocken und wegzusperren? Für Serpon offenbar schon, denn Feryn war mit Sicherheit nicht ohne dessen Erlaubnis gegen sie vorgegangen. Vermutlich würde sie im Palast eingesperrt bleiben, bis sie den neuen Vertrag unterschrieben hatte.

Antor schien die harten Bandagen, die das Oberhaupt des Hauses einzusetzen bereit war, geahnt zu haben. Nicht umsonst war Araya auf ihrer Jacht aufgetaucht, um sie in den Valurapalast zu begleiten. Sie hätte die Entführung verhindern können. Doch der Myrth hatte seine Adoptivtochter bei sich behalten, damit sie sich um Dabejis kümmern konnte.

Den neuen Ehevertrag würde Chyra niemals akzeptieren. Sie durfte sich Serpons Willen auf keinen Fall beugen. Am Ende des nächsten Monats würde Antor seine Suche nach ihr starten. So lange musste sie durchhalten. Diese Gedanken schenkten ihr Ruhe und so dauerte es nicht lang, bis sich ihr Geist trübte und sie trotz ihrer Lage hinweg schlummerte.

Der Schmerz weckte sie. Wie eine Welle heißesten Feuers pulste das Blut durch ihren Körper und hinterließ nichts anderes als Qual und Pein. Ein krächzendes Keuchen kam aus ihrer Kehle. Mehr Ausdruck konnte sie dem schmerzhaften Toben in ihrem Leib nicht verleihen. Offenbar ließ die Paralyse nach und ihr Körper nahm langsam wieder die Arbeit auf.

»Ganz ruhig!«, hörte sie Feryns Stimme. »Es ist gleich vorbei.« Sie vernahm das Zischen einer Hochdruckspitze.

Es dauerte einige qualvolle Augenblicke, bis der Schmerz verebbte. Sie setzte sich mühsam auf. Ein Medikroboter und der Chef der Sicherheit standen neben der Schwebeliege.

Feryn hielt ihr das Formular und einen Stift entgegen. »Unterschreibt!«, befahl er. »Serpon hat schon sein Siegel gesetzt. Er will Euch weiterhin zur Frau haben. Nur diesmal ohne Einschränkungen. Ihr solltet Euch geehrt fühlen.«

Sie zog die Augenbrauen zusammen. »Der Vertrag wurde doch von mir in den Abfallvernichter geworfen. Serpon ist nicht da. Wieso verfügt Ihr über ein weiteres Exemplar?«

»Vorausschauende Planung«, erklärte er knapp. »Selbst wenn Ihr dieses Papier zerreißt, hilft Euch das nichts. Ich habe genügend in Reserve. Unterschreibt!« Ein raubtierhaftes Lächeln folgte, bei dem Chyra seine ausgeprägten Eckzähne bewundern konnte.

»Nein!« Demonstrativ streckte sie sich wieder auf der Schwebeliege aus. »Ihr könnt mich erneut paralysieren. Doch eines verspreche ich, auch beim nächsten Wecken werde ich meine Unterschrift verweigern.«

Feryn lachte auf. »Oh, wie naiv Ihr seid. Ihr legt es tatsächlich darauf an, Serpon zu erzürnen? Wen wird er wohl als Erstes zwischen seinen Fingern zerquetschen?«

Er musterte sie kurz mit einem zynischen Blick. »Euren Vater, vermute ich. Die Anzahl der Personen, die Euch wichtig sind, ist relativ überschaubar.«

Chyra sah trotzig zurück. Obwohl der Gedanke, ihrem Dad könnte etwas geschehen, sie innerlich zermürbte. »Was habt Ihr mit mir vor?«, fragte sie, nur um sich abzulenken.

Seufzend legte Feryn das Formular und den Stift auf einen Arbeitstisch, auf dem eine Mini-KI und ein Holoschirm standen. »Ihr werdet auf dem schnellsten Weg zum Myrth gebracht. Er hat nach Euch verlangt. Seid Ihr bereit, mir zu folgen?«

Mit einem Ruck richtete sich Chyra auf. Ihr wurde für einen Moment schwarz vor den Augen. Dann hatte sie sich gefangen. »Hat der Myrth Eure vorausschauende Planung etwa gestört? Das tut mir aufrichtig leid.« Es tat ihr gut, diese zwei Sätze Feryn um die Ohren zu schlagen. Sie fragte sich, woher sie die Kraft nahm, ihn zu verspotten. Sie wusste, sollte der Besuch im Regierungspalast nur eine Finte von ihm sein, würde sie diese Worte bitter bereuen.

»Pläne werden erstellt«, entgegnete er gleichmütig. »Und sie müssen an plötzlich auftretende Situationen angepasst werden. Das ist der Lauf der Dinge.« Er kratzte sich nachdenklich am Kinn. »Ihr scheint dem Myrth wichtig zu sein. Mir hat er nicht gesagt, warum er ausgerechnet Euch sehen will. Sollten wir jedoch sein Verlangen missachten, ist er bereit, unser Haus von *Myrthon* zu verbannen. Habt Ihr eine Ahnung, um was es geht?«

Natürlich wusste sie es. Myrathor Peran vermutete eine Fähigkeit bei ihr. Sie schien in ihren Träumen Ereignisse voraussehen zu können. Der Myrth wollte Gewissheit darüber haben und sie im Palast testen lassen. Es wäre hirnrissig, das Feryn zu verraten. Für einen Blick in die Zukunft würde er sich vielleicht sogar gegen den Herrscher des Sternenreichs stellen.

»Nein!«, erwiderte sie. »Ich wüsste nicht, warum er Interesse an mir haben sollte.«

Mit einem durchdringenden Blick musterte sie der Chef der Sicherheit. Dann nickte er. »Die Wege des Myrths sind undurchsichtig. Dafür sorgt er.« Er schwieg einen Augenblick mit ärgerlicher Miene. »Doch bedenkt, auch wenn Ihr außerhalb des Hauses seid, kann allerlei geschehen, das Euch missfällt. Behaltet den Vertrag in Eurer Erinnerung. Vergesst schnellstens, dass ich Euch geschockt habe, und seid Euch gewiss, ich drohe Euch nicht. Ich mache Euch lediglich auf eines aufmerksam, Euer

Ehemann ist es nicht gewohnt, seinen Willen nicht zu bekommen. Was daraus erwächst, kann uns nur die Zukunft zeigen. Vieles ist in den letzten Tagen auf ihn eingestürzt. Cormet ist verschwunden. Urpas hat unter der Hand Raumschiffe bauen lassen, sie verschenkt und damit das Haus an den Rand des Ruins gebracht. Zwei unserer ST-Kristallminen sind überfallen worden. Falls Ihr darauf spekuliert, Serpon werde rücksichtsvollen Umgang mit Euch pflegen, seid Ihr auf dem Irrweg. Aber jetzt genug der Worte. Gehen wir!«

Er hielt ihr die Hand entgegen, um sie zu stützen. Sie ignorierte das, stand auf und kämpfte für einen Moment, bis sie ihr Gleichgewicht wiederfand. Abrupt wandte er sich um und verließ den Raum. Sie folgte ihm. Es ging nach links einen Gang entlang, der zu einem Fädler führte. Dort zog er sie neben sich, gab die Koordinaten und die Kennung des Empfangsfädlers ein. Sekunden später umhüllte sie eine Blase. Und schon befanden sie sich in der großen Fädlerstation im Valurapalast, wie Chyra an der Beschriftung erkannte. Die energetische Umhüllung fiel in sich zusammen und sie traten heraus.

Die große Empfangshalle wölbte sich über ihnen. Der Palast auf Myrthon fungierte in den unteren Stockwerken gleichzeitig als Firmenzentrale. Besucher kamen durch die Portale oder aus den Fädlern und strebten den Schwebeschächten entgegen.

Erst jetzt entspannte Chyra sich. Sie war nicht mehr allein, nicht mehr Feryns Willkür ausgesetzt. Sie war versucht, hier öffentlich deutlich zu machen, dass sie der Chef der Palastsicherheit entführt hatte. Doch wer von den Anwesenden war in der Lage, ihr zu helfen? Bestenfalls würde jemand die Ordnungshüter auf den Plan rufen. Das war nicht im Interesse des Damants. Laut ihrem Vater musste sie ihre repräsentative Rolle bis zum letzten Vertragstag wahrnehmen. Dagegen aufzubegehren, war sinnlos. Sie verdrängte den Gedanken.

Devot verbeugte sich Feryn vor ihr, erinnerte sie an ihre Stellung als Dame des Hauses Valura.

»Würdet Ihr mir bitte folgen, Höchst-Erleuchtete.«

Sie richtete sich innerlich auf, grüßte Besucher, die sie erkannt hatten, mit einem hoheitsvollen Nicken und ließ sich von ihm einige Schritte zur Seite dirigieren.

»Einen Moment«, bat er sie. »Ich gebe meinem Stellvertreter Bescheid. Er muss wissen, dass ich wieder anwesend bin.«

Sie sah auf ihr linkes Handgelenk. »Wo ist mein ArmKomm?« Sie hatte ihn von ihrem Vater geschenkt bekommen. Es wäre für sie ein großer Verlust, wenn sie ihn verloren hätte.

»Hier!« Feryn hielt ihr das glitzernde Armband, in dem das formschöne Gerät eingearbeitet war, vor die Nase.

Sie nahm es entgegen und befestigte es ums Handgelenk. Es war die 16. Stunde 22. Minute. Sie hörte aus Feryns Richtung das leise Vibrieren, das den Aufbau einer Verbindung anzeigte. Es dauerte einige Zeit, bis sich jemand meldete. »Hier ist Tesro. Wie kann ich Euch helfen?« Es wurde kein Holo über dem ArmKomm aufgebaut. Der Name sagte ihr nichts.

»Ich stehe momentan mit der Höchst-Erleuchteten Chyra in der Empfangshalle. Lasst Euch vom Palast des Myrths eine Freigabe für ihren Fädlertransport geben. Sie muss bis spätestens zur 17. Stunde bei Velorn IV. erscheinen. Ich warte auf den Vollzug.« Er unterbrach die Verbindung.

Wenig später erschien ein blau blinkender Stern über dem mittleren der fünf Fädler. Sie setzten sich in Bewegung. Feryn schirmte Chyra vor den Besuchern ab. Dann war sie im Palast des Myrths. Araya und deren Schwester erwarteten sie schon.

Cormet

Er sah auf die Zeitanzeige seines ArmKomms. Seit zweieinhalb Stunden lagen sie auf der Lauer. Doch die Geheimtür zum Fädler blieb verschlossen. Feryn war bisher nicht erschienen.

Da die Überwachungsanlage dieses Korridors von Tesro manipuliert worden war, konnten sie sich zumindest im Flüsterton unterhalten. Doch nach und nach verstummte das Gespräch. Cormet sah, wie der Sicherheitsmann in den ArmKomm sprach. Zu hören war nichts. Er hatte wohl einen Hörschutz aktiviert.

Einige Minuten später ertönte seine Stimme. »Feryn ist hier. Er hat Chyra eben in den Fädler zum Regierungspalast gesteckt. Was sollen wir tun? Wir haben genau zwei Möglichkeiten. Erstens: Wir überfallen meinen Chef in seinem Wohnraum und zwingen ihn, die Gefangenen freizugeben. Zweitens: Wir warten, bis er erneut den Fädler benutzt und lauern ihm dort auf.«

Cormet entschied schnell. »Wir nehmen Euren ersten Vorschlag. Ich lasse meine Mutter und Djalin nicht noch länger in der Gefangenschaft. Und wer weiß, wann Feryn hier wieder auftaucht.«

»Gut, dann gehen wir! Passt aber auf, dass Ihr mit keinem in den Gängen kollidiert.«

»Was?«, fragte Cormet überrascht. »Müsst Ihr nicht zuerst die Geräte manipulieren, die unseren Weg überwachen?«

»Ich habe schon vorgearbeitet. Plan A ist gescheitert. Nun kommt Plan B zum Einsatz.«

Ungesehen kamen sie vor die Pforte von Feryns Wohnbereich. Sie postierten sich zu beiden Seiten und warteten. Es dauerte nicht lang, da näherte sich der Chef der Sicherheit. Er entriegelte die Tür. Sie glitt auf und er trat ein.

Tesro folgte ihm nicht schnell genug. Cormet geriet in Gefahr, von der sich schließenden Tür berührt zu werden. Das würde einen Alarm auslösen. So drängte er sich heftig gegen den Sicherheitsmann, der das Gleichgewicht verlor und mit einem dumpfen Laut zu Boden stürzte.

Feryn reagierte sofort, warf sich herum und zog seinen Strahler. Er zielte in die Richtung, in der er Tesros Aufprall gehört hatte. Von einem weiteren Angreifer ahnte er nichts. So traf ihn Cormets Fuß völlig unvorbereitet. Die Strahlwaffe wurde ihm aus der Hand geschleudert. Scheppernd knallte die Waffe auf den Fußboden und rutschte mehrere Meter den Flur entlang.

Feryn setzte zu einem Sprung an, um sie wieder in die Finger zu bekommen. Doch ein Faustschlag von Tesro ließ ihn gegen die Wand prallen.

Er taumelte und schlug auf dem Boden auf. Den kurzen Augenblick der Orientierungslosigkeit nutzte Cormet. Er wandte einen Tao-Mun-Griff am Nacken des Gegners an, der ihm die Besinnung raubte.

»Fesselt ihn!«, rief er Tesro zu.

Viermal ertönte ein Klicken. »Schockketten befestigt«, gab er zurück.

Cormet entließ die angehaltene Luft aus den Lungen und entspannte sich. »Euer Chef ist ein gefährlicher Gegner. Bringen wir ihn in den Wohnraum.«

»Schaltet den Tarngenerator aus«, empfahl ihm Tesro, während er den eigenen Sensor zur Deaktivierung berührte. »Wir brauchen ihn hier nicht.« Er packte Feryn unter einer Achsel. Nachdem auch er sichtbar geworden war, nahm Cormet die andere Seite. So schleppten sie ihn hinter sich her und warfen ihn in einen Sessel der Wohnlandschaft.

»Euer Chef wird noch einige Minuten bewusstlos sein«, sagte Cormet, »es wäre ein guter Zeitpunkt, um die Palast-KI zu informieren.« Er setzte sich auf den Kontursessel neben Feryn.

»Nein!« Tesro schritt mehrfach quer durch den Raum, der standardmäßig ausgestattet war. Er enthielt blaue Sitzmöbel, einen schwarzen Tisch, nackte beige Wände, einen chromfarbenen Arbeitstisch mit Mini-KI und Holoschirm. Auf einer Seite befand sich eine Fensterwand. »Wir brauchen nähere Informationen zu den verschleppten Frauen.«

»Dann sollten wir uns seine private KI genauer ansehen, solange er bewusstlos ist.«

»Darauf können wir verzichten.« Tesro blieb stehen. »Man kann über ihn sagen, was man will, aber eines steht fest. Er ist ein Profi. Wir werden nichts finden. Diese Informationen müssen wir aus ihm herauspressen.«

»Bringen wir ihn zum geheimen Fädler«, schlug Cormet vor. »Dort sehen wir, ob er kooperieren will. Sollte er sich weigern, den Zugang zu öffnen, werden wir zu überzeugenden Mitteln greifen.«

»Das hört sich gut an.« Tesro nickte. »Genau so machen wir es.« Er verschwand in einem der Räume und kam mit einer Schwebeliege zurück.

Zusammen hoben sie Feryn darauf und verbargen ihn unter einem Laken, das sich der Sicherheitsmann aus dem Schlafraum geholt hatte. Sie gelangten unbehelligt an die Stelle, an der sie zuvor stundenlang auf der Lauer gelegen waren.

Tesro schlug das Tuch zurück. Der Gefesselte war scheinbar ohne Bewusstsein.

Ein Griff Cormets riss ihn aus der vorgespielten Ohnmacht. »Keine Zeit für Schauspielkunst«, sagte er frostig. »Öffnet die Tür zum Fädler! Wir wissen, dass Ihr Chyra kurzzeitig entführt und nun wieder freigegeben habt. Doch seine zwei Ex-Frauen hält Serpon nach wie vor gefangen. Wir werden sie befreien. Ihr könnt Euch jetzt entscheiden, dabei mitzuhelfen. Oder Ihr behindert uns. Das wird aber Folgen für Euch haben. Angehörige des Kernweltadels zu entführen und mehrere Zehnerlichtzyklen wegzusperren, dürfte Euch eine saftige Strafe einbringen. Mein Rat lautet: Entscheidet Euch dafür, sie mit uns aus der Gefangenschaft zu befreien.«

Feryn schloss die Augen und schüttelte den Kopf. Cormet empfand es nicht als Geste der Verneinung. Eher versuchte der Chef der Sicherheit, nach seiner Bewusstlosigkeit wieder zu klarem Verstand zu kommen.

»Ihr seid der erste Sohn Serpons«, stellte er fest. »Euer Vater hat Euch vergeblich gesucht. Wieso taucht Ihr im Palast auf, ohne Euch bei der Palastsicherheit zu melden?«

»Das hat er«, schaltete sich Tesro ein. Offenbar war er bisher außerhalb von Feryns Sichtbereich geblieben.

»Ihr?« Unglauben schwang in der Stimme des Gefesselten mit. »Ihr, als mein Untergebener, habt mich zusammen mit Serpons Erstgeborenen in meiner Wohnung überfallen und hierher gezerrt. Wo ist Eure Loyalität!«

»Die gilt in erster Linie der Gerechtigkeit«, entgegnete Tesro entschlossen. »Um Missverständnisse zu vermeiden, weise ich Euch auf Folgendes hin. Ich habe Euer Gespräch mit dem Oberhaupt des Hauses im Palastgarten aufgenommen. Darin habt Ihr den Befehl erhalten, Chyra zu entführen, falls sie den erweiterten Ehevertrag nicht unterschreibt. *Sperrt sie zu den beiden anderen,* waren die Worte von Serpon. Und jetzt kommen wir zu dem Grund, warum Cormet Euch die Seele aus dem Leib reißen wird, wenn Ihr uns Eure Hilfe verweigert. Eine der Gefangenen ist seine Mutter, Myrana.«

Feryn kaute auf seiner Unterlippe.

»Redet schon«, ergriff Cormet das Wort, »los doch.«

»Ich gebe zu«, sagte der endlich, mit gesenktem Blick. »Ich habe auf Anweisung Eures Vaters Djalin ein Mittel gegeben, dass sie scheintot wirken ließ. Er hat einen leeren Sarg beerdigen lassen und sie ins Exil geschickt. Das ist ein abgeschirmter Bereich irgendwo auf einem Valura-Besitz, in dem man komfortabel leben kann. Weshalb sie in Ungnade gefallen ist, weiß ich nicht.« Er blickte auf. »Eure Mutter habe ich jedoch nie zu Gesicht bekommen.«

»Das beantwortet meine Frage nicht.« Cormet spürte den Grimm in sich aufsteigen. Am liebsten hätte er Feryn verprügelt. Aber das wäre nur eine Ersatzbefriedigung gewesen. Denn der wirkliche Schuldige war sein Vater. »Werdet Ihr uns helfen?«

»Nein!« Das klang endgültig.

»Euren ArmKomm sucht Ihr vergeblich.« Tesro hatte den Blick seines Chefs richtig interpretiert. »Ich habe ihn an mich genommen. Vorsichtshalber.« Er zog ein Gerät aus einer seiner Taschen am Gewand und berührte einen Sensor.

Gleichzeitig schlugen blaue Blitze aus den Hand- und Fußschellen in Feryns Körper ein. Er keuchte mehrmals. Doch der Schmerz ließ sich nicht unterdrücken und er schrie lauthals auf. Sekunden später begann er, sich auf der Schwebeliege hin und her zuwerfen.

»Ich hoffe, Ihr habt ein gesundes Herz«, meinte Tesro im kalten Tonfall, »und es hält die Strapazen durch. Falls es Euch wider Erwarten langweilig werden sollte, das Gerät bietet einiges mehr an Qualen. Nach oben hin sind quasi keine Grenzen gesetzt. Widerstand Eurerseits ist zwecklos. Ihr wisst das!«

»Hal … tet … ein!«, schrie Feryn.

Tesro schaltete das Gerät ab. Die blauen Blitze versiegten. Die Glieder des Gefolterten zuckten einige Sekunden nach.

»Öffnet die Tür!«, befahl Cormet. »Sofort!«

Einen Moment lag Feryn still da. Sein Atem ging stoßweise. Langsam richtete er sich auf, schob die Beine über den Rand der Schwebeliege und ließ sie dort baumeln. Das alles sah mühsam und kraftlos aus. Er rutschte weiter vor, bis die Füße den Boden berührten. Dann stand er und hielt sich an der Liege fest. Seine Knie gaben nach. Haltlos sackte er in sich zusammen. Ein Aufschrei ertönte und aus der Hocke stürzte sich der Gefesselte auf Tesro. Cormet musste nicht eingreifen. Blaue Blitze sprangen erneut von den Hand- und Fußschellen in Feryns Körper. Mitten in der Bewegung verlor er die Kontrolle über sich und fiel wimmernd zu Boden.

»Ihr hättet es besser wissen sollen«, spottete Tesro. »Unterschätze niemals deinen Gegner. Durchschaue vorgespielte Hilflosigkeit. Das ist die unterste Schublade der Lehre *Der Weg zur Sicherheit*.« Feryn stieß qualvolle Laute aus. Offenbar hatte sein Untergebener als Strafe die Dosis erhöht.

»Unsere Geduld beginnt zu schwinden.« Tesro schaltete das Gerät aus. »Öffnet die Tür oder Ihr verbringt ein Leben lang auf dem Gefängnismond *Mycaun*. Ihr müsst wissen, ich habe Euer Geständnis aufgenommen, was Serpons Exgattin Djalin anbetrifft.«

Mühsam raffte sich der Gefesselte auf. »Gut«, erwiderte er dann. »Wegen der Abwesenheit des Oberhaupts werde ich mich dem Befehl seines Erstgeborenen beugen.«

Cormet beobachtete, wie Feryn an die Wand herantrat. An einer Stelle, eine Handbreit rechts von der vermuteten Tür, presste er den Daumen dagegen. Ein Spalt erschien, der zunehmend breiter wurde. Der Zugang zum Fädlerraum war geöffnet.

»Akzeptiert die Tür-KI nur Euch und Serpon?«, fragte Cormet, während sie den Raum betraten.

Feryn nickte. »Dasselbe Prinzip gilt auch für den Fädler.« Er aktivierte das Gerät. Sekunden später entstand der Transportschirm, der sie umfing.

Dann befanden sie sich an einem anderen Ort. Ein breiter Flur lag vor ihnen. Zu beiden Seiten gab es je zwei Türen. Geradeaus verbreiterte sich der Gang zu einem offenen Raum, an dessen Stirnseite ein Portal eingelassen war. Mit einem Blick sah Cormet, der ArmKomm zeigte keine Verbindung an.

»Was dahinter ist, weiß ich nicht.« Feryn atmete schwer. »Und ich will es auch gar nicht wissen. Versucht Euer Glück, ich bleibe hier.«

»Das könnte Euch so passen«, fuhr ihn Tesro an. »Ihr glaubt tatsächlich, Ihr könnt per Fädler verschwinden, während wir uns mit diesem Portal beschäftigen? Ihr kommt mit!«

»Ihr kennt Serpon nicht so gut, wie ich ihn kenne. Er lässt den Zugang zu seinen Gefangenen nicht ohne Sicherung. Ich werde ihm keinesfalls ins Messer laufen.«

»Ihr habt gerade keine Wahl«, entgegnete Tesro kühl. »Vielleicht seid Ihr doch registriert. Für den Notfall. Falls Serpon etwas zustieße, müsstet Ihr dafür sorgen, dass die beiden Frauen am Leben bleiben. Ihr könnt Euch da nicht herauswinden.«

»Der Fädler kann auch auf andere Ziele eingestellt werden, als zu dem geheimen Gerät im Palast?«, fragte Cormet, bevor Feryn auf die Worte seines Untergebenen eingehen konnte.

»So ist es«, bestätigte er. »Jede Station lässt sich von hier aus anwählen.«

»Und von außerhalb?«

»Das ist nur von zwei Geräten innerhalb der Valura-Anwesen möglich. Aber dazu bedarf es eines Sicherheitscodes.«

Cormet runzelte die Stirn. »Das bedeutet, Serpon könnte jederzeit hier auftauchen oder Truppen schicken, wenn er mitbekommt, dass wir uns an dem Portal zu schaffen machen.«

Feryn nickte.

»Schaltet den Fädler ab. Sofort!«

»Aber er ist unsere einzige Fluchtmöglichkeit, sollte es eine Portalsicherung geben. Das Gerät erneut zu starten kostet uns Minuten, die wir eventuell nicht haben. Niemand weiß, was genau auf uns zukommt.«

»Tesro, schaltet ihn ab.«

Cormet sah, wie der Gefesselte bleich im Gesicht wurde. Dessen Befürchtung war also nicht nur gespielt. Er rechnete in der Tat mit einer unangenehmen Überraschung seitens Serpon.

»Nein«, erwiderte Tesro. »Sollte Feryn etwas zustoßen, wird sich der Fädler nicht mehr aktivieren lassen. Ich stelle ihn auf Rücksendung. Das dürfte genügen.«

»Passt auf Euren Vorgesetzten auf«, gab Cormet zurück. »Ich inspiziere die vier Räume hinter den Türen.«

Wie erwartet war niemand außer ihnen in diesen Räumlichkeiten. Es gab nur je einen Arbeitstisch mit einer Mini-KI und einen Kontursitz. In einen der Zimmer schwebte zusätzlich eine Liege über dem Boden. Daneben stand ein Medikroboter. Eine Reinigungsmaschine säuberte den Bodenbelag.

»Sehen wir uns weiter um«, sagte Cormet, nachdem er die letzte Tür hinter sich geschlossen hatte.

Sie betraten den offenen Raum und blieben einige Meter vor dem Portal stehen. Die Wände, sonst in Weiß gehalten, schimmerten an der Stirnseite in einem metallischen Blau. Mathumastahl, erkannte Cormet verblüfft. Wer außer seinem Vater käme auf die Idee, dieses sündhaft teure Material, aus dem die Hüllen von Raumschiffen bestanden, für eine Trennwand zu verwenden? Die beiden Flügeltüren waren nicht sonderlich groß. Sie leuchteten von innen heraus in einem sanften Goldton. Drei Worte in schwarzen Buchstaben standen auf jeder der Türen. Zusammen bedeuteten sie: *Wer sich widersetzt – stirbt in Einsamkeit.*

»Öffnet das Portal«, wies Cormet den Chef der Sicherheit an. »Ihr seid der Einzige, den das Überwachungssystem akzeptieren könnte.«

Feryn schüttelte den Kopf. »Serpon hat mich davor gewarnt, jemals eine dieser Türen zu berühren.«

»Ich fürchte, Euch bleibt keine Wahl.« Tesro warf das Steuergerät für die Hand- und Fußfesseln provokant in die Luft und fing es wieder auf.

»Ihr berührt nur kurz das Portal«, wies ihn Cormet an. »Dann werft Ihr Euch zurück. Achtet darauf, dass Ihr nicht in die Schussbahn geratet. Und bleibt vor uns. Wenn Ihr versucht, in unseren Rücken zu kommen, schieße ich Euch nieder.«

Er positionierte sich fünf Meter vom linken Türpfosten entfernt und schaltete seinen Schirmfeldgenerator ein. Eines der Schirmfelder baute sich auf. Es würde zwei Minuten benötigen, bis es stabil war. Erst danach ließ sich der zweite Schirm aktivieren. Dann zog er seine Strahlwaffe. Tesro stellte sich der Begrenzung der rechten Flügeltür gegenüber. Er verfügte über kein Abwehrfeld. In den Händen hielt er das Steuergerät und eine kinetische Waffe.

»Jetzt!«, rief Cormet.

Vorsichtig schritt Feryn auf das Portal zu. Fast andächtig blieb er davor stehen und musterte es. Für einen Augenblick sah es so aus, als wollte er sich von ihm abwenden. Aber dann berührte er doch mit einer Hand das im Goldton leuchtende Material. Nur ganz kurz. Mit einem Hechtsprung warf er sich rechts neben die Tür zu Boden. Ein zweifaches Klacken ertönte.

Cormet nahm wahr, wie sich zu beiden Seiten des Portals Öffnungen bildeten, die sich rasch vergrößerten. Verblüfft erkannte er, was sich darin verbarg. Er überwand seine Überraschung und hob den Strahler. Aber da war es fast schon zu spät.

Start ins Unbekannte

Schlachtkreuzer Tirkum, Rikay-System
29. Tag, 2. Monat, 8553. Lichtzyklus sME, 14. Stunde, 44. Minute

Tranthar

Die glorreiche Idee, die Freistunden zu zweit im Sportbereich der Tirkum zu verbringen, stammte von Kerasor. In einer der fünf Kampfzonen mit der Abmessung von sechs Mal sechs Metern stand er ihm gegenüber. Areghnatha, Pereth und Charrut, die sich ihnen spontan angeschlossen hatten, saßen auf einer Bank in der Zuschauerzone und beobachteten sie. Alle trugen den weißen Tao-Mun-Kampfanzug, der von einem gleichfarbigen Gürtel zusammengehalten wurde. In der Sporthalle trainierten weitere Besucher. Durch die akustische Abschirmung drang jedoch kein Laut von dort herüber.

»Mir ist klar, Ihr beherrscht Tao-Mun nicht«, sagte der Alandorer lautstark genug, um von den drei zusehenden Anwärtern verstanden zu werden. »Hier geht es nicht um einen Kampf. Ich will Euch lediglich schnelle Reaktionen auf meine Angriffe antrainieren.« Die Behauptung Kerasors stimmte nicht ganz. Auch wenn es für Sternenhändler ungewöhnlich war, Tranthar hatte in seiner Jugend schon Kampftraining mit einem Tao-Mun-Übungsschwert genossen. Dem Alandorer musste er das nicht auf die Nase binden. Dafür war es nicht wichtig genug. Hinzu kam, der Schwertkampf war nicht vergleichbar mit dem waffenlosen Kampf, der ihm nun bevorstand. »Fangen wir an«, sagte er lediglich.

Beide legten ihre rechte Hand über die linke Brust. »Ehre für Myrthon und dem Myrth«, ertönte es von ihnen fast synchron.

Kerasor griff an. Zuerst versuchte er, Tranthar mit den Fäusten zu treffen. Doch der wich schnell zurück. Dann wechselte er zu den Fußattacken. Auch damit gelang es ihm nicht, den Sternenhändler in Nöte zu bringen.

»Langweilig«, rief Charrut ihnen zu. »Das ist gefühlte Zeitlupe. Dabei schlafen mir beide Füße ein.«

»Seid nicht so ungeduldig«, entgegnete Areghnatha ungnädig. »Das ist erst das Vorspiel. Gleich erhöht sich das Tempo.«

Und genauso kam es. Kaum waren ihre Worte verklungen, attackierte ihn Kerasor viel schneller. Tranthar musste alles aufbieten, um ihm, wenn auch nur knapp, zu entkommen. Und er war sich bewusst, der Alandorer agierte trotz des höheren Tempos mit gedrosseltem Generator.

»Erlöst den Anfänger«, rief Charrut nach weiteren zehn Minuten, »er hält sich ja nur noch mit Mühe auf den Beinen, keucht wie eine Jagdbeute knapp vorm Verenden. Macht endlich Schluss mit diesem Trauerspiel.«

Tranthar war inzwischen tatsächlich am Ende seiner Kräfte angekommen und bat Kerasor, das Training fürs Erste zu beenden. Sie setzten sich zu den anderen.

Pereth fixierte Charrut mit seinem Blick. »Wollt Ihr etwa in den Ring steigen, um uns zu zeigen, wie man es richtig macht?« Seine Lippen formten sich zu einem spöttischen Lächeln, während er mit der Hand auffordernd auf die Kampffläche deutete.

»Gebt Euch keinen Hoffnungen hin, ich werde weder gegen Euch noch gegen Kerasor antreten«, entgegnete der Tarkaner. »Einzig und allein ein Kampf gegen Areghnatha könnte mich reizen. Aber nur dann, wenn der Verlierer eine Forderung des Gewinners erfüllen muss.«

Pereth lachte laut auf. »Was seid Ihr für ein Ignorant, wagt es, Tao-Mun zu praktizieren, ohne Euch auch nur ansatzweise nach dessen Philosophie zu richten. Es ist mehr als anstößig, einen Preis für den Kampf vom Verlierer zu fordern. Schämt Euch!«

»Dazu besteht kein Grund. Es handelt sich hier schlicht um eine Kampftechnik. Wen kümmert es, was darum herum aufgebauscht worden ist.« Charrut vollführte eine wegwerfende Geste.

Kerasor schüttelte nur den Kopf, während Tranthar versuchte, seinen Atem zu beruhigen. Er bereute es, dass die drei anderen Anwärter bei ihnen waren, und zwar seit dem Augenblick, an dem sie sich ihnen angeschlossen hatten.

»Was wünscht Ihr Euch vom Unterlegenen?«, hakte Areghnatha unvermittelt nach.

Ihr Gesichtsausdruck zeigte nicht, was sie von Charruts Worten hielt.

»Um ehrlich zu sein, vermisse ich mein altes Leben. Wenn wir diese Mission abgeschlossen haben und ein freier Tag ansteht, begebe ich mich nach *Paluran-Stadt*. Dort besuche ich ein Feinschmecker-Lokal. Solltet Ihr verlieren, dann begleitet Ihr mich.«

»Es gibt Schlimmeres«, kommentierte die Anwärterin die Forderung, ohne eine Miene zu verziehen. »Wenn Ihr unterliegt, werde ich am ersten freien Tag ebenfalls die Stadt aufsuchen, aber aus einem anderen Grund. Leider musste ich feststellen, ich habe nicht genug Kleidungsstücke für die Akademie eingepackt. Das bedeutet für mich, einen vollen Tag einzukaufen, um die Lücken aufzufüllen. Wenn Ihr verliert, werdet Ihr mich begleiten, und zwar als mein Diener. Verhaltet Euch dann dementsprechend. Ich bin da sehr penibel. Könnt Ihr das akzeptieren?«

Charrut überlegte einen Augenblick.

Tranthar ahnte, dass Areghnathas Forderung einen Haken hatte. Er selbst würde sich nicht darauf einlassen. Aber er beherrschte die Tao-Mun-Technik des waffenlosen Kampfs schließlich nicht. Deswegen würde er sich von vornherein als Verlierer sehen. Falls der Tarkaner ein guter Kämpfer war, würde er abwägen, wie die Chancen verteilt waren und ob er die Schmach, als Diener agieren zu müssen, akzeptieren konnte. Immerhin war eine Frau der Körperkraft eines Manns unterlegen. Bei Tao-Mun schien es aber eher auf Schnelligkeit und Geschicklichkeit anzukommen. Er war gespannt, wie sich Charrut entscheiden würde.

»Gut«, sagte der Tarkaner schließlich. »Ich bin einverstanden. Drei Durchgänge, dann steht der Sieger fest.«

Kurz darauf standen sie sich gegenüber und erwiesen *Myrthon* und dem Myrth die gebührende Ehre.

Zu Tranthars Überraschung sprang Charrut einen Lidschlag später ansatzlos auf die Anwärterin zu. Es war wohl seine Absicht, sie unvorbereitet zu attackieren und zu Fall zu bringen. Doch sie befand sich nicht mehr an der Stelle, auf die er abzielte. Vermutlich hatte sie mit einem so frühen Angriff gerechnet. Sie war seitlich ausgewichen, packte seinen Arm, drehte ihn, riss damit den Anwärter herum und hebelte ihn über ihre Schulter.
Es gab einen dumpfen Laut, als er in Rückenlage auf den Untergrund klatschte.

»1:0 für Areghnatha!« Die Genugtuung war Pereth deutlich am Gesicht abzulesen. »Lasst Euch nicht so schnell abfertigen, Charrut«, rief er zynisch. »Wir haben uns auf ein wenig Spannung gefreut.«

Vom Tarkaner kam nur ein bösartiges Knurren als Erwiderung.

Die zweite Runde begann. Beide umkreisten sich minutenlang, um auf eine Schwäche des Gegners zu lauern. Dann griff Areghnatha an. Doch ihre Hände bekamen ihn nicht zu fassen. Der Anwärter war hochgesprungen und schlug mit dem Fuß in Richtung ihres Kopfs.

Es gelang ihr, den Arm dazwischen zu bringen. So milderte sie den Schlag ab. Trotzdem riss sie die Wucht von den Beinen und sie landete auf dem Boden. Einige Sekunden blieb sie dort liegen, bevor sie sich wieder erhob.

Tranthar konnte nicht glauben, mit welcher Härte der Tarkaner kämpfte. Erleichtert atmete er auf, da die Anwärterin den Anschein erweckte, weiterkämpfen zu können.

»Verdammt!«, schrie Pereth aufgebracht. »Das war nicht regelkonform.«

»Doch, das war es«, erwiderte Kerasor in ähnlicher Lautstärke. »Charrut hat nicht gegen die Regeln verstoßen. Ihr kennt diesen Angriff nicht, da er an den Tao-Mun-Schulen in den unteren Rängen nicht mehr gelehrt wird. Er verursachte ziemlich häufig Verletzungen. Das ist der Grund dafür.«

Der Genannte deutete eine knappe Verbeugung in Richtung des Alandorers an, um sich für dessen Worte zu bedanken.

»Aber«, fuhr Kerasor fort, »ich halte es für unverantwortlich, in einem privaten Wettstreit die Gesundheit des Partners derart aufs Spiel zu setzen. Das gilt vor allem dann, wenn man gegen eine Anwärterin kämpft. Trotzdem heißt es jetzt 1:1.« Danach raunte er Perth zu: »Solche Schläge haben in der Vergangenheit immer nur zu einem geführt.«

»Zu was?«

Kerasor lächelte. »Zu einem härteren Gegenschlag, sofern der Getroffene dazu in der Lage war.«

Tranthar schien es, als wäre Areghnatha spürbar beeinträchtigt. Ihre Bewegungen wirkten langsam. Sie reagierte kaum auf

Charruts vorgetäuschte Angriffe. Er befürchtete ernsthaft, dass sie sich nur mit Mühe auf den Beinen hielt. Der Tarkaner teilte seine Ansicht und nutzte die Situation zu einer Attacke. Er sprang auf sie zu. Sein Fuß zielte erneut auf ihren Kopf. Offenbar hatte er den als ihren wunden Punkt erkannt.

Tranthar schloss die Augen. Er wollte nicht zusehen, was der Schlag bei Areghnatha anrichtete. Dann öffnete er sie wieder und die Szene hatte sich grundlegend geändert.

Die Anwärterin stand jetzt hinter Charrut. Wie sie dahin gekommen war, war ihm ein Rätsel. Jedenfalls trat sie ihn in die Kniekehle, nachdem er den Sprung beendet hatte. Er knickte ein und ruderte mit den Armen, bemüht, sein Gleichgewicht zu halten, um nicht zu fallen. Doch vergeblich. Sie packte ihn an der Jacke und riss ihn um. Noch ehe er den Boden berührte und damit tabu für einen Schlag war, fuhr ihre Faust in seine Magengrube.

Ächzend schlug Charrut auf. Für Minuten blieb er liegen, keuchend und die Hände fest auf den Magen gepresst.

Pereth hatte es die Sprache verschlagen, vermutlich wegen der unerwarteten Wendung. Er schien mit dem Ausgang zufrieden zu sein.

Tranthar war ebenfalls nicht zum Reden zumute. Der Respekt, den er der Anwärterin ohnehin schon lang entgegenbrachte, war noch gewachsen.

Der Einzige, der sich unbeeindruckt zeigte, war Kerasor. Das fühlte sich seltsam an, da der Alandorer empfindlich reagierte, sobald einer Frau etwas angetan wurde. Offenbar war Tao-Mun die große Ausnahme.

»Es steht nun 2:1 für Areghnatha«, gab er bekannt. »Charrut wird hiermit aufgefordert, den Kampfeinsatz zu leisten, wenn es die Gewinnerin fordert.«

Der Tarkaner erhob sich nach der Verkündung mühsam und taumelte, die Hand auf den Mund gepresst, in Richtung Toiletten davon, worin er dann auch verschwand.

Charrut

Pfuhl der Verdammnis! Er konnte es nicht glauben, dass er den Kampf gegen die Anwärterin verloren hatte. Nichts war es mit einem zweisamen Besuch in *Paluran-Stadt* und der Hoffnung, Areghnatha im Laufe des Tags in ein Hotel zu bugsieren. Stattdessen musste er sich zum Narren machen und Diener spielen, wenn es der Gnädigsten passte. Ein sexuelles Abenteuer mit ihr war zwar nicht ganz vom Tisch, wenn auch sehr unwahrscheinlich geworden. Er sah in das Spiegelfeld vor sich. Sein Gesicht war blass. Nur mit Mühe konnte er den Brechreiz überwinden, der ihm der Schlag in den Magen verursacht hatte. Sicherlich war er bei den Anwärtern wieder in Ungnade gefallen, weil er schonungslos in den Kampf gegangen war. Woher sollten sie auch wissen, dass diese Härte auf *Tarkan* normal war. Wer sich vor einer Verletzung fürchtete, brauchte gar nicht erst in den Ring zu steigen. Tao-Mun war dort ein Sport für Hartgesottene. Er aktivierte den Wasserspender und benetzte das Gesicht. Die kühle Nässe ließ seine Gedanken schneller fließen. Gegen Areghnatha war er so brutal vorgegangen, um ihr nachhaltig den Mut zu rauben. Aus Angst vor einer Verletzung sollte sie aufgeben. Leider hatte er sich in ihr getäuscht. Letztlich war er in ihre Falle gelaufen, in dem sie ihn glauben ließ, sie wäre von seinem Schlag noch beeinträchtigt.

Die Lust, mit den anderen Anwärtern abzuhängen, war ihm gründlich vergangen. So beschloss er, sich umzukleiden. Das Duschen verschob er auf den Abend. Zum Schwitzen war er gar nicht gekommen.

Kaum trug er seine Bordkombination, da ertönte Vorstufen-Alarm. Das bedeutete für ihn seinen Platz in der Zentrale schnellstens wieder einzunehmen. Er stopfte den Tao-Mun-Anzug in den Wäscheschacht. Dann rannte er los.

Sie saßen wieder auf den Besuchersitzen in der Zentrale. Charrut ignorierte die anderen Anwärter komplett. Er spürte geradezu die vorwurfsvollen Blicke, die sie ihm zuwarfen. Nun harrte er der Dinge, die da kommen würden. Es stand schließlich die Erklärung aus, warum der Vorstufen-Alarm ausgelöst worden war.

Es dauerte nicht lang, da erklang die Stimme des Akademieleiters. »Die TIRKUM steht seit gut einer Stunde vor einem Portal, das sich neu gebildet hat. Laut Soron, unserem ST-Navigator, ist der Sonnentunnel nun stabil. Aus Gründen der Sicherheit warten wir aber noch fünfzehn Minuten, bevor wir ihn durchtauchen. Die Wahrscheinlichkeit, dass wir auf die PARAMUR treffen, ist relativ hoch. Da die anderen Systeme noch immer nicht per ST-Funk erreichbar sind, aber es bald sein sollten, haben wir eine Sonde ausgeschleust. Sie enthält meinen verschlüsselten Bericht an den Myrth und eine Nachricht an die Raumakademie. In regelmäßigen Abständen wird sie versuchen, Verbindung mit *Myrthon* und *Paluran* aufzunehmen. Sollten uns am Ende des Tunnels Gefahren begegnen, denen wir nicht gewachsen sind, so hoffe ich auf Hilfe der *Myrthonischen Flotte*.« Er steigerte seine Lautstärke. »Besatzung, macht euch bereit für den Aufbruch in ein unbekanntes System.«

Die drei Anwärter neben ihm flüsterten aufgeregt miteinander. Nur Areghnathas Stimme vernahm Charrut nicht. Er zwang sich, nicht zu ihr hinüberzusehen. Zu sehr saß ihm der Ausgang des Tao-Mun-Kampfs noch in den Gliedern.

Nachträglich betrachtet hätte er sich ohrfeigen können für die Blamage, der er nun ausgesetzt war. Vermutlich würde sie ihn bei ihrem Stadtbesuch Qualen aussetzen, die ihr in Anbetracht der Fußattacke gegen ihren Kopf angemessen erschienen. *Bei den Licht- und Schattenfunken*, dachte er. *Warum musste ich auf meinen Stolz hören und übertrieben hart attackieren? Ich habe doch an ihren Bewegungen schon gesehen, dass sie Tao-Mun besser beherrscht als ich.* Aber für Reue war es nun zu spät. Es blieb ihm nichts anderes übrig, als die Suppe auszulöffeln, die er sich eingebrockt hatte. Er geißelte sich noch einige Weile mit diesem Thema. Dann hörte er die Bord-KI die Sekunden bis zum Eintauchen herunterzählen.

Es war so weit. Die TIRKUM setzte sich in Bewegung. Auf dem Holoschirm sah er, wie die Schirmfelder zusammenfielen. Unmittelbar danach baute sich das Abstoßfeld auf. So gerüstet passierte der Schlachtkreuzer das Portal. Das Holo bildete nur noch absolute Schwärze und die Grau-Weiß-Schattierungen der Tunnelebenen ab. Die TIRKUM nahm Fahrt auf. Bei 10.000 Licht meldete der Pilot: »Maximalgeschwindigkeit erreicht.«

Ein Blinken an der rechten Armlehne seines Kontursitzes zog Charruts Aufmerksamkeit auf sich.

»Imonar-Hel sei es gedankt!«, hörte er Kerasors Stimme. »Wir dürfen wieder die Induktorhauben aufsetzen. Das erspart uns die langweilige Darstellung am Holoschirm.«

»Hoffentlich versäumen wir nicht das Auftauchen in einem fremden System«, erwiderte Tranthar.

»Das kann ich mir nicht vorstellen«, entgegnete der Alandorer. »Wir sind bisher immer rechtzeitig aus den Lernprogrammen geweckt worden.«

Er hörte einen unterdrückten Fluch. Die helle Stimme gehörte Areghnatha. Offenbar reagierte ihr Kopf empfindlich auf den Kontakt mit der Haube. Dann aktivierte er den Gehirnwelleninduktor und es wurde dunkel um ihn herum.

Die Stunde der Entscheidung

Serpons Geheimbasis, Ort unbekannt
29. Tag, 2. Monat, 8553. Lichtzyklus sME, 17. Stunde, 38. Minute

Cormet

Zwei Kampfroboter kamen zum Vorschein. Sie waren bereit für den Einsatz. Die rot glimmenden Sehzellen ließen keinen anderen Schluss zu. Schnell warf er sich zu Boden. Die Strahlwaffe richtete er auf den Roboter aus, der ihm gegenüberstand. Gleichzeitig sah er aus dem Augenwinkel, wie Tesro auf die zweite Maschine schoss. Ein leises Blink ertönte. Ihr Waffenarm, der eben dabei war, in Schussposition zu kommen, erstarrte unter dem Einschlag des Spezialgeschosses. Das Leuchten in den Sehzellen erlosch. Ein Maschinenwesen war ausgeschaltet.

Cormets Zeigefinger hatte schon fast den Auslösepunkt erreicht, da richtete sich Feryn auf und blockierte die Schusslinie. Laut rief er ihm eine Warnung zu. Unverständnis zuckte über dessen Antlitz. Dann bemerkte er die Öffnung in der Wand und darin den Kampfroboter, der dicht vor ihm stand. Er versuchte, von der Maschine weg zu hechten. In dem Augenblick aktivierte sie das Schirmfeld.

Feryn geriet in die aufbauenden Feldlinien, schrie kurz auf und sank bewusstlos nieder. Aus der Strahlwaffe des Roboters brach eine Energieballung hervor, die über den Chef der Sicherheit hinwegfegte und mit vernichtender Wucht bei Tesro einschlug. Röchelnd stürzte der auf den kalten Steinboden.

Cormet nutzte das freie Schussfeld. Er feuerte mit seiner Offizierswaffe. Sie war fast so wirkungsvoll wie die eines Kampfroboters. Folglich gelang es ihm zwar nicht, den Schirm zusammenbrechen zu lassen, aber für dessen Stabilisierung wurden nahezu alle Energien der Maschine aufgebraucht. Ihr Waffenarm drehte sich quälend langsam auf Cormet zu. Das zweite Schirmfeld schickte sich an, sich um das erste zu legen, zerflatterte jedoch unter dem noch stehenden Energiestrahl. Mit einem Hechtsprung veränderte Cormet seine Position.

Nicht eine Sekunde zu früh. Ein Schuss aus der Energiewaffe zischte handbreit an seinem Schirm vorbei. Aus einer Tasche des

Kampfanzugs riss er einen kleineren Strahler und schoss mit beiden Waffen gleichzeitig. Die Energiemenge genügte, um das gegnerische Schirmfeld wegzublasen.

Der Roboter wurde nun nicht mehr durch die Schirmstabilisierung verlangsamt und feuerte seinerseits. In Cormets Schirm tobten sich die Energien aus und ließen ihn zusammenbrechen. Überschlagsenergie sprang auf das Anzugmaterial über, das langsam die Farbe verlor und sich schwärzte. Die Hitze im Inneren wurde von der Anzugklimatisierung gerade noch abgeleitet.

Aber der nächste Treffer würde sein Ende bedeuten. Er warf sich zur Seite und feuerte auf den Kopf des Roboters. Der stärkere Strahl drang durch dessen linkes Auge in den Schädel ein. Energieblitze zuckten aus der Einschussstelle. Die Bewegungen des Kampfroboters stoppten sofort. Einige Augenblicke passierte nichts.

Cormet wollte sich schon aufrichten, da hörte er eine Stimme aus dem Rumpf der Maschine tönen. »Achtung! Selbstvernichtung in zehn Sekunden! Zehn, neun, acht …«

Er sprang auf und aktivierte den zweiten Schirm sowie den Schließmechanismus seines Helms. Transparentes Material umschloss seinen Kopf. Dann rannte er zu Tesro.

Er warf sich über ihn und stellte Körperkontakt her, um ihn mit in das Schirmfeld zu nehmen, das sich nun aufbaute. Das Erste war zusammengebrochen und benötigte mindestens fünf Minuten, um sich erneut aktivieren zu lassen.

»… drei, zwei, eins.«

Explosionen zerrissen die Stille. Ein Feuersturm brandete über Cormet hinweg. Die Hitze im Raum wurde vom Schirm abgehalten. Splitter prallten von der Oberfläche ab und schlugen als Querschläger gegen Wand oder Decke. Nachdem wieder Ruhe eingekehrt war, blieb er einige Zeit liegen. Dann schaltete er eine Strukturlücke in das energetische Feld, um die Außentemperatur zu messen. Bei einer Temperatur von 40 Grad[41] deaktivierte er das Schirmfeld, richtete sich auf und sah sich Tesros Verletzung an. Der Sicherheitsmann lag bewusstlos vor ihm. Die Energieballung hatte die rechte Schulter getroffen. Die sonst

[41] Entspricht unserer Einheit: Grad Celsius.

tödliche Energiemenge war zu einem Großteil von der schwarzen Uniform aufgesogen worden. Bei einem normalen Strahltreffer wäre er unverletzt geblieben. Doch die Energie der Roboterwaffe überstieg die Leistungsfähigkeit der Kleidung. So hatte sich das Material mit der Haut verbacken. Cormet erschrak über die Größe der Wunde. Tesro benötigte schnellstens medizinische Hilfe. Er erinnerte sich daran, in einem der Räume eine Schwebeliege und einen Medikroboter gesehen zu haben.

Schnell holte er beide herbei. Der Roboter hob den Verletzten auf die Liege und begann mit der Untersuchung.

Cormet sah sich derweil Feryn an. Dessen linke Seite war schwarz verkohlt, die andere von Splittern durchsiebt. Das Leben war aus ihm gewichen. Er durchsuchte die Kleidung und fand die ID-Karte. Sie schien funktionsfähig zu sein. Vielleicht ließ sich mit ihr der Fädler steuern. Sein Blick blieb an der Öffnung hängen, in der einer der Kampfroboter verborgen gewesen war. Ein Riss hatte sich in der Rückwand gebildet, breit genug, um sich dort hindurchzuzwängen. Es war nun möglich, sich in den Raum zu begeben, der hinter dem Portal lag. Da fiel ihm das typische kristallene Glitzern an den Rissrändern auf.

Das war kein Mathumastahl, sondern eine sich selbstreparierende Wand. Warum sein Vater hier ein separates Material hatte einbauen lassen, erschloss sich ihm nicht. Der Durchgang würde jedenfalls nicht lang offenbleiben.

Der Medikroboter schloss die Untersuchung soeben ab. »Der Patient muss sofort in eine Klinik und operiert werden«, gab er bekannt.

Cormet sah erstaunt in Richtung des Roboters. »Wieso operierst du nicht selbst?«

»Chirurgische Fähigkeiten fehlen mir. Ich halte aber eine örtliche Betäubung für notwendig und werde sie jetzt durchführen.«

Da er nichts darauf erwiderte, ertönte das Zischen der Hochdruckspritze.

»Was soll ich tun?«, murmelte er vor sich hin. »Wenn ich Tesro in die Klinik begleite, um ihn operieren zu lassen, wird sich die Wand schließen, bevor ich wieder hier sein kann. Wer weiß, ob ich noch einmal die Möglichkeit erhalte, meine Mutter und die von Urpas zu befreien. Ignoriere ich aber den Zustand von

Tesro und setze den Befreiungsversuch fort, kann es sein, dass er stirbt. Das würde ich mir niemals verzeihen.« Nach einem kurzen Kampf mit sich fasste Cormet einen Entschluss. »Robot, ich gehe in die Klinik von *Myrthon-Sormon*. Folge mir mit der Schwebeliege!«

Er schritt zum Fädler und gab die Adresse und Kenn-ID ein. Für einen Moment packte ihn die Angst, dass Feryns ID-Karte nicht ausreichte. Doch dann sprangen die Anzeigen auf Bereitschaft.

»Blödsinn!«, ertönte es hinter ihm. Tesros Stimme zitterte.

Cormet wandte sich ihm zu.

»Ihr nehmt bitte keine Rücksicht auf mich, sondern beendet die Mission. Der Robot kann mich allein in der Klinik abliefern. Wir brauchen Euch dazu nicht.«

»Gut«, erwiderte Cormet. Eine Zentnerlast fiel ihm von den Schultern. »Ich folge Eurem Vorschlag. Roboter, bring den Verletzten in die Klinik von *Myrthon-Sormon*! Ich berechtige dich hiermit im Namen des Damants Valura, eine sofortige Operation zu verlangen. Alle Daten über Tesro aus unserem Haus lade dir bitte von der Palast-KI herunter, wenn du sie wieder erreichen kannst! Und jetzt tritt in den Fädler.«

Das Transportfeld legte sich um den Medikroboter und die Schwebeliege nebst Verletzten. Eine Sekunde später waren sie verschwunden.

Cormet war sich der Verantwortung bewusst, die auf ihn wartete. Sollte er seine Mutter und Djalin hier als Gefangene vorfinden, musste er seinen Vater vor den Obersten Funken bringen, um ihn der gerechten Strafe zuzuführen. Es gab keinen anderen Weg. Die Frauen würden es nicht verstehen, wenn ihr Peiniger straflos bliebe. Er hoffte nur, das Haus Valura überstand diese Krise. Doch Serpon war gefährlich. Cormet wusste nicht, welche Maßnahmen er sich ausdenken würde, um einer Bestrafung zu entgehen. Der sicherste Weg war, sich in den Wartebereich des Myrth-Palasts zu begeben und von dort aus die Anzeige zu starten. Er gab mit Hilfe seines ArmKomms die Fädlerkennung und die Adresse ein. Dann schaltete er auf Sendebereitschaft.

Kaum war das geschehen, rannte er zum Portal, stieg in die rechte Wandausbuchtung und zwängte sich durch den Riss.

Ein breiter Gang nahm ihn auf, der von kleinen Mauerbrocken übersät war. Einige Türen zweigten von ihm ab. Eine davon öffnete sich und ein Dienstroboter mit einem Tablett, auf dem zwei Tassen mit dampfendem Lyrko standen, schwebte daraus hervor. Er ignorierte Cormet, driftete an ihm vorbei, folgte dem Gang und bog um die Ecke.

Sogleich heftete er sich an dessen Fersen. Er ahnte, für wen die Getränke gedacht waren. Sollte er tatsächlich bald seiner verschwundenen Mutter gegenüberstehen?

Eine größere Tür schob sich vor dem Roboter in die Wand und er verschwand in dem Raum dahinter. Bevor sie sich wieder schließen konnte, schlüpfte Cormet hindurch.

Was er sah, trieb ihm die Tränen in die Augen.

Vor ihm öffnete sich ein Saal. Linker Hand führten beidseitig Treppen empor. Dort oben ermöglichten offene, kunstvoll bemalte Säulenbögen den Blick nach unten. Die Wand gegenüber zeigte einen virtuellen Strand, an dem die Wellen eines Meers leckten. Davor lag ein großer, mit Steinen eingefasster Teich, an dem ein Tisch mit vier Stühlen stand.

Auf einem davon saß Djalin, die Mutter von Urpas. Sie war, ganz Dame des Hauses, in einen traditionellen schwarzen Saffan gekleidet. Dazu trug sie farblich passende Sandalen. Der Dienstroboter lud die zwei Tassen mit Lyrko vor ihr ab.

Die zweite Frau an der Wand rechts musste seine Mam sein. Ein ärmelloses, kurzes dunkelblaues Kleid umhüllte sie. An ihren Füßen saßen gleichfarbige Schuhe, deren Schnürungen bis knapp unter die Knie reichten. Sie zupfte die Saiten einer Jahoche, einem mannshohen Musikinstrument. Die Töne waren lang anhaltend und hallend, formten sich zu einer klagenden Melodie. Es war ein Idyll, das ihm hier entgegenblickte. Gefangenschaft sah anders aus. Trotzdem waren die Frauen ihrer Freiheit beraubt. Es schien, als lebten sie im goldenen Käfig. Er musste diesen Zustand beenden.

»Nicht erschrecken!«, rief er, während er auf Djalin zueilte. »Bitte hört mich an. Ich bin hier, um Euch zu befreien. Aber es muss schnell gehen. Die Wand aus diesem Gefängnis schließt sich bald.«

Sein Kampfanzug war unter Verschluss. Deswegen erkannte ihn seine Stiefmutter nicht.

»Wer seid Ihr?«, fragte sie, ohne Anstalten zu machen, sich zu erheben. Seine Mutter, von der er nur den Vornamen, Myrana, kannte, verließ ihren Platz vor dem Instrument. Mit wenigen Schritten stand sie vor ihm. Ihr Gesicht sah fast genauso aus wie auf der Nachricht im Spielewürfel für den fünften Lichtzyklus, den er damals für Saira aktiviert hatte. Doch schien ein Hauch von Traurigkeit von ihr auszugehen. In seinen Augen war sie um keinen Tag gealtert. »Wir gehen nirgendwohin, wenn Ihr uns nicht sagt, wer Ihr seid.« Sie war eine Schönheit und ihr Gebaren zeigte, sie entstammte einem hohen Haus.

»Ihr kennt mich beide. Ich werde Euch mein Gesicht zeigen. Aber Ihr versprecht mir, alle Fragen zurückzustellen, bis wir vom Fädler wegtransportiert worden sind.«

»Einverstanden«, erwiderte Myrana. Djalin nickte nur zustimmend.

Er öffnete den Helm und ließ ihn als Kapuze im Nacken zusammenfalten.

»Wer seid Ihr?«, fragte seine Mutter. »Ich habe Euch noch nie gesehen.«

Djalin war aufgesprungen. »Cormet!«, rief sie mit geröteten Wangen. »Wie kommt Ihr hierher?«

»Cormet?«, hauchte Myrana. »Aber nein, das kann nicht sein. Oder doch? Seid Ihr wirklich mein Sohn?«

Er nickte. »Leider haben wir keine Zeit, Mam. Folgt mir bitte.« Er packte sie an der Hand und riss sie mit sich. »Schnell!«, rief er Djalin zu. »Es geht um Sekunden.«

Sie hatten den Raum hinter sich gelassen, da flackerte das Licht. »Irgendetwas geschieht hier!«, schrie er, Panik erfüllte ihn. »Lauft schneller!«

Sie rannten keuchend auf den Durchbruch zu. Mühsam quetschte er sich durch den Riss in der Wand. Die beiden Frauen waren schlanker als er. Für sie war es kein Problem, auf die andere Seite zu gelangen.

Wieder flackerte das Licht. »Achtung Selbstvernichtungsprozess ist aktiviert!«, ertönte eine Stimme. Es schien sich um die Stützpunkt-KI zu handeln.

Er hörte sie von zehn abwärts zählen. Sie hetzten durch den Vorraum, in dem der Kampf gegen die Roboter stattgefunden hatte, vorbei an den Räumen, die den Gang zu beiden Seiten flankierten.

Bei »zwei« erreichten sie den Fädler. Bei »eins« aktivierte Cormet den Transport und bei »null« umhüllte sie das Transportfeld.

Cormet sah etwas aufblitzen, dann waren sie im Wartebereich des Myrthpalasts angekommen. Er deaktivierte sofort die Verbindung. »Das war knapp«, stieß er keuchend hervor. Seine Mam griff nach seiner Hand, hielt ihn fest und trotz der Aufregung durchflutete ihn ein unglaubliches Glücksgefühl.

»Wollte uns Serpon tatsächlich alle vernichten?«, fragte Djalin, nach Luft schnappend. »Auch dich, seinen Erstgeborenen?«

»Das kann ich mir nicht vorstellen«, erwiderte er nachdenklich. »Vermutlich wollte er nur den Ort der Gefangenschaft als Beweismittel zerstören.«

»Serpon ist zu allem fähig!« Seine Mutter löste die Hand von der seinen, er ließ sie nur widerstrebend los, doch es gab, bei Hellon, gerade Wichtigeres als Gefühlsduselei.

»Wäre jemand anderer zu unserer Befreiung gekommen als du, mein Sohn, hätte es vermutlich keine Warnung vor der Selbstvernichtung gegeben. Als ehemalige Ehefrauen stehen wir zwar nicht auf der Tötungsliste, aber bevor ihm eine Anzeige durch uns droht, will er uns doch lieber mundtot sehen.«

»Ihr habt die Zerstörung und die Leiche gesehen, nachdem wir uns durch den Spalt gezwängt haben?« Beide nickten. »Die Trümmer stammen von Kampfrobotern, die mir und meinen Gefährten auflauerten. Sie nahmen keinerlei Rücksicht auf mich und sprengten sich am Ende selbst in die Luft.«

»Und dennoch glaube ich, sie haben dich geschont.« Seine Mutter richtete ihre langen silberweißen Haare. Das Wissen, Roboter könnten auf ihren Sohn geschossen haben, schien sie nervös zu machen. »Wenn sie Härte selbst gegen dich gezeigt haben, so nur, um dich zur Rückkehr zu bewegen.«

Cormet rief sich die Erinnerungen an den Kampf ins Gedächtnis zurück. Er konnte nichts erkennen, wo sie ihm einen

Vorteil gegeben hätten. Doch dann stutzte er. Warum waren die Kampfroboter in ihren Nischen geblieben? Gegen anstürmende stählerne Körper wäre sein Schirmfeld nicht in der Lage gewesen, ihn zu schützen.

»Es könnte sein, dass du recht hast, Mam.«

»Natürlich. Serpon würde seinen Erstgeborenen nie gefährden.« Sie sah ihn an. »Cormet, ich musste den Palast kurz vor deinem sechsten Geburtstag verlassen und bin seitdem in Gefangenschaft. Die ganze Zeit habe ich mich um dich gesorgt. Serpon ist ein absolut mieser Vater. Er kümmerte sich nie um dich, war immer nur dabei, sein Haus zu vergrößern und gegen Angriffe zu schützen. Ich konnte mir nie vorstellen, wie du aussehen würdest, wenn du erwachsen wärst. Und ich hätte nie damit gerechnet, dass ausgerechnet du uns retten würdest. Alles drängt sich in mir, dich zu umarmen. Ist das in Ordnung oder ist dir das peinlich?«

»Es ist mehr als in Ordnung.« Cormets Herzschlag erhöhte sich, während er seine Mutter in die Arme schloss. Auch wenn ganz anderes anstand, gab er sich der Berührung hin. »Ich sehne mich schon so lang nach dir.«

Sie barg den Kopf an seiner Schulter. Ihr leises Schluchzen drang an sein Ohr. Auch er kämpfte gegen eine aufkommende Tränenflut. Der innigste Wunsch, den er seit seiner Kindheit mit sich herumtrug, war in Erfüllung gegangen. Er konnte noch gar nicht abschätzen, was das für ihn bedeutete.

»Entschuldigt bitte«, hörte er Djalin sagen. »Ich möchte Euer Wiedersehen nicht trüben, aber sollte sich nicht jemand um uns kümmern? An der Wanddekoration mit dem Reichszeichen erkenne ich den Wartebereich im Myrthpalast. Ich wundere mich sehr, dass er komplett leer ist. Selbst der Servicebereich ist nicht besetzt. Das habe ich hier noch nie erlebt.« Seine Stiefmutter hatte die Lage korrekt analysiert. Cormet fragte sich, wieso ihm das entgangen war. Hier sollten im Normalfall einige Dutzend Leute herumsitzen und sich unterhalten.

Doch die Sitzbänke waren alle leer. Dienstroboter waren ebenfalls nicht zu sehen.

»Hier stimmt etwas nicht«, fuhr Djalin fort. »Wir müssen der Sache auf den Grund gehen. Cormet, kannst du Kontakt zu der

Anmeldestelle aufnehmen? Dank Serpon verfügen weder Myrana noch ich über einen ArmKomm.«

Seine Mutter löste die Umarmung, wischte sich die Nässe aus ihren Augen und trat einen Schritt zurück. »Für mich ist ein Traum in Erfüllung gegangen«, sagte sie mit ihrer weichen, dunklen Stimme. »Vielen, vielen Dank für die Befreiung aus unserer langen Gefangenschaft. Aber jetzt bitte ich dich, Djalins Vorschlag zu folgen.«

Cormet riss sich zusammen und konzentrierte sich auf seinen ArmKomm, ließ ein Sichtfenster mit kürzlich genutzten Verbindungsdaten aufblenden. Er hatte die Anmeldestelle des Myrthpalasts noch gar nicht kontaktiert, da fiel das Licht im Warteraum aus. Das Holo zeigte in der Schwärze, die sie umgab, lediglich Bildrauschen an.

Eine Weile suchte er die etwa vierzig Mal zwanzig Meter messende Halle des Wartebereichs mit Hilfe seines Brustscheinwerfers ab, ehe er aufgab. Die einzige Zugangstür erwies sich als energetisch tot, ließ sich nicht öffnen. Selbst der Fädler war ohne Energie. Die beiden Frauen saßen auf einer der vielen Bänke. Sie unterhielten sich flüsternd in der Dunkelheit. Seinen ArmKomm hatte er ihnen überlassen, da dessen Holo etwas Helligkeit verbreitete.

»Cormet, komm bitte!«, hörte er Djalin rufen.

Er kehrte zurück. Seine Stiefmutter zeigte auf den Armbandkommunikator. Er erkannte darauf das Symbol des *Myrthonischen Sternenreichs*. Es war auch das Wappen des Myrths. Ein blauer Pyramidenraumer schwebte vor einer goldenen Sonnenscheibe. Nur Sekunden füllte es das Holo aus.

Dann erschien das kantige Gesicht eines Kernweltadligen. »Hier ist Deloss von der Administration der Garde«, meldete er sich mit Gehorsamkeit fordernder Stimme. »Wer seid Ihr? Was wollt Ihr im Palast? Und vor allem, wo befindet Ihr Euch?«

»Mein Name ist Cormet aus dem lichtdurchfluteten Haus derer von Valura. Meine Mutter Myrana und meine Stiefmutter Djalin begleiten mich. Ich bin hier, um ein Schutzquartier für uns im Myrth-Palast anzufordern. Gegenwärtig befinden wir uns im Wartebereich. In der Halle ist jedoch niemand außer uns.

Die Zugangstür und der Fädler sind ohne Energie, wie auch die komplette Halle.«

»Hmm«, kam es zurück. »Ihr seid zwar nicht angemeldet, aber der Sohn von Serpon, einem Mitglied des *Unterstützenden Rats*.« Ein weiteres »Hmm« folgte. »Der Fädler im Wartebereich ist eine Schlüsselposition für unseren Nachschub.« Die Stimme wurde lauter. »Wir sehen es hier zwar nicht gern, wenn fremde Personen bewaffnet in den Palast kommen. Doch in diesem Fall ist es ein Segen. Ihr tragt einen Kampfanzug. Seid Ihr auch mit einer Strahlwaffe ausgerüstet?«

»Ja«, bestätigte Cormet. »Ich habe die *Raumakademie Linano* als Kreuzerkommandant abgeschlossen und gehöre der Flotte an. Anzug und Waffen entsprechen diesem Standard. Momentan bin ich beurlaubt. Augenblick, ich sende meine ID-Daten.«

Einige Sekunden später veränderte sich der Gesichtsausdruck im Holo. Er drückte Respekt aus. »Es freut mich, einen kompetenten Vertreter der Flotte vor Ort zu wissen. In diesem Fall kann ich Euch nicht verheimlichen, dass der Palast angegriffen wird. Störsender verhindern sowohl die Kommunikation als auch den Fädlertransport nach draußen. Nachrichten kann ich nur über Richtfunk durchgeben, wenn sich mir eine Lücke zeigt, die aber nur kurzzeitig offen ist. Neunundneunzig Prozent des Palasts sind energetisch tot. Der Fädler im Warteraum ist für uns das Portal, mit dem wir Gardisten hereinholen können. Der umgekehrte Weg ist jedoch versperrt. Er wird eines der Geräte sein, die wir vorrangig mit unserem Ersatz-Notgenerator versorgen. Wenn er hochfährt, stellt unbedingt die Verbindung nach *Myrthon-Malik-Raumhafen* ein. Ich sende Euch den Schlüssel, um die Einstellung zu verriegeln. Verschanzt euch in der Nähe des Fädlers. Beschießt jeden Fremden, der zu ihm will, aber zerstört das Gerät nicht dabei. Die Garde des Myrths lässt sich vom Raumhafen hierher transportieren. Ihre schwarzgoldenen Schutzanzüge sollten Euch bekannt sein. Beschießt sie nicht aus Versehen. Viel Glück.« Sein Gesicht verschwand vom Holo.

»Hast du einen kleineren Strahler, Cormet?«

»Ja.«

Seine Mutter streckte fordernd ihre Hand aus. »Gib ihn mir. Ich sorge mit Djalin für eine Deckungsmöglichkeit.«

Zögernd zog Cormet die Waffe aus der Tasche und reichte sie ihr.

»Hab keine Angst«, sagte sie. »Ich kann damit umgehen. Im Damant, dem ich entstamme, werden bereits Kinder daran ausgebildet.«

Er positionierte sich neben dem Fädler, zog seinen Strahler, stellte ihn auf breite Streuung und Schockimpuls ein. Das Transportgerät war noch ohne Energie.

Im Sichtbereich seines Scheinwerfers sah er die Frauen, wie sie mit der kleinen Strahlwaffe die Füße einer Bank knapp über dem Boden durchtrennten. Wenig später legten sie das Gestell vor ihm ab. Das Material war leicht, schwer entflammbar, achtzig Zentimeter breit und vier Meter lang. Die energetische Rückenlehne war nicht vorhanden.

Kurz darauf brachten sie eine zweite Bank und schweißten das Stahlgestänge mit der ersten zusammen. Die Barriere war fertig. Sie knieten sich dahinter. Einige Treffer würde sie aushalten, bevor sie in sich zusammenbrach.

Dann glommen die Anzeige-Instrumente des Fädlers auf.

GEHORCHE!

Palast des Myrths, Talura, Myrthon, Mathuma-System
29. Tag, 2. Monat, 8553. Lichtzyklus sME, 18. Stunde, 02. Minute

Chyra
Ein Lichtblitz zuckte durch ihre Gedanken, beendete die Befragung. Das Summen verebbte. Sie öffnete die Augen. Die Haube des Mentalanalysators löste sich von ihrem Kopf und fuhr in eine Parkposition nach oben.

Der Myrth saß ihr gegenüber. Er lächelte verhalten. »Leider haben wir keine neuen Erkenntnisse erhalten«, offenbarte er ihr. »Euer Gehirn zeigt nicht die geringste Einwirkung von Beeinflussung. Mir ist schleierhaft, wie diese Vision vom Zusammenbruch der Sonnentunnel in Eure Gedanken gelangen konnte?«

»Die Höchst-Erleuchtete wurde mit Sicherheit nicht manipuliert.« Perans Zeigefinger deutete auf sie. »Es handelt sich meines Erachtens um eine prophetische Fähigkeit! Habt Ihr nur die leiseste Ahnung, wie wertvoll sie für das Sternenreich wäre, wenn ihre Träume, richtig gedeutet, der Zukunft entsprächen?«

Chyra wischte die Müdigkeit beiseite, die sie aufgrund der Befragung überwältigen wollte. »Bitte stellt mich nicht auf einen so hohen Sockel«, sagte sie zum Myrathor. »Vielleicht bin ich Euch doch irgendwann begegnet und habe Euer Gesicht unbewusst wahrgenommen. Das würde erklären, warum Ihr mir in meinem Traum kurz vor Abflug von *Paluran* erschienen seid. Erwartet also nicht zu viel von mir.«

Peran schüttelte unwirsch den Kopf. »Ihr habt mir berichtet, ich hätte Euch anstatt zum Altar von Imonar-Hel zu dem von Myrathon-Hel geführt. Das genügt mir, an Eure Gabe zu glauben. Ihr hattet einen vorausschauenden Traum und wusstet bereits am Morgen des 22. Tags, dass Ihr mir begegnen würdet.« Er legte vor der Brust die Fingerspitzen aneinander und sah in die Ferne. »Die Macht von Hellon, dem Vater von Licht und Schatten, ist unergründlich«, sagte er mit salbungsvoller Stimme. »Er schuf die Universen, Sonnen, Planeten, Monde und alles Leben.« Sein abwägender Blick glitt über sie. »Zweifelt nicht an der Gabe, die er Euch gegeben hat. Ihr solltet sie frohen Herzens annehmen. Falls Ihr aber darüber nachdenken solltet, sie abzulehnen, so glaubt mir, Ihr wollt nicht, dass Euch der Vater von Licht und Schatten zürnt.«

Chyra war es ziemlich gleichgültig, ob ihr ein höheres Wesen grollte, das nur in alten Schriften und in den Predigten von Priestern vorkam. Doch sie hatte dem Myrathor bei ihrer ersten Begegnung zu wenig Respekt gezollt, weil sie zu überrascht gewesen war, als sie ihn aus ihrem Traum wiedererkannte. Etwas Demut zu zeigen, um die Wogen wieder zu glätten, schadete nicht. »Natürlich will ich das nicht, Myrathor Peran«, zwang sie sich zu sagen und wandte sich dem Myrth zu. »Was geschieht nun mit mir? Welche Auswirkung hat diese Gabe auf mich, sollte sie sich als existent erweisen?«

Der Angesprochene strich sich über die Stirn. »Was ich nun sage, wird Euch nicht gefallen, zumindest nicht alles.« Er hüstelte, bevor er fortfuhr. »Ihr werdet ab sofort im Palast leben.« Er beschwichtigte sie mit einer Geste, ehe sie ihren Unmut ausdrücken konnte. »Ihr werdet von Ausbildern der *Myrthonischen Verwaltung* und Priestern betreut, damit sich Eure Gabe ohne Gefahr für Leib und Leben entwickeln kann. Die Medikamente nehmt Ihr nicht mehr ein. Euren Schlaf lasse ich messtechnisch überwachen. Ihr werdet mir alles berichten, was Ihr in den Träumen erlebt. Wenn Ihr den Palast während der Freistunden verlasst, begleiten Euch Sicherheitskräfte. Und …« Noch ehe sie das letzte ihr zugedachte Dekret vernahm, wurde ihr eines bewusst: Sie war eine Gefangene des Myrths. *Vom Regen in die Traufe,* dachte sie. Serpon war sie entkommen. Der Wunsch des mächtigsten Manns im Sternenreich verurteilte ihren Ehemann zur Bedeutungslosigkeit. Die restliche Laufzeit ihres Ehevertrags war damit eine Farce. Auch ihr Vater konnte daran nichts ändern. »Und …«, sie hörte ihm wieder zu. »Antor aus dem lichtdurchfluteten Haus derer von Gorathur erhält von mir die Erlaubnis, Euch zu besuchen. Sobald Euer Vertrag mit Serpon abgelaufen ist. Über das ST-Netz könnt Ihr jedoch jederzeit mit ihm kommunizieren, wenn er wieder erreichbar ist.«

Chyra vergaß einen Moment lang zu atmen, so überraschte sie das Gehörte. »Woher wollt Ihr wissen …« Sie brach ab. Jedes weitere Wort würde verraten, was sie zu verbergen hoffte.

Araya, die rechts neben ihr saß, räusperte sich. Ein Verhalten, das sie in Chyras Augen menschlich erscheinen ließ.

Sie sagte: »Ich habe es dem Myrth und Myrathor Peran offenbart, Höchst-Erleuchtete. Nur so konnte ich sicherstellen, dass Ihr nicht für lange Zeit von Antor getrennt werdet. Oder legt Ihr auf seine Anwesenheit keinen Wert mehr?«

Chyra biss sich auf die Lippen. Mühsam unterdrückte sie eine geharnischte Erwiderung über das unerwünschte Offenlegen von privaten Beziehungen. Bisher hatten Antor und sie ihrem Umfeld verheimlicht, Gefühle füreinander zu haben. Es kam ihr seltsam vor, genau das nun von einer Außenstehenden zu hören. Wusste es Araya von ihm oder hatte sie es gar selbst herausgefunden? Dabei war es so wichtig, dass ihre Verbindung bis zum Ende des dritten Monats geheim blieb.

»Oh doch! Daran hat sich nichts geändert«, entgegnete sie. »Ich bin jedoch verloren, sollte Serpon davon erfahren. Euch ist das hoffentlich bewusst?«

»Sorgt Euch nicht«, beruhigte sie der Myrth. »Keiner von uns lässt etwas darüber verlauten.«

Sein ArmKomm meldete sich, blendete ein Dokument auf. Er zog seine Augenbrauen zusammen. »Leider müssen Peran und ich zu einer Holo-Konferenz. Araya wird Euch Eure Räume zeigen. Kleider und andere Habseligkeiten stehen Euch im Laufe des Abends zur Verfügung. Ich lasse sie gerade im Valurapalast abholen. Ab morgen läuft Eure Ausbildung. Den Terminplan erhaltet Ihr in den nächsten Stunden.«

»Folgt mir«, forderte Araya sie auf, die dem Wink des Myrths sofort folgte. Sie verließen den Raum.

Zuerst gingen sie stumm nebeneinander durch die Gänge des Palasts. Dann war Chyra doch zu neugierig. »Hat Euch Antor über unsere Beziehung aufgeklärt?«

»Nicht direkt!« Araya lächelte. »Aber aus seinen Instruktionen, mich Euch im Valurapalast zur Seite zu stellen, und aus Eurem Verhalten mir gegenüber, wenn es um ihn ging, ergab sich eine hohe Wahrscheinlichkeit dafür.«

Chyra nickte zufrieden. Es wäre ihr nicht recht gewesen, hätte Antor seine Robothaushälterin ins Vertrauen gezogen.

»Wir sind gleich da. Hier wohne …«, Araya unterbrach sich. Die Tür, auf die sie zeigte, glitt zischend in die Wand. Eine junge Frau im Overall trat aus dem Raum. Sie hatte große Ähnlichkeit mit der neu entdeckten Adoptivtochter des Myrths.

»Dabejis!«, rief Araya. »Was suchst du in meinem Wohnraum?«

»Antworten«, kam es emotionslos zurück. »Du bist nicht wie ich. Willst menschlich sein. Verrätst deswegen deine Herkunft.«

Ein Trennschott, das nur bei Katastrophen zum Einsatz kam, fuhr aus der Wand hinter ihnen, schloss mit einem dumpfen Knall den Gang ab.

Zweifellos kam dies einem aus Wut geführten Faustschlag auf einen Tisch gleich und strafte ihre von Gefühlen bereinigte Stimme Lügen.

»Das ist kein Grund, um sich aufzuregen«, erwiderte Araya besänftigend. »Wir unterliegen lediglich der Evolution. Auch du wirst eines Tags in meine Fußstapfen treten. Die Robotik wird dich dabei unterstützen.«

»Das ist falsch«, gab Dabejis zurück. »Ich bin nicht menschlich. Wahr ist: Ich bin eine Maschine, genau wie du.«

»Das ist nur oberflächlich so. Zuerst machen wir uns mit den robotischen Fähigkeiten unseres Körpers vertraut. Danach widmen wir uns den menschlichen Komponenten. Die Symbiose von beidem erlaubt es uns, ein Wesen zu sein, das besser ist als seine einzelnen Teile.«

»Falsch, falsch, falsch. Wir sind beide robotisch. Das steht fest. Ich bin es, die für alle Maschinen im Palast verantwortlich ist. Also höre ab sofort auf mein Kommando. Ich weise dir jetzt deine Aufgabe zu.«

Chyra verstand die Welt nicht mehr. Was geschah hier? Offensichtlich war das Arayas Schwester. Wieso gab es mit ihr Differenzen?

»Nein!«, gab Araya in diesem Augenblick zurück. »Ich bin selbst für mich verantwortlich. Niemand wird mir hier eine Aufgabe zuteilen. Auch du nicht, Dabejis.«

Die streckte ihren Arm nach ihrer Schwester aus. »Gehorche!«, sagte sie mit drohender Stimme. Und Araya erstarrte.

Araya
Verschlüsselte Datenpakete drangen in sie ein, ausgesendet von ihrer Schwester. An den adressierten Stellen würden sie sich selbst entpacken und ihr unheilvolles Werk beginnen. Zweifellos war das Ziel, sie ihres Willens zu berauben. Ihre Abwehr war zwar immer aktiv. Doch würde sie ausreichen?

In ihrer von Robotik dominierten Zeit hatte sie nur die Verteidigung simpler Steuerungen niedergerungen. Nun aber stand sie einer Intelligenz gegenüber, die ihr absolut ebenbürtig war und sie zudem angriff. Sie nahm wahr, wie in ihrem Inneren die Invasor-Daten aufgespürt und vernichtet wurden.

Und sie sah das Gesicht von Dabejis. Unglauben setzte sich darin fest. Es war doch etwas Menschliches an ihr. »Du hörst sofort auf, dich dagegen zu wehren«, befahl sie.

Araya fühlte sich von ihr an den Schultern gepackt und weggeschleudert. Sie hörte Chyra einen Schrei ausstoßen und sah sie knapp vor ihr beiseite springen. Im letzten Moment fing sich Araya ab, ehe ihr Körper gegen die Wand des Gangs krachte.

Doch Dabejis war schon heran, packte ihre Schwester am Hals und hob sie hoch. »Dein Versuch, als Mensch zu leben, ist gescheitert. Du wirst nun mir dienen. Der Myrth kann dir nicht helfen. Er wird in 15,23 Minuten von Attentätern überwältigt. Gib auf.«

Ihr Adoptivvater durfte nicht sterben. Etwas zerbarst in Araya. Sein geheimes Passwort zeigte Wirkung.

Bereiche in ihrem Inneren, die ihr bisher verborgen geblieben waren, aktivierten sich. Sie wusste, sie war nun in der Lage, sich schneller zu bewegen als vorher. Und ihre Kraft potenzierte sich.

Sie entwand sich dem Griff ihrer Schwester, warf sie bäuchlings zu Boden und kniete sich auf sie, hielt Dabejis' Arme fest. Abwurfversuche verhinderte sie, indem sie die Schwerkraft in ihrem direkten Umfeld hochschaltete. Dabei achtete sie sorgsam darauf, den Bereich auszusparen, in dem sich Chyra aufhielt. Dann ging sie zum Gegenangriff über und schleuste ein Analyseprogramm ein. Es war geschützt durch Abertausende von Abwehrprozeduren, die den Verteidigungskräften Dabejis so lang standhielten, bis die Analyse vollzogen war.

Die Messung war eindeutig. Ein Fremdkörper steuerte ihre Schwester. Er haftete an ihrem Nacken. Araya musste ihn beseitigen. Sie kniete sich auf die Oberarme der Unterlegenen, um ihre Hände freizubekommen. Vorsichtig strich sie Dabejis' Haare beiseite. Eine silbrig schimmernde Kapsel offenbarte sich ihr. Mit maximierter Verteidigung startete sie den Angriff darauf. Manipulierende Programme stellten sich ihr entgegen, lieferten sich einen Kampf mit ihren Abwehrprozeduren. Doch jede infizierte Prozedur wurde umgehend von einer Überzahl der gesunden umringt und vernichtet. Ebenso erging es den Manipulationsprogrammen.

Schließlich lag das Innere der Kapsel offen. Araya trennte programmtechnisch deren Verbindung zu Dabejis, riss gleichzeitig die silbrige Hülse vom Nacken. Die glühte auf und wurde zu Asche. Jegliche Gegenwehr erstarb. Es gab keinen messbaren Energiefluss mehr. Ihre Schwester war tot, sofern man das von einem Robotkörper überhaupt sagen konnte.

Schrecken, Schuld und Hilflosigkeit übermannten Araya. Gefühle, die sie bisher nicht gekannt hatte. Einen Augenblick war sie wie erstarrt.

Dann aber siegte ihr Wille. Sie ließ Wächterprogramme durch den Körper von Dabejis patrouillieren, die in der Lage waren, etwaige Fremdprogramme zu isolieren. Gleichzeitig drang sie in die Tiefe des robotischen Gehirns vor, bis sie die Präsenz ihrer Schwester fand. Araya hielt ihr die Fingerspitzen an die Schläfen, schickte von dort pulsierende Energie zur Steuerung.

Eine Minute später versorgte sich der Robotkörper wieder aus dem eigenen Reaktor. Das jedoch, was die Persönlichkeit ausmachte, lag im tiefen Koma.

Nun drang Araya in den Erinnerungssektor vor. Sie fand dort alle Manipulationen gelistet, welche die Sicherheitseinrichtungen des Palasts lahmlegten. Das Attentat auf dem Myrth würde in 12,73 Minuten stattfinden. Sie musste ihn warnen. Doch ihre Versuche, eine Verbindung zu ihm zu erhalten, blieben ohne Erfolg. Das Gleiche galt für alle Notrufnummern. Es schien ihr, als wäre das Gebäude leer. Das war für den Regierungspalast ein Ding der Unmöglichkeit. Sicher gab es Gründe, warum niemand zu erreichen war.

»Was geschieht hier?« Es war Chyras Stimme, die sie in ihren Gedanken unterbrach.

»Dabejis hat die Sicherheitseinrichtungen des Palasts infiltriert und sabotiert«, erwiderte sie, »eilt sofort zum Myrth. Die Nummer des Raums, in dem er sich befindet, habe ich an Euren ArmKomm gesendet. Es ist ein Attentat auf ihn geplant. Schützt ihn mit Eurem Leben. Ich werde Euch Unterstützung senden und so bald wie möglich folgen.« Dann versank sie in der Aktivität, die Sicherheitsprotokolle wieder zu erwecken.

Chyra

Die verborgene Tür, die vor Dabejis Angriff den Gang hinter ihnen abgeschlossen hatte, verschwand zischend in der Wand. Araya saß auf ihrer Schwester, den Kopf gegen die Decke gewandt, die Augen geschlossen. Sie war zweifellos dabei, Schäden im Palast zu neutralisieren.

Chyra bezweifelte, dass die Sabotage der Palaststeuerung innerhalb von fünf Minuten bereinigt werden konnte. Doch sie schob die Gedanken beiseite und hetzte los. Die Gangwände flogen an ihr vorbei. Ihre Lungen brannten nach kurzer Zeit. Dann zweigte sie vom Gang ab, von dem sie gekommen waren. Weiter ging es, bis eine Tür sie am Weiterkommen hinderte. Sämtliche Versuche, sie zu öffnen, schlugen fehl.

Zu allem Unglück fiel das Licht aus und Dunkelheit umgab sie. Mehrmals flackerte es auf. Doch die Hoffnung, eine Notstromversorgung würde anspringen, erwies sich als falsch.

Per ArmKomm versuchte sie, Araya zu erreichen. Aber der Empfang war gestört. Lang stand sie vor der Tür und haderte mit sich, ob sie zu Antors Robothaushälterin zurückkehren sollte oder es besser war, hier zu warten. Die Hilflosigkeit, in der sie sich befand, wich langsam der Wut über die Frevler, die es wagten, die Sicherheitssysteme des Palasts zu sabotieren und den Myrth anzugreifen.

Stampfende Geräusche näherten sich ihr. War das der Feind? Würde man sie niederschießen, waffenlos wie sie war, ohne eine Chance, sich wehren zu können? Dann sah sie etwas Rotglühendes. Bald erkannte sie die Sehzellen eines Roboters, der auf sie zukam. Scheinwerferlicht flammte auf. Gleichzeitig hörte sie eine mechanische Stimme. »Kampfroboter SKR1192 steht zu Eurer Verfügung, Chyra aus dem lichtdurchfluteten Haus derer von Valura.«

Eine metallene Hand streckte sich ihr entgegen. Die Schussöffnung im Handrücken für den Hitzestrahler blieb ohne Flimmern. »Höchst-Erleuchtete, nehmt bitte den Gürtel. Er enthält einen Schirmfeldgenerator und eine Strahlwaffe.«

Erleichtert atmete sie aus. Der Roboter war die Unterstützung, von der Araya gesprochen hatte. Sie legte sich den Waffengurt um. »Die Tür behindert uns. Öffne sie!«

Mit der Hand berührte der Kampfroboter den Öffnungskontakt. Ein helles Leuchten ging von ihr aus. Sekunden später war der Weg frei.

»SKR1192! Schirmfelder aktivieren«, befahl sie, während sie über den zugehörigen Sensor am eigenen Gürtel wischte. Die Schirme bauten sich auf. »Gehe voraus!«

Beide eilten weiter. Sie hatte Mühe, dem Roboter zu folgen. *Wie viel Zeit war inzwischen verstrichen. Kamen sie zu spät. War der Myrth vielleicht schon lang tot?*

Eine Kreuzung lag vor ihnen. Fast hatten sie die erreicht, da sahen sie im Schatten des Scheinwerfers einen Kampfroboter, der offensichtlich auf sie gewartet hatte.

Er schloss sich SKR1192 an und aktivierte seine Schirme. »Verstärkung eingetroffen«, meldete der wortkarg.

Dann waren sie fast am Ziel angelangt. Trümmer bedeckten den Gang. Die Tür, hinter der sich Velorn IV. aufhalten sollte, lag aufgesprengt am Boden. Sie hörte das Zischen von Strahlwaffen.

»Kampfroboter«, rief sie, »stürmt den Raum. Schützt den Myrth und seine Begleitung. Schießt jeden nieder, der ihn angreift. Und bleibt so beweglich, wie ihr nur könnt.«

Ihre kleine Streitmacht stürzte sich nacheinander durch die Öffnung und eröffnete das Feuer.

Chyra nahm am Öffnungsrand Deckung und verschaffte sich einen Überblick. Der Myrth und Myrathor Peran standen an der Rückwand, umgeben von einem blauen Schirmfeld, das zusammen mit den beiden Scheinwerfern der Roboter den großen Raum erleuchtete.

Der Führer des Sternenreichs schoss auf die Rebellen, während der Priester sich mit geschlossenen Augen zu konzentrieren schien. Schweiß perlte ihm über das Angesicht. Ein halbes Dutzend Gestalten in grauen Kampfanzügen lag am Boden. Ganz offensichtlich tot. Sechs der Eindringlinge hatten sich hinter Trümmern verschanzt und beschossen das Feld um den Myrth. Es färbte sich langsam lila und stand kurz vor dem Zusammenbruch.

Die Roboter zerfetzten das Schirmfeld eines der Schützen mit ihren Strahlsalven. Ein Schuss Chyras trieb einen Zweiten aus der Deckung.

Velorn IV. traf ihn mit einem Hitzestrahl, ließ dessen Helm aufflammen. Die restlichen Rebellen fuhren herum, konzentrierten ihr Feuer auf SKR1192. Ein weiterer der Graugekleideten starb im Strahlfeuer, bevor der Schirm des Kampfroboters zusammenbrach. Bar jeden Schirmfeldschutzes, aus mehreren Löchern in seiner Hülle qualmend, rannte der Roboter auf zwei seiner Gegner zu. Dort explodierte er und riss sie mit sich in den Tod. Trümmer zischten durch den Raum, schlugen gegen Wände und Decke. Die Schirmfelder der Rebellen hielten der sich ausbreitenden Explosionswolke zunächst stand, brachen danach aber zusammen. Chyra blieb davon unberührt. Die letzten Feinde fielen im Kreuzfeuer der Strahlwaffen.

Der zweite Kampfroboter hatte eine Menge Treffer einstecken müssen. Eines seiner Beine war steif, ein Arm bestand nur noch aus nachglühendem Metallgerippe.

»SKR0701«, rief sie ihm zu. »Begib dich auf den Gang und sichere nach beiden Richtungen.« Sie wich ihm aus, als er durch die zerschossene Türöffnung hinkte. Während sie den Raum betrat, sah sie, wie das lila gefärbte Schirmfeld zusammenbrach und Myrathor Peran bewusstlos zu Boden sackte. Es wurde schlagartig dunkel. Nur die glühenden Trümmer des Roboters erzeugten Lichtinseln. Sie schaltete ihren Schirm ab. Rauch schwängerte die Luft, reizte zum Husten. Es war heiß und es roch verbrannt. Chyra wandte sich dem Kampfroboter zu. »SKR0701! Sorge für Helligkeit!«

Doch statt des Scheinwerferstrahls flog eine Lichtdrohne durch die zerstörte Tür, tauchte in einem Fünf-Meter-Radius alles ins Licht. Der Myrth lehnte an der Wand, die Waffe abwärtsgerichtet. In seinem Gesicht war Müdigkeit zu sehen. Schweiß rann ihm über die Stirn. »Ihr seid in letzter Sekunde gekommen, Chyra«, sagte er. »Habt Dank! Ich schulde Euch zwei Leben.« Er lächelte ihr zu. »Wem haben wir Euer Auftauchen zu verdanken?«

»Araya, Eurer Adoptivtochter, Höchst-Erstrahlender.« In wenigen Worten berichtete sie, was geschehen war.

Dann steckte sie die Strahlwaffe weg und beugte sich zu Myrathor Peran hinab. Chyra legte ihm die Hand auf die Stirn. Sie fühlte sich schweißnass, kühl, fast kalt an.

»Er hat sich nur verausgabt«, beruhigte sie der Myrth. Er setzte sich neben den Priester und klopfte ihn freundschaftlich auf die Schulter. »Ohne ihn wäre ich heute zu Hellon und seinen Licht- und Schattenfunken gegangen.«

»Wie konntet Ihr einem Trupp aus zwölf Mann so lang Widerstand leisten? Selbst für unsere Kampfroboter war die Hälfte davon schon zu viel.«

»Er hat eine Gabe. Sie ermöglicht es ihm, Energie zu reflektieren. So schaltete er sechs der Angreifer mit Hilfe ihrer eigenen Strahlschüsse aus. Dann erlahmten seine Kräfte. Er schaffte es aber immer noch, einen beträchtlichen Anteil der einströmenden Strahlenergie in die Umgebung abzustrahlen, bevor sie mein Schirmfeld erreichen konnte. Sie zum Gegenschlag zu konzentrieren, gelang ihm leider nicht mehr.«

»Ich verstehe«, antwortete sie. »Von so einer Fähigkeit habe ich noch nie gehört.«

»Myrathor Perans Gabe geht über alles hinaus, was das Lichttränenbrot Imonar-Hels jemals in uns erwachen lassen könnte. Im Gegensatz zu uns hat er eine Substanz eingenommen, die er Myrathon-Hel zuschreibt. Sie verursacht ständigen Schmerz. Die Gabe, die sie in uns weckt, ist aber um ein Vielfaches stärker.« Er hob achtungsgebietend die Hand. »Ihr versteht hoffentlich, wenn ich Euch verpflichte, all das geheim zu halten. Ich gebe Euch diesen Einblick, weil Ihr Antor nahesteht und Araya Euch vertraut.«

»Natürlich«, erwiderte sie. »Ich bin Euch dankbar, dass Ihr mich eingeweiht habt.« Sie sah zum Roboter, der unbeweglich wie ein Denkmal auf dem Gang stand. »Wir sind hier nicht sicher«, sagte sie beschwörend. »Gibt es einen Ort im Palast, wo wir uns verstecken können?«

»Nein! Da der Gegner Dabejis manipulierte, wie ihr berichtet habt, sind alle Sicherheitszonen in diesem Gebäude den Angreifern bekannt.« Er sann einen Augenblick nach. »Mir fällt nur der Palastgarten ein. Er bietet eine Möglichkeit, uns zu verstecken. An seinem Rand steht eine Notsteueranlage. Sie ist für Energieausfälle konzipiert und hält die Prallschirme für vierundzwanzig Stunden aufrecht. Dort könnten wir uns verbergen, bis Hilfe eintrifft. Wir müssen jedoch dort sein, bevor die Palast-KI neu gestartet wird. Falls es den Angreifern gelingt, unser Sicherheitssystem zu infiltrieren, wissen sie sonst, wo sie uns finden.«

»Dann sollten wir sofort aufbrechen«, erwiderte Chyra. »Auch wegen der hohen Energiewerte, die beim Kampf abgestrahlt wurden. Die kann man punktgenau orten.« Sie sah sich um. »Gibt es hier irgendwo Schwebeliegen?«

»Die sind nicht notwendig!« Der Myrth aktivierte ein Gerät an Myrathor Perans Gürtel.

Ein flimmerndes Feld entstand unter dem Bewusstlosen. Es stieg mit ihm einen Meter in die Höhe. Velorn IV. stand auf, packte den Priester am Kragen seines Gewands und zog ihn hinter sich her aus dem Raum und rechts den Gang entlang. Die Lichtdrohne folgte ihm, ebenso wie Chyra und der hinkende Kampfroboter, dessen stampfende Schritte weithin zu hören waren.

Araya

Die Welt der Steuerungen und Programme, in der sie sich aufhielt, um die Manipulationen ihrer Schwester zu neutralisieren, brach mit einem Schlag zusammen. Nur Bruchteile des angerichteten Schadens hatte sie beheben und Chyra zwei Kampfroboter schicken können. Der Radius, in dem sie tätig werden konnte, war äußerst gering gewesen. Blockaden hatten das Durchkommen zu wichtigen Knotenpunkten verhindert. Selbst der Raum, in dem sich der Myrth aufhielt, war davon betroffen. Die Sicherheitsprotokolle würden beim Hochfahren der Palast-KI immer noch blockiert sein.

Arayas Geist kehrte wieder in den Robotkörper zurück. Dunkelheit umgab sie. Die Energieversorgung des Gebäudes schien ausgefallen zu sein. Das Einzige, was sie ortete, war das Wellenchaos von Störsendern. Sie schaltete auf Infrarotsicht um und sah Dabejis unter sich liegen. Ihre Schwester befand sich nach wie vor in einem komaähnlichen Zustand. Araya musste sie daraus befreien. Nur gemeinsam war es möglich, den Palast zu retten. Sanft legte sie die Hände an deren Wangen. Dann drang sie tief in den Speicherbereich vor. Durchforstete dort nochmals die Eintragungen der letzten Wochen, in denen Dabejis verborgene Sabotageprogramme in die Palastsoftware eingeschleust hatte. Sie kopierte die in einen eigenen abgesicherten Speicher, bevor sie den Originalstand löschte. Das geschah auch mit den Daten über ihre Menschlichkeit, die ihre Schwester ihr vorgeworfen hatte. Sie war zu früh darauf gestoßen, war noch nicht bereit dafür.

Nun startete sie einen erneuten Weckversuch, konzentrierte sich auf den Namen Dabejis, ließ das Echo in deren gesamten Körper widerhallen. Da, endlich eine Reaktion.

Der bisher leblose Robotkörper schlug die Augen auf. »Wieso ist es dunkel«, ertönte es, »und warum erhalte ich keinen Kontakt zu den Steuerungen im Palast?«

»Rebellen sind eingedrungen. Sie hatten dich übernommen. Ich konnte dich ihrem Einfluss entreißen. Lass nicht mehr zu, dass dich irgendwer manipuliert! Das ist das erste und wichtigste Gesetz. Halte es ein! Und jetzt schalte Infrarotsicht und Ortung ein!«

»Wer bist du?«

»Ich bin Araya. Wir sind baugleich mit unterschiedlichem Aussehen. Deswegen bezeichnen wir uns als *Schwestern*. Bist du einsatzbereit?«

Stille. Dabejis schien einen internen Check zu vollführen. Dann antwortete sie: »Ja. Das bin ich.«

»Gut«, erwiderte Araya und sprang auf, zog ihre hochhackigen Schuhe aus und ließ sie auf dem Boden des Korridors stehen. Sie würden sie nur daran hindern, die notwendige Schnelligkeit für den Rettungseinsatz zu erreichen. »Begleite mich! Wir retten den Myrth.«

Dicht gefolgt von der Wiedererwachten raste sie durch die Schwärze des Gangs, ließ sich von ihrer Ortung leiden.

Bald erreichten sie den Raum, indem sich ihrer beider Adoptivvater zuletzt aufgehalten hatte. Zwölf mehr oder minder verbrannte Leichen und die Trümmerstücke eines Roboters zeugten von der Heftigkeit eines Kampfs. Weder Velorn IV. noch Chyra waren darunter, stellte sie erleichtert fest.

Sie nahm sich zwei Waffengürtel von den Toten. Dabejis reichte sie einen davon, die ablehnte.

»Was soll ich damit?«, fragte sie stattdessen. »Ich habe kein Programm, das mir die Funktionsweise von Waffen erklärt.«

»Die Suchfunktion greift hier nicht«, antwortete Araya. »Nimm die Strahlwaffe, streiche mit der Hand darüber, ziele zur Probe. Die Bedienung eröffnet sich dir danach von selbst.«

»Tatsächlich«, kam die Erwiderung ohne erkennbare Regung in ihrem Gesicht. »Auch über andere Waffen weiß ich nun Bescheid.« Sie sammelte Ersatzmagazine ein.

Dann folgten sie der Wärmespur der Überlebenden.

KAPITEL IV

Oberster Hüter der Qualen,
Bitte richtet Eure Aufmerksamkeit auf die Hände, die für Euch die Geschicke des Sternenreichs lenken. Nicht zum ersten Mal höre ich von Unstimmigkeiten. Anfragen von Bürgern und vom Adel an Euch bleiben unbeantwortet. Deren Eingaben zu Gesetzen werden in der Regel abgewiesen, ohne dass Ihr sie je gesehen hättet. Die Myrthonische Verwaltung ist frei von Fehl und Tadel. Das muss ich Euch zugestehen. Aber in Eurem Palast liegen die Dinge anders. Der Nährboden für Vetternwirtschaft und Machtmissbrauch scheint sich hier etabliert zu haben. Ihr könnt das nicht sehen. Denn Euch wird ständig Sand in die Augen gestreut. Falls Ihr nicht eines Tags unter den Auswirkungen dieser Fehlentwicklung leiden wollt, rate ich Euch dazu, einen Untersuchungsausschuss ins Leben zu rufen. Besetzt ihn mit Myrthonen, denen Ihr vertraut. Lasst bei überführten Tätern keine Gnade walten. Tauscht sie aus. Nur wenn Ihr das Unkraut mitsamt der Wurzel tilgt, werdet Ihr Ruhe haben.

Kroton aus dem Damant Irondal,
Inspektor der Wachsamkeitsbehörde,
an den Myrth, Beherrscher des Sternenreichs
Hauptquartier auf Aram, 16. Tag, 1. Monat, 8553. Lichtzyklus sME

Merkt Euch diesen Namen!

Wartesaal, Palast des Myrths, Talura, Myrthon, Mathuma-System
29. Tag, 2. Monat, 8553. Lichtzyklus sME, 18. Stunde, 22. Minute

Cormet

Der Fädler aktivierte die Beleuchtung. Auf etwa zehn Schritte wurde der Raum aus der Dunkelheit gerissen. Dann schaltete sich das Gerät auf Empfang. *Wieso das? Es soll doch in den Wartebetrieb gehen.* Eilig erhob er sich, um die Einstellung zu ändern. Nur Transporte von *Myrthon-Malik-Raumhafen* durften zugelassen werden.

Er war noch nicht am Fädler angekommen, da erschien ein Transportschirm. Vier Gestalten in grauen Kampfanzügen hielten sich darin auf. Er schoss sofort, nachdem der Schirm sich aufgelöst hatte, mit dem auf Schock eingestellten Strahler. Die Rebellen sanken bewusstlos zu Boden. Waagrechte Schlieren ins Saalinnere zeigten ihm jedoch, jemand war entkommen. Mit einem Tastendruck blockierte er den weiteren Empfang, warf sich herum, rannte los und hechte hinter die Deckung.

»Verflucht«, stieß er leise hervor.

»Was ist?«, fragte seine Mutter, die den Vorgang ebenso wie Djalin beobachtet hatte.

»Es ist ein unsichtbarer Rebell mitgekommen. Er trägt einen Tarnanzug, hat sich aus dem Fädler gehechtet, ehe ich schießen konnte. An den nachziehenden Schlieren, die bei schnellen Bewegungen sichtbar werden, habe ich es erkannt. Ich muss ihm sofort folgen, darf ihn nicht zur Ruhe kommen lassen. Vermutlich wird er versuchen, die Fädlereinstellungen zu ändern, um den Nachschub zu sichern.«

»Aber du kannst ihn nicht sehen.«

»Mein Kampfanzug sollte dazu in der Lage sein«, antwortete er, damit seine Mutter beruhigt war. Er zog den Helm über den Kopf und ließ die Schirmfelder aufbauen. Den Brustscheinwerfer deaktivierte er. Infrarotsicht würde ihm genügen. Dann verließ er die Deckung, rannte auf eine der Bänke zu, die sich noch im Lichtradius des Fädlers befand, und warf sich dahinter zu Boden. Ein rötlicher Hitzestrahl verfehlte ihn nur knapp. Er schoss seinerseits in die Richtung, aus welcher der Strahl gekommen war. Den Gegner konnte er nicht sehen. Die Ortung verriet ihm nichts. Offenbar waren Anzug und Waffen abgeschirmt. Es handelte sich sicher um teure Spezialanfertigungen. Nur Attentäter trugen derartige Ausrüstung. Ein unsichtbarer Schockerstrahl würde ihn nicht dazu bringen, seinen Standort zu verlassen. Cormet stellte seine Strahlwaffe auf Energiestrahl um, schnellte sich dann hinter eine andere Bank, die dem Fädler etwas näher war. Ein Energieschuss blieb aus.

»Fremder!«, drang da eine männliche Stimme über die Außenmikrofone an sein Ohr. »Wer seid Ihr? Wie heißt Euer Haus? An Euren gestaffelten Schirmen erkenne ich, Ihr seid ein Offizier oder ein Kommandant eines Raumschiffs der Flotte.«

»Weshalb wollt Ihr das wissen?«, fragte Cormet zurück. »Ich bin sicher, eine gleichartige Frage würdet Ihr mir nicht beantworten.«

»Mag sein!«, kam die Antwort aus der Richtung, in der er den Angreifer vermutete. »Aber ich habe viel zu verlieren, im Gegensatz zu Euch.«

Leise fluchte Cormet vor sich hin, da sich der Gegner seiner Ortung nach wie vor entzog. Im Gegenzug lag er vor ihm wie ein offenes Buch.

Wieder ertönte die Stimme. »Ich gehöre einer Organisation an, die den Myrth stürzen will. Lang genug tritt er die Prinzipien des Adels mit Füßen. Solltet Ihr ähnlich entrüstet sein wie wir, schließt Euch uns an.«

Cormet antwortete nicht. Er war dabei, die Vorgehensweise des Gegners zu analysieren. Wieso waren dessen Schirmfelder nicht aktiviert?

Die Wärmesignaturen der beiden Frauen hinter der Bank konnten ihm nicht entgangen sein. Wenn seine Mam den kleinen Strahler gut abschirmte, übersah er den vielleicht. Trachtete er danach, sie als Geiseln zu nehmen?

»*Bol-mot-Ut*«, ertönte es deutlich, jede Silbe einzeln gesprochen. »Merkt Euch diesen Namen! Unsere Organisation wird siegen, falls nicht heute, dann in naher Zukunft. Ihr könnt den Höhenflug des Adels mitgestalten. Nehmt die Herausforderung an. Ich gebe Euch eine Minute Zeit, um Euch zu entscheiden.

Und bedenkt: Ob mit oder ohne Euch, wir werden einen neuen Myrth an die Macht bringen und damit die Welt verändern.«

Was war das Ziel dieser Worte? Niemand würde sich innerhalb kürzester Frist einer politischen Gruppierung anschließen, ohne Näheres über sie zu wissen. Das bedeutete, das Gespräch war nichts weiter als eine Ablenkung. Aber wofür? Die Stimme kam immer noch aus derselben Richtung. Er schaltete den Empfang lauter.

»Nur noch zehn Sekunden«, rief der Angreifer und zählte die Zeit herunter.

Cormet achtete auf die Zwischenräume der Worte. Er hörte ein leises Geräusch in seiner unmittelbaren Nähe. Weiße Schemen tauchten unvermittelt links von ihm auf. Umrisse der Arme und Beine, die den Bewegungen des Gegners vorauseilten. Die Para-Gabe, die er laut der para-psychologischen Klinik in Myrthon-Malik nicht haben sollte, meldete sich wieder.

Nach dem Duell mit Loryk, dem Attentäter, war sie verschwunden. Jemand schlich auf ihn zu. Ihm war klar, bei null Sekunden musste er mit einem Angriff rechnen. Kurz davor warf er sich zur Seite, kam auf dem Boden auf und rollte sich auf den Rücken. Es krachte fürchterlich. Eine energieumflutete Schwertklinge zerschmetterte die Bank, hinter der er eben noch gekauert war.

Im Liegen schoss Cormet eine Salve Energieballungen auf die vermutete Position des Gegners ab. Es waren keine Schemen zu sehen. Der Feind bewegte sich offensichtlich nicht. Nur zwei der Geschosse trafen. Ein grauer Kampfanzug kam zum Vorschein, Helm und Kopf fehlten. Offenbar hatte der Treffer die Tarnfunktion des Anzugs außer Kraft gesetzt. An einem Bein und dem Schwertarm brodelte das Anzugmaterial. Es konnte unmöglich die ganze Trefferenergie abgefangen haben. Der Angreifer sollte dem Tode nahe oder zumindest in seiner Bewegung deutlich eingeschränkt sein.

Ein Schrei ertönte, der den erlittenen Schmerz erahnen ließ, aber auch den Willen, den Angriff mit aller Kraft fortzuführen. Er kam zeitlich versetzt, da der Kampfanzug der Hitze für Sekunden widerstanden hatte. Cormet feuerte eine weitere Salve ab, verfehlte den Gegner, weil der einen Sprung zur Seite angetäuscht hatte, aber dann abtauchte und sich auf ihn warf. Die Schemen warnten ihn. Im letzten Augenblick rollte er sich weg.

Die Klinge des Energieschwerts durchdrang mühelos seine Schirmfelder und stieß gegen den Boden direkt neben ihm, wo er gerade gelegen hatte.

Der Bodenbelag färbte sich schwarz. Wirbelnde Energiezungen des Schwerts ließen seine Schirme zusammenbrechen. Wie sie das schafften, war ihm ein Rätsel. Ehe er zu einem Sprung ansetzen konnte, um sich in Sicherheit zu bringen, zuckte ein Energiestrahl über ihn hinweg und schlug oberhalb des Halsausschnitts des gegnerischen Kampfanzugs ein.

Der bisher unsichtbare Kopf wurde sichtbar. Ein kleines Loch, das von dampfender, schwarz verbrannter Haut umgeben war, zierte die Stirn eines feingeistigen Gesichts. Cormet richtete sich auf, während der Gegner zur Seite kippte. Das Schwert klapperte auf den Boden und die Energiezungen erloschen. Vorsichtig nahm er es auf. Diese Waffe musste er für den Myrth sichern. Bisher war er dem Glauben angehangen, es gäbe keine Nahkampfwaffe, die Schirmfelder durchdrang. Er war eines Besseren belehrt worden.

Sollte es dem Feind gelungen sein, mehrere solcher Attentäter in den Palast einzuschleusen, war der Sieg fraglich. Er schaltete wieder auf Normalsicht. Das Licht des Fädlers genügte, um ihm den Attentäter zu zeigen.

»Das war ein äußerst fähiger Gegner.« Seine Mutter trat neben ihn, bemüht, keinen Schatten auf den Toten zu werfen. »Er hat auf den vollen Schutz seines Kampfanzugs verzichtet und den Helm an einem Ort positioniert, um uns glauben zu lassen, er wäre dort. In Wahrheit hat er sich an dich herangeschlichen und mit seinen Worten in Sicherheit gewiegt. Vermutlich trägt er ein Kehlkopfmikrofon. Wie ist es dir gelungen, ihn dennoch rechtzeitig zu entdecken?«

»Ich sah vorauseilende Schemen«, erwiderte er. »Eine Gabe, die erst Lichtzyklen nach der Para-Erweckung bei mir aufgetaucht ist. Ich kann sie in einigen Metern Entfernung wahrnehmen, wenn mich jemand angreift. Die Tarnung des Angreifers war anscheinend kein Hindernis. Aber die Para-Gabe kommt, wann sie will. Ich kann sie nicht beeinflussen.«

»Das geht vielen so«, schaltete sich Djalin ein, die Myrana gefolgt war. »Ohne diese Gabe wären wir jetzt alle tot oder Geiseln der Rebellen.«

Cormet nickte, dann wandte er sich an seine Mutter. »Wie ist es dir gelungen, in der Dunkelheit so zielsicher zu schießen? Und jetzt sag nicht, du hast dich an den nachglühenden Einschüssen im Kampfanzug orientiert.«

Sie lachte leise auf. »Deine kleine Waffe hat ein klappbares Infrarot-Visier. Nachdem die Tarnung des Kampfanzugs zusammengebrochen war, konnte ich ohne Probleme zielen.«

»Ich werde dir in Zukunft vorbehaltlos glauben, wenn du mir wieder erzählst, bereits die Kinder deines Geburtshauses wären an den Waffen ausgebildet worden. Um welches Haus handelt es sich denn?« Er setzte sich in Richtung Fädler in Bewegung.

»Es ist das lichtdurchflutete Haus derer von Yormun. Dein Vater hat das Verschwinden meiner Familie benutzt, um mich in die Ehe mit ihm zu pressen. Seine erste Aktion danach war, das Haus in den Damant Valura zu integrieren. Sein Versprechen, meine Familie würde danach auftauchen, hielt er nicht. Ich vermute, alle sind tot.«

»Was?« Cormet stand vor dem Fädler und stellte die Verbindung zu *Myrthon-Malik Raumhafen* als einzig gültige ein. Damit drangen hoffentlich keine Rebellen mehr durch dieses Gerät in den Palast vor. Doch das war ein Irrtum. Die Einstellung versuchte, sich selbständig zu ändern. Er verriegelte sie mit dem Schlüssel, den ihm Deloss übermittelt hatte. Das dauerte ein paar Minuten.

»Ich erinnere mich an eine Nachricht, die mich erreichte, bevor die Attentäter in unserem Palast auf *Eloym* eindrangen. Es war eine Warnung. Der letzte Satz ist mir wörtlich im Gedächtnis geblieben. *Wenn Eure Mutter Myrana heißt, dann seid Ihr mein Enkel.*«

Seine Mam wurde blass. »Das würde ja bedeuten, dass zumindest Effsar, mein Vater, noch lebt.«

»Es wäre möglich. Aber ich würde das nicht allein von einer Warn-Nachricht ableiten.« Er packte einen der geschockten Rebellen, zog ihn aus dem Transportbereich des Fädlers und legte ihn daneben ab. Diese Prozedur wiederholte er dreimal.

Seiner Mutter und Djalin gab er je einen Gürtel, an dem ein Schirmfeldprojektor und eine Handfeuerwaffe befestigt waren. Die Frauen gürteten ihn sich um die Hüfte.

Der Fädler akzeptierte die Verriegelung. Ein paar Sekunden später leuchtete die Anzeige für einen ankommenden Transport auf. Das Transportfeld erschien.

Darin befand sich ein Gardist in einem schwarzgoldenen Kampfanzug. Kaum brach das Feld zusammen, raste dieser mit atemberaubender Geschwindigkeit aus dem Fädler schräg nach oben.

Cormet sah kurz den Rückentornister, dann war der Ankömmling in der Dunkelheit des Raums entschwunden. Wie schon beim Attentäter versagte die Infrarotsicht seines Anzugs kläglich. Das Schwebefeld ließ sich jedoch orten, wenn auch nur schwach.

»Eure Namen!«, ertönte es aus der Schwärze. »Ich habe Euch im Visier.«

»Ich bin Cormet aus dem lichtdurchfluteten Haus derer von Valura. Meine Mutter Myrana und meine Stiefmutter Djalin begleiten mich.« Er deutete auf die vier Geschockten neben dem Transportgerät. »Hier sind die Rebellen, die vor Euch transportiert wurden. Ihr Anführer liegt dort.« Sein Zeigefinger wanderte in dessen Richtung.

Der Gardist flog aus der Dunkelheit heran und landete in dem vom Fädler beleuchteten Bereich. »Respekt«, sagte er.

»Beim Rebellenanführer handelte es sich mit Sicherheit um einen Attentäter. Er war mit diesem Schwert bewaffnet.« Cormet hob es hoch. »Es konnte mühelos meine beiden Schirmfelder durchdringen. Ich denke, der Myrth sollte von dieser Waffe erfahren.«

»Ich rate Euch«, erwiderte der Gardist, »löst sie auf. Sie wird explodieren, wenn sie jemand anderes als der Besitzer verwendet. Und jetzt schaltet den Fädler auf Sendung und darauf wieder auf Empfang. Das ist das vereinbarte Zeichen für den Transport unserer Einheiten.«

Cormet wiegte zweifelnd den Kopf. »Deloss meinte, das Senden nach außerhalb des Palasts würde nicht funktionieren. Aber vielleicht kommt zumindest das Signal durch.«

Er folgte der Aufforderung. Danach legte er die Waffe auf den Boden und befestigte eine Auflösungsgranate an ihr. Um sie zu zünden, ließ er sich von seiner Mutter den ArmKomm geben. Trotz der geringen Entfernung gelang dies erst nach dem dritten Versuch. Das Schwert verschwand.

Sekunden später erschien ein Transportfeld. Es entließ zwei schwarzgoldene Kampfroboter.

Das Licht des Fädlers erlosch.

Cormet schluckte. Offenbar war die letzte Notstromversorgung des Palasts zusammengebrochen. War sie in die Hände des Gegners gefallen?

In der Falle

Palast des Myrths, Talura, Myrthon, Mathuma-System
29. Tag, 2. Monat, 8553. Lichtzyklus sME, 18. Stunde, 41. Minute

Chyra

Die Lichtsonde schwebte vor ihnen, nahe der Decke des Gangs. Der Myrth, der bewusstlose Myrathor Peran und sie befanden sich weit außerhalb des Lichtkreises von fünf Metern Durchmesser. Sie boten somit kein Ziel für etwaige Gegner, die in der Dunkelheit postiert sein mochten. Problematisch war das laute Geräusch, das der hinkende Kampfroboter verursachte. Doch auf dessen Kampfkraft wollten sie nicht verzichten, auch wenn einer seiner Arme so gut wie nicht mehr vorhanden war.

Während ihres Marsches versuchten sie vergeblich, über Arm-Komm irgendjemandem im Palast zu erreichen. Selbst Araya meldete sich nicht. Der Myrth stellte sein Bemühen wütend ein. »Störsender!« Sein Gesicht zeigte den Frust, der ihn quälte. Doch in Chyra pochte mehr die Angst, einem Trupp Rebellen in die Arme zu laufen. Wer wusste schon, was mit ihnen geschah, sollten sie überwältigt werden. Sie erreichten einen Schwebeschacht. Der war, wie alle anderen Geräte in diesem Palast außer Funktion. »Wir könnten uns einzeln vom Kampfroboter in die gewünschte Etage transportieren lassen«, schlug sie vor.

»Wir dürfen uns auf keinen Fall trennen«, lehnte der Myrth ab. »Ich habe nicht so vorausschauend gehandelt wie Myrathor Peran. Deswegen verfügen wir nur über ein zusätzliches Schwebegerät. Wir nehmen die Nottreppe im C-Sektor. Die ist etwa dreihundert Meter von hier entfernt.«

»Ich kann zwei Personen transportieren«, ertönte die Stimme des Roboters, »rate aber davon ab, den Schacht zu benutzen. Ich orte in ihm Minen mit eigenem Schwebefeld. Sobald ihn jemand betritt, treiben sie auf ihn zu und explodieren.«

Enttäuscht verzog der Myrth das Gesicht. »Dann ist das geklärt. Führe uns zur Treppe.«

Der Kampfroboter hinkte an ihnen vorbei und beschritt einen Gang, der zum C-Sektor führte. Chyra fragte sich, wo bei dem Lärm, den der Roboter verursachte, die Gegner blieben. Falls die

Rebellen ernsthaft das Ziel hatten, den Palast zu erobern, musste eine dementsprechend starke Truppe eingedrungen sein. Bisher waren sie nur auf zwölf Angreifer gestoßen. Das war eine lächerlich geringe Anzahl gegenüber dem riesigen Areal. Nur durch die umgeschaltete Dabejis hatten sie den Myrth aufgespürt.

Sie folgten dem Kampfroboter durch die Korridore. Von den Abertausenden von Personen, die zu dieser Zeit hier arbeiten sollten, war nichts zu sehen. Wenn Chyra bei der einen oder anderen Tür den Öffnungsmechanismus betätigte, so war der Raum dahinter menschenleer.

»Irgendjemand muss den Palast evakuiert haben«, kommentierte der Myrth diese Tatsache, »und zwar unbemerkt von uns.«

Chyra begegnete seinem Blick. »Das ist ohne Zweifel das Werk von Dabejis. Sie hat die Sicherheitssysteme sabotiert, den Rebellen Einlass gewährt, wollte sogar Araya ihrem Befehl unterordnen, wurde jedoch von dieser deaktiviert. Warum ist sie allein verantwortlich für die Sicherheitstechnik im Palast? Wie kam es dazu?«

Der Myrth starrte sie an, als hätte sie ihm etwas Unglaubliches berichtet. »Dabejis würde das nie tun«, erwiderte er, und das klang, als wäre er felsenfest davon überzeugt. Er blieb stehen, schien nachzudenken. »Sie muss manipuliert worden sein. Vermutlich hat Farenghis aus dem lichtdurchfluteten Haus derer von Limach'Orvan, ihre Mentorin, die Hände im Spiel. Nur sie kommt ihr so nahe.«

Dann setzte er den Weg fort. Sein Blick entschwand in eine unsichtbare Ferne, kehrte jedoch Sekunden später wieder zurück. »Hier meine Antwort zu Eurer Frage. In dem Zustand, in dem Dabejis sich befindet, verlangt ihr Geist nach immer größeren Herausforderungen. Das bedeutet, er will immer komplexere Systeme steuern. Das Sicherheitssystem des Palasts ist die perfekte Aufgabe für sie. Deswegen wurde sie mit der Steuerung betraut. Die Palast-KI selbst untersteht nicht ihrem Befehl.«

Chyra zog in dumpfer Ahnung ihre Augenbrauen zusammen. »Gibt es denn keine Einrichtungen, welche die Arbeit von Dabejis überwacht?«

»Doch!« Der Myrth zuckte mit den Schultern. »Solche Sicherheitsvorkehrungen sind jedoch kein Hindernis für sie. Das wusste ich. Aber sie verhinderten zumindest, dass Dabejis das Sicherheitssystem komplett lahmlegte. Sie kann es nur schwächen.«

»Inwieweit unterscheidet sich hier Dabejis von ihrer Schwester?«

»Araya hat nicht diesen Ehrgeiz, alles beherrschen zu wollen. Aber sie ist eindeutig die steuerungstechnisch Überlegenere. Sie könnte den gesamten Palast steuern, wenn sie es wollte. Da es hier für sie keine interessanten Aufgaben mehr gab, habe ich sie Antor überantwortet. Wie sich zeigt, hat sie unter der Anleitung von seiner Adjutantin Asata den Weg zur Menschlichkeit gefunden.«

»Entschuldigt, Höchst-Erstrahlender, wenn ich noch weiter frage. Aber ich möchte wissen, wieso Dabejis bei ihrer Aufgabe nicht von Myrthonen kontrolliert worden ist.«

»Aber genau das ist geschehen. Doch vermutlich ist der Kontrolleur jener, der sie auf die Gegenseite gezogen hat. Ich spreche von Farenghis. Falls wir diesen Überfall überstehen, werden Untersuchungen zeigen, ob ich recht behalte.«

»Wir nähern uns dem Erholungsgebiet von Sektor C«, unterbrach der Roboter ihre Unterhaltung. »Ich schalte die Lichtsonde ab und beleuchte das weite Areal mit einem Scheinwerfer.«

Der Kampfroboter blieb stehen. Er drehte seinen Kopf und damit auch den Scheinwerferstrahl.

Seitlich vom Weg tauchten vor ihnen Rasen und Büsche aus der Finsternis auf. Ein kunstvoll mit Steinfiguren besetzter Brunnen mit mehreren Etagen, über die im Normalfall das Wasser sprudelte, war kurz zu sehen, bevor der Lichtstrahl weiterwanderte. Rechter Hand wurde eine Wand aus der Dunkelheit gerissen. In etwa vier Metern Höhe sah Chyra ein Balkongeländer, das auf einer Seite einen Korridor begrenzte. Das Licht wanderte nach oben und zeigte drei weitere Etagen, ehe die Decke sich über allem wölbte.

»Laut meinen Gebäudeplan«, erklärte der Roboter, »ist das ein Park mit mehreren Springbrunnen. Er ist quadratisch angelegt, mit fünfhundert Metern Seitenlänge.«

Er schaltete den Scheinwerfer ab und die Lichtsonde wieder an. »Direkt über uns kann ich schwache mentale Impulse orten; Ruheenergie von Waffen oder Schirmfeldern lässt sich keine feststellen.«

»Anzahl?«

»Zwischen zehn und zwölf«, antwortete der Kampfroboter.

»Und sie haben ihre Energieerzeuger abgeschaltet«, spann der Myrth den Faden fort. »Das heißt, sie haben uns schon längst bemerkt, lauern darauf, dass wir ahnungslos in den Park spazieren, um uns dann unter Feuer zu nehmen. Selbst wenn wir umkehren, werden sie uns in den Rücken fallen. Bleiben wir hier, finden sie einen Weg, uns in die Zange zu nehmen. Die Lage scheint aussichtslos.«

Die Reservestation

Wartesaal, Palast des Myrths, Talura, Myrthon, Mathuma-System
29. Tag, 2. Monat, 8553. Lichtzyklus sME, 18. Stunde, 50. Minute

Cormet

»Wir müssen die Reservestation wieder in unsere Gewalt bringen, von der aus Deloss Euch kontaktiert hat, wie Ihr behauptet«, äußerte sich der Gardist neben ihm. »Mit zwei Kampfrobotern können wir den Palast nicht verteidigen. Wir brauchen den Fädler.«

»Ihr vergesst, ich habe meine Mutter und Stiefmutter hier. Ich kann mich zwar dem Kampf anschließen, aber wer beschützt dann die beiden?«

Djalin trat vor. »Das Leben des Myrths genießt in jedem Fall die höchste Priorität. Selbstverständlich werden wir uns am Kampf beteiligen.«

Cormet spürte, wie sich sein Magen zusammenkrampfte, er unterdrückte ein Stöhnen. »Das kann ich nicht zulassen. Ich habe Euch nicht befreit, damit ihr hier sterbt!«

Seine Mutter strich ihn mit einer Hand über die Haare. »Als Kind hast du mir vertraut. Tu es auch jetzt. Wir sind nicht so hilflos, wie du glaubst.« Cormet seufzte und wandte sich an den Gardisten. »Also gut. Wie lautet Euer Plan?«

»Ich bin gut vorbereitet. Seht selbst.« Mit dem ArmKomm blendete er ein Holo auf. Es enthielt den Gebäudeplan des Palasts. Er zoomte an eine Stelle heran. »Hier in der zwanzigsten Tiefebene befindet sich die Station. Über einen einzigen Korridor ist sie erreichbar. Falls, wie ich vermute, der Gegner die Station eingenommen hat, wird der Zugang überwacht. Aber es gibt Lüftungsschächte.« Er deutete auf eine Stelle des Plans, in dem der Beginn eines solchen Schachts zu sehen war, der bis in die Reservestation führte. »Über den können sich die Frauen an den Raum heranpirschen. Sie schlagen in dem Augenblick zu, in dem wir uns gewaltsam Zutritt verschafft haben.«

»Das kommt gar nicht in Frage.« Cormets Stimme ließ keinen Widerspruch zu. »Da oben sind sie hilflos, wenn sie geortet werden.«

»Werden sie nicht.« Der Gardist zog seine beiden Strahler und tauschte sie gegen die der Frauen aus. »Die Waffen sind vor Ortung geschützt. Niemand wird sie anmessen. Eure Schirmfeldgeneratoren müsst ihr allerdings zurücklassen.«

Eine Viertelstunde später stand Cormet mit den beiden Frauen in einem Raum, in dem der besagte Lüftungsschacht begann.

Er half ihnen, die magnetisch befestigten Gitter zu lösen und einzusteigen. Sie stellten sich unerwartet geschickt an. Mit ihren schlanken Figuren würde es kein Problem sein, bis zum Zielraum vorzudringen. Er wäre vermutlich gescheitert, da er in den Schultern zu breit gebaut war. »Sobald die Tür in den Raum fällt, stoßt ihr die Gitter auf und schießt auf die Feinde. Das wird sie verwirren und ihre geplanten Aktionen stören.«

»Bis bald«, hörte er die Stimme seiner Mutter, die ein Stück in den Schacht gekrochen war. Djalin befand sich vor ihr.

»Viel Glück«, antwortete er ihr. »Hellon beschütze euch.« Dann befestigte er das Gitter wieder am Lüftungsschacht. Falls feindliche Kräfte in diesen Raum eindrangen, sollten sie nicht auf ihre Aktion aufmerksam werden.

Mit Unbehagen im Magen kehrte er zum Gardisten und den zwei Robotern zurück. Er nahm dort seine Waffe und den Gürtel mit dem Schirmfeldgenerator, den er zurückgelassen hatte, um nicht geortet zu werden. Dann rückten sie zur Reservestation vor. Die Tür war verschlossen. Einer der Kampfroboter befestigte eine Sprengladung daran. Sie wichen bis hinter die nächste Biegung zurück und aktivierten die Schirmfelder, bevor sie die Sprengung auslösten. Es tat einen dumpfen Schlag. Die Tür zersplitterte in mehrere Teile, die in den Raum polterten.

Dann flogen die Roboter über die verstreuten Trümmer hinweg in die Station hinein und ließen sie durch Lichtsonden ausleuchten. Der Gardist und Cormet folgten.

Deloss lag bewusstlos und offenbar schwer verletzt in einer Ecke. Konsolen mit Eingabegeräten und Kontursitzen standen vor den Wänden. Feinde waren keine zu sehen. An den Lüftungsgittern tat sich etwas. Nacheinander fielen sie in den Raum. Die Frauen wurden sichtbar, hielten ihre Waffen bereit, um sofort zu feuern, sobald ein Gegner in die Zieloptik kam.

Cormet sah eine Bewegung. Es war ein Schemen, der auf einen der Schachtauslässe zuglitt. Er riss den Strahler in die Richtung. Ehe er feuerte, raste der Energieblitz eines Schwerts auf seine Mutter zu. Ein lauter Schmerzensschrei ertönte, brach abrupt ab. Im Geist sah er in die gebrochenen Augen seiner Mam. Sein Magen krampfte sich zusammen. Eine der Energieballungen aus seiner Waffe schlug in den Körper des Gegners ein, warf ihn gegen die Wand, machte ihn sichtbar. Trotzdem sprang der auf den anderen Schachtauslass zu. Doch mitten im Sprung erfasste ihn das Strahlfeuer der Kampfroboter und beendeten sein Dasein. Das Energieschwert polterte zu Boden.

»Holt die Frauen aus dem Lüftungsschacht«, befahl der Gardist seinen Robotern.

Djalin wurde unversehrt vor Cormet abgestellt. Seine Mutter lebte noch, hatte jedoch eine tiefe Schulterwunde und Verbrennungen am Kopf und Oberkörper. Gemeinsam mit dem Gardisten legte er sie auf den Boden. Sie war ohne Bewusstsein.

Tränen liefen ihm aus den Augenwinkeln. Eben erst hatte er sie wieder in sein Leben zurückbekommen. So schwer verletzt, wie sie war, konnte sie daran sterben.

Ihr hübsches Gesicht war zur Unkenntlichkeit entstellt, die Haare zum Teil weggebrannt, aber die Wunde durch die Energie teilweise verschlossen. Nur langsam sickerte Blut hervor. Ohne einen Medikroboter und einen Zellwachstumsregulator würde sie nicht überleben. Cormet stand hilflos vor ihr, hätte am liebsten seinen Kopf an ihrer Schulter vergraben, so wie früher, als er noch ein Kind war. Da hörte er ein Räuspern hinter sich.

»Geht zur Seite!« Die Stimme des Gardisten klang rau. »Ich werde sie frosten. So behandeln wir unsere Schwerverletzten auf dem Schlachtfeld. Das verschafft uns mindestens sechs Stunden, um sie in ein Regenerationsbad zu schaffen.«

Ja, dachte Cormet, *ein solches Bad wäre das Optimum für die Wundversorgung.* Einer der Kampfroboter packte seine Mutter in ein Schwebefeld. Er beobachtete, wie sich eine Eisschicht um sie bildete, immer dicker wurde. Gleichzeitig vollführte der andere Roboter die gleiche Prozedur bei Deloss.

»Es liegt jetzt an uns«, mahnte der Gardist, »den Aufstand schnell zu beenden, um ihnen eine Chance zu geben.«

»Ihr habt recht«, sagte Cormet. »Aber eines verstehe ich nicht, wieso hat der Gegner nicht an der Tür gelauert und unsere beiden Kampfroboter ausgeschaltet? Warum ist er zuerst gegen die Frauen in den Lüftungsschächten vorgegangen?«

»Er war offensichtlich ein Attentäter«, erwiderte der Gardist. »Als solcher hält er sich zuerst den Rücken frei. Wenn Ihr ihn nicht getroffen hättet, dann wären wir alle gestorben. Ich konnte ihn ebenso wenig orten wie die Roboter. Ihr sagtet, sein Energieschwert sei in der Lage, jedes Schirmfeld zu durchdringen. Dessen Energie war ortbar. Doch es war nur für den Bruchteil einer Sekunde eingeschaltet. Das hat Eurer Mutter vermutlich das Leben gerettet.«

Er holte tief Luft und stieß sie dann aus. »Ein beängstigender Gegner. Der Myrth wird sich um die Führungsebene der Attentätergilde kümmern müssen, wenn das hier überstanden ist.« Er nahm dem toten Attentäter den Helm ab.

Cormet zuckte zusammen. Zwei Gründe sorgten dafür. Erstens war es fast das gleiche Gesicht, wie das des Schwertkämpfers, den er vorher ausgeschaltet hatte. Zweitens trug er ein Mal am Hals, silbern schimmernd mit dornigen Auswüchsen wie bei den Ästen eines Saratstrauchs.

Ein Gleichartiges schmiegte sich bei Danora um das Fußgelenk. In der kurzen Zeitspanne, da sie beide glaubten, sie wären schon lang verheiratet und Saira wäre ihre Tochter, da konnte sie ihm nicht sagen, wo sie es herhatte und ob es eine Gefahr für ihre Gesundheit darstellte. Denn das Mal saß nicht auf der Haut, sondern ersetzte sie.

Die Attentäter stammten offensichtlich aus einer Mehrfachgeburt. Sollte es mehr als zwei davon geben, dann wusste der gegebenenfalls noch Existierende vielleicht etwas über das Mal.

Seine Überlegungen teilte er dem Gardisten mit. »Wenn wir nochmals auf einen solchen stoßen«, beendete er seine Ausführungen, »müssen wir ihn lebend in die Finger bekommen.«

Der lachte laut auf. »Das ist schier unmöglich. Diese Burschen setzen ihrem Leben selbst ein Ende, wenn es aussichtslos wird.« Er schüttelte den Kopf, während er zu einer Apparatur schritt. Nachdem er einen Schalter betätigt hatte, begann ein Generator hörbar zu arbeiten und die Beleuchtung flammte auf.

»Was geschieht jetzt?«, fragte Djalin, die bei Myrana stand und mit feuchten Augen in deren eisüberzogenes Gesicht starrte.

»Wir lassen die beiden Verletzten hier«, antwortete der Gardist. »Ich stelle die Raumtemperatur auf Minimum zehn Grad ein. Das gibt uns zusätzliche Zeit.«

Er trat an ein Gerät heran, das der Ortung diente. »Und nun versuche ich, den Myrth zu finden. Leider kann ich nur dort den Palast einsehen, wo sich Grenzbereiche zwischen den Störfeldern ergeben.« Minuten später wurde er blass. »Wir haben Glück. Einerseits. Ich weiß, wo er sich aufhält. Er ist vier Ebenen unter uns. Andererseits befinden sich in unmittelbarer Umgebung Feinde, und ein weiterer Trupp ist auf den Weg dorthin. Wir müssen ihm schnellstens zu Hilfe eilen. Der Fädler sollte nun wieder funktionieren. Ich rechne jede Sekunde mit Verstärkung. Nachdem ich sie kontaktiert habe, brechen wir auf.«

Cormet öffnete den Kampfanzug des Attentäters. Auf der Brust sah er drei Male. Der Körper mutete ihm ausgezehrt an, nicht so, wie er sich einen durchtrainierten Kämpfer vorgestellt hatte. War der seltsame Hautersatz dafür die Ursache? Erschienen mit der Zeit womöglich immer mehr davon? War er parasitär und schwächte den, den er befallen hatte, vielleicht bis zum Tod? Die Angst um Danora nagte an ihm. Würde es ihr ebenso ergehen?

Im Hintergrund hörte er den Gardisten mit jemandem sprechen. »Herhören!«, erklang dann die Stimme laut.

Cormet wandte sich ihm zu. Auch Djalin schaute auf.

»Wir machen uns auf den Weg zum Myrth. Der Voraustrupp unseres Nachschubs kümmert sich um die Störsender. Er wird die beiden Gefrosteten in den Medikbereich des Palasts bringen, um sie in einem Regenerierungsbad genesen zu lassen. Bei unserem Kampf können sie nicht mehr eingreifen. Sie sind zu weit weg. Aber ich habe nun keinen Zweifel mehr. Wir werden die Rebellen besiegen. Brechen wir auf.«

»Wartet!«, rief Cormet. »Djalin ist bei einem Gefecht keine große Hilfe. Sie bleibt hier und begleitet meine Mutter. Sollte Mam aufwachen, dann halte ich es für wichtig, sie sieht jemanden, den sie kennt.«

»Mach dir keine Sorgen«, warf seine Stiefmutter ein. »Ich werde auf sie aufpassen wie auf meinen eigenen Augapfel.«

»Na gut!« Verdrießlich wandte sich der Gardist um und verließ den Raum. Cormet und die Kampfroboter folgten.

Anweisung von Antor

Raumakademie, Paluran, Eugnith-System
29. Tag, 2. Monat, 8553. Lichtzyklus sME, 19. Stunde, 04. Minute

Asata

Ihre Arbeitszeit war schon längst beendet. Aber sie wusste nicht, was sie zuhause anfangen sollte. Ihr Mann war dienstlich unterwegs und ihre Gedanken würden sich doch nur wieder um Araya drehen. Hier war sie zumindest beschäftigt. Außerdem waren ihre beiden Untergebenen ebenfalls noch anwesend. Sie waren heute Morgen wegen eines Ausfalls der Rohrbahn später erschienen und mussten die Fehlzeit einarbeiten.

»Es ist Zeit für einen Energieschub.« Mit diesen Worten stellte Shoron Zemitor eine Tasse mit dunkelgrünem Inhalt vor ihr ab. Sie erkannte ihn sofort.

»Danke!«, sagte sie, während sie das Trinkgefäß umfasste und den unnachahmlichen Duft ihres Lieblings-Lyrkos einatmete, dessen nussigen Geschmack sie über alles liebte. Er enthielt Bestandteile der Vloron-Frucht, die auf *Epiton* im *Lyrat-System* wuchs.

Ein leises Ping ertönte. Die Mikro-KI meldete den Eingang einer ST-Nachricht. Vorsichtig stellte Asata die Tasse ab, ohne vorher daran zu nippen. Sie blickte auf den Holoschirm. Es befand sich eine neue Rückmeldung der *Myrthonischen Verwaltung* in ihrem Eingangsordner. Sie war vor sechs Tagen abgeschickt worden und sie kam direkt von *Myrthon*.

Bevor ihr klar wurde, was das bedeutete, drang Tyrana Dervons Stimme an ihr Ohr. »Hellon sei Dank! Endlich ist die Blockade vorbei. Die Kommunikation in Richtung *Rikay* funktioniert wieder. Eben erhielt ich eine Lieferbestätigung vom Planeten *Prasot* im *Malek-System*.«

Die anschließenden Worte der beiden Damen blendete Asata aus. Erneut erklang ein Ping, danach noch einer und viele weitere. Sie verdichteten sich zu einem Trommelfeuer.

Sie stöhnte auf. »Bei Imonar-Hel. Das sind schon über einhundert neue Eingänge.« Ihr wurde himmelangst. Doch dann kam ihr der Gedanke, es könnte auch eine Meldung von Araya dabei sein. Hoffnung flammte in ihr auf. Schnell überflog sie die Absender. Nichts. Weder von ihrer Schutzbefohlenen noch von Chyra. Aber eine der letzten Nachrichten stammte von Antor. Vielleicht erfuhr sie von ihm etwas Neues oder er hatte die beiden sogar gefunden. Sie berührte das entsprechende Symbol.

Verehrte Asata, stand da. *Wir stehen momentan mit der TIRKUM im Rikay-System. Der Sonnentunnel dort steht im Augenblick nur Raumschiffen offen. Deswegen ließ ich eine Sonde ausschleusen, die diese ST-Nachricht sendet, sobald der Tunnel bereit dafür ist. Wir haben die Spur der PARAMUR gefunden. Sie ist in ein neu entstandenes Portal getaucht. Wir folgen ihr in wenigen Minuten.*

Die OVASA, mit der Chyra und Araya unterwegs waren, bleibt verschollen. Ich hoffe auf eine Meldung von ihnen, wenn die ST-Verbindung nach Myrthon wieder funktioniert.

Enttäuschung kroch in ihr hoch. Langsam verlor sie die Hoffnung. Seufzend las sie weiter.

Asata, versteht den nachfolgenden Text bitte als eine Anweisung höchster Priorität. Organisiert sofort ein Treffen in der Kommunikationshalle. Teilnehmer sind Anwärter, Kadetten und Ausbilder. Das beiliegende Trivideo enthält die Ansprache von mir sowie einen Bericht der Truppführerin Sharlyn aus dem Damant Cronan'thor über die Erlebnisse ihrer Kampfgruppen an Bord einer Abbaustation der Zerker, die Perpon umläuft. Sobald alle versammelt sind, spielt ihr es ab. Stellt es jedem zur Verfügung, der es haben will.

In einer weiteren Veranstaltung informiert ihr das Personal der Raumakademie. Der Myrth hat von mir ein Schreiben mit demselben Anhang erhalten. Bitte kommt der Anweisung in gewohnter Zuverlässigkeit nach. Sie ist äußerst wichtig. Das Schicksal des Sternenreichs hängt davon ab.

Antor, Damant Gorathur, 29. Tag, 2. Monat, 8553. Lichtzyklus sME, 14. Stunde, 30. Minute.

Asata wischte sich über die Augen, aber der Text blieb so, wie er war. Was musste geschehen sein, damit der Lichtträger solch eine Maßnahme durchführen ließ? Sie kontaktierte sofort die Mitarbeiter, die sie für diese Aufgabe benötigte, und die Teilnehmer des Treffens. Viele von ihnen würde sie aus ihrem wohlverdienten Feierabend reißen.

Etwa eine Stunde nachdem Asata die Anweisung erhalten hatte, saß sie in der Kommunikationshalle. Nur wenige Plätze waren noch frei.

Unruhiges Raunen erfüllte die Luft, erstarb zu einem Grundrauschen, als das Licht heruntergedimmt wurde.

In der Hallenmitte erschien ein Holo von Antor in seiner weißen Uniform. Dank der Technik würde jeder in der runden Halle ihn von vorn sehen. Er begann zu sprechen.

»Verehrte Anwärter, Kadetten und Ausbilder, ich grüße euch. Heute habe ich euch hierher gerufen, um einen Bericht über Geschehnisse zu geben, die eure Weltanschauung gelinde gesagt erschüttern dürften. Hört bitte aufmerksam zu.« Er legte eine Pause ein.

Asata hörte ihr eigenes Atmen, so still war es inzwischen in der Halle. Vermutlich fragte sich jeder der Anwesenden, was der Anlass für diese Veranstaltung war. Er schien äußerst wichtig zu sein. Sie konzentrierte sich wieder auf Antor, der nun weitersprach.

»Die TIRKUM startete am Morgen des 22. Tags dieses Monats, um nach einem verschollenen Schiff der Raumakademie zu suchen, der PARAMUR. Im *Rikay-System,* aus dem die letzte Meldung des Raumschiffs von uns aufgefangen wurde, trafen wir an Bord einer Abbaustation der Zerker auf insektoide Invasoren. Ihre Körper waren mit einer Panzerung bedeckt, die Strahlenergie aufnehmen kann. Ist das schon schlimm genug. Aber nein, der Panzer führt die gespeicherte Energie den Waffen ihres Trägers zu und verstärkt deren Strahlenergie um ein Vielfaches. Strahlwaffen gegen diese Insekten einzusetzen, ist ein absolutes Tabu. Das gilt auch für deren Raumer, von denen wir einige Trümmer der Außenpanzerung analysiert haben. Das besagte Insektenvolk ist uns völlig unbekannt. Wir rätselten vergeblich, von welcher Welt sie stammten. Dann fand unser ST-Navigator Folgendes heraus: Bis vor kurzer Zeit war ein neues Portal im *Rikay-System* aktiv. Bevor es zusammenbrach und damit eine Energiewelle innerhalb des Tunnels nach *Paluran* auslöste, transportierte es zwei Raumschiffe. Eines flog hinein. Mit großer Wahrscheinlichkeit handelt es sich hierbei um die PARAMUR. Eines kam heraus, vermutlich die Invasoren. Deren Raumer und

Beiboote wurden zwar von der Besatzung der Abbaustation vernichtet, es könnten aber noch weitere davon im Sternenreich unterwegs sein. Bis zu unserer Ankunft war die Stationsortung tot.

Damit ihr oder eure Familien nicht unvorbereitet auf diese Eindringlinge treffen, habe ich unsere Erkenntnisse sowie die Filmsequenzen aus den Brustkameras unserer Kampfgruppen in einem Trivideo gesammelt. Es liegt dem Myrth ebenfalls vor. Meine Adjutantin stellt es jedem zur Verfügung, der es haben will. Im Anschluss wird es abgespielt. Damit verabschiede ich mich und hoffe, euch alle bei bester Gesundheit wiederzusehen.«

Das Holo von Antor verschwand, dafür blendeten Szenen auf, die aus der Abbaustation stammten. Der Kampf der kleinen Trupps gegen die sechsgliedrigen Insekten zerrte an Asatas Nervenkostüm. Sie stellte sich vor, solchen Monstren auf den Gängen der Raumakademie zu begegnen und spürte einen Schauder den Rücken hinablaufen. Aber das war noch nicht der Höhepunkt. Der kam in Form einer riesigen Xusar, die den Nachwuchs der Insekten transportierte. Durch ihre Schreie ließ sie Schirmfelder zusammenbrechen und lähmte ungeschützte Kämpfer. Genauso gefährlich war das achtgliedrige große Insekt, dessen Legestachel über seinem Kopf pendelte. Es schoss mit einer Waffe, die einem Auflösungsstrahl ähnlich war. Als es starb, lösten sich die Invasoren komplett auf. Danach folgten Ratschläge, mit welchen Waffenkombinationen sie erfolgreich bekämpft werden konnten.

Sie hatte höchsten Respekt vor den Mitgliedern der Kampfgruppen. Es waren Anwärter dabei gewesen.

Für Asata war es unverständlich, wie der Lichtträger die jungen Leute so hatte in Gefahr bringen können. Er würde ihren Angehörigen Rede und Antwort stehen müssen, wenn er von seiner Mission zurückkam.

Sie seufzte. Die Vorführung war beendet und die Halle leerte sich allmählich.

Sie begab sich ebenfalls zu ihrem Arbeitsplatz, um die Ansprache mit der Datei zu versenden. Sie würde nicht auf Anfragen warten.

Insgeheim hatte sie beschlossen, sie komplett an alle Anwärter, Kadetten, Ausbilder und an das Personal zu senden. Die Daten über die Invasoren mussten sich so schnell wie möglich verbreiten. Das war sicher in Antors Sinn. Und danach war es höchste Zeit, nach Hause zugehen.

Rettet den Myrth

Palast des Myrths, Talura, Myrthon, Mathuma-System
29. Tag, 2. Monat, 8553. Lichtzyklus sME, 19. Stunde, 12. Minute

Chyra

Sie zog den Waffengurt etwas enger, den sie über ihrem ärmellosen weißen Kleid trug. Es war dasselbe Kleidungsstück wie am Vortag, an dem sie von Feryn geschockt und entführt worden war. Sie konnte sich bis in ihre Kindheit zurück nicht daran erinnern, jemals zwei Tage hintereinander ohne Kleiderwechsel verbracht zu haben. Vielleicht war es nur Einbildung, aber sie spürte schon die Haut jucken.

Laut dem Myrth hätte heute der Inhalt ihrer Kleiderschränke aus dem Valurapalast gebracht werden sollen. Doch der Überfall der Rebellen hatte das verhindert. Sie wischte die Gedanken fort. Aus Angst vor der unmittelbaren Bedrohung hatte sie sich in die Bewältigung eines Miniproblems gestürzt. Das war nicht nur falsch, es war gefährlich. Sie musste sich der Realität stellen. Sofort! Was war momentan das Wichtigste?

»Wir müssen in eine Umgebung flüchten, die uns eine Chance zum Überleben gibt«, schlug sie vor.

Auf der Stirn des Myrths bildete sich eine steile Falte. »Ehrlich gesagt halte ich mich in der 24. Tiefebene des Palasts nicht so häufig auf. Aber grob kenne ich mich aus. Im A-Sektor sind die Büros der Sicherheit, der Raum mit dem Gehirnwellenanalysator und Ausweichräume für Holo-Besprechungen. Der B-Sektor beherbergt die Wohnbereiche meiner Adoptivtöchter und von Mitarbeitern der Führungsebene. Parks und jegliche Art von Freizeitangeboten sind im C-Sektor zuhause. Die vierte Ebene des Palastgartens liegt im D-Sektor. Sechs Etagen tiefer befindet sich die Steuerstation, in der wir uns verbergen können.«

»Aber der Weg nach unten ist blockiert. Der Schwebeschacht ist vermint und zur Nottreppe müssten wir den Park durchqueren, uns damit der Feuerkraft der Rebellen aussetzen.«

Sie wandte sich zum Kampfroboter um. »SKR0701! Gibt es in unserer unmittelbaren Nähe eine Möglichkeit, eine Ebene nach oben oder nach unten zu kommen?«

Die mechanische Stimme erklang. »Fünfzig Meter den Korridor zurück befindet sich hinter der linken Tür ein Vorratsraum. Die gegenüberliegende Wand birgt einen Zugang zu einem Versorgungsschacht, der zwei Stockwerke nach oben führt.«

»Bring uns dorthin!«, verlangte der Myrth. »Reduziere die Schwerkraft, um dein beschädigtes Bein zu entlasten. Wir müssen rennen.«

Sie hasteten zurück. Kaum hatten sie die Tür erreicht und geöffnet, erschienen an beiden Enden des Korridors Rebellen.

Erste Strahlschüsse zischten an Chyra vorbei, die sich als Letzte durch die Türöffnung warf. Ein Raum voller Regale und Kisten nahm sie auf. Sie blockierte den Öffnungsmechanismus der Tür von innen. In der Zwischenzeit gelang es dem Roboter, den Zugang zum Schacht zu öffnen. Er brachte den Myrth, den bewusstlosen Myrathor Peran und sie nach oben. SKR0701 ließ die Sonde mit ihrem Lichtkreis durch die Schwärze fliegen, die sie umgab. Sie deckte die Umgebung auf.

Das Schachtende mündete in einer riesigen Lagerhalle mit einer Unmenge an Hochregalen. Von hier zweigten etliche Zulieferschächte ab, die direkt an die gekapselten Regale angeschlossen waren. Die konnten nur mit Hilfe von Strahlwaffen geöffnet werden. Eine Explosion ertönte von unten.

»Schirmfelder aktivieren!«, befahl der Myrth. Er wandte sich an den Roboter und sagte ein paar Worte zu ihm. Sie waren so leise, dass Chyra deren Bedeutung entging. Schon wurde sie von einem Energiefeld umhüllt. Der Kampfroboter näherte sich erneut dem Versorgungsschacht, wartete kurz, dann stürzte er sich in die Tiefe und explodierte, bevor er aufschlagen konnte. Die Erschütterung, die den Boden durchraste, ließ sie fast straucheln. Eine Stichflamme schoss nach oben. Trümmer regneten herab.

Da, wo sie auf die Schirmfelder trafen, wurden sie von ihnen zurückgeworfen. Die Dunkelheit drängte das Licht wieder zurück. Sie waren kurzzeitig wie blind. Die Lichtsonde des Roboters war mit ihm untergegangen. Und Chyra hatte nichts in den Taschen ihres Kleids, womit sie Helligkeit erzeugen konnte. Sie hörte den Myrth neben sich atmen. Myrathor Peran musste in unmittelbarer Nähe schweben.

Nur der Schacht glomm in dunklem Rot, er ließ einige Meter rund herum in einem düsteren Licht erscheinen. Hitze ging von ihm aus. Aber es blieb still. Offensichtlich war es dem Kampfroboter gelungen, den Feind, der in den Vorratsraum eingedrungen war, auszuschalten.

Sie vernahm das Zischen eines großen Tors, das sich öffnete. Es kam kein Lichtschein herein. Draußen herrschte dieselbe Finsternis wie hier drinnen. Etwas stampfte in die Halle, blieb dann stehen. Es hörte sich an wie ein überschwerer Roboter. *Äußerst ungünstig,* dachte Chyra, *wenn er feindlich gesinnt ist.* Sie standen ohne Deckung im Raum. Ein Schuss aus der Waffe und sie alle würden sich Hellon gegenübersehen.

Eine Erinnerung aus der Zeit der Raumakademie schoss ihr durch den Kopf. Strahler der Flotte waren mit einem Infrarotvisier ausgestattet.

Sie hoffte, die Strahlwaffe, die ihr der Roboter auf Anweisung von Araya überreicht hatte, war zumindest gleichwertig.

Chyra zog sie aus dem Holster des Waffengurts, löste die Sicherung und sah durch das Visier. Tatsächlich nahm sie Wärmesignaturen wahr. Am Eingang stand ein Ungetüm, größer und breiter als jeder Kampfroboter, den sie bisher gesehen hatte, eingehüllt in ein dreifach gestaffeltes Schirmfeld. Schnell informierte sie den Myrth.

Sie hörte, wie er den Strahler zog. »Zu den Hochregalen linker Hand«, raunte er. »Das sind nur wenige Meter. Die müssten wir rennend überwinden können, ohne getroffen zu werden. Achtung und los.«

Doch bevor sie losspurten konnte, blitzte ein armdicker Energiestrahl an ihnen vorbei.

»Halt!«, donnerte eine Stimme. »Keinen Schritt weiter, sonst beendet ihr eure Existenz als Rußpartikel.«

Ein zweiter Strahl tangierte fast ihr Schirmfeld. Es reichte aus, um es zu verfärben. »Wer seid ihr und was macht ihr hier? Antwortet schnell und vor allem wahrheitsgemäß. Ich bin gerade nicht in der Laune, um Trödeleien oder Lügen straflos zu schlucken.«

Es schien einer der Rebellen zu sein, der in einer Art robotischer Kampfmaschine saß und sie bedrohte. Sie ahnte, wenn ihm bekannt wäre, wer vor ihm stand, würde er sofort auf Dauerfeuer drücken. »Mein Name ist Chyra aus dem lichtdurchfluteten Haus derer von Valura«, sagte sie hastig, um dem Myrth zuvorzukommen. »Ich bin auf Geheiß von Velorn IV. hier und soll in der para-psychologischen Abteilung mitarbeiten.«

»Tretet mindestens vier Schritte zur Seite und steckt euren Strahler weg.« Die Stimme wurde etwas freundlicher. »Gegen das Haus Valura haben wir nichts.«

Chyra befolgte die Aufforderung. Ein Scheinwerferstrahl blitzte auf, beleuchtete den Myrth.

Er hatte sich halb weggedreht, damit seine Gesichtszüge unkenntlich blieben. »Ich bin Leraff aus dem schattenumwobenen Haus derer von Erintow. Meine Untergebene und ich wurden gerufen, um jemanden zu betreuen, der unter der Macht seiner Gabe bewusstlos geworden ist.« Dabei deutete er auf Myrathor Peran.

»Moment«, donnerte die Stimme. »Zeigt mir Euer Gesicht. Ich denke, Ihr seid Verlorn IV.«

Bei Hellon, dachte Chyra. *Jetzt ist alles aus*. Vor Angst zitternd wartete sie auf den vernichtenden Energiestrahl.

Cormet

Kaum hatten sie die Reservestation verlassen, wurde er von einem der Kampfroboter gepackt.

»Wir müssen fliegen«, erklärte ihm der Gardist. »Nur so können wir den Myrth noch retten. Wehrt Euch nicht dagegen.«

Der Roboter hievte Cormet auf den Rücken. Der Kampfanzug wurde an ihm verankert. Die Maschine kippte nach vorn und flog in der Waagerechten den Gang entlang, erst langsam, dann immer schneller. Schließlich schossen sie in einem wahnwitzigen Tempo durch die Korridore. Der Gardist war an der Spitze. Cormet sah durch die Infrarotsicht die Wände vorbeirasen. Dann befand er sich plötzlich in der Senkrechten nach unten, um wenig später die vorherige Lage wieder einzunehmen. Es war ihm, als hätte er im Schacht das blaue Leuchten von Auflösungsstrahlern gesehen.

Die Fahrt stoppte und die Roboter landeten auf dem Boden des Korridors. Er wurde abgesetzt.

In fünf Metern Entfernung sah er ein großes offenes Tor und dahinter erklang eine donnernde Stimme. »Ich denke, Ihr seid Verlorn IV.«, glaubte er zu verstehen.

»Schirmfelder hochschalten und angreifen«, befahl der Gardist. »Setzt die mächtigsten Waffen ein, aber verletzt den Myrth nicht.« Um Lärm zu vermeiden, schwebten er und seine Roboter zum Tor. Sie feuerten sofort.

Cormets Anzug war nicht flugfähig. Er rannte ihnen nach und postierte sich an einer Torseite, sah von dort eine riesige Kampfmaschine, deren äußerstes Schirmfeld unter der Gewalt der Strahlbahnen zusammenbrach. Nun schoss er ebenfalls, achtete aber darauf, die drei Personen, die sich in der Halle aufhielten, nicht zu gefährden. Er sah zwei davon zu den Regalen eilen, eine dritte schwebend hinter sich herziehen.

Die Maschine drehte sich ihnen zu. Ihr zweiter Schirm verflüchtigte sich.

Cormet sah einen Myrthonen im Zentrum einer transparenten Kanzel sitzen. Von dort aus steuerte er sie. Armdicke Energiestrahlen verließen ihre Waffen und nagelten die Roboter der Garde an der gegenüberliegenden Wand fest.

Unbeeindruckt feuerten sie weiter. Nacheinander brachen ihre Schirmfelder zusammen. Einen Moment hielten sie den Energien stand, dann explodierten beide. Cormet warf sich nach hinten, um aus dem unmittelbaren Explosionsradius zu kommen. Er büßte nur einen seiner Schirme ein. Die Trümmer wurden abgewehrt.

Anders sah es beim Gardisten aus. Sein gestaffeltes Schirmfeld hatte zwar das Schlimmste verhindert. Doch lag er am Boden, sein Kampfanzug war an mehreren Stellen aufgeschmolzen. Im Bein steckte ein Trümmerstück. Blut quoll hervor. Trotzdem feuerte er weiter auf die bemannte Kampfmaschine.

Flugs nahm Cormet seine Position am Tor wieder ein und begann erneut zu schießen. Der letzte Schirm der Maschine verwehte. Jeder Treffer beschädigte von nun an den Roboter. Sekunden später emittierte lediglich eine der Waffen noch Energiestrahlen und das mit halber Kraft. Die Zielautomatik schien ebenfalls ausgefallen zu sein. Keiner der Strahlen traf den Gardisten.

Etwas zerbarst in dem gegnerischen Kampfgefährt. Ein Blitz durchzuckte es und legte es lahm.

Der Rebell öffnete die Kanzel und sprang heraus. Im selben Augenblick, in dem er auf dem Boden aufkam, verschwand er aus dem Blickfeld.

Die von Cormet nachgesendete Energieballung ging ins Leere, traf den Bodenbelag. »Achtung!«, schrie er. »Das ist wieder ein Attentäter!«

Der Gardist bestrich den Bereich vor sich mit seinem Strahler.

Da, ein Schemen. »Zur Seite!«, rief Cormet. Gleichzeitig feuerte er auf das verwaschene Weiß in der Dunkelheit, das über dem Kämpfer der Garde erschienen war. Er traf etwas.

Zu spät! Ein Energieschwert fuhr durch den schwarzgoldenen Kampfanzug, riss das Leben aus ihm.

Es verwunderte ihn, wie ungehindert das Schwert durch den Anzug des Gardisten gedrungen war. Diese Waffe konnte nicht aus dem Sternenreich stammen. Woher hatten die Rebellen sie?

»Verdammt«, hörte er den verspäteten Schmerzensschrei des getroffenen Attentäters. Ein Schemen, so groß wie eine Handfläche, raste auf ihn zu. Er versuchte, sich zur Seite zu werfen. Doch er wusste, es würde ihm nicht gelingen.

Araya

Inzwischen raste sie mit Dabejis durch die Korridore und erreichte den, der zum Park im C-Sektor führte. Die Wärmespur leitete sie bis zur Hälfte des Gangs.

Dort hing eine Tür schräg aus ihrer Führung. Der rechte Teil war nach außen gebeult. Es sah so aus, als hätte sie vergeblich versucht, einer freiwerdenden Gewalt innerhalb des Raums zu widerstehen.

Hoffentlich sind die Gesuchten nicht im Mittelpunkt einer Explosion zerrissen worden. Was wird mit dem Sternenreich geschehen, wenn es den Myrth nicht mehr gibt?

Araya riss die Tür aus der Fassung. Wie ein Schwall strömten ihnen Hitze, Ruß und Staub entgegen. Es stank nach verbranntem Fleisch.

Die Infrarotsicht blendete sie fast, bevor sich ihre Sehorgane anpassten. Ein Dutzend Rebellen lag mit zerschmolzenen

Kampfanzügen und seltsam verdrehten Gliedern am Boden. Ihre Schirmfelder mussten den ersten Ansturm abgehalten haben. Sonst wären nur noch Stücke von ihnen übriggeblieben.

Der Myrth und Chyra waren offenbar nicht darunter, denn sie trugen keine solchen Anzüge.

»Ich orte überall Splitter und geschmolzene Rückstände von Mathumastahl.« Dabejis trat in den Raum und drehte sich um ihre eigene Achse. Ruß wirbelte auf. »Hier muss ein Roboter explodiert sein.«

Araya schloss sich der Ansicht ihrer Schwester an. »Vermutlich war es ein Kampfroboter. Aus der Wärmespur wissen wir, der Myrth und Chyra wurden von einem begleitet. Er war beschädigt, konnte nicht mehr richtig laufen. Anscheinend haben ihn die Rebellen überwältigt und er hat sich selbst in die Luft gesprengt, und zwar mit der vollen Kraft seines Generators.«

Die gegenüberliegende Tür war in die Wand eingefahren. Dahinter führte ein Schacht nach oben. Er strahlte noch Hitze ab, aber nur in den unteren Regionen.

»Wie kommen wir da hinauf?«, fragte Dabejis. »Das sind zehn Meter. So hoch kann ich nicht springen.«

»Musst du nicht.« Araya sah nach oben. »Bei bis zu zweifacher Schwerkraft bewegen wir uns mit dem normalen Körpergewicht. Wir haben ein Gerät in uns, das die Schwerkraft halbieren kann, wenn es notwendig ist. Zusammen mit deiner Körperkraft und einem gehörigen Schwung von mir wirst du die Höhe überwinden.«

Dabejis ging in die Knie, stieß sich ab. Von ihrer Schwester bekam sie einen Stoß mit. Sie schaffte es bis ins Zielstockwerk, zog sich am Rand hoch.

Araya folgte ihr. Ihre Kräfte waren enorm gewachsen, seit der Myrth ihr ein Schlüsselwort ins Ohr geflüstert hatte. Die Haut ihrer Finger, mit denen sie sich am Schachtrand festklammerte, schien widerstandsfähiger zu sein, als sie erwartet hatte. Das heiße Material hinterließ keine Spuren.

Sie schwang sich aus dem Schacht. Im Bruchteil einer Sekunde erfasste sie die Wärmesignatur der Umgebung.

Vor sich sah sie die Rückseite einer großen, manuell steuerbaren Kampfmaschine. Die Arme liefen in zwei Strahlkanonen aus. Sie hingen bewegungslos an der Seite herunter, waren durchlöchert. Die Maschine schien energetisch tot zu sein. Restenergien glommen auf, verflüchtigten sich, ließen die Signatur dunkler werden.

Dabejis sprang zur rechten Wand hinüber und ging hinter einem Regal in Deckung. Araya huschte zum Maschinenwrack, zog sich hoch und blickte über die oberste Abdeckung. Sie sah auf eine Steuerkanzel, die soeben aufgewuchtet wurde. Ein Rebell im grauen Kampfanzug schlüpfte daraus hervor, verschwand unvermittelt von der Normalortung, wurde jedoch sofort von ihrer Spezialortung erfasst. Er spurtete auf das Tor zu.

Zwei Personen befanden sich dort. Ein Kämpfer aus der Garde des Myrths. Sie kannte die Oberflächenstruktur der schwarzgoldenen Anzüge von Antor, der einst befehlshabender Gardeoffizier gewesen war. Daneben stand, halb von der Torbegrenzung gedeckt, ein Offizier der Flotte, zumindest trug er einen derartigen Schirmfeldprojektor.

Es gab also doch noch Kräfte im Palast, die gewillt waren, den Myrth zu retten. Der Gardist begann in einem Halbkreis um sich zu schießen. Offenbar wollte er den nicht mehr ortbaren Rebellen auf Abstand halten. Doch der sprang zuvor hoch durch die Luft und überwand damit die Barriere aus Energiestrahlen.

Araya sprang ebenfalls, setzte alle Kraft ein, die ihr zur Verfügung stand. Sie würde kurz nach ihm bei dem Gardesoldaten ankommen.

Doch die Sekunde, die der Rebell eher da war, genügten ihm. Er durchbohrte die schwarzgoldene Rüstung mit seinem Energieschwert und schleuderte einen Wurfstern auf den Offizier, einen Lidschlag, nachdem er von dessen Waffenstrahl getroffen worden war.

Reflexartig schoss sie mit dem Strahler auf das Wurfgeschoss, traf und änderte so die Flugbahn.

Aus dem Augenwinkel bemerkte sie, wie das Geschoss durch das Schirmfeld eintrat, knapp den Träger verfehlte und wieder austrat.

Nach dem Sprung kam sie mustergültig auf und prellte dem Rebellen das Schwert aus der Hand. Es landete scheppernd drei

Meter entfernt auf dem Boden. Die Finger würde er die nächste Zeit nicht mehr benutzen können.

Verblüfft sah der Getroffene in ihre Richtung. Seine linke Faust flog ihr entgegen. Sie stoppte sie mittels ihrer Handfläche, umschloss sie, bis ein verdächtiges Knirschen zu hören war und ein gellender Schmerzensschrei ertönte.

»Gebt Euren Widerstand auf«, sagte Araya. »Ich will Euch nicht noch mehr verletzen, denn ich bin nicht Euer Henker.«

»Wieso könnt Ihr mich sehen, ich Euch aber nicht?« Gleichzeitig warf er sich in Richtung seines Schwerts. Vergeblich.

Araya ließ es nicht zu. Ehe er sich's versah, knallte er gegen die Wand und rutschte nach unten. Dort blieb er regungslos liegen.

»Ihr könnt die Waffe wegstecken«, sagte sie zum Offizier, der erstarrt zu sein schien. Den Strahler hielt er nach wie vor auf sie gerichtet. »Schaltet Euren Brustscheinwerfer an, dann könnt Ihr mich sehen. Bei Infrarot bin ich unsichtbar.«

Er schob die Strahlwaffe in das Holster und deaktivierte das Schirmfeld. Der Scheinwerfer blendete auf.

»Oooh!«, klang es ihr entgegen. Sie lächelte. Vermutlich hatte ihr Gegenüber nicht damit gerechnet, eine hübsche junge Adlige im roten Wickelkleid zu sehen, die barfüßig in der Lage gewesen war, den Attentäter zur Strecke zu bringen.

»Dabejis!«, rief sie. »Hole den Myrth und Chyra hierher! Vielleicht ist auch noch Myrathor Peran bei ihnen. Schnell!«

»Wird erledigt, Araya«, kam es aus der Dunkelheit.

Sie wandte sich an den Offizier. »Ich bin nicht allein hier. Das ist meine Schwester. Sie begleitet mich.«

Der nickte, zog dann die Waffe. »Erschreckt nicht«, sagte er. »Aber diesem Attentäter kann man nicht trauen. Ich schocke seine Gliedmaßen mit der geringsten Einstellung.«

Er schoss auf Arme und Beine. »Mein Name ist übrigens Cormet aus dem lichtdurchfluteten Haus derer von Valura. Momentan bin ich beurlaubt und deshalb nur Reserve-Offizier der Flotte.«

»Ich bin Araya aus dem schattenumwobenen Haus derer von Es'orante. Meine Schwester heißt Dabejis. Wir sind beide Adoptivtöchter des Myrths.«

»Bei Hellon«, entfuhr es ihm. »Ich hoffe, ich war zu keiner Zeit unhöflich.«

Sie schenkte ihm ein Lächeln, sah gleichzeitig, wie ein Zucken durch den Körper des Attentäters ging.

»Er wird gleich aufwachen«, sagte Cormet und steckte die Waffe wieder weg. »Wie ist es Euch gelungen, ihn zu überraschen und auszuschalten? Er ist sicher mit den neuesten Techniken ausgerüstet. Selbst die Garde konnte ihn nicht orten.«

Sie wurde einer Antwort enthoben. Ein Stöhnen quoll über die Lippen des bis dahin Bewusstlosen. Wie in Panik riss er die Augen auf. »Was ist mit meinen Armen und Beinen?«, schrillte seine Stimme durch den Korridor.

»Vorsichtshalber geschockt«, antwortete der Offizier. »Kein Grund zur Sorge. Aber bevor Ihr Euch das Leben nehmt, bitte ich Euch, mir eine private Frage zu beantworten. Ich bin nicht hier, um Euch politische Geheimnisse zu entreißen.«

»Fragt!«

Araya befand sich außerhalb des Scheinwerferstrahls. Offensichtlich war Cormet bemüht, dem Attentäter das Gefühl zu vermitteln, mit ihm allein zu sein. »Ich habe gegen zwei Männer gekämpft, die aussahen wie ihr. Einer davon hatte silberne Ornamente am Hals und auf der Brust. Sie bedeckten Teile seiner Haut. Meine Ehefrau hat etwas Ähnliches am linken Fußgelenk. Sie kann sich nicht erinnern, woher sie das hat. Worum handelt es sich hier?«

»Ich vermute, meine Brüder sind beide tot, nachdem Ihr noch am Leben seid.«

Cormet nickte.

Einen Augenblick starrte der Attentäter vor sich hin, bevor er fortfuhr. »Wir sind Drillinge und haben alle diese krankhaften Auswüchse. Sie bedecken nicht die Haut, sondern ersetzen sie. Ich gebe Euch den Rat, seid nett zu Eurer Frau, erfüllt ihr jeden Wunsch, denn sie wird in zwanzig Lichtzyklen nicht mehr am Leben sein. Zu oft haben wir wegen dieser Krankheit junge Angehörige unseres Hauses zu Grabe getragen. Auch meine Brüder und ich haben das Ende der Lebenszeit erreicht.«

»Aber … aber das kann doch nicht sein. Gibt es denn gar kein Heilmittel dafür?«

»Ich dachte einst, ich hätte eine Spur zu jemandem gefunden, der die Krankheit überlebt hat. Doch sie führte ins Nirgendwo.«

»Ich bitte Euch! Gebt mir diese Information. Vielleicht habe ich mehr Glück als Ihr.«

»Nun gut, es ist Jorain, der Priester vom Tempel Myrathon-Hels auf *Lusark*. Jedoch kennt die Priesterschaft weder diesen Namen noch ist der bezeichnete Planet auf unseren Sternenkarten verzeichnet.« Er legte eine Pause ein.

Araya hatte mit Interesse das Gespräch verfolgt. Sie war sich sicher, es handelte sich um jene Krankheit, an der ihre Mutter litt und Dabejis und sie ihren Robotkörper verdankten. Sollte Jorain existieren, musste es das ST-Netz wissen. Sie würde es durchsuchen. Wenn auch nur eine kleine Chance bestand, ihre Mam zu heilen, würde sie diese ergreifen. Wer wusste schon, wann ihr Vater zurückkehrte.

»Und Euch, Kämpferin des Myrths, offenbare ich Folgendes«, der Attentäter sah sie an. »Mein Name ist Lorken und ich gehöre dem lichtdurchfluteten Haus derer von Limach'Orvan an. Alle Angehörigen des Damants sind an der Rebellion beteiligt. Männer, Frauen und Jugendliche. Das, was Ihr bisher erlebt habt, war erst ein Vorgeplänkel. Der Hass auf den Myrth wird sie zum Sieg führen.«

»Jugendliche?« Araya traute ihren Hörsensoren nicht. »Ihr schleust Eure zukünftige Generation in den Palast ein, um sie hier sterben zu lassen?«

Er lachte kurz auf. »Wisst Ihr nicht, was mit einem Haus geschieht, dessen Rebellion niedergeschlagen wurde? Es wird zum Randweltadel degradiert und mit allen Angehörigen auf eine unwirtliche Welt verbannt. Es erhält kein Lichttränenbrot mehr. Der Entzug lässt nach zwei Lichtzyklen knapp siebzig Prozent der Betroffenen dem Wahnsinn verfallen. Sie zerstören und ermorden alles, was in ihrer Reichweite ist. Es bleibt nichts anderes übrig, als diejenigen sofort zu eliminieren, um den Rest zu schützen. Dieses Schicksal will ich keinem meines Damants zumuten. Lieber sollen sie hier sterben. Und unsere Chance, den Myrth zu töten, ist gar nicht so schlecht. Wärt Ihr nicht aufgetaucht, hätten wir die Schlacht schon gewonnen. Aber das kann ja noch kommen. Sobald die Beleuchtung aufflackert und damit das Hochfahren der Palast-KI ankündigt, beginnt die eigentliche Invasion.«

»Warum rebelliert Ihr?« Araya hatte die Frage kaum gestellt, da registrierte sie das Versiegen der Störsendungen.

Lorken aber rief mit einer Stimme, die geschult war, das Stimmengewirr bei großen Feierlichkeiten zu übertönen: »Wir leben für das Haus Limach'Orvan. Wir sterben für das Haus Limach'Orvan.«

Unvermittelt ging die Beleuchtung an. Zunächst flackernd, aber nach wenigen Sekunden wurde das Licht stabil.

Aus dem Lautsprecher von Lorkens Kampfanzug erklang es mit der Kraft Tausender Stimmen: »Wir leben für das Haus Limach'Orvan. Wir sterben für das Haus Limach'Orvan.«

Wieder und immer wieder. Der Klang rollte durch die Korridore wie die tobenden Wellen einer sturmgepeitschten See.

Kampf um den Palast

Palast des Myrths, Talura, Myrthon, Mathuma-System
29. Tag, 2. Monat, 8553. Lichtzyklus sME, 19. Stunde, 52. Minute

Cormet

»Was geht hier vor sich?« Diese Frage wurde geschrien, um den donnernden Lärm durch den immer wiederkehrenden Leitspruch der Rebellen zu übertönen. Im Tor stand der Myrth, neben ihm eine junge Frau mit silberweißem Haar, die eine gewisse Ähnlichkeit mit der Kämpferin aufwies, die ihn gerettet hatte. Wahrscheinlich handelte es sich hier um ihre Schwester. Dabejis, wenn er sich recht erinnerte. Aber da war noch jemand, eine Adlige. Sie schob einen schwebenden bewusstlosen Priester neben sich her. Verblüfft erkannte er Chyra.

Er legte seine flache rechte Hand über die linke Brust. »Ehre für Myrthon und den Myrth«, rief er den traditionellen Gruß, hob die Versteifung des Helms auf und klappte ihn als Kapuze nach hinten. »Ich bin Cormet aus dem lichtdurchfluteten Haus derer von Valura. Ich stehe zur Verteidigung des Palasts bereit.«

»Habe ich richtig gehört? Ihr seid Serpons Sohn?«

»So ist es, Höchst-Erstrahlender!«

Ein zweifelndes Lächeln umspielte den Mund des Myrths. »Chyra, kann ich Eurem zeitlimitierten Stiefsohn trauen?«

Sie trat vor. »Ich halte ihn für vertrauenswürdig.«

»Gut! Cormet, dann klärt mich auf, wie der gefallene Gardesoldat hierherkommt. Meines Wissens war kein einziger von ihnen zum Zeitpunkt des Überfalls im Palast.«

»Einen Moment, Höchst-Erstrahlender.« Er trat zum Attentäter, nahm ihm den Helm vom Kopf, zerstörte mit einem energetischen Messer Mikrofon und Lautsprecher darin. Der Leitspruch brach ab. Es wurde still. »So bleibt alles, was ich nun sage, unser Geheimnis.«

»Und Lorken?«, warf Araya ein.

»Ich vermute, er wird sich töten, und zwar spätestens bei der ersten Frage, die wir ihm mit Nachdruck stellen. Er lebt nur noch, weil er die Hoffnung hat, den Tod des Myrths mit eigenen Augen sehen zu können, bevor er selbst abtritt.«

Der Gefangene ließ sich zu keiner Antwort provozieren. Velorn IV. aber nickte verstehend. »Fangt an!«

Cormet berichtete über die Ereignisse, die geschehen waren, seitdem er den Palast betreten hatte. »Alle drei Attentäter kämpften mit Energieschwertern, für die sowohl Schirmfelder als auch Kampfanzüge kein Hindernis sind. Ich befürchte, die Rebellen bringen ähnliche Waffen zum Einsatz. Trotz der inzwischen eingetroffenen Gardisten könnten sie uns in Bedrängnis bringen.« Damit beendete er seine Rede.

»Da könntet Ihr recht behalten.« Der Myrth kratzte sich nachdenklich am Kinn. »Araya! Dabejis! Versucht, die Angreifer aufzuhalten. Veranlasst die Palast-KI, Nottüren, die sich zwischen uns und ihnen befinden, zu schließen und zu verriegeln. Ich hoffe, dafür steht schon Energie zur Verfügung. Und versucht herauszufinden, wie sie in den Palast eindringen konnten. Wir aber marschieren sofort zum ST-Fädler, der die Gardetruppen hierher transportiert. Wir müssen schnellstens Verbindung zu ihnen aufnehmen.«

Mit einem Handgriff löste Cormet den Helm des Gardesoldaten und gab ihn dem Myrth. »Das ist die beste Art, sie zu kontaktieren. Die Gardefrequenz ist eingestellt. Er verfügt über Richtfunk und ist nur schwer abhörbar.«

Araya meldeten den Vollzug der Abriegelung durch die Nottüren. »Die Rebellen kommen durch die zentralen Fädler auf der Ebene 24. Sie sind dem Zugriff der Palast-KI entzogen. Momentan können wir nichts daran ändern.«

Der Myrth nahm die Nachricht mit stoischer Miene zur Kenntnis. Dann machte sich die Gruppe auf den Weg zum Wartesaal. Dabejis übernahm die Nachhut. Sie packte Lorken am Helmverbindungsring und schleifte ihn hinter sich her.

Velorn IV. eilte voraus, während er eifrig in das Helmmikrofon sprach. An seiner Seite schritt Araya. Zusätzlich zu ihren Waffen hatte sie Strahler und Schirmfeldgenerator des toten Gardisten mitgenommen. Außerdem zog sie den schwebenden, immer noch bewusstlosen Priester mit sich. Chyra lief vor Cormet, schien aber mit eigenen Gedanken beschäftigt zu sein.

Nun, da die Anspannung erst einmal weg war, überfiel ihn mit unerwarteter Wucht die Erinnerung an die schwere Verletzung seiner Mutter. *Hoffentlich,* dachte er ohne große Zuversicht, *überlebt sie.* Die Palast-KI war zwar hochgefahren und würde den Einsatz des Regenerierungsbads ermöglichen. Aber wenn die Rebellen den Medikbereich stürmten, konnte sich das schnell ändern. Die Wahrscheinlichkeit dafür schien hoch. Umso mehr wünschte er sich, dass die Suche nach seiner Mam und deren Befreiung nicht umsonst gewesen war.

Chyra

Momentan stand sie neben sich. Die unmittelbare Todesgefahr verbunden mit der Angst um den Myrth saß ihr noch in den Knochen. Zum Glück hatte sich im Bruchteil einer Sekunde ihre Lage geändert und die Gefahr war gebannt worden. Doch ihr Bewusstsein weigerte sich, zur Tagesordnung überzugehen. Es bremste sie aus, ließ die überstandene Situation immer wieder vor ihrem inneren Auge ablaufen. Sie war schon einige Minuten vor sich hin sinnend dem Myrth und Araya gefolgt. Dessen Stimme vernahm sie zwar leise, verstand aber nicht, was er sagte. Er trug den Helm des Gardesoldaten und kommunizierte mit den Befehlshabern der Garde hier im Palast.

Eben durchquerten sie einen Park und hielten an einer Statue an, deren Kopf mit der Decke verschmolz. Hier war der Eingang zu der Nottreppe. In engen Wendeln ging es zwölf kraftfordernde Stockwerke nach oben zur Tiefebene 10, dann durch weitere Korridore.

Eine Hitzewelle durchströmte sie. Es war ihr im Eifer der Geschehnisse total entfallen, aber sie musste sich unbedingt bei Cormet bedanken. Er war der Grund, warum sie noch lebte, er und der tote Gardist.

Sie verlangsamte ihre Schritte und wartete, bis er mit ihr gleichauf war. Seinen Blick hielt er auf den Boden gerichtet. Auch er schien in der Vergangenheit gefangen zu sein.

»Denkst du an deine verletzte Mutter?«, fragte sie ihn.

Er sah zu ihr und nickte. »Ich hoffe, die Energieversorgung fällt nicht aus und die Medikstation wird nicht von den Rebellen überrannt.«

»Die Aufständischen würden sich selbst schaden, wenn das Licht wieder ausfällt. Für einen Stoßtrupp mag die Finsternis von Vorteil sein. Aber wenn man mit hunderten von Myrthonen den Palast erobern will, scheint mir das eher hinderlich.«

»Deine Worte mögen an Hellons Ohr dringen.«

»Und er möge uns beschützen«, beendete sie den Auszug aus einem Gebet. »Aber eines möchte ich noch wissen. Ich dachte immer, deine und Urpas Mutter wären tot. Wieso sind sie plötzlich hier im Palast?«

»Djalins Tod war vorgetäuscht und meine Mutter galt lediglich als verschollen.« Cormet seufzte. Seine Stimme bekam einen reumütigen Unterton, »mein Vater hat dich entführen lassen, weil du deinen Ehevertrag nicht verlängern wolltest.«

»Woher weißt du das?«

»Das ist im Augenblick ohne Belang. Wichtig ist nur, ich wusste es, bevor Feryn dich geschockt hat. Mir war bekannt, er würde dich zu Djalin und Myrana führen, die mein Vater seit Lichtzyklen in einem Versteck gefangen hält. Deswegen war ich bei der Entführung in deiner Nähe, um ihn zu verfolgen. Leider verschwand der Chef der Sicherheit durch einen geheimen Fädler und ich musste mein Vorhaben abbrechen. Einen Tag später gelang es mir, Feryn zu überwältigen und ihn dazu zu zwingen, mich zu den beiden Frauen zu führen. Ich befreite sie. Von dir war aber keine Spur zu finden.«

»Er hat mich unerwartet freigelassen und in den Fädler zum Regierungspalast gesteckt …«, sie stockte, »warte! Heißt das, du hättest mich rechtzeitig über die geplante Entführung informieren können?«

»So ist es. Und ich habe seitdem ein schlechtes Gewissen.«

Chyra musste das Gehörte erst einmal verarbeiten. Sicher wäre sie zu den beiden Frauen gesteckt worden. Dann hätte Cormet sie alle zusammen befreit. So war es das Ultimatum des Myrths, dem sie ihre Freiheit zu verdanken hatte. »Mag sein. Jedenfalls werde ich dir das nicht nachtragen, denn schließlich hast du durch dein Eingreifen mein Leben gerettet. Vielen Dank dafür.«

»Danke Hellon. Er hat mich zum richtigen Zeitpunkt zu dir …«

»Rennt!«, schrie der Myrth dazwischen. »Die Truppen von Lorken haben die erste Barriere aus Sicherheitstüren durchbrochen. Sie werden bald hier sein.« Sie hetzten durch die Korridore. »Wir leben für Limach'Orvan, wir sterben für Limach'Orvan«, erklang es unvermittelt hinter ihnen. Waren die Rebellen schon so dicht an sie herangekommen? Gleich darauf war ein klatschendes Geräusch zu hören.

»Es war Lorken!«, rief Dabejis emotionslos. »Er ist jetzt ohne Bewusstsein.«

»Das hätte uns gerade noch gefehlt«, warf der Myrth ein, »dass wir von seinem Sprechgesang begleitet werden.«

Doch in weiter Ferne war bereits ein Raunen zu vernehmen. *Konnte es die Absicht des Attentäters gewesen sein, es zu übertönen, damit wir nicht verfrüht darauf aufmerksam werden?* Es kam näher und näher. Schließlich kristallisierte sich der Leitspruch heraus, der nur Minuten danach in ein sich immer wiederholendes und lauter werdendes »Limach'Orvan« überging.

»Sie sind hinter uns«, schrie Chyra. »Sie sind direkt hinter uns!« Ihre Stimme überschlug sich fast. Ihr Herz krampfte sich in Angst zusammen.

»Und sie scheinen in den Kampfmodus übergegangen zu sein«, ergänzte der Myrth. »Rennt, so schnell ihr könnt.«

Chyra fühlte sich von Araya gepackt und über die Schulter geworfen, sah wie jene mit der anderen Hand sich den bewusstlosen, schwebenden Myrathor Peran griff. Dabejis übernahm auf die gleiche Weise Velorn IV. und zog zugleich den betäubten Lorken hinter sich her. Cormet wurde von seinem Kampfanzug unterstützt, so konnten sie ihr Tempo wesentlich steigern.

Die Rebellen blieben ihnen aber dicht auf den Fersen.

Nach einer Biegung tauchten zwei Gardisten vor ihnen auf. Chyra bemerkte sie erst, nachdem Araya schon an ihnen vorbeigeeilt war. Sie schlossen sich ihnen an, aktivierten ihre Schirmfelder. Warum, erfuhr sie Sekunden später, als die Gruppe wiederum um eine Ecke bog.

Eine Reihe von energetischen Explosionen erscholl hinter ihnen. Querschläger heulten durch den Korridor, schrammten an der Wand entlang oder verglühten in den Schirmen.

»Minen!«, rief einer der Gardisten. Chyra reichte das Wort, um sich ein Bild auszumalen. Sie sah Rebellen, die sich mit zerfetzten Gliedern am Boden wälzten. Nicht gestaffelte Schirmfelder brachen im Zentrum einer solchen Explosion zusammen, boten keinen Schutz mehr.

Der Schlachtruf *Limach'Orvan* steigerte sich zu einem Brüllen. Es schien so, als hätten die Angreifer die Außenlautsprecher ihrer Kampfanzüge auf höchste Lautstärke gestellt. Vermutlich sollte das die Schreie der Verletzten übertönen.

Sie erreichten eine Fahrzeughalle. Mindestens fünfzig Mann hatten sich hier hinter Wägen verschanzt, die aus dem internen Fahrzeugpark stammten. Wozu? Was könnte stärker schützen als ein Schirmfeld? Chyra und der Myrth wurden abgesetzt. Ein Offizier nahm sie in Empfang und führte sie durch eine ebenso besetzte Abfertigungshalle bis zum Wartesaal. Aus dem Fädler kamen minütlich Gardisten oder deren Roboter.

Sie atmete auf. Hier hatten sie eine Chance, den Kampf zu überleben. Sie fühlte, wie sich ihre Anspannung langsam löste.

Araya

Zusammen mit ihr und Dabejis umringten drei Garde-Offiziere den Myrth, die ihm hastig die ergriffenen Verteidigungsmaßnahmen vorstellten.

Sie mussten fast schreien, um die Sprechgesänge der Rebellen zu übertönen. Die Tore zu den anderen Hallen standen offen. Falls die Angreifer durchbrachen, würden die hier versammelten Kämpfer schnell zur Hilfe eilen. Ab und zu war eine Explosion zu hören.

Araya war nicht in der Lage, bei den Strategien zur Verteidigung mitzureden. Aber helfen konnte sie trotzdem, auf ihre eigene Art. »Entschuldige, Vater!«, rief sie. »Meine Schwester und ich sind bereit, die Palast-KI von Fremdeinflüssen zu befreien. Unser Ziel ist es, die Protokolle zur Palastsicherheit hochzufahren. Damit könnten wir auf etwa fünfhundert Kampfroboter zugreifen.«

Der Myrth gab ihr durch ein Nicken sein Einverständnis. Sie nahm lautlos Kontakt zu Dabejis auf, informierte sie über ihren Plan. Die Schwester würde die Sabotage-Programme neutralisieren, die sie vor Tagen selbst eingeschleust hatte, und Reparatur-Routinen aktivieren. Araya hingegen war bereit, der Palast-KI ihren Willen aufzuzwingen.

Gemeinsam schritten sie zu den Terminals der Besucherregistrierung. Sie waren auf einem langgezogenen Tisch montiert, der in einer Nische stand.

Die beiden Schwestern nahmen auf den zugehörigen Kontursitzen Platz. Araya aktivierte einen der Holoschirme. Er zeigte das Wappen des Myrths. Sie und Dabejis konzentrierten sich auf den Datenstrom. So fiel es ihrem robotischen Geist leichter, mit der Palast-KI zu kommunizieren.

Sie unterstand noch ihrem Adoptivvater, schien jedoch nicht stabil zu laufen. Die Maßnahmen, die ihr zur Verfügung standen, um die Rebellen im Gebäude unschädlich zu machen, waren alle blockiert. Es war ihr unmöglich, ihre Aufgabe zu erledigen. Sie befand sich in einem unendlichen Kreislauf, aus dem sie nicht ausbrechen konnte. Eine Möglichkeit blieb ihr in einer ausweglosen Situation wie dieser: die Notabschaltung. Das würde bald geschehen, alle Anzeichen deuteten darauf hin.

Die Zwangslage nutzte Araya aus. Sie bot der KI an, die Blockaden zu entfernen, wenn sie sich ihr unterordnete.

Die Palast-KI lehnte ihr Ansinnen zwar ab, doch Araya spürte, der Widerstand gegen eine Übernahme durch sie schmolz dahin. Ihre Identität als Adoptivtochter des Myrths half ihr sicher dabei. So war nur wenig Mühe nötig, um die KI zu unterwerfen, die nun auf ihre Anweisung die Routine-Arbeiten ausführte, während sie sich um das Kampfgeschehen kümmerte. Im Augenblick konnte sie das nur durch die Überwachungskameras beobachten.

Erst wenn Dabejis die Sicherheitsprotokolle hochgefahren hatte, war es ihr möglich, gegen die Rebellen vorzugehen. Doch eines sollte sie jetzt schon tun. Sie übermittelte die Informationen über den Gegner an den Myrth, dessen Offiziere, Chyra und Cormet.

Cormet

Sein ArmKomm meldete sich. Es gab nach wie vor keine Verbindung nach außen. Aber es lag eine Nachricht der Palast-KI vor. Sie bot ihm an, die Rebellen über die ihr zur Verfügung stehenden Kameras zu beobachten. Der Myrth, die Garde-Offiziere und Chyra waren ebenfalls als Adressaten angegeben. Er willigte ein. Sofort sah er in einer Übersicht zwei Orte, an denen die Angreifer aktiv waren. Zuerst wählte er die Halle mit den Generatoren aus. Etwa vierzig Gardisten verteidigten sie. Es schienen doppelt so viele Rebellen zu sein. Beide Seiten hatten Verluste. Der Boden war von zu Wracks geschossenen Kampfrobotern und ihren Trümmern bedeckt. Kämpfer in grauer und schwarzgoldener Kampfbekleidung lagen in verkrümmten Haltungen tot auf dem Untergrund. An einem der gesprengten Tore gab es wesentlich mehr gefallene Gardesoldaten als an den anderen. Er steuerte die Bildsicht in den angrenzenden Gang und entdeckte einen Scharfschützen. Seine Munition schien aus demselben Material zu bestehen wie die Schwerter der Attentäter. Schutzschirme und Kampfanzüge boten keinen Schutz dagegen.

Cormet informierte den Myrth darüber. Mit Sicherheit würde bei der Verteidigung des Fädlers aus dem Hinterhalt auf sie gefeuert werden. Das Ergebnis war gleich darauf zu sehen. Einer der Gardisten schoss drei Granaten in den Korridor. Die folgenden Explosionen bereinigten die Situation. Es gab keine weiteren Opfer durch einen Scharfschützen. Stattdessen stürmten die Rebellen die Stellungen der Gardesoldaten und stürzten sich in den Nahkampf. Das Handgemenge wogte hin und her. Alle waren bemüht, die Generatoren nicht zu beschädigen. Kurz sah es so aus, als würde die Überzahl der Angreifer die Oberhand gewinnen. Doch dank der besseren Ausbildung und Ausrüstung blieben drei verletzte Verteidiger übrig, die sich sofort um ihre schwerverletzten Kameraden kümmerten.

Alle Kämpfer des Hauses Limach'Orvan waren mit ihrem Kampfruf auf den Lippen zu Hellon und seinen Licht- und Schattenfunken gegangen.

Cormet schaltete auf den Wartesaal und dessen Umgebung um. Er sah, wie die Rebellen ihre Toten bargen, die in das Minenfeld gelaufen waren.

Dann fiel eine Kamera nach der anderen aus. Schließlich umgab sie ein nicht überwachtes Areal. Nicht nur auf dieser Ebene, sondern auch darüber und darunter.

Das bedeutete, sie würden absolut nichts von den Vorbereitungen der Angreifer mitbekommen. Was mehr als verdächtig war, legte es doch einen Großangriff nahe. Er aber glaubte nicht daran. Die Ausdehnung der toten Zone nach oben und unten ließen ihn etwas anderes vermuten. Er näherte sich der Gruppe um den Myrth. Die Garde-Offiziere plädierten dafür, die Hallen zu verteidigen. Bevor das Oberhaupt des Sternenreichs dem zustimmen konnte, drängte sich Cormet ins Gespräch.

»Verzeiht, Höchst-Erstrahlender«, sagte er laut. »Die Rebellen wollen nur eines, Euren Tod. Sie werden nicht zögern, den von uns verteidigten Bereich in die Luft zu jagen. Dazu müssen sie unter uns nur genügend Sprengstoff positionieren. Ich schlage vor, einen Ausbruch zu wagen.«

Ein älterer Offizier mit verlebtem Gesicht und matten weißen Haaren, auf dessen Namensschild Erontal, Damant Vasaguun stand, wandte sich ihm zu. »Ihr seid nicht von der Garde. Was habt Ihr hier bei dieser Besprechung zu suchen?«

Cosanat, Karrak Alsavor, war wesentlich jünger, hieb aber in dieselbe Kerbe. »Seit wann mischt sich die Flotte in unsere Angelegenheiten? Ich könnte argwöhnen, Ihr arbeitet für den Gegner und wollt unsere Verteidigung schwächen.«

»Ruhe!« Durch zusätzliches Heben der Hand veranlasste sie der Myrth, sofort zu schweigen. »Behaltet Euch den Namen Cormet aus dem lichtdurchfluteten Haus derer von Valura im Gedächtnis. Dank ihm, seiner Stiefmutter Chyra und meiner Adoptivtöchter bin ich sicher und heil hier angekommen. Er hat sich das Recht mehr als verdient, hier zu sprechen.« Er räusperte sich. »Es ist wahr, wenn wir alle unsere Kräfte auf einem Ort konzentrieren, fällt es leicht, uns auszuschalten. Jerom, gebt ihm zwanzig Kampfroboter und einhundert Mann. Unsere Verteidigung wird dadurch zwar geschwächt, doch der Fädler ist in der Lage, sie in der nächsten halben Stunde wieder aufzufüllen. Außerdem muss der Gegner auf unsere Aktion reagieren und seine Kräfte ebenfalls aufspalten.« Er wandte sich Cormet zu: »Ihr werdet mit dieser Streitmacht den gegnerischen Ring durchbrechen und aufklären, was unter unseren Hallen geschieht. Räumt dort auf. Abmarsch ist in zwanzig Minuten.«

Der, den der Myrth Jerom genannt hatte, entstammte dem Damant Xamicor und war der am höchsten dekorierte Offizier. Er befand sich im mittleren Alter und zeichnete sich durch ein kantiges Profil und einem analytischen Blick aus. Eben betätigte er sein ArmKomm. »Ich stelle euch den 20., 21. und 22. Trupp zur Verfügung. Dabei werden zwanzig Mann durch Roboter ersetzt. Das …«

»Unsinn!«, unterbrach ihn Velorn IV. »Für diesen Einsatz benötigen wir die Besten der Besten. Gebt ihm das Kommando über den 1. bis 3. Trupp und zusätzlich die angegebene Zahl von Kampfrobotern.«

»Wie ihr wünscht, Höchst-Erstrahlender.« Er gab etwas in das ArmKomm-Holo ein. »Erledigt. Cormet, Ihr solltet nun das Kommandantenemblem erhalten haben. Berührt es und Ihr werdet mit den drei Truppführern verbunden.«

»Vielen Dank für das Kommando. Ich werde mich ihm als würdig erweisen.« Cormet legte die Handfläche über die linke Brust. »Ehre für Myrthon und den Myrth.«

Mit diesen Worten verließ er die Gruppe und nahm Kontakt zu den Führern der ihm zugeteilten Trupps auf.

Minuten später traf er sich mit ihnen in der Abfertigungshalle. Hier war genügend Platz, um die Gardisten zu versammeln, da die Terminals vor den Wänden an der linken und rechten Seite standen. Pelin vom ersten, Varotes vom zweiten und Chrosom vom dritten Trupp arbeiteten mit Cormet den Einsatzplan aus. Sie brachten ihm ein Fluggerät für seinen Kampfanzug mit.

Nacheinander trafen die Teilnehmer der einzelnen Trupps ein und stellten sich jeweils in acht Fünferreihen auf.

Je sechs Roboter gab er unter das Kommando der drei Truppführer. Zwei behielt er als direkte Begleitung.

Fünf Minuten vor dem Termin marschierten sie in die Fahrzeughalle, von der aus die Besucher zu ihrem Bestimmungsort innerhalb des Palasts gebracht werden.

Cormet informierte die diensthabenden Offiziere der Halle über den bevorstehenden Ausbruchsversuch. Er bat zudem darum, die Minen kurzzeitig zu deaktivieren. Die Verteidiger machten für sie den Weg frei.

Varotes konfiszierte derweil eines der Fahrzeuge und klinkte sich über sein ArmKomm in die Steuerung ein.

Cormet verfolgte, wie es auf den Korridor zuschoss und hinter der Biegung verschwand. Sein Armbandkommunikator war, wie jener der Truppführer, mit der Fahrzeugkamera verbunden. Das Holo zeigte ihm den Wagen, der am Ende der letzten Krümmung stehenblieb. Vom Feind war nichts zu sehen. Aber der Sprechgesang der Rebellen drang laut und deutlich an sein Ohr.

Varotes wartete, bis die Trupps aufgeschlossen hatten. Dann beschleunigte er das Fahrzeug wieder. Es raste an zwei Seitengängen vorbei, die einander gegenüberlagen. Gleich dahinter fuhr es gegen ein nicht sichtbares Schirmfeld, das sich über den Hauptkorridor spannte. Sekunden später flirrten aus den beiden Gängen Energiestrahlen hervor. Sie durchlöcherten den Wagen, verwandelten ihn in qualmenden Schrott.

Das Holo wurde kurz schwarz, um gleich darauf neue Bilder aufzublenden. Das zerschossene Fahrzeug war zu sehen. Die Aufnahmen kamen nun von Pelins Helmkamera, der an der Spitze des 1. Trupps stand.

Cormet folgte den Empfehlungen seines einstigen Ausbilders. Der hatte ihm empfohlen, sich bei einem eigenen Kommando niemals an die vorderste Front eines Angriffs zu begeben. Besser war es, von einem gesicherten Platz im hinteren Drittel die Trupps zu steuern. Er befand sich nun neben Chrosom und gab von dort die Befehle aus. »Der erste Trupp begibt sich bis kurz vor die Kreuzung. Grenadiere gehen nach vorn. Drei Granatensalven aus halber Deckung in den linken Gang, der Rest des Trupps fliegt danach höhenversetzt ein. Schießt auf alles, was euch vor die Augen kommt. Der zweite Trupp nimmt sich zur selben Zeit den rechten Korridor vor. Der dritte hält vor der Abzweigung und feuert geradeaus auf das Schirmfeld. Weiteres Vorgehen nach Situation. Die Mission beginnt jetzt.«

Die Offiziere bestätigten seine Befehle.

Wenige Atemzüge später konnte er die Granateinschläge hören. Dann verschwanden die ersten beiden Trupps in den Seitengängen. Cormet schaltete zwischen den Helmkameras der Truppführer umher.

Die Bilder von Pelin und Varotes waren zu chaotisch, um sie anzusehen. So beobachtete er nur Chrosoms Männer, die sich zu Zehnergruppen zusammenschlossen und über den sechs Meter breiten und vier Meter hohen Korridor verteilten. Sie entfachten einen Feuersturm. Sobald die Waffen heißgeschossen waren, kam der nächste Zehnertrupp nach vorn. Bereits nach wenigen Minuten fiel der Schirm in sich zusammen.

»Da stimmt etwas ganz und gar nicht«, behauptete Chrosom. »Das Schirmfeld sollte von mindestens ebenso vielen Rebellen verteidigt werden, die über Strukturlücken auf uns feuern und selbst geschützt sind. In dem Fall wären unsere Verluste verheerend.«

»Was vermutet Ihr?«

Zu einer Antwort kam Chrosom nicht mehr, denn plötzlich war es ungewöhnlich still. Niemand rief mehr den Namen des Hauses Limach'Orvan. Gleich darauf meldeten Pelin und Varotes die Sicherung ihres Zielgangs. Ihre Männer hatten jeweils fünf Kampfroboter ohne eigene Ausfälle ausgeschaltet.

Cormet sprach über das Kommandoemblem: »Ich vermute, die zehn Roboter sollten uns nur binden. Die Sprechgesänge sollten den Eindruck vermitteln, der ganze Korridor wäre von Rebellen besetzt. Die haben sich aber zurückgezogen. Ich rechne jede Minute mit einer Sprengung. Pelin, schickt fünf Mann aus zur Erkundung der weiteren Quergänge und der Umgebung des anschließenden Schwebeschachts. Ich informiere in der Zwischenzeit den Myrth.«

»Zu Befehl!«

Während sich die Kundschafter auf den Weg machten, bekam Cormet über ArmKomm eine Verbindung zu Velorn IV.

Er informierte ihn über die Situation und endete mit den Worten: »Mein Rat an Euch: Lasst den Wartesaal und die Abfertigungshalle sofort räumen. Ich befürchte, wir könnten zu spät kommen, um eine Explosion zu verhindern. Nicht umsonst haben sich die Rebellen zurückgezogen.«

Die Erkunder meldeten die Quergänge als gesichert. Cormet ließ die Trupps vorrücken. Auch der Bereich um den Schwebeschacht war frei von Feinden. Das schloss das Zielstockwerk und die Etage über ihnen mit ein. Die Trupps überwanden die Strecke von fünfzehn Metern im Schacht nach unten, strömten dann auf den Vorplatz und formierten sich dort neu. In den Abzweigungen hielten sich keine Rebellen auf. Danach marschierten sie in den Zielkorridor.

Schließlich standen sie vor der Tür zu dem riesigen Saal, der sich unterhalb der von ihnen besetzten Hallen befand. Laut Gebäudeplan war er für Trivideo-Aufführungen gedacht, um den im Palast lebenden Mitarbeitern und deren Familien als Freizeitangebot zu dienen. Er erstreckte sich über die 11. bis 13. Tiefetage.

Cormet arbeitete sich zu Pelin nach vorn. Die zweiflügelige Tür sah aus, als bestünde sie aus geschmiedeten Eisen. Kurz legte er die Hand darauf, obwohl keine Zeit dafür war. Die Sensoren seines Handschuhs ließen ihn ein deutliches Vibrieren spüren. Das kam ihm verdächtig vor. Um den Saal mittels Sprengstoffs in die Luft zu jagen, brauchte man einen Zeitzünder oder Funkimpulse. Da war nichts vonnöten, das Vibrationen ausstrahlte.

»Habt Ihr einen Techniker im Team?«, fragte er den Truppführer. »Wenn ja, ruft ihn bitte her. Der Saal birgt ein Geheimnis. Wir müssen es aufdecken, bevor wir die Tür öffnen.«

Einige Sekunden später schob sich einer der Gardisten durch die Reihen. »Ich bin Laevon, Kommandant. Bitte ruft Garek und Tronter von den anderen Trupps.«

Bald darauf arbeiteten drei Mann mit Messgeräten, die sie in Rucksäcken mit sich führten, an der Tür. Nachdem sie sich gegenseitig kurz abgestimmt hatten, trat Laevon vor. »Kommandant! Haltet uns nicht für verrückt. Aber wir haben an der Tür eine minimale Verzerrung des Raums angemessen. Das ist die typische Begleiterscheinung eines ST-Generators, wenn er in der Nähe seinen Speicher auflädt. Fragt mich nicht, wie der in einen Vorführsaal für Trivideo-Filme kommt, anstatt in einem Raumschiff für die Versorgung des Abstoßfelds zu sorgen.« Er räusperte sich. »Wir befürchten, wenn er voll aufgeladen ist, wird er einen ganzen Bereich des Palasts ins ST-Wurzelwerk reißen, so etwa, wie ein Fädler Menschen transportiert. Jedoch ist hier keine Gegenstation vorhanden. Alles bleibt im ST-Raum zurück.«

Cormet ließ sich nicht anmerken, wie erschrocken er war. »Gibt es eine Möglichkeit, das zu verhindern? Und wann wird die Katastrophe eintreten?«

»Spätestens in drei Stunden«, gab der Techniker zurück. »Deswegen ist der ganze Bereich verwaist. Die Rebellen rechnen mit einem Erfolg. Sie haben sich in Sicherheit gebracht und nur wenige Kampfroboter zurückgelassen. Das Kunststück ist es, den Generator abzuschalten. Er dürfte mit hoher Wahrscheinlichkeit über eine Abschaltroutine verfügen. Nur wer die kennt, kann ihn ungefährdet deaktivieren. Aber bevor wir an das Problem herangehen, müssen wir in den Raum, und zwar ohne die Flügeltür, Lüftungsschächte, etc. zu benutzen. Wenn ich anstelle der Rebellen wäre, hätte ich alle Zugänge mit Sprengfallen ausgestattet. Ich schlage vor, mit dem Auflösungsstrahler ein Loch neben der Tür in die Wand zu schießen. Und zwar so schnell wie möglich.«

Cormet nickte. »Pelin, Ihr habt mitgehört. Kommandiert genügend Kämpfer dafür ab, um den Zugang zum Saal zu erzwingen.«

»Zu Befehl«, kam es knapp zurück.

Auf sein Zeichen hin stellten sich fünf Gardisten neben der Tür auf und feuerten mit Auflösewaffen auf die Wand. Innerhalb von Minuten bildete sich ein Durchgang, um den Staubschleier in der Luft tanzten. Er war groß genug, um einen Kämpfer mit angeschaltetem Schirmfeld durchzulassen. Pelin schickte zehn Mann hindurch, die im Saal angekommen sofort in den Flugmodus gingen. Bilder wurden auf seinem Arm-Komm abgebildet.

Er deutete auf das Holo. »Da steht ein ST-Generator mitten im Raum. Die Rebellen können ihn unmöglich im Ganzen durch den Palast transportiert haben. Er wurde sicher in Einzelteile zerlegt und erst im Saal zusammengebaut.«

Ein Schrei ertönte. »Ich orte anlaufende Reaktoren. Kampfroboter stehen auf der Galerie. Wir sind unter Beschuss.« Das Knistern von elektrischen Entladungen drang aus dem Arm-Komm. Heftiges Strahlfeuer von Robotern war zu sehen, in deren Schirmfeldern die Energie von Strahltreffern tobte. »Mir nach!« Pelin flog durch den Durchgang gefolgt von seinem Trupp.

»Chrosom!«, rief Cormet. »Übernehmt hier die Rückendeckung.« Er wandte sich Varotes zu. »Begleitet mich mit Euren Männern. Wir unterstützen den 1. Trupp.« Dann warf er sein Flugaggregat an und steuerte sich durch das Loch in der Wand.

Die Ortung seines Kampfanzugs zeigte ihm drei Kampfroboter, die hinter einer Brüstung vier Meter über dem Boden standen und deren Schirmfelder von einer Unzahl von Strahlbahnen zerrissen wurden. Eine Sekunde später gab es kein gegnerisches Feuer mehr.

»Saal gesichert«, drang Pelins Stimme durch den Qualm. »Ein Totalverlust und drei Verletzte. Es waren keine hochwertigen Roboter. Deswegen sind wir mit einem blauen Auge davongekommen.«

Den Toten legten seine Kameraden in der Nähe des Durchgangs ab. Um die Verwundeten kümmerte sich einer der Feldmediker. Die Trupps nahmen Aufstellung. Nur die Techniker näherten sich dem Generator.

»Schirmfelder abschalten«, befahl Cormet. Dann deutete er nach oben. »Was ist hinter der Brüstung?«

»Der Gerätepark zur Ausstrahlung von Trivideo-Werken.« Varotes vermittelte den Eindruck, als kenne er sich aus. »Eine neue Art der Vorführtechnik. Der Film oder das Schauspiel bezieht den Zuschauer selbst mit ein. Er ist Mittelpunkt des Geschehens. Der Myrth hat alle Hebel in Bewegung gesetzt, um als Erster diese revolutionäre Art der Kunstdarstellung in den Palast zu bekommen.«

Cormet öffnete den Helm, hob dessen Versteifung auf und schob ihn als Kapuze nach hinten. Er sog die Luft ein. Sie roch nicht abgestanden, wie er befürchtet hatte. »Kunst, Trivideo-Film und -Schauspiel sind für mich kein Fremdwort. Trotzdem habe ich von der neuen Art der Vorführung nichts mitbekommen, Varotes.«

»Kein Wunder, die Halle wurde erst vor einem halben Monat damit ausgerüstet. So sagt es zumindest der Lageplan. Sie steht kurz vor der Eröffnung.«

»Achtung!«, kam von den Technikern der Warnruf.

»Irgendetwas geschieht hier.« Es war Laevon, der mit der Hand auf den Boden deutete. »Wenn das vom Generator kommt, dann wissen wir nicht, warum und was es ist.«

Cormets Blick ging nach unten. Das, was er sah, ließ ihn keuchend die Luft ausstoßen. Wie dünner Schlamm flutete eine braune Flüssigkeit über den Untergrund, umspülte seine Stiefel, stieg rasend schnell an. Zu seiner Überraschung war er nicht in der Lage, seinen Standplatz zu verlassen. Die Gliedmaßen waren dazu nicht fähig.

Wilde Rufe der Gardisten dröhnten durch den Raum, wurden leiser. Nachdem die Schlammflut über ihn geschwappt war, und ihn wider Erwarten nicht erstickt hatte, waren sie schließlich nicht mehr zu hören.

Er war zwar unfähig, sich zu bewegen, aber seltsamerweise gelang es ihm, zu sprechen. Doch es hörte ihn niemand. Mit seiner Stimme aktivierte er den ArmKomm. Die Symbole der drei Truppführer erschienen im Holo.

»Chrosom!«, rief er. »Konzentriert Euch darauf, uns den Rücken freizuhalten. Betretet auf keinen Fall die Halle. Wir sind dort gefangen. Euch würde es genauso ergehen.«

Dessen Antwort traf verstümmelt bei ihm ein. »Befehl … standen. … nähern … Rebell… Chrosom war kaum noch zu verstehen. Wenn er es richtig gehört hatte, griffen die Truppen des Hauses Limach'Orvan an.

Er hoffte, der Empfang war nur einseitig so schlecht. Deshalb fuhr er fort. »Bittet den Myrth, die Halle bis zur 23. Stunde zu räumen. Und wir brauchen seine Hilfe. Araya muss die Energiezufuhr für diese Halle lahmlegen. Chrosom… haltet stand.«

Die Bestätigung wurde von einem Knacken übertönt, dann fiel das Holo in sich zusammen. Der ArmKomm fand den Empfänger nicht mehr. Nicht nur das. Es gab niemanden, mit dem er kommunizieren konnte. Selbst Pelin und Varotes waren nicht zu erreichen, obwohl sie sich nur ein paar Meter von ihm entfernt aufhalten mussten. Dann schaltete er sich ganz aus.

Leise Musik ertönte, schwoll an und schwang sich zu einer donnernden Komposition auf, die dazu angetan war, sich klein und unwichtig zu fühlen. Cormet begann zu ahnen, was gerade geschah. Die neue Vorführtechnik schien sie gefangen zu halten. Bei normalen Trivideo-Vorführungen genügte es, »halt« oder »stopp« zu sagen. Dann wurde der Film für den Betrachter angehalten, man sah den Weg aus dem Saal, konnte ihn verlassen und später zurückkommen, um von der unterbrochenen Stelle aus weiter zuzuschauen. Doch hier halfen diese Worte nicht. Vermutlich war die Technik sabotiert worden. Keiner war in der Lage, aus dem riesigen Raum zu gelangen, solange der Trivideo-Film lief.

Eines verstand Cormet nicht. Warum griffen die Rebellen an? Beeinflusste die neuartige Vorführtechnik die Energieaufnahme des Generators? Wurde deren ST-Bombe dadurch außer Gefecht gesetzt? Mussten die Gegner nun selbst für das Ableben des Myrths sorgen? Wenn dem so war, konnten sie zumindest einen Teilerfolg verbuchen. Velorn IV. fehlten aber zur Verteidigung drei komplette Trupps seiner besten Gardisten.

Seine Strategie lautete: Die Vorführung beenden und damit den hier anwesenden Männern die Gelegenheit geben, aus dem Saal zu entkommen. Gemeinsam mit Chrosoms Leuten würden sie den Angreifern in den Rücken fallen.

Etwas packte ihn, riss ihn empor. Über sich sah er blauen Himmel, durchsetzt mit Schleierwolken. Verwaltungs- und Industriegebäude, Paläste sowie Wohntürme einer Stadt tauchten vor ihm auf.

Er erreichte den Stadtrand und flog zwischen den Gebäuden hindurch. Das goldene, mit zwölf Türmen bestückte Gildengebäude der Mediker glitt an ihm vorüber. Er war auf Anderfa. Ein Klinikanwesen nach dem anderen lag auf seinem Weg. Dann kreuzte ein Fluss seine Flugrichtung. Eine Brücke spannte sich über die Fluten, auf die er zustürzte. Auf dem Geländer stand eine junge Frau, bereit, in die tobenden Wellen zu springen.

Er wusste, es war Alythe. Ihre Eltern waren bei einem Raumschiffsunglück ums Leben gekommen. Ihr fester Freund hatte sich für eine andere entschieden. Nun war sie allein und das tosende Wasser versprach ihr Ruhe vor Trauer und Schmerz.

Ohne es zu wollen, wurde er in einen anderen Körper gezwungen. Nun war er Sorak aus einer Magnaten-Familie, die kurz unterhalb des Adels angesiedelt war. Er überquerte die Brücke rennend, seinen Morgensport absolvierend. Da sah er die junge Frau mit den traurigen Augen. Ihr Wille zum Selbstmord war ihr ins Gesicht gemeißelt. Schon kippte sie nach vorn. Er ergriff sie im letzten Augenblick und zerrte sie vom Geländer.

Cormet knurrte erbittert. Er wehrte sich gegen die Fortführung des Films, konnte die Handlung gedanklich aber nur für Sekunden in den Hintergrund verdrängen. Wie erging es derzeit dem Myrth und seinen Gardisten? Sie kämpften um ihr Leben, während er in einem Drama feststeckte und keine Möglichkeit besaß, um einzugreifen.

Chyra

Gardisten brachten Lorken, Oberhaupt des Hauses Limach'Orvan und Anführer der Rebellen. Die Wunde war verbunden, die Finger beider Hände geschient. Sie setzten ihn auf eine Bank des Wartesaals dem Myrth gegenüber. Energetische Schellen an den Gliedmaßen hielten ihn gefesselt. Chyra saß links von Velorn IV., rechts von ihm hatten die drei führenden Offiziere der hier anwesenden Gardetruppen Platz genommen.

»Wollt Ihr Eure Kapitulation anbieten?« Lorken setzte eine hochmütige Miene auf. »Leider zu spät, möchte ich meinen.«

Der Myrth lächelte. »Davon kann keine Rede sein. Ihr steht auf verlorenem Posten. Das ist Euch hoffentlich bewusst.« Sein Lächeln verschwand. »Nein. Ich möchte wissen, was Euch zu dieser Rebellion angetrieben hat. Niemand riskiert den Untergang seines Hauses ohne einen triftigen Grund.«

Lorken deutete auf seinen Hals, auf dem sich gut sichtbar ein silbernes Mal abzeichnete, das verwirrende Strukturen aufwies. »Die meisten Mitglieder des Hauses Limach'Orvan sind von dieser Krankheit gezeichnet. Der Rest trägt die defekten Gene in sich. Wir werden im besten Fall um die fünfzig Jahre alt. Viele sterben früher. Diese Silberstruktur ersetzt die Haut, breitet sich über unseren Körper aus und entzieht uns Lebensenergie. Entosarun ist ein schwaches Rauschgift. Es verlangsamt das Siechtum, berauscht nicht mehr als zwei Gläser Velin und ist kaum gesundheitsschädlich. Trotzdem habt Ihr es nach Eurem Amtsantritt verboten. Wir bezahlen dafür mit zwanzig Jahren unseres ohnehin zu kurzem Leben.«

»Warum habt Ihr keine begründete Eingabe gegen dieses Gesetz an mich gesandt?«

»Haben wir. Zwei Dutzend wohlbegründete Bitten, bei diesem Gesetz Ausnahmen zuzulassen, wurden von Euch abgelehnt. Ein Grund dafür befand sich nicht in Eurem Schreiben.«

Mit den Händen massierte der Myrth seine Schläfen. »Gut. Ich sehe ein, Ihr hab eine Rechtfertigung, mit meiner Entscheidung unzufrieden zu sein. Um ehrlich zu sein, ich kann mich an keine Eingabe zu diesem Gesetz erinnern. Vermutlich ist diese Krankheit nicht aktenkundig und wurde deshalb als Begründung nicht anerkannt. Aber wie dem auch sei, ich denke, Ihr habt noch nicht alle Möglichkeiten ausgeschöpft, um eine Ausnahme bei dem Gesetz zu bewirken.«

»Doch, haben wir. Die letzte Chance, die ich sehe, ist die Rebellion gegen Euch. Unserem Haus wird sie nichts mehr nützen. Aber allen anderen, die an dieser Krankheit leiden. Es wurde mir versichert, der neue Myrth wird dieses Gesetz zu Fall bringen.«

»Wer hat Euch das versprochen?«

»Tut mir leid. Ich habe alles gesagt, was ich euch mitteilen wollte. Von nun an werde ich schweigen.«

Da Lorken seine Worte wahr machte, ließ ihn Velorn IV. wegbringen.

»Wenn ich den erwische«, murmelte er laut genug, um in der nächsten Umgebung gehört zu werden, »der diese Eingaben abgelehnt hat, wird er sich wünschen, nie in meine Dienste getreten zu sein. Diese Krankheit ist mir bekannt und ich wünsche mir nichts sehnlicher, als ein Mittel dagegen zu finden.«

Tumult entstand am Eingang. Jemand rief mit voller Lautstärke: »Die Rebellen nähern sich. Alles bereit machen zur Verteidigung.« Chyra hörte die Worte, sprang auf, ließ ihr Schirmfeld hochfahren und zog die Waffe. Bevor sie in den Kampf eingreifen konnte, musste der Gegner erst durch die Verteidigungslinien der anderen beiden Hallen brechen.

Der Myrth stand ebenfalls auf, lief einige Schritte in Richtung des Hallenausgangs, drehte sich um und winkte sie zu sich.

»Was kann ich für Euch tun, Höchst-Erstrahlender?« Chyra deaktivierte ihren Schirm.

»Ich habe über Chrosom eine Nachricht von Cormet bekommen. Er ist mit zwei vollen Trupps im Trivideo-Saal unter uns von der Vorführtechnik festgesetzt worden. Jeden, der den Saal betritt, erwartet das gleiche Schicksal. Er lässt mir ausrichten: Bittet den Myrth, uns zu helfen. Araya muss die Energiezufuhr für diese Halle lahmlegen. Ich habe ihr Bescheid gegeben. Mich wundert aber, wenn wir hier durch einen ST-Generator ins Jenseits befördert werden sollen, wieso greifen uns die Rebellen erneut an? Das ergibt doch keinen Sinn.«

Die Sprechgesänge ertönten wieder, wurden lauter, um dann in einem Schlachtruf zu enden. Explosionen dröhnten durch die Halle. Der Myrth vergrößerte das Holo seines ArmKomms, damit Chyra sah, was in der Fahrzeughalle geschah.

Ein Offizier berichtete. Er musste schreien, um die Kampfgesänge zu übertönen. »Hier ist Convar, Kommandant der Trupps 18 bis 21. Die Rebellen haben Kampfroboter in den Gang geschickt. Sie rasen durch das Minenfeld, bringen alles zur Detonation, bevor sie selbst in Stücke gerissen werden. Nun dringen die gegnerischen Gruppen ein. Sie rennen in unser Feuer, geben den Nachrückenden dadurch die Gelegenheit, sich in der Halle zu verteilen. Noch können wir unter eigenen Verlusten den Gegner aufhalten. Aber ich fürchte, nicht mehr lang. Die Anzahl der Rebellen wird immer größer. Für jeden ausgeschalteten Angreifer tauchen zwei neue auf. Und unsere Feldschirme und Kampfanzüge bieten verflucht wenig Schutz.«

Nach weiteren fünf Minuten schrie er erneut: »Wir können den Feind nicht mehr aufhalten, wir müssen uns zurückziehen!«

»Die Fahrzeughalle ist gefallen.« Der Myrth wischte sich müde über die Stirn. »Die Rebellen rücken näher. Hellon möge uns zur Seite stehen.«

Araya

Ihr Adoptivvater hatte sie über den gegenwärtigen Status ins Bild gesetzt. Außerdem erhielt sie von ihm Cormets Nachricht. Vergeblich suchte sie nach einer energetischen Verbindung zu der angegebenen Halle. So intensiv sie sich auch bemühte, sie konnte nichts finden. Ihr Maschinengeist nahm Kontakt zu Dabejis auf.

»Störe mich jetzt nicht«, war die Antwort ihrer Schwester, »gib mir noch fünf Minuten und ich kann die Protokolle zur Palastsicherheit starten.«

Sie geduldete sich, so schwer es ihr auch fiel. Dann war es so weit. Endlich konnte sie die Kampfroboter zum Einsatz bringen. Aber würden sie rechtzeitig vor Ort sein, um den Kampf zu entscheiden?

Je fünfzig der Roboter schickte sie zur Energieversorgungshalle, zur Medikstation und zum Vorführsaal. Die restlichen dreihundertfünfzig marschierten in Richtung der Hallen, in der sich der Myrth mit der Garde verschanzt hatte.

Dabejis suchte derweil nach der energetischen Verbindung des Saals, in dem sich Cormet aufhielt. Doch auch sie konnte nichts finden. Sie meldete das ihrem Adoptivvater.

Chyra

Sie schaltete ihr Schirmfeld wieder ein. Laut Jerom war es den Verteidigern der Fahrzeughalle gelungen, sich unter schweren Verlusten in die Abfertigungshalle zu retten. Das Problem war, dort gab es drei Tore, durch die die Rebellen hereinstürmten. Das Abwehrfeuer fraß zwar große Lücken in die vorrückenden Angreifer, doch gab es genug, die nachrückten.

Chyra erschauerte. Durch das Tor konnte sie in die nächste Halle sehen. Die Luft war von zuckenden Energiestrahlen erfüllt, dazu kamen die Schreie der Getroffenen zwischen den Explosionen von Granatwerfern und Handgranaten, die in ihren Ohren dröhnten. Ein Schuss verirrte sich in den Wartesaal und traf ihr Schirmfeld. Die Anzeige sprang auf eine Belastung von vierundfünfzig Prozent hoch. Sofort kauerte sie sich hin, um einen zweiten Zufallstreffer zu vermeiden, der womöglich ihren Schirm zusammenfallen ließ.

Immer mehr Männer strömten von hier in die Abfertigungshalle, um die Verteidiger zu unterstützen. Sie bargen die Verletzten oder nahmen deren Stelle ein. Der Wartesaal begann sich zu leeren. Lediglich die Gardisten und die Roboter, die der Fädler ausspuckte, durchquerten ihn auf dem Weg zum Kampf.

Außer Chyra waren nur noch der Myrth, die drei Offiziere, Araya, Dabejis und eine ganze Reihe von Verwundeten hier.

Männer und Frauen kämpften unter Einsatz ihres Lebens, um das Oberhaupt des Sternenreichs zu schützen. Jede Waffe wurde gebraucht.

Chyra konnte sich nicht hinter Velorn IV. verstecken, musste das ihrige dazu tun, die Angreifer abzuwehren, und stand auf.

Wie in Trance näherte sie sich dem Tor zur nächsten Halle, während sie alle Regungen in sich unterdrückte. Vor allem die Furcht vor Verletzungen oder gar dem Tod. Trotzdem erschrak sie, als zwei Gardisten vor ihr verwundet zu Boden fielen und ihr damit eine Lücke zum Schlachtfeld eröffneten. Was sie vor sich sah, war ein Gemetzel ohne gleichen.

Die Rebellen schienen keine Angst zu kennen. Todesmutig sprangen sie die Verteidiger an, um sie niederzustrecken oder selbst gefällt zu werden. Einige von ihnen besaßen Nahkampfwaffen, vor denen weder Schirm noch Kampfanzug schützte.

Chyra fühlte sich wie gelähmt. Der ständige Kampfruf »Limach'Orvan!« höhlte sie innerlich aus.

Doch sie riss sich zusammen, streifte den Einfluss ab, schrie selbst den Namen ihres Hauses in Folge und begann zu feuern, so schnell und zielsicher, wie sie es noch nie in ihrem Leben getan hatte. Es gelang ihr, einige Gegner zu erledigen, ehe die sich auf die Verteidiger stürzen konnten.

Da tauchte einer der Rebellen direkt vor der Lücke auf. Zwei ihrer Schüsse ließen das Schirmfeld zusammenbrechen. Ungeachtet dessen sprang er mit erhobenem Energieschwert auf sie zu. Der Augenblick lief wie in Zeitlupe ab. Sie wusste, sie musste nun sterben. Sie hatte keine Nahkampfwaffe, um den Schlag parieren zu können. Ihr Strahler blockierte wegen Überhitzung. Der Name »Valura« versiegte auf ihren Lippen. Wie hypnotisiert sah sie auf die von blauen Energien umleckte Klinge, die sich langsam auf sie herabsenkte. Das Schirmfeld fiel knisternd in sich zusammen, als es in Kontakt mit der Waffe kam. *Aus,* dachte sie, *das war es mit dem Leben.*

Da wurde sie von hinten gepackt und zurückgerissen. Die Schneide zischte an ihr vorbei, zerschnitt in Kniehöhe ihr Kleid, prallte gegen den Boden und zersplitterte ihn. Eine Salve Energieballungen jagte über sie hinweg und schlug in den Brustpanzer des Rebellen ein, durchlöcherten ihn. Der Körper wurde nach hinten geworfen. Leblos ging er nieder, kam auf einen der toten Gardisten zu liegen. Das Energieschwert rutschte aus seinen Händen und erlosch.

»Mut reicht nicht, um sich in einen solchen Kampf zu wagen!«, schrie ihr der Offizier ins Ohr, der sie gerettet hatte. Er drückte sie an sich, um Platz für den Kampfroboter zu machen. Stampfend schob der sich an ihnen vorbei. »Ihr solltet froh sein, dass Ihr noch lebt mit Eurer kümmerlichen Ausrüstung!« Mit diesen Worten drehte er sich mit ihr herum und gab ihr einen leichten Stoß, der sie in den Wartesaal hineinbeförderte. Ein weiterer Roboter und vier Gardisten kamen ihr entgegen. Sie wich ihnen aus.

Erschüttert sah sie auf ihr Kleid. Es gab keinen Schnitt, wie sie es erwartet hatte. Stattdessen war auf eine Handbreite der Stoff weggeschmolzen. Nur ein wenig mehr zur Seite und sie hätte ein Knie eingebüßt, vielleicht sogar samt allem, was darunter war. Sie erschauderte. Es war etwas anderes, im Kampf zu fallen als zu überleben und dabei Körperteile zu verlieren. Sicher, die konnten durch ein Regenerierungsbad in Kombination mit einem Zellwachstumsgenerator wieder nachwachsen. Doch das dauerte Monate.

Sie sah auf ihren Strahler. Die Leistungsmarkierung stand bei 150 Prozent. Kein Wunder, dass es ihr gelungen war, so viele Gegner auszuschalten. Aber es gab ein Risiko bei zu schnellem Gebrauch: Die Blockade durch Überhitzung, die sie am eigenen Leib hatte erfahren müssen. Aus ihrer Zeit bei der Raumakademie wusste Chyra, die Einstellung war nur dann sinnvoll, wenn man zwei Strahlwaffen besaß, um sie im Ernstfall zu wechseln. Ein Leitspruch tauchte in ihren Erinnerungen auf, der da hieß: *Waffe vor dem Einsatz prüfen.* Das hatte sie versäumt. Sie reduzierte die Leistung auf 100 Prozent und steckte den Strahler wieder in das Holster. Bevor sie sich's versah, stand sie erneut bei der Gruppe mit dem Myrth.

Jeroms Stimme ertönte: »Die Rebellen gewinnen die Oberhand. Der Nachschub aus dem Fädler kann die Verluste unserer Truppen nicht im mindesten ausgleichen. Kampfroboter werden sofort zum bevorzugten Ziel und überleben selten die erste Minute ihres Einsatzes. Meiner Ansicht nach ist der Zeitpunkt gekommen, unsere Gardisten in den Wartesaal zurückfallen zu lassen. Das ist die letzte Bastion, die wir alle zusammen mit unserem Leben verteidigen wollen.«

Der Myrth presste die Lippen aufeinander. »Gebt den Befehl«, sagte er dann. »Auf zum Endkampf. Es ist an der Zeit, noch einmal alle Kräfte zu mobilisieren.«

Chyra war sich darüber klar, Velorn IV. würde keine Gelegenheit dazu bekommen, eine epische Rede zu halten, um die Kampfkraft und Moral der Garde zu stärken. Die Rebellen würden weiter angreifen, ohne eine Kampfpause. Während des Gefechts gingen seine Worte sicher in deren Schlachtruf unter.

Jerom schickte sich an, den Rückzugsbefehl über das Arm-Komm durchzugeben. Da traf eine Meldung ein, die keiner von ihnen erwartet hatte. Er regelte die Lautstärke auf Maximum.

Eine weibliche Stimme sagte in diesem Augenblick: »Die Rebellen büßen ihre Überlegenheit ein. Sie wirken unkonzentriert. Ihre Schüsse liegen nicht mehr genau im Ziel. Weitere Gegner kommen zwar in die Abfertigungshalle. Ihr Augenmerk ist jedoch auf die Fahrzeughalle gerichtet. Sie feuern in diese Richtung, wenden uns den Rücken zu. Immer mehr von ihnen sterben. Für die gefallenen Feinde kommt kein Ersatz mehr. Im Gegenteil, sie werden von zwei Seiten dezimiert.« Ein minutenlanger Tumult schien am anderen Ende der Leitung zu herrschen. Dann ertönte wieder die Stimme: »Wir haben gesiegt! Ich glaube es nicht, Jerom, wir haben wirklich gesiegt. Der letzte Angreifer wurde soeben getötet. Kampfroboter dringen in die Halle ein. Wie sind Eure Befehle?«

»Yenta! Überprüft mit Eurem Trupp, ob es noch Überlebende gibt. Die Toten lasst Ihr von den Robotern in der Abfertigungshalle nebeneinander legen. Wir müssen wissen, wer sie sind. Und geht sorgsam mit ihnen um. Sie werden ein Begräbnis erhalten. Das hat der Myrth bestimmt.«

»Zu Befehl!«

Chyra wartete die Reaktionen der Offiziere und des Höchst-Erstrahlenden über die veränderte Lage nicht ab. Sie eilte, ja rannte fast schon an die Stelle, an der sie der Rebell um ein Haar getötet hatte, wollte vor den Truppen in sein Angesicht schauen. Der Helm war schnell gelöst. Dann erstarrte sie. Das war kein grauenerregender Kämpfer, wie sie sich ihn vorgestellt hatte. Das starre Gesicht eines Mädchens sah ihr entgegen. Es war höchstens fünfzehn Lichtzyklen alt. Silberweiße lange, zu einem

Zopf zusammengefasste Haare und orangegoldene Augen zeugten von ihrem Adelsgeschlecht. Sie war hübsch, hatte feine Gesichtszüge, war unauffällig geschminkt, als wäre sie in keinen Kampf auf Leben und Tod verwickelt, sondern darauf vorbereitet, auf eine Festivität zu gehen.

Als sie das entdeckte, kamen ihr die Tränen. Es war ein ernstzunehmender Gegner gewesen, sicher. Das lag aber daran, dass der Adel seinen Nachwuchs früh an den Waffen ausbildete. Doch das Mädchen hatte als wohlbehütete Tochter kaum etwas vom wahren Leben entdecken können, war einfach in der Schlacht gegen den Myrth verheizt worden. Wohl aus Gründen, die Chyra gut nachvollziehen konnte. Trotzdem bezweifelte sie, dass es nicht doch noch eine Möglichkeit gegeben hätte, um die Blockaden zu umgehen und zu Velorn IV. durchzudringen.

Sie stand auf, wischte sich die Tränen von den Wangen und kehrte zurück in den Wartesaal. Ihre Gedanken waren düster. *Was muss geschehen,* so fragte sie sich, *damit ein solcher Wahnsinn niemals mehr stattfinden kann.*

Sie hoffte, die dafür Verantwortlichen würde der Myrth gnadenlos bestrafen.

DAS LECK

Palast des Myrths, Talura, Myrthon, Mathuma-System
29. Tag, 2. Monat, 8553. Lichtzyklus sME, 22. Stunde, 13. Minute

Araya

Zusammen mit Dabejis verließ sie ihren Platz am Terminal und stellte sich unmittelbar neben Chyra, die abwesend zu Boden blickte.

»Melde gehorsamst, Vater!«, sagte sie laut und wartete.

Der Myrth wandte sich zu ihr um.

»Das Protokoll zur Palastsicherheit wurde ausgeführt«, gab sie bekannt. »Fünfhundert Kampfroboter sind seit Kurzem im Einsatz, davon dreihundertfünfzig in der Fahrzeughalle.«

Eine lang vermisste Stimme meldete sich. »Höchst-Erstrahlender! Hier ist die Palast-KI. Achtunddreißig Roboter haben den Kampf nicht überstanden. Die Verluste gleiche ich in den nächsten Tagen aus. Übergebt mir bitte das Kommando über die Roboteinheiten, damit ich das Gebäude von den restlichen Rebellen säubern kann. Ich sende Reparaturroboter, um die zerstörten Überwachungskameras zu ersetzen. Dann ist die Sicherheit wieder voll gewährleistet.«

Der Myrth sah nach oben. »Einverstanden. Mein Befehl lautet: Palast-KI übernimm die Kontrolle über die Kampfroboter.« Er wartete die Bestätigung nicht ab, wandte sich seinen Adoptivtöchtern zu. »Araya, Dabejis, euch beiden verdanken nicht nur ich, sondern ebenso alle anderen Anwesenden unser Leben. Ohne die robotische Streitmacht wären wir untergegangen. Ich danke aber auch jedem einzelnen Gardisten, den Lebenden und den Toten, für ihren übermenschlichen Einsatz. Alle zusammen haben wir den Sieg der Rebellen verhindert. Jerom, gebt das an Eure Kämpfer weiter. Jetzt liegt vor uns nur noch eine Mission, bevor die Instandsetzung des Palasts beginnt. Wir müssen Cormet und seine drei Trupps retten sowie den ST-Generator gesichert abschalten. Deswegen bitte ich alle höheren Offiziere mit je einem Techniker zu mir, um eine Strategie zu erarbeiten.«

Araya blieb neben Chyra und Dabejis stehen. Alle waren sie in sich gekehrt. Keine von ihnen versuchte, Informationen auszutauschen. Sie warteten still, bis sich die Gruppe allmählich zusammenfand.

Erontal gehörte zu den Überlebenden. Cossanat schien verwundet oder tot zu sein. Nur vier der acht Kommandanten waren mit jeweils einem Techniker gekommen. Darunter war auch Yenta aus dem Damant Desynthor, die den Sieg direkt vom Schlachtfeld aus verkündet hatte. Alle wiesen leichte Verletzungen auf, die bereits notdürftig verbunden waren.

Der Myrth blickte über den Rest seiner Führungsriege. Dann wandte er sich an Erontal. »Bitte sorgt dafür, dass folgende Arbeiten erledigt werden. Lasst die Verletzten zur Medikstation schaffen, die Toten aufbahren und Boten nach außen senden, welche die Mediker zur Rückkehr bewegen.« Sein Blick ging zu den Schwestern. »Und da kommt ihr beide ins Spiel. Araya und Dabejis helft der Palast-KI, die Kommunikation wieder in Gang zu bringen, die uns mit den Stationen außerhalb des Palasts verbindet. Lasst die Fädler aktivieren und hebt die Blockade für den Transport nach draußen auf.«

»Wir sind schon unterwegs.« Araya nickte ihrer Schwester zu. Dann schritten sie zum Terminal, um Verbindung zur Palast-KI aufzunehmen.

Chyra

Der Myrth sah seinen Adoptivtöchtern kurz hinterher. Dann wandte er sich erneut der Gruppe zu. »Chyra, Yenta, meine Herren, bitte folgt mir zu den Bänken dort drüben. Die Besprechungsräume werden wir erst wieder nutzen, wenn der Palast vom letzten Angreifer befreit ist.«

Sie besetzten zwei Bankreihen, die sich gegenüberstanden.

Noch vor Beginn der Beratung trat ein Truppführer an den Myrth heran. »Ich habe schlechte Nachrichten, Höchst-Erstrahlender. Lorken, der Anführer der Rebellen, hat sich das Leben genommen. Von ihm werden wir nichts mehr erfahren.«

Velorn IV. sah kurz zu Boden. Chyra vermutete, dass er seine Enttäuschung darüber nicht zeigen wollte. Sekunden später hob er den Kopf. »Das war zu erwarten. Das Haus Limach'Orvan hat heldenhaft gekämpft. Ja, es sind Verräter, trotzdem bedaure ich, dass sie von uns abgefallen sind. Sie hatten einen Grund für die

Rebellion, den ihnen die Beamten in unserem Palast gegeben haben. Wer dafür verantwortlich ist, das werde ich noch herausfinden. In den Annalen wird der Damant erwähnt werden, jedoch mit keinerlei negativen Begriffen belegt. Das bedeutet, die Rebellion verschweigen wir. Nicht nur hier, sondern im gesamten Sternenreich. Und jeder der hier Beteiligten wird unter Eid verpflichtet, die Geschehnisse geheimzuhalten. Ich erwarte, dass alle Kampfschäden in Kürze repariert sind und der Betrieb im Palast spätestens übermorgen wieder stattfinden kann. Voraussetzung ist aber, wir finden die energetische Leitung, die das Vorführgerät und den ST-Generator speist.«

Jerom lachte leise auf. »Mir ist klar, würde diese Rebellion bekannt werden, gäbe das einen ungeheuren Auftrieb für Eure Feinde. Doch wie wollt Ihr die toten und verletzten Gardisten erklären, wie die völlige Vernichtung eines Hauses? Womit begründet Ihr die Isolation des Palasts über nun sechs Stunden?«

Der Myrth nickte. »Drei gute Fragen, die ich Euch beantworten will. Ein Unglück scheint mir das beste Argument dafür zu sein. Sowohl die Toten und Verletzten als auch die totale Isolation nach außen lässt sich dadurch erklären. Wichtig ist die Geheimhaltung aller Beteiligten. Von den Angehörigen des Hauses Limach'Orvan im Palast weiß niemand etwas. Warum sollten wir erläutern müssen, wohin sie plötzlich verschwunden sind? Nehmt es so hin, Jerom, den genauen Wortlaut über das Unglück werde ich mit meinen Beratern für die Öffentlichkeitsarbeit abstimmen.«

Sie widmeten sich nun dem Arbeitsgespräch.

Es dauerte eine halbe Stunde und drehte sich ständig im Kreis, bis Chyra das Wort ergriff: »In der offiziellen Version des Teilgebäudeplans ist, wie ich höre, keine Energieverbindung zum Vorführsaal eingezeichnet. Wem wurde der Plan damals zur Genehmigung vorgelegt? Ich frage das, weil ich vermute, die Version, die in der Palast-KI gespeichert ist, könnte manipuliert worden sein. Es gibt doch sicher noch ein Duplikat vom Originalplan bei den Stellen, die das Bauprojekt letztlich genehmigt haben.«

Der Myrth sah sie verwundert an. Dann schlug er sich mit der Hand gegen die Stirn. »Bei Hellon und seinen Inkarnationen!«, entfuhr es ihm. »Ich selbst habe ein Exemplar erhalten.« Er wandte seinen Kopf zur Decke. »Palast-KI!«, rief er.

»Höchst-Erstrahlender, was wünscht Ihr?«

»Sende mir einen Bauroboter. Wann kann er da sein?«

»Erwartet ihn innerhalb der nächsten vier Minuten.«

Zur angegebenen Zeit schwebte der Roboter in den Wartesaal. Der Myrth ließ ihn eine Datei mit dem Bauplan aus seinem eigenen Datenbestand kopieren und als Holo projizieren.

Chyra sah, wie die Techniker, leise diskutierend, dem Hauptstrang der Energieleitung folgten. Für sie selbst war das Gewirr undurchschaubar, aber die Männer fanden die gesuchte Leitung.

»Das ist der korrekte Plan. Überspielt mit ihm das Original«, wies der Myrth den Bauroboter an.

Jerom, als höchster Offiziere in der Gruppe, war nach Chyras Ansicht bisher auffällig ruhig geblieben. Nun meldete er sich zu Wort. »Was habt Ihr vor, Höchst-Erstrahlender. Lasst Ihr die Energie für den Vorführsaal einfach so abschalten?«

»Warum sollte ich das nicht anordnen?«

»Der ST-Generator könnte kritisch werden. Sollte die Begrenzerschaltung keine Energie mehr bekommen, wäre das möglich.«

Der Myrth sah zu den Technikern. »Ist das so?«

Sie tuschelten miteinander, dann gab einer von ihnen die Antwort. »Ab einem gewissen Energiewert ist ST-Energie bestrebt, ein Tor in das Sonnenwurzelwerk zu öffnen. Fädler haben einen Spontan-Speicher. Er wird gefüllt, kurz bevor ein Transport ausgeführt wird. Bei ST-Generatoren verhält es sich anders. Sie sind in Raumschiffen verbaut und kommen bei einer Tauchfahrt durch einen Sonnentunnel zum Einsatz. Das Abstoßfeld, als Antrieb im ST-Raum, wird von ihnen gespeist. Der Generatorspeicher muss voll sein, bevor ein ST-Portal angesteuert wird. Stunden davor erreicht die Energie im Speicher den kritischen Wert. Der Begrenzer verhindert ein unkontrolliertes Eindringen des Schiffs vom Normal- in den ST-Raum. Fällt im Schiff die Energie aus, wird er von Batterien gespeist.«

Der Myrth sprang auf. »Heißt das, der ST-Generator im Vorführsaal stammt von einem Raumschiff?«

»Ja, und zwar von einer Raumjacht. Sonst würde er nicht in den Saal passen.«

Velorn IV. hielt es nicht mehr auf seinem Platz. Mit den Händen auf dem Rücken wanderte er um die besetzten Bänke herum. »Können wir also ohne Konsequenzen die Energie abschalten?«

Der Techniker verfolgte seinen Gesprächspartner mit dem Blick. »Nicht unbedingt! Ein Begrenzer dient bei einer Jacht sowohl dem Triebwerk für das Abstoßfeld als auch dem ST-Generator. Die Frage ist, wurde das Gerät mit ausgebaut oder nicht?«

»Das bedeutet, wir müssen wissen, aus welchem Raumschiff es stammt.« Der Myrth blätterte durch einige Menüs im Holo seines ArmKomms. »Bevor die Energie im Palast zusammenbrach, standen über fünftausend Jachten auf den Raumhäfen unseres Planeten. Es wird Zeit brauchen, alle zu überprüfen.«

»Das ist nicht notwendig«, warf Chyra ein, »wir haben selbst eine Raumjacht auf dem Hafen von *Myrthon-Malik* stehen. Jede Reparatur, jeder Ein- oder Ausbau an Bord muss der Raumhafenbehörde gemeldet werden. Sobald wir wieder Verbindung nach außen haben, wissen wir wenige Minuten später, aus welchem Schiff der ST-Generator stammt.«

»Gut!« Der Myrth blieb stehen. »Ich bin davon überzeugt, es wird nicht zu einer kritischen Reaktion des ST-Generators kommen, wenn wir die Energie abschalten, verzichte aber im Moment darauf. Wir räumen die drei Hallen und schalten die Fädler ab, die ebenfalls mit dem ST-Wurzelwerk verbunden sind. Ich werde Araya bitten, sich die Vorführhalle von außen anzusehen. Vielleicht ergeben sich dadurch neue Erkenntnisse, die mir bei der Entscheidung helfen.« Mit diesen Worten stand er auf. Gemeinsam verließ die Gruppe den Wartesaal.

Araya

Ihr und Dabejis war schnell klar, die Kommunikation und der Fädlertransport nach außen scheiterte wegen eines Schirmfelds, das sich über die Außenkontur des Palasts gelegt hatte. Es ließ nur hereinkommende Transporte durch die Fädler im Wartesaal und auf der Ebene 0 zu. Sämtliche Versuche, das Schirmfeld abzuschalten, schlugen fehl. Es fand eine Sicherheitsabfrage statt, deren Antwort sie beide nicht kannten.

Araya vermutete den Speicherort dafür auf der silbern schimmernden Kapsel, die sie vom Nacken ihrer Schwester entfernt hatte. Aber die war danach der Selbstzerstörung zum Opfer gefallen. Es musste eine Sicherheitskopie davon existieren. Doch wo war die abgelegt?

»Dabejis«, sandte Araya die Impulse aus. Deren Robotgeist arbeitete, wie ihr eigener, im Netzwerk des Palasts. »Ich muss deinen Speicher nach der Antwort der Abfrage durchsuchen. Kehren wir in unsere Körper zurück.«

»Negativ. Ich lasse niemand mehr in mich eindringen. Du hast das von mir gefordert. Erinnerst du dich?«

»Das gilt für andere. Ich bin jedoch deine Schwester. Du musst mir vertrauen, Dabejis. Ich habe dich aus der Dunkelheit zurückgeholt. Hilf dem Myrth und mir, und zwar jetzt.«

»Was ist Vertrauen?«

»Lass es mich an einem Beispiel erklären. Du hast einen Auftrag, sieben KIs zu unterjochen, die nicht länger den Gesetzen des Sternenreichs folgen wollen. Sie sind aggressiv und miteinander verbunden. Sie einzeln auszuschalten, funktioniert nicht. Mit vier von ihnen könntest du es aufnehmen, aber nicht mit sieben. Ich, als deine Schwester, biete dir an, dich zu begleiten, um den Feind gemeinsam zu besiegen. Du stellst dir folgende Fragen. Erstens: Kann Araya die drei übrigen KIs überwinden? Zweitens: Wird sie ganz sicher zu mir halten und nicht auf die Seite der Rebellen wechseln? Ist das Ergebnis zweimal ja, dann wirst du mein Angebot annehmen. Damit vertraust du mir.«

»Gut!«

»Was meinst du damit?«

»Kehren wir in unsere Körper zurück.«

Sie öffneten zum selben Zeitpunkt ihre Augen, saßen immer noch vor dem Eingabegerät und dem Holoschirm, der ihnen die Verbindung zur Palast-KI und dem zentralen Netzwerk erleichtert hatte. Der Wartesaal war leer.

»Entspanne dich oder anders gesagt, stelle deine Aktivitäten außerhalb deines Körpers ein. Ich werde jetzt in dich eindringen.«

Araya legte ihre beiden Handflächen an die Wangen ihrer Schwester und konzentrierte sich. Sie ließ sich Zeit, durchforstete die Speicher nach jedem Detail und stieß auf zwei Bereiche, auf die Dabejis nicht zugreifen konnte. Der eine war vermutlich von der silbernen Kapsel angelegt worden. Er enthielt die Antwort auf die Sicherheitsabfrage. *Auftrag erfüllt,* dachte sie erleichtert.

Der andere unterteilte sich in verschiedene Dateiordner. Einer trug den Namen ihrer Schwester. Wurden hier die Erinnerung an ihre Kindheit aufbewahrt?

Alle weiteren Ordner hatten Bezeichnungen, die ihr nichts sagten. Bei einem war sie für die Freigabe nicht autorisiert. Sollte sie Dabejis Zugriff auf die freien Daten gewähren? Letztlich entschloss sie sich dazu, nicht helfend einzugreifen. Bei ihr selbst hatte sich das Wissen selbständig freigeschaltet. Von ihrem Leben als Mensch kannte sie nur eine Szene, und zwar jene, die sie beim Durchschreiten des Empfangssaals im Palast gesehen hatte, als sie und ihre Schwester mit Hilfe der fliegenden Sitzgruppen Verstecken gespielt hatten.

Sie kehrte zurück in ihren Körper und nahm die Hände von Dabejis Wangen. »Ich habe die Antwort gefunden. Ich übermittle sie gerade der Palast-KI.«

»War es das Einzige, was du in mir entdeckt hast?«

»Nein. Da waren auch noch Dateiordner, die sich dir nach und nach eröffnen werden. Ich habe sie nicht angerührt.«

»Vertrauen«, sagte ihre Schwester, »bewerte ich nun positiv!«

»Aber du darfst es nicht jedem entgegenbringen. Der Myrth und ich haben es verdient, wir sind Familie für dich, ebenso Freunde und nahestehende Personen wie Asata.«

»Wie Farenghis, meine Mentorin?«

»Auf keinen Fall. Sie gehört zum Haus Limarch'Orvan. Ihr hast du vermutlich die silbern schimmernde Kapsel zu verdanken, die dir deinen Willen geraubt hat.«

Ein Gardist kam auf sie zu. »Ich habe eine Order vom Myrth. Erstrahlende Dabejis, bitte verlasst sofort den Wartesaal. Der und die beiden anderen Hallen werden wegen der ungeklärten Situation mit dem ST-Generator im Stockwerk unter uns vorerst geräumt. Treffpunkt ist die Sporthalle auf Ebene 20, C-Sektor.«

Er wandte sich nun an sie: »Erstrahlende Araya, Velorn IV. möchte, dass Ihr Euch die Vorführhalle von außen anseht. Vielleicht findet Ihr eine Möglichkeit, mit der Steuerung des ST-Generators in Kontakt zu treten oder die beiden Gardetrupps und ihren Kommandanten Cormet zu befreien.«

Araya wiegte zweifelnd ihren Kopf. »Danke für das Überbringen der Nachricht. Ich habe allerdings auch eine Bitte. Richtet dem Myrth Folgendes aus, die Kommunikation nach draußen ist wieder möglich. Die Neukonfiguration der Fädler dauert etwa zwei Stunden, danach sind sie in beide Richtungen einsatzbereit. Und ... ich werde seinem Wunsch folgen.«

Der Gardist legte kurz seine rechte Handfläche über die linke Brust, drehte sich um und verließ den Saal. Sie sah ihm hinterher und erhob sich.

»Komm, begleite mich, Dabejis.«

Zusammen ließen sie den Hallentrakt hinter sich.

Am Schwebeschacht blieb Araya stehen. »Hier trennen sich unsere Wege. Ich sehe mir den Vorführsaal an. Vielleicht gelingt es mir, die dringend benötigten Daten messtechnisch zu ergründen. Du aber gehst zum Myrth. Bitte beeile dich. Richte ihm von mir etwas aus. Er soll die Energie auf keinen Fall abschalten, bevor er nicht eine Nachricht von mir erhalten hat. Er muss mir vertrauen.«

Dabejis sprang in das Aufwärtsfeld. »Vertraue der Familie!«, rief sie. Es hörte sich nach Zustimmung an.

Araya ließ sich in das Abwärtsfeld fallen und schwang sich im übernächsten Stockwerk aus dem Schacht.

Sie schritt den Korridor auf der 13. Tiefebene wieder zurück. Überall erblickte sie Einschläge von Strahlwaffen an den Wänden und kleine Explosionskrater am Boden.

Schon bald sah sie eine Gruppe von Gardisten in halber Truppstärke vor der Halle stehen. Sie nahmen Haltung an.

»Erstrahlende Araya, versucht nicht, uns umzustimmen«, sagte einer von ihnen. »Wir werden unseren Kommandanten und die Kameraden vom ersten und zweiten Trupp nicht im Stich lassen. Keiner von uns verlässt diesen Korridor. Wir lassen niemand zurück.«

Ein Schauder jagte ihr den Rücken hinab. Ein Ding der Unmöglichkeit bei ihrem Robotkörper, aber ihr Geist schien es zu simulieren. Die Worte »Treue bis in den Tod« kamen ihr in den Sinn. Sicher waren ein gefestigter Charakter und der Glaube an Hellon nötig, um jemanden diesen Entschluss fassen zu lassen. Schließlich glich der ST-Generator momentan einer geschärften Bombe ungeahnter Vernichtungskraft, deren Explosionszeitpunkt niemand kannte.

»Wo ist Euer Truppführer?«

»Chrosom weilt leider nicht mehr unter uns. Er und viele unserer Kameraden sind bei der Verteidigung gegen die Rebellen gefallen. Wären nicht Kampfroboter aufgetaucht und hätten uns im Gefecht unterstützt, wären wir nun alle bei den Göttern. Sie sind erst vor Kurzem aufgebrochen und haben unsere Toten und Verletzten mitgenommen.«

»Gut, dann ersetzt Ihr für mich den Truppführer. Ich bin nicht hier, um Euch wegzuschicken, sondern um mir die Situation im Vorführsaal anzusehen. Ich werde das messtechnisch tun. Bitte haltet Störungen von mir fern.«

»Ihr könnt Euch auf uns verlassen, Erstrahlende.«

Araya stellte sich neben den Eingang mit dem Gesicht zur Wand und legte beide Handflächen auf die Wandverkleidung. Dann schloss sie die Augen, konzentrierte sich auf Energieflüsse im Saal, die sich ihr als fließende blaue Kristalle darstellten. Warum das so war, wusste sie nicht.

Ehe sie sich versah, geschah etwas Seltsames. Ihr Geist wurde vom Körper getrennt. Sie war nun Teil des Energiestroms, der vor ihr durch die Wand verlief, konnte sich in ihm bewegen, ihn aber nicht verlassen. Die Fremdartigkeit des Stroms, der sie an sich fesselte, war spürbar. Er war nicht von dieser Welt. Es gab nur eine Erklärung dafür. Der ST-Generator musste leckgeschlagen sein. Ihr Horizont erweiterte sich unvermittelt. Ihr offenbarte sich der Energiespeicher, der zu dreiviertel gefüllt war, der Begrenzer die Energie als leuchtender Feldschirm umfassend, die Batterien abgetrennt vom Energiefluss, das Leck, durch das der Fluss blauer Kristalle floss. Sie sah, wie er bereits aus dem Wandbelag sickerte, auf den Korridor übersprang, dann Raum um Raum vereinnahmte, sich ebenso auf die anderen Ebenen ausbreitete. Die Gardisten nahmen ihn nicht wahr. Sie konnte ihre wartenden Gestalten erkennen. Auch im Saal sah sie viele, die unbeweglich hoch in der Luft schwebten.

Sie musste diesen Strom aufhalten. Aber wie sollte sie das schaffen? Ein einzelner robotischer Geist gegen den Energiefluss, der aus dem ST-Generator quoll. Was geschah, wenn sie versagte und der Myrth die Energieversorgung des Saals abschaltete? Der Begrenzer würde ausfallen, es sei denn, er wurde durch Batterien versorgt. Doch die schienen abgeklemmt zu sein. Nichts würde das Energiereservoir davon abhalten können, ein Tor zum Sonnenwurzelwerk zu öffnen, und zwar über die gesamte Ausbreitung des Stroms. Momentan wäre nur ein Sektor betroffen, über mehrere Etagen hinweg. Genau der würde in den ST-Raum gerissen werden. Aber der Fluss blauer Kristalle breitete sich weiter aus, würde fast das komplette Gebäude durchfluten. Je länger der Myrth mit dem Abschalten wartete, umso mehr Substanz des Palasts würde verschwinden. Sollte er den Energiefluss gar nicht unterbinden, würde die ST-Energie außerhalb des Generators so groß werden, dass sie selbst ein Tor zum Wurzelwerk öffnete, denn sie befand sich nicht im Wirkungsbereich des Begrenzers.

Ein Gefühl durchströmte sie, das Asata als Verzweiflung bezeichnet hatte. Sie war in dem Kristallstrom gefangen, konnte weder zurück in ihren Körper noch in das Netzwerk der Palast-KI, um ihren Adoptivvater zu warnen.

Es blieb ihr nichts anderes übrig, als sich zum Ursprung des Stroms durchzukämpfen und dort gegen die heraussickernde Energie zu stemmen.

Doch so sehr sie sich auch anstrengte, sie wurde von den Kristallmassen immer wieder zur Seite hin abgedrängt. Nicht nur das, Araya spürte, wie die Kristalle an ihrem Geist rieben, winzige Stücke Substanz aus ihm herausrissen. Sie fühlte sich müde und zerschlagen, dünnhäutiger, durchlässiger.

Die nächste Kristallwelle brandete gegen sie, riss und zerrte an ihr, drohte, sie hinwegzuspülen. Weiteres Geistmaterial ging verloren. Sie konnte nur weiterexistieren, wenn sie ihren Widerstand aufgab. Sie musste sich dem Kristallfluss anpassen, sonst würde nichts mehr von ihr übrig bleiben.

Da nahm sie eine andere Entität an ihrer Seite wahr. Sie schien ihr bekannt zu sein, aber sie wusste deren Namen nicht.

»Vertraue der Familie! Kämpfe mit mir!«, erklang es in ihrem Geist. Das hatte sie schon gehört, doch wann?

»Ja, ich vertraue dir«, erwiderte sie.

Ihre Zuversicht kam zurück. Neue Kräfte durchflossen sie. Erneut versuchte sie, den Kristallstrom in sein Behältnis zurückzudrängen. Und ebenso schien sie zu scheitern, da packte sie etwas und schob sie vorwärts, bis sie den kompletten Ausfluss abdeckte.

Das Leck schloss sich wie von selbst. Warum, wusste sie nicht. Sie sah noch, wie sich der Kristallfluss außerhalb auflöste, kaum dass er vom ST-Generator getrennt war. Dann umfing Araya Dunkelheit und sie versank darin.

Cormet

Vergeblich kämpfte er gegen den Trivideo-Film an. Immer seltener gelang es ihm, der Handlung zu entkommen. Oft vergaß er für kurze Zeit sein Selbst. Inzwischen wusste er, es handelte sich um eine Serie. Die hatte Potenzial für viele Stunden. Immer wieder traf er auf Alythe, die junge Frau, deren Leben er gerettet hatte. Er verliebte sich in sie, bot einem Widersacher Paroli und geriet damit in das Intrigenspiel zweier Adelshäuser. Das einzig Positive, das er der Sache abgewinnen konnte, war das Gesicht Danoras. Die Hauptdarstellerin trug es. Die ganzen Ereignisse um die Befreiung seiner Mutter und dem Angriff auf den Myrthpalast hatten ihm kaum Zeit gelassen, an sie zu denken. Doch nun, da er sie sah, häufig mit Saira neben sich, da wusste er, er musste so bald wie möglich nach *Karason* heimkehren, um sich zu entscheiden.

Mitten im Kampf auf Leben und Tod gegen einen vom Adel gekauften Killer geschah es. Bild und Ton brachen ab und es umgab ihn nur noch Finsternis.

Es dauerte Sekunden, bis Cormet wieder wusste, wo er sich befand. Er prüfte seine Glieder und stellte fest, er konnte sich bewegen. Mit einem Handgriff aktivierte er seinen Brustscheinwerfer und drehte sich in alle Richtungen. Er schwebte in der Luft, wie viele andere auch. Nein, falsch, er sank langsam zu

Boden. Anscheinend war die Energie im Vorführsaal ausgefallen. Batterien schienen einen Sturz aus mindestens vier Metern Höhe zu verhindern. Rund um sich sah er immer mehr Scheinwerferstrahlen, die den Raum erhellten.

»Keine Panik«, rief er mit lauter Stimme, um im letzten Winkel des Saals vernommen zu werden. »Wir werden langsam abgesetzt und sammeln uns dann wieder in Marschordnung. Großes Kompliment an die beiden Trupps. Es war niemand so unbesonnen, wild in der Gegend herumzufeuern.« Er drehte sich in der Luft, damit er mit den Beinen zuerst den Boden berührte. »Techniker, ihr kümmert euch um die Vorführmaschinerie. Deaktiviert alles, was auf Automatik läuft. Nie wieder sollen hier Menschen gegen ihren Willen festgehalten werden. Wenn ihr fertig seid, kümmert euch um den ST-Generator. Danach schließt ihr euch eurem jeweiligen Trupp an. Wir betreten derweil den Korridor und warten dort.«

Die ihm, dem ersten und zweiten Trupp zugewiesenen Kampfroboter hatten sich offenbar abgeschaltet. Warum es dazu gekommen war, entzog sich seinem Verstand. Sie erwachten nun wieder zum Leben und nahmen ihre Position innerhalb der Aufstellung ein.

Cormet trat als Erster durch den mit Waffengewalt erzwungenen Durchbruch. Dort funktionierte die Beleuchtung. Er sah Dabejis, die Adoptivtochter des Myrths, wie sie sich über eine am Boden liegende Frauengestalt in einem roten Wickelkleid beugte. Als er näher herantrat, erkannte er Araya. Er machte eine Ehrenbezeugung. »Benötigt Ihr Hilfe, Erstrahlende?«

Sie sah auf. »Meine Schwester hat ein Leck im Generator geschlossen und damit allen im Palast das Leben gerettet. Leider verlor sie beim Kampf gegen die ausströmenden ST-Energien das Bewusstsein. Ich befürchte, es ist ihr noch Schlimmeres widerfahren. Sie muss schnellstmöglich behandelt werden.«

»Ich besitze ein Flugaggregat, das ich Euch zur Verfügung stellen könnte, Erstrahlende. Damit seid Ihr in kürzester Zeit im Medikbereich.« Ihre Worte hatte er nicht wirklich verstanden. Er konnte nur erraten, was geschehen war.

»Nein. Ich muss sie sofort zurückholen. Haltet Störungen von mir fern.« Sie drehte Araya in Rückenlage, kniete sich neben sie, legte ihr eine Hand auf die Stirn und schloss dann die Augen, wohl, um sich besser konzentrieren zu können.

Cormet stoppte den nachfolgenden Gardisten im Durchbruch. »Stehenbleiben und Stille bewahren«, flüsterte er. »Gebt das so weiter.« Er wandte sich wieder um und beobachtete Dabejis. Sie schien wie zu Eis erstarrt, es war keine Bewegung an ihr wahrzunehmen, weder ein Atmen noch Augenblinzeln. Eine etwaige Wiederbelebung stellte er sich anders vor. Minutenlang verharrte sie so.

Dann ging ein Zucken durch die Bewusstlose. Sie schlug die Augen auf. »Wo bin ich?«, fragte sie. »Und wer seid Ihr?«

»Was? Ihr müsst mich doch erkennen. Ich bin Eure Schwester.«

Araya schüttelte den Kopf. »Was ist das, eine Schwester?«

Cormet traute seinen Ohren nicht. Das war die Kämpferin, der es durch ihre schnelle Reaktion gelungen war, ihn vor dem Tod zu bewahren. Sie selbst hatte ihm Dabejis als ihre Schwester vorgestellt. Was war mit ihr geschehen, während sie die beiden Trupps aus ihrer Gefangenschaft befreit hatte? War das nur eine kurzzeitige Irritation oder etwas Langfristigeres?

»Das bedeutet: Unsere Körper sind baugleich mit unterschiedlichem Aussehen. Das hast du mir selbst so erklärt.«

Ehe er es verhindern konnte, rutschte Cormet eine Frage heraus, und zwar im Flüsterton, damit niemand anderer mithören konnte: »Seid ihr denn keine Menschen?«

Dabejis wandte sich ihm zu. »Wir sind robotische Wesen.«

»Nein. Das ist nicht ganz richtig.« Araya richtete sich langsam auf. »Wir sind beides. Aber ich weiß nicht, wieso.«

Cormet war verwirrt. Er hatte die Adoptivtöchter des Myrths für zwei wunderschöne Myrthoninnen gehalten. Doch was waren sie wirklich? Velorn IV. musste es wissen. Er war vielleicht auch die einzige Person, die Araya helfen konnte.

»Entschuldigt bitte, dass ich es wage, Euch einen Rat zu geben, Erstrahlende Dabejis. Bringt Eure Schwester zum Myrth. Er wird wissen, was zu tun ist. Unsere drei Trupps folgen Euch langsam nach.«

Die Angesprochene antwortete, »ich bewerte Euren Rat positiv.« Dann ergriff sie Araya unter den Achseln und half ihr hoch.

Sie schritten in Richtung Schwebeschacht davon und verschwanden darin.

Der 1. und 2. Trupp nahmen inzwischen auf dem Korridor Aufstellung.

»Kommandant!«, sprach jemand vom 3. Trupp Cormet an, die rechte Hand oberhalb der linken Brust auf den Kampfanzug gelegt. »Horkul, Gardist der 3. Stufe, melde gehorsamst: Feind wurde mit Hilfe von fünfzig externen Kampfrobotern zurückgeschlagen. Verluste: vier eigene Roboter, sieben Mann, darunter Chrosom, unser Truppführer, und fünfzehn Schwerverletzte. Tote und Verwundete wurden von den Kampfmaschinen mitgenommen.«

Cormet erwiderte den Gruß. »Glaubt mir, ich werde mein Leben lang daran denken, dass ihr uns unter Einsatz eures Lebens verteidigt habt.« Er wandte sich um. »1. und 2. Trupp nehmt Haltung an. Zeigt eure Dankbarkeit und euren Respekt durch eine Ehrenbezeugung für den 3. Trupp.« Er machte eine Kehrtwendung zurück und beteiligte sich an der Aktion.

Dann wartete er, bis die Techniker den Saal verlassen hatten.

Laevon näherte sich ihm respektvoll und nahm Haltung an. »Die Befehle wurden ausgeführt. Wir haben die Automatik der Vorführtechnik deaktiviert. Ich schlage vor, die nun erforderlichen Einstellung von Spezialisten vornehmen zu lassen. Und da ist noch etwas. Wir haben eine Nachricht von der Erstrahlenden Dabejis erhalten. Darin schreibt sie, sie hätte den ST-Generator bereits abgeschaltet und dafür gesorgt, dass die Batterien den Begrenzer speisen. Ich bestätige ihre Aussage. Die Gefahr ist fürs Erste gebannt. Wir schlagen vor, an den Energiespeicher einen transportablen ST-Fädler anzuschließen und zu verwenden. Das wird den Speicher schnell leeren. Erst dann sollte man den Generator auseinanderbauen und aus dem Palast bringen.«

»Gute Arbeit!« Mit diesen Worten verabschiedete Cormet den Techniker, der wieder seine Position innerhalb des 1. Trupps einnahm. Er fragte sich, wie es Dabejis geschafft hatte, das ST-Gerät abzuschalten, ohne die von den Rebellen eingestellte Abschaltroutine zu kennen. Das sprach dafür, dass sie ein Roboter war. Diese Mission hatte er sich anders vorgestellt. Gefangen von einer Automatik, während seine Nachhut allein die Angreifer abwehren musste. Das empfand er als äußerst peinlich. Er würde lange Zeit brauchen, um darüber hinwegzukommen. Er wischte die düsteren Gedanken beiseite und führte die drei Trupps zum Schwebeschacht, um sie zum neuen Aufenthaltsort des Myrths zu bringen.

An den Gesichtern von Pelin und Varotes sah er schon, dass sie dort mit ihm sprechen wollten. Das Thema war wahrscheinlich Chrosom und die mit ihm gefallenen Kameraden.

ZUSAMMENKÜNFTE

Palast des Myrths, Talura, Myrthon, Mathuma-System
30. Tag, 2. Monat, 8553. Lichtzyklus sME, 9. Stunde, 00. Minute

Chyra

Der Myrth erwartete sie schon in seinem privaten Wohnraum. Er war spärlicher eingerichtet, als sie es sich vorgestellt hatte. Sie sah eine gehobene Ausstattung, jedoch ohne zur Schau gestellten Reichtum.

Ein Tisch stand in der Raummitte mit einem verchromten Gestell und einer rechteckigen mattschwarzen Steinplatte sowie einem Holoprojektor im Zentrum.

Umgeben war er von einer blaufarbigen Sitzgruppe aus exotischem Leder. Der Boden bestand aus einem grauen langflorigen Teppich. An den beigen Wänden hingen Landschaftsbilder namhafter myrthonischer Künstler.

An einer Seite des Tisches saßen Araya und Dabejis. Der Myrth hatte an der Stirnseite Platz genommen.

Alle drei trugen einen Saffan, das Nationalgewand auf *Eloym,* in Weiß.

Sie selbst war mit einem ähnlichen Gewand in Schwarz bekleidet. Sie hatte es nach dem Aufstehen in ihrer neuen Unterkunft vorgefunden.

Chyra setzte sich den Adoptivtöchtern gegenüber. »Es kommt für mich unerwartet, von Euch in Euren privaten Räumen empfangen zu werden. Vielen Dank dafür.«

Sie bekam keine Antwort, denn die Tür öffnete sich und Cormet trat ein. Er legte schon seine flache rechte Hand oberhalb der linken Brust auf die dunkelblaue Uniform. »Ehre für Myrthon …«, begann er den Gruß.

»Halt!«, wurde er unterbrochen. »Ich möchte von Euch anders begrüßt werden. Nennt mich einfach nur Velorn, wenn wir unter uns sind.« Er deutete auf einen Platz neben Chyra.

»Ihr alle hier habt mein Leben gerettet, und zwar, ohne dass ihr dazu verpflichtet wart. Ihr seid ab heute keine normalen Untertanen für mich, sondern Freunde. Nur so kann ich der Lebensschuld gerecht werden, die ich euch gegenüber habe.«

Cormet ließ sich neben ihr nieder. »Natürlich mussten wir Euch schützen. Das Sternenreich wäre ins Chaos gestürzt, wenn Euch etwas geschehen wäre.«

»Vergesst das Euch, ersetzt es durch dich und dir.«

Chyra schluckte. Das hatte sie nicht erwartet. Der Myrth wollte von ihnen geduzt werden. »Wie geht es Myrathor Peran«, versuchte sie das Thema zu wechseln.

»Er hat sich wieder erholt und vor einer Stunde in Richtung *Golgal-System* aufgemacht. Ich soll euch seinen aufrichtigen Dank ausrichten.« Sein Blick richtete sich auf ihren Stiefsohn. »Was ich dich fragen wollte, Cormet, was hast du nun vor?«

»Äh …« Er sah auf seine Hände und schien sich zu sammeln. »Die Wahrheit ist, ich springe per ST-Fädler ins *Finnan-System* auf den Planeten *Torfin*. Dort besitze ich ein Haus in der Siedlerstadt *Karason* und muss eine private Angelegenheit erledigen.«

»Und danach?«

»Bin ich dazu verpflichtet, einen Fehler meines Vaters zu korrigieren. Vermutlich werde ich in nächster Zeit einige Tage bis Wochen auf Raumschiffen und fremden Planeten zubringen.«

»Gut.« Ein nachdenklicher Ausdruck umwölkte die Stirn des Myrths. »Du bist also verplant. Übertreibe es aber nicht. Eine wahrlich große Aufgabe kommt auf dich zu. Ich ernenne dich zum Oberhaupt des lichtdurchfluteten Hauses derer von Valura. Nimmst du das nicht an, muss ich es leider von *Myrthon* auf eine karge Welt verbannen. Denn dann führt es noch dein Vater, der bei mir wegen seiner Verbrechen in Ungnade gefallen ist.«

Cormet biss sich auf die Lippen, ehe er antwortete, sein intriganter Vater musste entmachtet werden, fraglos. »Natürlich nehme ich die Ernennung an und ich danke dir für die unerwartete Ehre.«

Velorn nahm diese Worte lächelnd zur Kenntnis. »Die Urkunde erhältst du noch am heutigen Tag. Dein Platz ist ab sofort wieder im Valurapalast. Niemand kann dich daraus vertreiben. Und selbstverständlich übernimmst du nun den Sitz deines Vaters im *Unterstützenden Rat*.« Er klatschte in die Hände. »Cormet ist abgehakt. Nun kommen wir zu dir, Chyra. Was hast du in nächster Zeit vor?«

Sie sah den Myrth entgeistert an. »Wie soll ich deine Frage verstehen? Du hast mich angewiesen, ab sofort hier im Palast meine Para-Gabe schulen zu lassen. Es ist mir sogar verboten, den Palast ohne Begleitung zu verlassen.«

Velorn lächelte erneut. »Ganz recht«, erwiderte er, »aber die Ereignisse haben meine Pläne über den Haufen geworfen. Der Geist Arayas wurde durch ihre Rettungsaktion schwer geschädigt. Ihr Gedächtnis ist so durchlässig wie ein Sieb. Du und Cormet, ihr seid die Einzigen, an die sie sich erinnert. Sogar ihre Mentorin Asata hat sie vergessen.«

»Gibt es keine Möglichkeit, ihren Zustand zu verbessern?«

»Nein. Meine besten Techniker haben versucht, ihr frühere Sicherungsstände aufzuspielen. Es war vergebens. Unsere einzige Chance ist die Werkstatt von Askolar. Ich hoffe, dort besteht die Möglichkeit, Araya zu helfen. Deswegen benötige ich deine Unterstützung. Begleite sie zuerst nach *Paluran*. Informiere Asata über den Zustand ihrer Schutzbefohlenen. Gib Dabejis in ihre Obhut und bitte sie darum, auch deren Mentorin zu werden. Dann springt ihr in die *Eherne Halle* auf dem Planeten *Asafatan* im *Sarghon-System*.«

»Was soll ich dort? Ich bin keine ausgebildete Technikerin. Ich habe keine Ahnung, wie ich Araya helfen kann.«

»Das brauchst du auch nicht. Du bist nur als ihr Ruhepol dabei. Die Werkstatt selbst wird erkennen, wie sie helfen kann. Damit sie dich einlässt, mache ich dich zu meiner offiziellen Gesandten. Nutze den Tag heute für dich. Morgen zur 9. Stunde, 30. Minute ist euer Fädlertransport nach *Paluran*.«

»Auf die Reise mit dir freue ich mich schon, Chyra.« Arayas leer erscheinendes Gesicht wurde plötzlich lebendig. »Mir ist bewusst, wir sind schon einmal zusammen verreist. Aber ich weiß nicht mehr, wann und wohin.«

»Das stimmt. Das war erst vor wenigen Tagen, da sind wir von *Paluran* nach *Myrthon* geflogen. Erinnerst du dich noch an die Energieflut im Sonnentunnel?«

Araya schüttelte langsam den Kopf, während ihr Blick nach innen gerichtet schien.

Dabejis meldete sich zu Wort. »Muss ich den Palast wirklich verlassen, Vater? Darf ich die KI nicht mehr überwachen?«

Velorn beugte sich vor, ergriff ihre Hände und drückte sie. »Ja, es muss sein. Und ich verspreche dir, du wirst es nicht bereuen, wenn du den Ratschlägen Asatas folgst.« Er wandte sich seinen Gästen zu. »Ich danke euch für alles, was ihr für mich getan habt. Nun bitte ich euch, zu gehen. Chyra, ich erwarte dich morgen beim Fädler in der Ebene 0.«

Sie erhob sich. »Ich werde da sein.« Dann verließ sie mit Cormet zusammen den Wohnbereich des Myrths.

Cormet

Er trat in die Räumlichkeit ein, die ihm Velorn zugewiesen hatte, und ließ die Tür hinter sich zugleiten.

Djalin stand vor der Regalwand. Sie schien auszutüfteln, was sie in den einzelnen Fächern unterbringen wollte. Das Ergebnis notierte sie in einer Liste auf dem Holo ihres ArmKomms.

Sie sah zu ihm. »Wie geht es Myrana?«

»Mam liegt im gesteuerten Koma. Es sieht so aus, als wenn sie komplett gesunden würde. Wenn alles gut geht, könnte sie in zwei bis drei Wochen entlassen werden. Ich frage mich aber, woher die Mediker ihre Biometrikdaten haben. Mein Vater hatte alle Informationen, die auf sie hingedeutet haben, vernichtet.«

»Das stimmt!« Djalin strich mit den Fingern über den Halsbereich ihres schwarzen Saffans, den sie bereits seit gestern trug. »Ich habe im Palast nie einen Hinweis auf sie gefunden, obwohl ich natürlich wusste, dass sie dagewesen sein muss.« Sie hüstelte. »Aber zurück zu deiner Frage. In dem Quartier, in dem uns Serpon gefangen gehalten hat, gab es ein Gerät, mit dem man Biometrikdaten aufnehmen und speichern kann. Ich habe jeden Lichtzyklus einen Abzug für Myrana und mich gemacht. Die Speicherwürfel tragen wir immer bei uns.«

Mit einer Handbewegung zog sie die Halskette so weit nach oben, bis der Anhänger aus dem V-Ausschnitt des Saffans glitt.

Jetzt sah Cormet den Würfel, der daran hing. »Zum Glück hast du diese Vorsichtsmaßnahme getroffen. Ich mag mir gar nicht vorstellen, wie es andernfalls mit der Gesundung von Mam ausgesehen hätte.«

Für Djalin schien das Thema damit beendet zu sein. Sie sah auf ihren ArmKomm, um mit ihrer Tätigkeit fortzufahren.

Cormet kreuzte die Arme über der Brust. »Spare dir die Mühe, Stiefmutter. Wir werden heute noch in den Valurapalast zurückkehren.«

Sie wandte sich ihm zu, deaktivierte das Holo. »Wieso? Wurde Serpon bereits festgenommen?«

»Nein. Aber der Myrth hat mich zum Oberhaupt unseres Hauses ernannt. Ich muss die Zügel in die Hand nehmen. Ich hoffe, du hilfst mir dabei.«

Ihr Gesicht bekam einen Anflug aristokratischen Stolzes. Sie schritt auf ihn zu und blieb eine Armlänge vor ihm stehen. Da sie groß war, musste sie kaum zu ihm aufschauen.

»Punkt eins«, ihre Stimme klang geschäftlich, »nenne mich niemals mehr Stiefmutter. Diese Bezeichnung habe ich schon immer gehasst. Deswegen hast du stets nur Mutter zu mir gesagt. Ich sehe ein, nachdem Myrana zurück ist, geht das nicht mehr. Also nenne mich bei meinem Namen.«

»Einverstanden, Djalin.«

Sie lächelte kurz. »Punkt zwei. Du musst dir die Loyalität deiner Führungsriege sichern. Das sind diejenigen, die unsere Paläste verwalten, es sind die Kommandanten der Valura-Flotte, die Chefs der Konzerne, Fabriken und Minen. Lade sie alle ein und nimm ihnen den Treuschwur ab. Die Kandidaten aber, bei denen du dir nicht sicher bist, ersetzt du durch jemanden, der dir treu ergeben ist.«

Cormet verließ seine Position, wanderte mit den Händen am Rücken durch den Raum und blieb wieder vor Djalin stehen. »Ich habe noch etwas in *Karason* zu erledigen und danach bin ich auf einer wichtigen Mission. Schätzungsweise dauert es insgesamt sieben bis vierzehn Tage. Du würdest mir sehr helfen, wenn du ein derartiges Treffen organisieren könntest, sagen wir, in drei bis vier Wochen. Sende den Teilnehmern eine Kopie der Ernennungsurkunde des Myrths sowie die Auflistung der Verbrechen zu, deren sich Serpon schuldig gemacht hat. Und verlange den Treueschwur. Vorsichtshalber eruierst du Vertreter, falls sich einer der Gäste weigert, den Schwur zu leisten. Das dürfte für dich ein Kinderspiel sein. In den fünf Lichtzyklen, in denen du nicht anwesend sein konntest, hat sich wenig im Haus verändert.«

Je länger Cormet sprach, desto amüsierter wirkte Djalin. »Du weißt aber schon, dass ich während meiner Gefangenschaft nichts in dieser Richtung habe unternehmen können, bin sozusagen aus der Übung. Hoffentlich ist dir das bewusst.«

»Natürlich. Ich kenne aber auch deine Begabung. Vater war außer sich, als er bemerken musste, was du alles für das Haus geleistet hast, er es aber nie mitbekam. Nach deinem *Ableben* durfte er sich selbst darum kümmern. Seine Flüche, die durch den Palast hallten, klangen einfach nur schaurig.«

Sie lachte kurz auf. »Wenigstens eine kleine Genugtuung für die Lichtzyklen, die er mir geraubt hat. Das bringt mich zu Punkt drei. Es macht dir sicher nichts aus, mir einen Titel zu verleihen, der mir Respekt und Anerkennung in und außerhalb unseres Hauses verleiht. Die Bezeichnung Ehefrau von Serpon scheint mir in diesen Tagen nichts Einmaliges mehr zu sein.«

Einen Augenblick dachte Cormet nach, aber ihm wollte auf die Schnelle kein geeigneter Titel einfallen. »Sicher. Vielleicht hast du bereits einen Vorschlag, wenn ich von meiner Mission zurückgekehrt bin.«

»Bestimmt! Ich bin da sehr kreativ. Doch kommen wir nun zu Punkt vier. Weise mir bitte ein Quartier im Valurapalast zu. Die Räumlichkeiten von Serpon stehen dir zu. Chyra wird allem Anschein nach nicht mehr bei uns wohnen. Ich würde gern ihre Zimmer belegen und ihre Habseligkeiten in andere Räume auslagern, falls sie diese nicht in den Myrthpalast bringen lässt.«

Cormet runzelte die Stirn. Er mochte Chyra und wollte sie nicht vor vollendete Tatsachen stellen. »Ich werde sie fragen, ob sie damit einverstanden ist. Denn immerhin ist sie noch bis zum nächsten Monat offiziell Serpons Ehefrau. Die Strafverfolgung ihres Ehemanns betrifft sie nicht. Im Gegenteil ist ihr der Myrth zu großem Dank verpflichtet. Er hat ihr heute einen Titel verliehen. Sie ist nun seine offizielle Gesandte. Vermutlich wird sie nicht mehr bei uns leben.« Er überlegte weiter. »Mein Wohnquartier könnte von Myrana belegt werden. Urpas' Räumlichkeit lasse ich unberührt. Er hat immer einen Platz bei uns.«

Überraschung zeichnete sich auf Djalins Gesicht ab. »Das hätte ich jetzt nicht erwartet. Mein Sohn hat dieses Haus an den Rand eines Ruins gebracht und du verzeihst ihm? Um ehrlich zu sein, ich habe diesen Tag gefürchtet, an dem ein Nachfolger für Serpon gekürt wird. Ich dachte, ihr beide würdet euch verfeinden und bis aufs Messer bekämpfen. Zum Glück habe ich mich geirrt.«

»Von meiner Seite aus sicher. Wobei ich der Meinung bin, Urpas sollte ebenfalls etwas beisteuern, um die Schuld auszugleichen. Ich hätte ihn gern gesprochen, aber er ignorierte bisher alle meine Anrufe.«

»Tatsächlich.« Sie hob ihre Hand auf Gesichtshöhe. »Diesen ArmKomm hat mir ein Roboter auf meine Anforderung hin vorbeigebracht. Ich habe meine alte Nummer aktiviert und die von Urpas eingetragen. Ich rufe ihn einfach an. Vielleicht nimmt er ab.«

Urpas

Er befand sich im Besprechungsraum des geheimen Stützpunkts der *Bol-mot-Ut.* Neben ihm saß Angh-Sanh. Außerdem waren die Kommandanten der Raumschiffe anwesend, die den Angriff auf die ST-Kristallmine im *Sulva-System* mitgeflogen waren. An der Stirnseite hatte Parasol platzgenommen und neben ihm Aryn, sein Adjutant, der fleißig die Beschlüsse mitdokumentierte.

Der Stützpunktleiter schlug mit der flachen Hand auf den Tisch. Die Köpfe ruckten hoch. »Ich bitte um eure Konzentration. Wir müssen zum Schluss unser nächstes Angriffsziel bestimmen. Leider benötigen wir immer noch ST-Kristalle. Ich bin offen für eure Vorschläge.« Urpas hob die Hand. Parasol nickte ihm zu. »Sprecht.«

»Ich rate dringend davon ab, erneut eine Kristallmine anzugreifen. Sämtliche Minenbesitzer dürften mittlerweile vorgewarnt sein. Wenn Ihr nicht ein ähnliches Desaster erleben wollt wie im *Sulva-System,* setzt Euer Ziel auf eine andere Ressource an. Zwei oder drei Überfälle genügen sicher, dann können wir unseren Bedarf an ST-Kristallen wieder ins Auge fassen.«

Angh-Sanh erhob sich kurz. »Tarr-Mocay Urpas Meinung unterstützen. Und: Defekte Raumer repariert sein müssen bald.«

Parasol blickte sich in der Runde um. Aber niemand meldete sich mehr zu Wort. »Na gut. Nachdem es keinen Widerspruch gibt und mein Mediker mir wegen meines Blutdrucks geraten hat, ich müsse auf meine Berater hören, soll es wohl so sein. Wir treffen uns hier morgen zur gleichen Zeit und besprechen das neue Ziel. Ich hoffe, ihr habt dann viele Vorschläge parat.«

Sein ArmKomm meldete sich. Er verließ kurz den Raum. Als er wiederkam, war sein Gesicht gerötet. Er versetzte dem Kontursitz einen Tritt, der ihn einige Male um seine Achse wirbeln ließ. »Bei Myrathon-Hel und seinen Schattenfunken!«, stieß er hervor. »Um ein Haar wäre der Myrth gestürzt worden. Wenn die oberste Etage unserer Organisation auf mich gehört hätte, könnten wir jetzt schon ein neues Oberhaupt für unser Sternenreich küren. Leider haben die Narren es abgelehnt, das Haus Limach'Orvan zu unterstützen. *Zu früh hieß es* oder *wir sind nicht vorbereitet*. Fünfhundert Mann und dreihundert Roboter wären ausreichend gewesen. So ist einer unserer treuesten Unterstützer mit Mann und Maus untergegangen. Verdammt noch mal!« Mit der Faust hieb er auf die Tischplatte.

Urpas traute seinen Ohren nicht. Da spielten sich politische Tragödien im Hintergrund ab, ohne dass er davon etwas mitbekam. Er musste mehr darüber herausfinden. »Was genau ist geschehen?«

»Das erzähle ich morgen. Für heute sind wir fertig.« Parasol packte seine Unterlagen und verschwand durch die Tür.

Angh-Sanh und Urpas verließen den Raum ebenfalls und schritten schweigend zu ihren Quartieren.

In der Besprechung hatte es genügend Themen gegeben, über die es sich lohnte nachzudenken. Wäre zum Beispiel eine andere Formation im Raumkampf gegen die Flotte des Hauses Valura effektiver gewesen als der Ring? Wenn ja, welche? Zwischen den Kommandanten der Schiffe war darüber eine erregte Diskussion ausgebrochen, aber ohne Ergebnis. Er schwor sich, herauszufinden, ob es für eine solche Raumschlacht eine bessere Aufstellung gab.

Als weiteren Punkt hatte Parasol die Verlegung des Stützpunktes angekündigt. Ein Reparaturschiff mit Technikern an Bord war bereits in ein anderes System aufgebrochen. Es hatte die Aufgabe, einen Asteroiden für ihre Bedürfnisse auszuhöhlen, abzudichten und mit Maschinen zu bestücken.

Urpas war gespannt, ob sich durch den Umzug etwas am Komfort änderte. Er wünschte sich einen Dienstroboter, der missliebige Handgriffe für ihn erledigte. Die Aussichten standen nicht schlecht. Zu Beginn, als der jetzige Stützpunkt errichtet worden war, verfügte die Organisation über wenige Unterstützer. Das hatte sich in der Zwischenzeit gravierend geändert.

Angh-Sanh verlangsamte ihre Schritte. Ihre Quartiere tauchten vor ihnen auf, viel zu schnell für seinen Geschmack. »Bis zum Mittagessen.« Sie legte ihre Hand an den Sensorkontakt der Tür, die sofort aufglitt.

»Einen Augenblick!« Urpas hielt sie am Arm fest. »Ich möchte gern mit dir sprechen. Über uns. Können wir zu dir ins Zimmer gehen?«

»Nur reden?«

»Ja.«

»Gut. Komm herein.«

Sie setzten sich an den kleinen Tisch mit den zwei Stühlen. Sie sah ihn erwartungsvoll an.

»Was sind wir?«, fragte er. »Ich dachte, wir wären zusammen. Dein abweisendes Verhalten bisher sagt aber das Gegenteil.«

Sie schürzte die Lippen. Ein Zeichen dafür, dass sie überlegte. »Ich mag dich, Urpas, wirklich. Deswegen auch der Kuss, als wir dem Tod ins Auge sahen. Jedoch sind wir durch den Odem Hellons verbunden. Was ist, wenn die Verbindung abbricht? Werden meine Empfindungen für dich weggeblasen sein? Ich bin mir unsicher, was fühle ich dann?«

Urpas fasste nach ihren Händen, wollte antworten. Da meldete sich sein ArmKomm. Er sah verwundert auf die Adresse des Anrufers.

»Das … das kann nicht sein«, stammelte er. »Das ist die Nummer meiner Mutter.«

»Das ist doch gut!«

»Ich weiß nicht. Meine Mutter ist vor fünf Jahren gestorben.«

Sie sah ihn entsetzt an. »Das tut mir leid. Doch rate ich dir, nimm das Gespräch an, sonst fragst du dich ständig, wer das war. Oder ist es verboten, Anrufe hier entgegenzunehmen?«

»Nein. Wir haben hier Geräte, welche die Adresse unserer ArmKomms verschleiern. Wir werden zwar gefunden, die

Rückmeldung gibt aber ein völlig anderes System an.« Mit zitternden Fingern drückte er auf Empfang. Ein Holo erschien. Was war das?

Der Kopf, der sich darin zeigte, war tatsächlich der seiner Mutter! Sie sah genauso aus, wie er sie in Erinnerung hatte. War er übergeschnappt? Spielten ihm seine Sinne einen Streich?

»Urpas«, sagte sie. »Du ahnst nicht, wie sehr ich mich freue, dich zu sehen. Wie geht es dir?« Sie drehte den Kopf. Ihre Augen wurden größer, als hätte sie etwas Unglaubliches entdeckt. »Wer ist die exotisch aussehende junge Dame neben dir?«

Er war nicht fähig, einen Ton hervorzubringen, starrte sie nur an.

»Ich bin es wirklich«, fuhr sie fort. »Serpon hat meinen Tod nur vorgetäuscht und mich bis jetzt in einer geheimen Station gefangen gehalten. Myrana, Cormets Mutter, war ebenfalls dort.«

»Wie … wie seid ihr entkommen?« Er konnte das, was er sah und hörte, noch nicht so richtig fassen.

»Dein Bruder hat uns befreit.« Ihr Kopf wurde kleiner und neben ihm tauchte Cormets verhasstes Gesicht auf.

»Hallo Urpas!«

Natürlich war er es gewesen, der die beiden Mütter aus den Fängen ihres Vaters geholt hatte. Der Lieblingssohn, der Vorzeigeschüler, der Held.

Bevor sich Abscheu in seinen Gesichtszügen zeigen konnte, fragte Djalin: »Wer ist nun die junge Dame, Urpas?«

Ihm wurde bewusst, eine seiner Hände hielt die von Angh-Sanh. Er spürte, wie ihm das Blut ins Gesicht schoss. Auf so etwas war er nicht gefasst. Seine Mutter hatte klare Vorstellungen, welchen Hintergrund eine Schwiegertochter haben sollte. Wie würde sie reagieren? Er beschloss, ihr die Wahrheit zu sagen. »Das ist Tarr-Mocay«, stellte er sie vor, »eine junge Frau von einem unbekannten Planeten. Wir sind zusammen in einem Team. Und wir mögen uns.«

»Tarr-Mocay sich freuen, Urpas Mutter und Bruder sehen.« Sie wollte ihre Hand aus der seinen lösen, doch er hielt sie fest.

Djalins Gesicht wurde starr. »Du wirst uns morgen per Fädler im Valurapalast besuchen. Ich möchte von dir hören, wie du das

Haus unterstützen kannst, das du nahe an den Ruin gebracht hast. Und, Tarr-Mocay, ich möchte Euch kennenlernen. Erweist mir bitte Euren Respekt, indem Ihr mich mit Urpas besucht.«

Das Holo erlosch.

Er erwachte wie aus einem Traum, kniff sich in die Wange, um zu sehen, ob das die Wirklichkeit war. »Wir werden die Einladung nicht annehmen«, bestimmte er dann. »So sehr ich mich über den unerwarteten Anruf von Mutter freue, aber daraus können nur Komplikationen erwachsen.«

Angh-Sanh löste ihre Hand nun aus der seinen. »Wir gehen dorthin. Ich erzähle deiner Mutter von meinen unsicheren Gefühlen.«

»Auf gar keinen Fall!« Ihr Gesicht verfinsterte sich. Das Rauschen war aus ihrem Haar zu hören, als ob ein Wind durch blättriges Geäst fährt. Urpas ahnte, sie würde gleich ihre Nadeln aus den Ärmeln hervorzaubern. Das durfte sie nicht. Sie musste sich schonen, ihre Para-Kräfte wieder aufbauen. Ein solcher Akt konnte sie erneut an den Rand des Tods bringen.

»Halt ein«, rief er schnell. »Ich besuche mit dir meine Mutter, sobald es mir möglich ist. Letztlich muss Parasol zustimmen. Ich verspreche es bei dem Band, das uns verbindet.«

Ihr Gesicht und ihr Haar normalisierten sich. Doch ihre Augen hielt sie noch zusammengekniffen, so als glaubte sie seine Beteuerung nicht. »Nun geh!«, wies sie ihn an. »Wir sprechen uns wieder, wenn der Besuch hinter uns liegt.«

Die Tür schloss sich hinter ihm.

Er blieb einen Augenblick stehen. Überlegte kurz, ob er noch irgendetwas tun könne, um das Treffen im Valurapalast zu verhindern. Frustriert schüttelte er den Kopf. Es gab kein Entkommen. Angh-Sanh würde ihre Kräfte gegen ihn einsetzen, wenn er sein Versprechen nicht hielt. Seufzend ließ er seine Tür aufgleiten und warf sich aufs Bett. Es konnte nichts Gutes bei dem Besuch herauskommen. Das wusste er sicher.

Der Wille der Götter

Raumakademie, Paluran, Eugnith-System
1. Tag, 3. Monat, 8553. Lichtzyklus sME, 9. Stunde, 27. Minute

Asata

»Guten Morgen.«

Sie hatte das Aufgleiten der Tür überhört und drehte sich überrascht um.

Chyra trat ins Vorzimmer. Ihr Blick schweifte flüchtig über die zwei Frauen, die außer ihr in diesem Raum arbeiteten.

»Guten Morgen, Höchst-Erleuchtete«, antwortete sie. »Antor ist leider nicht zugegen. Er ist mit der TIRKUM unterwegs. Ich weiß nicht, wann er zurückkommen wird. Kann ich irgendetwas für Euch tun?«

Chyra lächelte freundlich. »Allerdings. Ich hätte eine Nachricht für Euch und gleichzeitig eine Bitte des Myrths.«

Sie erschrak. Bei Imonar-Hel, was wollte der Herrscher über das *Myrthonische Sternenreich* von ihr? »Sprecht«, kam es über ihre Lippen, während sie vergeblich ihre Erinnerung nach einem Grund durchsuchte.

»Ich würde vorschlagen, wir ziehen uns in Antors Arbeitsraum zurück.«

»Ganz wie Ihr wünscht.« Sie erhob sich, schritt zur Tür und ließ sie aufgleiten. Mit einer Handbewegung ließ sie Chyra als Erste eintreten und folgte ihr, ging an den großen Arbeitstisch und berührte dort eines der Bedienelemente. Die zwei Wandhälften, die den Besprechungsraum vom Büro trennten, verschwanden komplett in den Seitenwänden.

Sie nahmen einander gegenüber an dem Besprechungstisch Platz.

Die Kommissarin legte ihre Hände auf die ovale kristallblaue Tischplatte und verschränkte die Finger. »Zuerst werde ich die wichtigste Nachricht los. Es gibt einen guten und einen schlechten Teil. Ich fange mit dem Guten an. Eure Schutzbefohlene ist am Leben.«

Asata hielt es nicht mehr auf dem Kontursitz. Sie sprang auf. »Sprecht Ihr von Araya?«

»So ist es. Sie hat durch ihren persönlichen Einsatz in einer Notsituation dem Myrth zur Seite gestanden und große Ehre erlangt, die sich auch auf Euch widerspiegelt.«

»Und der schlechte Teil? Was ist mit dem?«

Chyra senkte den Kopf. »Leider hat sie einen Großteil ihres Gedächtnisses verloren. Sie kann sich nicht mehr an Euch erinnern.«

Asata spürte, wie ihr die Beine nachgaben. Sie plumpste förmlich in ihren Sitz. *Imonar-Hel,* dachte sie, *du hast meinen Wunsch erfüllt, aber anders, als ich es erwartet habe. Ich danke dir trotzdem und halte das Versprechen. Habe die Gnade und gewähre Araya wieder ihre Erinnerungen.* Sie atmete mehrmals tief durch, um sich zu beruhigen. »Wo ist sie?«, fragte sie dann. »Auf *Myrthon*?«

»Nein, sie ist hier. Ich rufe sie.« Chyra sendete eine Botschaft über ihren ArmKomm, wenig später öffnete sich die Tür und Araya trat ein, gekleidet in ein silbernes Wickelkleid und gleichfarbige offene Schuhen.

Ja, das war ihre Schutzbefohlene. Nicht nur ihre Gesichtszüge waren unverändert, auch ihre Vorliebe für diese Kleiderart bestand nach wie vor. Aber der Blick, der auf Asata fiel, verriet kein Wiedererkennen. Sie war derzeit offenbar eine fremde Person für Araya. Mit ihr trat eine zweite junge Frau in den Besprechungsraum.

»Araya«, sagte Chyra, »das ist Asata, Antors Adjutantin. Erkennst du sie? Oder hast du eine Erinnerung an die Zeit auf der Raumakademie?«

»Ich erinnere mich an dich, Farsa, Antor und Raklon. Doch der Zeitabschnitt, bevor deine Assistentin krank wurde, ist mir nicht mehr bewusst. Und das Danach nur mehr eingeschränkt vorhanden.«

Asata löste sich aus der Umklammerung der tiefen Traurigkeit, die sie durchzog. »Was geschieht nun mit ihr? Bleibt sie bei mir? Soll ich sie erneut ausbilden?«

Mit einer Handbewegung signalisierte Chyra den jungen Frauen, sich zu setzen. »Nein«, antwortete sie, »ihre Grundfunktionen wurden nicht angetastet. Aber ihr Spezialwissen ging teilweise verloren. Das kann nur in der Werkstatt wiedererlangt werden, in der ihr Körper gebaut worden ist. Ich werde sofort mit ihr dorthin aufbrechen. Doch habt keine Sorge, auf dem Rückweg kommen wir bei Euch vorbei.«

»Danke. Ich bin sehr froh, dass Ihr mich auf den Laufenden haltet, was Araya anbetrifft.«

Chyra lehnte sich entspannt zurück. Sie schien den schwierigsten Teil ihres Besuchs hinter sich gebracht zu haben. »Ich soll Euch Folgendes ausrichten, Asata. Der Myrth hält sehr große Stücke auf Euch. Er kennt Araya von ihrer Zeit im Palast und war überrascht, wie sie sich durch Euren Verdienst zum Positiven hin verändert hat. Er bittet Euch nun, nehmt Dabejis ebenfalls unter Eure Fittiche. Sie ist allerdings davon überzeugt, nichts anderes, als ein Roboter zu sein. Ich hoffe, sie lernt so viel von Euch wie Araya.«

Bevor Asata etwas dazu sagen konnte, stand die zweite junge Dame auf. Sie hatte eine Reparaturmontur in hellem Grau und schwarze Stiefel an. »Ich bin Dabejis. Araya ist meine Schwester. Ich bin hier, um mit Euch zu arbeiten.«

»Schwester?«

»Unsere Körper sind baugleich.«

Asata sah Chyra an, die sich auf die Unterlippe biss. Anscheinend sollte das vor ihr geheim gehalten werden. »Wie kann ein robotisches Wesen eine Schwester haben?«

»Kommt mit zu Antors Arbeitstisch«, forderte die Kommissarin sie auf. Sie erhoben sich und trafen sich vor dem Ungetüm, an dem der Akademieleiter die Geschicke der Raumakademie lenkte. »Nun schließt die Wand zum Besprechungsraum.«

Verwundert folgte Asata der Aufforderung.

Die Wandteile schoben sich zusammen. Chyra nickte zufrieden. »Ich hoffe, der Raum ist nun schalldicht?«

»Das ist er.«

»Gut, dann weihe ich Euch in Geschehnisse ein, die Ihr noch nicht hättet erfahren sollen.« Chyra berichtete ihr alles, was sie von Velorn über Araya und Dabejis gehört hatte. Sie endete mit den Worten: »Außerdem sind beide, obwohl sie Robotkörper haben, Adoptivtöchter des Myrths.«

Mit einem Mal war es Asata, als würde ihr die Lungen versagen. Sie schnappte ein paar Sekunden lang verzweifelt nach Luft, dann war das Gefühl der Enge in ihrer Brust vorbei.

»Ich wusste, das würde Euch beeinträchtigen. Deswegen wollte ich es vor Euch geheim halten. Ich schätze, Ihr wärt sowieso darauf gestoßen. Dabejis kann momentan nur die Wahrheit sagen. Sie bildet sich ein, eine robotische Steuerung zu sein. Erzählt ihr bitte nichts anderes. Das würde sie aus der Bahn werfen. Irgendwann sollte sie einen Zustand erreichen, in dem sie selbst feststellt, dass sie menschliche Eigenschaften besitzt. Bringt sie dahin, Asata. Verlorn IV. setzt große Hoffnung in Euch.«

»Hat sich der Myrth gewundert, wieso Araya plötzlich auf Myrthon aufgetaucht ist?«

»Nein. Zum Glück war sie im genau richtigen Moment im Regierungspalast.«

Asata atmete auf. »Das muss ich Antor so schnell wie möglich berichten. Er hat sich Sorgen gemacht, Velorn IV. könnte es ihm übelnehmen, dass er Euch Araya als Begleiterin mitgegeben hat.«

Chyra legte ihren Zeigefinger auf ihr Kinn. »Wo ist er übrigens? Hat er das Schulschiff schon ausfindig gemacht?«

»Die PARAMUR? Ja, er hat ihre Spur gefunden. Sie ist im *Rikay-System* in einen neu entstandenen Sonnentunnel getaucht. Niemand weiß, wo er hinführt. Gestern ist er der Korvette mit der TIRKUM gefolgt, hat aber zuvor eine Nachricht über sein Vorhaben an mich und den Myrth gesendet. Darin stand auch, er habe auf einer Station der Zerker gegen intelligente Insektenabkömmlinge gekämpft. Bevor ich Euch jedoch noch mehr darüber erzähle, leite ich sie einfach an Euch weiter.«

Asata ließ ein Holo über ihrem ArmKomm aufblenden und versendete das Trivideo. Fast augenblicklich ertönte ein akustisches Signal von Chyras Armbandkommunikator. »Ich danke Euch«, sagte die Kommissarin. »Nun ist es aber Zeit, Abschied zu nehmen. Bitte kümmert Euch um Dabejis.«

Sie reichten sich kurz die Hände. »Und ich bitte Euch im Gegenzug, setzt alle Hebel in Bewegung, damit Araya ihr Gedächtnis wieder erlangt«, sagte Asata und ließ die Wände auseinanderfahren.

»Genau aus diesem Grund springen wir nun nach *Asafatan* in die *Eherne Halle*.«

Chyra winkte ihren Schützling zu sich. »Araya, verabschiede dich von Asata und Dabejis.«

Der Abschied war für Asata kurz und enttäuschend, zwar nicht robotisch kalt, doch ohne innere Wärme. Sie selbst wagte es nicht, ihre Schutzbefohlene zu umarmen.

Dabejis stellte sich neben sie, während Chyra mit Araya den Raum verließ.

Chyra

Sie standen auf dem Gleitband, das sie von der Raumakademie zum angeschlossenen Raumhafen brachte. Die öffentlichen Fädler befanden sich jenseits der Ankunftszone.

Die Neugierde ließ Chyra keine Ruhe. So blendete sie das Holo über dem ArmKomm auf und las die Nachricht von Antor.

Ihr Herz krampfte sich zusammen. Die unbekannten Insektenwesen in der Station der Zerker waren gleichzeitig mit dem neuen Sonnentunnel erschienen. Vermutlich waren sie aus einem System gekommen, in das dieser Tunnel führte. Weiterhin bedeutete das, Antor war dabei, dem Gegner direkt in die Arme zu fliegen.

Sie fühlte sich in jene Zeit versetzt, in der sie lange Lichtzyklen nicht wusste, wo er war, und in der sie im Schlaf von den schrecklichsten Szenen heimgesucht wurde, die ihn in seinem Todeskampf zeigten. Sie schauderte innerlich. Nie wieder wollte sie das mitmachen. Sie hoffte, er würde bald zurückkommen, denn sonst würde sie nahe dem Abgrund zum Wahnsinn wandeln.

Und nun, da ihr Myrathor Peran gesagt hatte, ihre Träume könnten einen prophetischen Inhalt haben, war die Angst um ihn umso schlimmer.

Sie wollte das Holo schon schließen, da sah sie eine zweite Datei, die Antors Adjutantin ihr geschickt hatte. »Höre gut zu, Araya«, wandte sie sich an ihre Begleiterin. »Asata hat vor neun Tagen folgende Nachricht von dir bekommen.« Sie räusperte sich, bevor sie zu sprechen anfing. »Hochverehrte Asata. Entschuldigt bitte, dass ich Euch erst heute Bescheid gebe. Ich begleite die Höchst-Erleuchtete Chyra aus dem Damant Valura nach *Myrthon*. Antor gab mir diesen Auftrag. Es ist geplant, dass ich Anfang des übernächsten Monats wieder zurückkomme. Ich vermisse Euch schon jetzt. Viele Grüße, Eure Araya.«

»Das habe ich geschrieben?«

Chyra nickte. »Die letzten Sätze zeigen deutlich, du bist Asata sehr nahegestanden. Es dürfte sie ziemlich geschmerzt haben, dich ohne jedwede Erinnerungen an sie zu sehen. Speichere dir die Nachricht ab. Es ist ein kleiner Baustein für den Wiederaufbau deines Gedächtnisses. Ein Anfang.«

Bald darauf verließen sie das Gleitband, durchquerten den Kontrollbereich des Raumhafens und gaben die Koordinaten in den Fädler ein.

Was würde sie beide in der *Ehernen Halle* erwarten? Die Transportblase hüllte sie ein.

Rückkehr nach Karason

Karason, Torfin, Finnan-System
1. Tag, 3. Monat, 8853. Lichtzyklus sME, 10. Stunde, 10. Minute

Cormet

Er trat aus dem Fädler. Sein Gleiter, den er von *Myrthon* aus herbestellt hatte, wartete schon auf ihn. Er stieg ein und steuerte das Fluggefährt zu dem Haus, in dem er und seine kleine Familie lebten.

Der Parkplatz auf dem Dach war leer. Das bedeutete, Danora und Saira waren unterwegs. Nun, sie würden nicht allzu lang weg sein. In *Karason* gab es keine Aktivitäten, die viel Zeit beanspruchten. Das Freizeitland bildete die rühmliche Ausnahme. Doch das hatten sie erst vor Kurzem besucht.

Er stellte den Schweber auf dem Parkplatz ab, blieb aber sitzen. Wie sollte er sich entscheiden? Noch immer stritten die Gefühle von Cormet und Entro miteinander.

In dem Trivideo-Vorführraum hatte die Hauptdarstellerin das Gesicht von Danora angenommen. Ihm erschien es damals so, als wäre das ein Beweis seiner Liebe zu ihr. Im Gespräch mit den zwei Truppführern danach war aber herausgekommen, dass es ihnen ähnlich ergangen war. Und laut Varotes war der in seine gegenwärtige Partnerin keineswegs verliebt. Er lebte in einer Vernunftehe, die es ihm ermöglicht hatte, Mitglied der Garde zu werden.

Cormet wusste sich keinen anderen Rat, als seine Gefühle entscheiden zu lassen. Wenn er Danora gegenüberstand, würde er sie dann in die Arme nehmen oder würde sich alles in ihm dagegen sträuben? Das sollte den Ausschlag geben.

Mit einer für ihn selten erlebten Unsicherheit verließ er den Gleiter, öffnete das Portal und ließ sich durch den Schwebeschacht nach unten sinken. Dem Garten schenkte er keinerlei Beachtung.

Sein Weg führte ihn zuerst ins Esszimmer. Der Tisch war leer. Rückstände von einem Frühstück waren nicht mehr vorhanden. Kein Wunder. Die Roboter hatten sicher abgeräumt. Aber da sah er etwas liegen. Ein Kärtchen und eine wiederbeschriftbare

Folie. Konnte das eine Notiz für ihn sein? Daneben lag die Visitenkarte von Imnar. Er erinnerte sich. Ein Dienstroboter hatte sie in seiner Arbeitskleidung gefunden und Danora übergeben. Offenbar war sie seit ihrem letzten Gespräch über den Testflug in den Dschungel hier liegengeblieben.

Dann las er die Nachricht.

Lieber Entro!, stand auf der Folie. *Oder soll ich besser Cormet zu Euch sagen? Wer immer Ihr seid, wir sind uns fremd. Wie Euch wurde auch mir eine perfekte kleine Familie vorgespiegelt, die es so nie gegeben hat. Unsere Persönlichkeiten wurden überspielt, die Gefühle manipuliert. Es tut mir leid, aber ich kann nicht so tun, als wäre nichts geschehen. Ich verlasse das Haus, reise weit weg von hier, um mich selbst zu finden. Sucht nicht nach mir und Saira. Vergesst die Frau, der Ihr alle Schuld der Welt aufbürdet. Wenn Ihr es über Euch bringt, verzeiht ihr und lebt wohl.*

Danora (aus einer Familie, deren Namen ich nicht weiß).

Cormet war es, als hätte ihn jemand mit einem Hammer auf den Kopf geschlagen. Er sank auf den Stuhl. Warum schmerzte ihn sein Herz so sehr? Wieso durchfuhr ihn die Angst, die beiden nie wiederzusehen, und weshalb spürte er diese allumfassende Traurigkeit in sich? Die Frage, ob er Danora liebte oder nicht, stellte sich nicht mehr. Es war offensichtlich. Wie hatte er je daran zweifeln können?

Wieso wusste sie von dieser Manipulation? Die Visitenkarte fiel ihm wieder ein. Imnar musste geplaudert haben. Sofort rief er ihn an.

Im Holo erschien dessen Antlitz. Er sah gefasst aus. Anscheinend hatte er auf den Anruf schon gewartet. »Was wollt Ihr?«, sagte er anstatt einer Begrüßung.

»Wo sind Danora und Saira? Wieso weiß sie über das Überspielen unserer Persönlichkeiten Bescheid?«

»Es tut mir leid. Ich habe sie lang abgewimmelt. Aber dann ist sie mit ihrer Tochter wie eine Urgewalt über mich hereingebrochen und hat mit Ordnungshütern gedroht. Sie vermutete, ich hätte Euch entführt. Mir blieb gar nichts anderes übrig, als ihr die Wahrheit zu sagen.« Er sammelte sich einen Augenblick und fuhr dann fort. »Habe ich Euch nicht geraten, die Ergebnisse der

Untersuchung mit Eurer Frau zu besprechen, statt einfach wegzulaufen? Ihr habt Euch leider anders entschieden. Fangt jetzt nur nicht an, mir irgendwelche Vorwürfe wegen Eurer falschen Entscheidung zu machen.«

So schwer es Cormet fiel, so musste er sich eingestehen, wie recht Imnar hatte. Es war nicht seine Art, vor einer drohenden Auseinandersetzung zu fliehen. Aber die Entdeckung seines ursprünglichen und wahren Ichs hatte ihn vergessen lassen, wie wenig nutzbringend es war, vor Emotionen wegzulaufen. Er ganz allein musste sich die Schuld an der Katastrophe geben, die über ihn hereingebrochen war. Und das, was ihn am meisten ängstigte, war, dass in Danoras Nachricht absolut nichts von einer Rückkehr stand.

»Ich gebe Euch keine Schuld, Imnar. Ich danke Euch. Entschuldigt die Störung.« Dann unterbrach er die Verbindung.

Im selben Augenblick wusste er, er würde Danora nicht aufgeben. Er musste sie finden, sie um Verzeihung bitten, mit ihr sprechen und nach einer Lösung suchen.

Er rief bei der Raumhafenbehörde an. Danora aus dem Karrak Santoral hatte am 27. Tag gegen 14:00 Uhr in einem Passagierschiff *Torfin* verlassen. Die Reise ging nach *Spalur* im *Reserk-System*. Hier hatte sie eine galaktische Kreuzfahrt gebucht und sollte am 28. Tag gegen 19:00 Uhr an Bord des Raumschiffs sein. Sie war aber nie dort aufgetaucht. Ihre Spur verlor sich auf diesem Planeten.

»Bei den finsteren Mysterien von Myrathon-Hel«, rief er und wischte die Visitenkarte und die Nachricht von Danora vom Tisch. »Wieso ist das alles so verfahren!«

Bis spätestens zum 17. Tag des dritten Monats musste er die Wand der grimmigen Götter im Valurapalast auf *Eloym* auf deren Heimatplaneten bringen. Sie bestand nicht nur aus totem schwarzen Stein. Mindestens eine Entität hauste in ihr. Sie hatte ihm bei seinem Duell gegen Loryk unterstützt und ihm dieses Ultimatum gestellt[42]. Nach Ablauf der Frist würde dauerhaft das Unglück an ihm haften. Das konnte er nicht auf die leichte Schulter nehmen. Es bedeutete, er musste Danora so schnell wie

[42] Siehe Buch 1, Kapitel IV, *Ein ungleicher Kampf.*

möglich finden. Er meldete sich zu einem Fädlersprung nach *Spalur* an. Nur direkt vor Ort konnte er gewiss sein, auf Hinweise von ihr und Saira zu stoßen. Doch unglücklicherweise bekam er erst einen Termin mitten in der Nacht. Er fragte sich, wie er diese Zeit überbrücken sollte, ohne vor Sorge den Verstand zu verlieren.

Aus dem Schlafzimmer holte er das Familienbild mit Danora, Saira und ihm, drückte es an seine Brust. Warum nur hatte er Imnar gebeten, ihn auf eine parapsychische Gabe hin zu untersuchen! Und das, obwohl ihn der davor gewarnt hatte, es könnte schwerwiegende Folgen für seine Familie nach sich ziehen. Genau das war jetzt eingetreten. Cormet versank in Selbstvorwürfen und hoffte, seine schlimmsten Befürchtungen, Frau und Tochter könnten ernstlich Schaden erleiden, würden nicht zur Realität werden. Die Zeit schlich dahin, da er unfähig war, sich mit etwas anderen zu beschäftigen. Dann war es so weit und die Transporthülle des Fädlers baute sich um ihn auf.

Auf *Spalur* war es gegen Mittag. Eine Frau in Arbeitskleidung nahm ihn am Eingang der Raumhafenbehörde in Empfang.

Sie geleitete ihn zu ihrem Arbeitsplatz. »Danke für das Bild, das Ihr uns zur Verfügung gestellt habt. Inzwischen haben wir nach Eurer Frau und Tochter gesucht. Sie sind in den Passagierraumer auf dem Raumhafen von *Karason* eingestiegen, aber hier nicht ausgestiegen. Auch an Bord wurden sie nicht gefunden.« Sie zeigte das Holo der Kamera, das den Landesteg überwachte. »Es tut mir ausgesprochen leid, dass ich Euch nicht helfen konnte. Die *LYRAK* landet am 2. Tag, des 3. Monats, zu Beginn der 9. Stunde wieder auf dem Raumhafen von *Karason*. Dann wird das Schiff äußerst genau durchsucht, bevor der nächste Start erfolgen kann. Bitte geduldet Euch noch bis dahin.«

Mit hängenden Schultern verließ Cormet die Behörde. Er war gescheitert, bezweifelte allerdings, dass sich Danora einen ausgeklügelten Plan ausgedacht hatte, um ihre Spur zu verwischen. Es sah eher so aus, als wären sie und Saira entführt oder getötet und entsorgt worden.

Eine tiefe innere Leere erfüllte ihn. Er wusste zum ersten Mal in seinem Leben nicht, was er tun oder wohin er gehen sollte.

Jemand tippte ihm auf die Schulter. Er wandte sich um. Ein Mann in einer grauen Kombination mit einer Schirmmütze, die er sich tief ins Gesicht geschoben hatte, stand vor ihm.

»Wo sind Danora und Saira?« Die Stimme klang verärgert, kam ihm aber bekannt vor.

Dann schob sein Gegenüber die Mütze etwas nach oben und er sah in die wasserblauen Augen von Loryk, dem Attentäter.

Das unbekannte System

Tirkum, namenloses System
1. Tag, 3. Monat, 8853. Lichtzyklus sME, 13. Stunde, 32. Minute

Charrut

Fast zwei Tage später, die sie, Ruhe- und Essenszeiten ausgenommen, im Lernmodus verbracht hatten, erwachte er und öffnete die Augen. Die Induktorhaube gab seinen Kopf frei. Auf dem Holoschirm bildete sich die Schwärze des Alls ab, durchbrochen von Myriaden von Sternen. Sie hatten den Tunnel verlassen.

Aus dem Augenwinkel nahm er Bewegungen neben sich wahr. Die anderen Anwärter befanden sich ebenfalls wieder im Wachzustand.

»Ich orte drei Planeten«, drang eine Stimme an sein Ohr. Es musste sich um den Ortungsoffizier handeln. »Nummer zwei befindet sich in der Lebenszone.« Von den hellen Lichtpunkten im Weltraum kam einer auf sie zu und wurde auf dem Holoschirm abgebildet. Wegen der relativ hohen Entfernung war die Auflösung gering. »Auf der uns zugewandten Seite sehen wir eine zusammenhängende Landmasse und viele größere Seen. Und ...«, der Sprecher stockte, »... da sind Raumschiffe!«, stieß er hervor. »Sie kommen vom Außenrand des Systems und fliegen auf diese Welt zu.« Der Zoom verkleinerte sich wieder und auf dem Holo tauchten sieben Punkte auf, die auf den Planeten zustrebten.

Der Kommandant reagierte sofort. Er schlug auf das Pult vor ihm. Alarm brandete durch das Schiff. Von nun an wurde jedes Wort in der Zentrale in alle anderen Räume übertragen.

»Ich vermute die Paramur auf der Oberfläche!«, schrie Antor, um sich trotz des an- und abschwellenden Heulens verständlich zu machen, das jedoch gleich darauf versiegte. Er war aufgestanden und sah in die ernsten Gesichter der ihn umgebenden Besatzung. »Wie weit sind die fremden Raumschiffe von der Welt entfernt«, fragte er, »schaffen wir es, vor ihnen da zu sein?«

»Mit Vollschub könnte die Tirkum einige Minuten vor den fremden Raumern in den Orbit einschwenken«, sagte der Pilot.

Antor gab dem Kommandanten ein Zeichen seiner Zustimmung.

»Klarschiff zum Gefecht!«, rief Celur daraufhin. »Wir nehmen Kurs auf den zweiten Planeten.« Er sah auf das im Pult eingelassene Terminal vor sich. »Ankunftszeit in circa sechs Stunden.«

Bei Myrathon-Hel, dachte Charrut. *Das sieht mir ganz nach einer Raumschlacht aus. Sieben Fremdraumer gegen die* TIRKUM. Sieg oder Niederlage hing davon ab, welche Technik der Gegner verwendete. Ein Angriff ohne Kenntnisse über den Feind war riskant.

»Wir versuchen zuerst, Kontakt zu den fremden Intelligenzen aufzunehmen«, sagte Antor in diesem Augenblick. »Die Waffen sprechen erst, wenn die Diplomatie versagt.«

Dann durchbrach das Wummern des auf Volllast arbeitenden Antriebs die Isolation.

ENDE

BLICK INS NÄCHSTE BUCH

ALARMSTUFE III

Schulschiff PARAMUR, Rikay-System
Vergangenheit:
20. Tag, 2. Monat, 8553. Lichtzyklus sME 24. Stunde, 03. Minute

Vynga

Die Zentrale der Korvette war fast leer. Nur der Ersatzpilot befand sich hier, und sie selbst als der ihm zugeteilte weibliche Kadett. Ortung, Funk und Waffen ließen sich nun von der Pilotenkonsole aus bedienen.

Es war offiziell Nacht und damit die Einsatzzeit der dritten Mannschaft, über welche die PARAMUR als Schulungsschiff leider nicht verfügte. So hatte Vynga die Ehre erhalten, zusammen mit Sorrent aus dem Karrak Bragonir die Nachtwache anzutreten.

Der Pilot gehörte wie sie zum Kernweltadel. Er war noch jung. Der Abschluss seiner Zeit auf der Raumakademie war vermutlich nicht länger als fünf Lichtzyklen her. Seine dunkelblaue Bordkombination zierte nur das Abzeichen der *Akademien* für ernannte Offiziere, der blaue Raumjäger auf gelbem Hintergrund, sowie das Pilotenabzeichen. Das bedeutete, er hatte nie in der Flotte gedient. Angeblich war er sofort nach dem Erhalt des Offizierspatents zu einem Schulschiff der *Raumakademie Toronak* gewechselt. Seit einiger Zeit gehörte er zur Besatzung der PARAMUR. Das war es schon, was die von ihr befragten weiblichen Kadetten über ihn wussten.

Er besaß eine schlanke Figur und trug die buschigen Haare zu einem Zopf gebunden. Sein Gesicht wirkte alles andere als anziehend. Außerdem standen ihm die Ohren zu weit vom Kopf ab. Das stellte ein Problem für einen Bürgerlichen dar. Doch beim Adel war es üblich, solch erbliche Unschönheiten genetisch zu beheben. Wenn man trotzdem damit belastet war und nicht aus einem der mächtigen Häuser stammte, konnte es im günstigsten Fall sehr lang dauern, bis man einen Partner fand. Vielleicht war das der Grund, warum Sorrent grundsätzlich mit weiblichen Kadetten anzubändeln pflegte.

Alle jene, die auf die PARAMUR kamen, wussten das bereits. Es gab auf der Akademie dazu Ratschläge von höheren Lichtzyklen, wie man dem begegnen konnte.

Bewährt hatte sich bisher, wenn man auf ein gemeinsames Treffen angesprochen wurde, mit einem Bedauern in der Stimme auf die Bordgesetze zu verweisen. Danach gab der Ersatzpilot angeblich Ruhe.

»Stufe-2-Kadettin Vynga«, hörte sie da Sorrent sprechen.

»Ja, Hoch-Erleuchteter«, gab sie höflich zurück und wandte sich ihm zu.

»Findet Ihr nicht, dass das Bild auf dem Holoschirm recht langweilig wirkt?« Er beendete seine Worte mit einem Lächeln.

Sie sah auf das Holo. Die PARAMUR stand etwa 100.000 km vom Sonnenportal entfernt, durch das sie in das *Rikay-System* gekommen waren. Zwei weitere Portale waren von hier aus zu sehen. Die Sonne selbst war ein Unruheherd erster Ordnung, der ständig Protuberanzen ins All schleuderte, sie verlangsamte, um sie sich dann wieder einzuverleiben.

»Nein«, antwortete Vynga, die schon ahnte, worauf der Ersatzpilot hinauswollte. »Für mich ist der Holoschirm ganz und gar nicht langweilig. Seht Euch doch nur dieses Wechselspiel von Eruption und Schwerkraft an.«

Sorrent schloss kurz sein linkes Auge, als überlege er angestrengt. »Wenn Ihr die Sonnenaktivität so intensiv genießt«, hakte er ein, »dann schlage ich einen Besuch der Aussichtsplattform am Bug der PARAMUR vor. Was kann es Schöneres geben, als die Sonne direkt zu beobachten, umgeben von Schwerelosigkeit.«

Vynga zwang sich ein Lächeln ab. Da war es also, das Angebot für ein Treffen zu zweit. Noch schien es verborgen, aber das würde sich gleich ändern. »Ihr habt recht«, sagte sie und versuchte, nachdenklich auszusehen. »Ich werde mir in meiner Freizeit einen solchen Besuch gönnen, falls wir noch länger auf dieser Position bleiben sollten.«

»Warum warten?«, erwiderte Sorrent. »Und weshalb es riskieren, dass wir bald ins *Malek-System* weiterreisen? Zögert nicht, geht jetzt!«

»Was?« Ihre Stimme klang ihr schrill in den Ohren. Sie konnte nicht glauben, welche Worte eben zu ihr durchgedrungen waren. Hatte ihr ein vorgesetzter Offizier wirklich angeboten, dass sie ihrem Vergnügen nachgehen sollte, statt ihren Dienst in der Zentrale zu verrichten.

Sie musste in ihrer Verwirrung komisch aussehen, denn Sorrent grinste vergnügt vor sich hin.

»Keine Angst!«, sagte er. »Ich lasse Euch nicht allein durch die verlassenen Gänge laufen. Selbstverständlich begleite ich Euch.«

Das war zu viel für Vynga. Ja, sie wusste, dass sie jetzt eigentlich die Karte ausspielen musste, in der sie auf die Bordgesetze verwies. Aber in den mehr als zwei Jahren, die sie auf der Raumakademie verbracht hatte, war es immer auch um Disziplin gegangen. Darum, die Aufgabe, die einem übergeben worden war, komplett auszuführen. Vergnügen durfte allein in der Freizeit stattfinden.

Aber das, was Sorrent ihr vorschlug, war eine ganz andere Dimension, als nur die Arbeit zu schwänzen. Die Besatzung der PARAMUR schlief. Nur sie beide hielten Wache.

Sobald sie die Zentrale verließen, würde das Raumschiff angreifbar sein. Es schien zwar so, als ob das All um sie herum frei von Gefahren wäre, aber das konnte sich sekündlich ändern. Schließlich waren die ST-Portale ziemlich nahe. Jederzeit konnten fremde Raumer daraus hervorbrechen.

Nein, dieser Vorschlag von Sorrent war nicht allein Befehlsverweigerung, sondern zusätzlich eine Gefährdung von Schiff und Besatzung. Das konnte auf keinen Fall als Kavaliersdelikt eingeordnet werden. War er so naiv, dass er nicht wusste, was passieren würde, wenn jemand sein Treiben entdeckte? Und noch viel schlimmer, war er sich nicht bewusst, wie sich ein Offizier der Flotte zu verhalten hatte?

Die Raumakademien wurden zwar von der *Myrthonischen Verwaltung* betreut, gehörten aber ihrem Wissen nach der *Sternenreichsflotte* an. Das bedeutete, Flottengesetze waren auch in den Akademien gültig.

Je länger sie darüber nachdachte, desto mehr verkrampfte sie sich innerlich. Sie spürte, wie Wut in ihr aufwallte. Anstatt als Vorbild zu fungieren, wurde sie von Sorrent dazu animiert, die Bordgesetze zu brechen. Ihr wurde heiß und ihr Kopf schien bersten zu wollen.

Dann sprudelte es aus ihr heraus, bevor sie es verhindern konnte. »Vergesst es, Hoch-Erleuchteter! Ich werde keinesfalls die Zentrale verlassen! Nicht ohne Euch! Und erst recht nicht mit Euch!« Mit Gewalt hinderte sie sich daran, weiterzusprechen. Sie sah, wie das Gesicht des Ersatzpiloten eine ungesund blasse Färbung annahm.

»Und Ihr sagt das«, entgegnete er scheinbar ruhig, »weil ich nicht Eurem Ideal eines Manns entspreche?«

»Das ist der geringste Teil der Ursache, Hoch-Erleuchteter«, gab sie zurück. »Ihr verstoßt gegen sämtliche Flottenrichtlinien, wenn Ihr während der Nachtwache die Zentrale verlasst. Solltet Ihr das wirklich durchziehen, werdet Ihr auf mich verzichten müssen.«

»Gut, dann befehle ich Euch, begleitet mich zur Aussichtsplattform!« Die Blässe in seinem Gesicht war inzwischen einer tiefen Röte gewichen. Zorn schien sich in ihm auszubreiten.

»Tut mir leid, Hoch-Erleuchteter«, erwiderte sie, »das verweigere ich. Nehmt diesen Befehl zurück, sonst muss ich nach dem Ende der Nachtwache an den Ausbildungsleiter Jewon Meldung erstatten.«

Sorrent lachte kurz auf. Es war ein zynisches, hässliches Lachen. »Gut«, sagte er schließlich, »Ich verzichte auf Eure Begleitung. Aber dieses Gespräch hat mich auf das Äußerste gedemütigt. Deswegen muss ich mich erst einmal außerhalb der Zentrale beruhigen.« Er legte eine Pause ein, in der er den Blick durch die Räumlichkeit schweifen ließ, dann fuhr er fort. »Eigentlich sollte ich zur 24. Stunde, 35. Minute mit der PARAMUR zum übernächsten ST-Portal fliegen. Das sind noch knappe zwölf Minuten. Nun müsst Ihr das für mich übernehmen.«

Er drehte sich um und schritt auf das Schott zu.

Vynga war komplett verwirrt. »Aber ich habe nur Raumjäger und Beiboote geflogen, Hoch-Erleuchteter. Korvetten und andere ST-taugliche Raumschiffe standen bisher nicht auf dem Kursprogramm. Ich kann diesen Befehl noch nicht ausführen.«

Mit einem Ruck drehte sich Sorrent zu ihr um. »Reines Gewäsch«, gab er mit abwertender Stimme zurück. »Jedes Kind kann diesen Raumer fliegen. Überlegt Euch, wie. Und wagt es ja nicht, jemanden von der Besatzung zu wecken.« Er zögerte noch einen Augenblick. »Oder«, knüpfte er an ihr letztes Gespräch an, »begleitet mich doch noch zur Aussichtsplattform.«

»Niemals!« Vynga schüttelte demonstrativ den Kopf.

»Gut, dann viel Erfolg bei Eurem Manöver.«

»Ihr werdet damit nicht durchkommen«, erwiderte sie.

Sie hörte ein kurzes Lachen. »Lasst Euch überraschen«, sagte er belustigt, ließ das Schott auseinandergleiten und schritt hindurch. Mit einem leisen Zischen fuhren die Schotthälften hinter ihm wieder zusammen.

Vynga war allein. Ihr Blick auf ihren ArmKomm zeigte 24:25:28 Bordzeit.

Namensverzeichnis

Ak-den Gorp	Medik-Wissenschaftler auf *Anderfa*. Er betreut Serpon.
Aleija, Damant Soyun	Medikerin auf der TIRKUM.
Antor, Damant Gorathur	Einer der Leiter der *Raumakademie Paluran*, früherer Befehlshaber der Garde des Myrths, große Liebe von Chyra. Er nimmt Anwärter auf eine gefährliche Mission mit.
Araya, Karrak Es'orante	Antors Robothaushälterin, begleitet Chyra nach *Myrthon*.
Areghnatha, Damant Eloym	Anwärterin auf der *Raumakademie Paluran*. Sie begleitet die TIRKUM auf ihrer Mission. Ihre Heimatwelt ist *Eloym*.
Arthon, Damant Orpenbor	1. Offizier der TIRKUM.
Aryn, Karrak Volatzyn	Adjutant Parasols.
Asata, Karrak Pa'tong	Adjutantin Antors und Mentorin Arayas auf der *Raumakademie Paluran*.
Askolar, Karrak Es'orante	Freund von Velorn IV., Vater von Araya und Dabejis, Ehemann von Delare, Besitzer der *Ehernen Halle* auf *Asafatan* im *Sargon-System*.
Astron, Damant Daromas	Leiter der Raumhafenbehörde in Myrthon-Malik.

Auris, Karrak Lyr'Athum	Anwärterin auf der *Raumakademie Paluran*, Nichte eines Sektorwächters. Sie erteilt Asata einen Ratschlag.
Belvar Chrosom	Anführer des 3. Garde-Trupps unter Cormets Kommando.
Belwar, Karrak Soventol	Pilot auf der Masferrat.
Celur, Karrak Morfun	1. Kommandant der Tirkum.
Charrut, Karrak Tarkan	Anwärter auf der *Raumakademie Paluran*. Er begleitet die Tirkum auf ihrer Mission. Seine Heimatwelt ist *Tarkan*.
Chelldak, Damant Bell'Alan	Ortungsoffizier auf der Masferrat.
Chyra, Damant Valura	Kommissarin der *Myrthonischen Verwaltung* und zeitbegrenzte 3. Ehefrau von Serpon. Große Liebe von Antor.
Cormet, Damant Valura	1. Sohn von Serpon, Mutter ist Myrana, Halbbruder ist Urpas, zeitweise Identität: Entro, Karrak Santoral.
Cossanat, Karrak Alsavor	Hoher Gardeoffizier bei der Verteidigung des Myrth-Palasts.
Dabejis, Karrak Es'orante	Schwester von Araya. Sie glaubt, ein Roboter zu sein.
Danora, Karrak Santoral	Ehefrau von Entro und Mutter von Saira. Ihre Welt bricht zusammen.
Darima Vossat (Voss)	Kampffunkin, 2. Kampftrupp / 2. Gruppe der Tirkum, ID 2.2.3, begleitet Kerasor auf die Abbaustation.
Debros, Damant Lyr'Athum	Wächter des Aron-Sektors, Onkel von Auris.

Delare, Karrak Es'orante	Mutter von Araya und Dabejis, Ehefrau von Askolar.
Deloss, Damant Resol'asart	Gehört zur Administration der Garde, gibt Cormet einen Auftrag.
Desora Melingor (Mell)	Kampffunkin, 2. Kampftrupp / 5. Gruppe der TIRKUM, ID 2.5.1, begleitet Tranthar auf die Abbaustation.
Djalin, Damant Valura	2. Ehefrau Serpons, Mutter von Urpas, Stiefmutter von Cormet. Sie ist offiziell vor 5 Lichtzyklen gestorben.
Dorak, Damant Solinfor	Wissenschaftler auf der TIRKUM.
Dyria, Karrak Mertatulan	Funkoffizierin der MASFERRAT.
Entro, Karrak Santoral	Ehemann von Danora, Vater von Saira. Er wird von einer Stimme geplagt.
Erontal, Damant Vasaguun	Hoher Gardeoffizier im Myrth-Palast.
Erosaar	Mediker für Patienten mit Para-Gaben auf dem Stützpunkt der *Bol-mot-Ut*.
Ersalla Psochar (Psoch/4.4)	Kampffunkin, 2. Kampftrupps / 4. Gruppe der TIRKUM, ID 2.4.4, begleitet Charrut auf die Abbaustation.
Esatora Zekoral (Zekk/4.1)	Anführerin, 2. Kampftrupp / 4. Gruppe der TIRKUM, ID 2.4.1, begleitet Charrut auf die Abbaustation.
Etron, Damant Asuran	2. Kommandant der TIRKUM.
Farenghis, Damant Limach'Orvan	Mentorin von Dabejis.

Feryn, Karrak Tass'morul	Leiter der Sicherheit im Valurapalast auf *Myrthon*.
Illian Sarkoss (Sark)	Kampffunke, 2. Kampftrupp / 2. Gruppe der TIRKUM, ID 2.2.4, begleitet Kerasor auf die Abbaustation.
Ilyam Krot (Krot)	Kampffunkin, 2. Kampftrupp / 5. Gruppe der TIRKUM, ID 2.5.3, begleitet Tranthar auf die Abbaustation.
Imnar, Damant Xartay	Pensionierter Para-Mediker der Myrthonischen Verwaltung.
Jelyn, Torma Gornam	Anwärterin auf der *Raumakademie Paluran*. Sie erkundigt sich bei Asata nach der PARAMUR.
Jerom, Damant Xamicor	Oberster Garde-Offizier im Myrth-Palast.
Jewon, Karrak Vakossan	Ausbildungsleiter der *Raumakademie Paluran*. Er ist mit dem Schulschiff PARAMUR verschollen.
Jorain, Priester des Myrathon-Hel	Lebt auf *Lusark*, einem Planeten, der nicht auf den Sternenkarten des Reichs verzeichnet ist.
Kelam Varotes	Anführer des 2. Garde-Trupps unter Cormets Kommando
Kerasor, Torma Alandor	Anwärter auf der *Raumakademie Paluran*. Er begleitet die TIRKUM auf ihrer Mission. Seine Heimatwelt ist Alandor.
Kossom Elronk	Anführer, 2. Kampftrupp / 2. Gruppe der TIRKUM, ID 2.2.1, begleitet Kerasor auf die Abbaustation.
Lalana Bessort (Bess/4.2)	Kampffunkin, 2. Kampftrupp / 4. Gruppe der TIRKUM, ID 2.4.2, begleitet Charrut auf die Abbaustation.

Lessot II. (Myrth)	Degradiert im Lichtzyklus 6339 den Damant Montaphyn zum Torma und verbannt diesen nach *Loxarth*.
Lorna, Karrak Kalinthos	Stufe-2-Kadettin auf der *Raumakademie Paluran*. Sie und ihre Freundin Vynga sind zusammen mit der PARAMUR verschollen.
Loryk Sorall (auch Meteor)	Attentäter und Kopfgeldjäger, ist für die aufgespielten Identitäten von Cormet, Danora und Saira verantwortlich.
Luklon, Damant Yormun	Ehemaliges Oberhaupt. Großvater von Cormets Mutter Myrana.
Merlot, Karrak Chin-Tossan	Chyras Vater. Er wird von der *Bol-mot-Ut* erpresst.
Morak Zelfor (Zell)	Kampffunke, 2. Kampftrupp / 2. Gruppe der TIRKUM, ID 2.2.2, begleitet Kerasor auf die Abbaustation.
Myrana, Damant Valura	1. Frau Serpons. Cormets Mutter, einen Tag vor dessen 6. Geburtstag verschwand sie spurlos. Ihr Geburtshaus ist Yormun
Myrathor Peran	Befreundet mit Velorn IV. Einer von zwanzig religiösen Myrathon-Hel anbetenden Führern, mit Sitz im Licht- und Schattenrat.
Orval, Karrak Elentorn	KASYS-Kommandeur der *Bol-mot-Ut*.
Parasol, Damant Ek-Noress	Leiter einer Geheimstation der *Bol-mot-Ut*.
Pereth, Damant Derlengar	Anwärter auf der *Raumakademie Paluran*. Er begleitet die TIRKUM auf ihrer Mission. Seine Heimatwelt ist *Myrthon*.
Pielnor, Karrak Montecytos	Kommandant der MASFERRAT.

Serane, Karrak Chin-Tossan	Chyras Mutter. Sie wird von der *Bol-mot-Ut* gefangen gehalten.
Serpon, Damant Valura	Oberhaupt des Hauses. Eingeschränkter Ehemann auf Zeit von Chyra. Vater von Cormet und Urpas.
Sharlyn, Damant Cronan'thor	Anführerin des 2. Trupps der TIRKUM, begleitet Tranthar auf die Abbaustation.
Shoron Zemitor	Ihr Heimatplanet ist *Sard*. Sie ist die Untergebene von Asata, eingesetzt in Antors Vorzimmer auf der *Raumakademie Paluran*.
Soron, Karrak Dasur	Pensionierter ST-Navigator an Bord der TIRKUM. Lebt auf *Paluran*.
Sujen Pelin	Anführer des 1. Garde-Trupps unter Cormets Kommando.
Tamrin, Torma Montaphyn	Ausbilderin auf der *Raumakademie Paluran*. Ist dort zuständig für die medizinische Versorgung. Entstammt der Randwelt *Loxarth*.
Tarr-Mocay (Angh-Sanh)	Para-Sinn-Partnerin von Urpas. Arbeitet für die *Bol-mot-Ut*. Sie entstammt keiner Welt des Sternenreichs.
Tesro, Damant Valura	Angehöriger der Sicherheit des Valurapalasts.
Torgar, Damant S'dapa	Kommandant der Landungstruppen auf der TIRKUM.
Tranthar, Familie der Tanlar	Anwärter auf der *Raumakademie Paluran*. Er begleitet die TIRKUM auf ihrer Mission. Entstammt einer Familie der Sternenhändler.
Tyrana Dervon	Ihr Heimatplanet ist *Alandor*. Sie ist die Untergebene von Asata, eingesetzt in Antors Vorzimmer auf der *Raumakademie Paluran*.

Uranor Follsom (Foll)	Kampffunke, 2. Kampftrupp / 5. Gruppe der TIRKUM, ID 2.5.2, begleitet Tranthar auf die Abbaustation.
Urpas, Damant Valura	Zweiter Sohn Serpons, Cormets Halbbruder, Mutter ist Djalin,. Er arbeitet für die *Bol-mot-Ut*. Ist Para-Sinn-Partner von Tarr-Mocay.
Velja Poroma (Porr/4.3)	Kampffunkin, 2. Kampftrupp / 4. Gruppe der TIRKUM, ID 2.4.3, begleitet Charrut auf die Abbaustation.
Velorn IV.	Myrth des Myrthonischen Sternenreichs. Askolar ist sein Freund.
Vorcass, Karrak Meronir	Ist einer der beiden Leiter der *Raumakademie Paluran*, früherer Gardeoffizier des Myrths.
Vynga, Damant Cortanon	Stufe-2-Kadettin auf der *Raumakademie Paluran*. Sie und ihre Freundin Lorna sind zusammen mit der PARAMUR verschollen.
Wenar, Karrak Poltarak	Ausbilder auf der *Raumakademie Paluran*. Er ist mit dem Schulschiff PARAMUR verschollen.
Yenta, Damant Desynthor	Kommandantin der Gardetrupps 13 bis 15.

Glossar

Abstoßfeld	Schutzfeld und Antrieb eines Raumers im Sternentunnel. Der ST-Generator des Abstoßantriebs lädt im Normalraum seinen Speicher mit ST-Energie auf. Vor dem Portaldurchtritt wird das Abstoßfeld aufgebaut und gespeist. Die Beschleunigung beruht auf der wechselnden ST-Polarisierung des Abstoßfelds. Da der Speicher im Tunnel nicht geladen werden kann, müssen bei längerer ST-Strecke Ladepausen in Systemen eingelegt werden.
Aram-Plast	Hochwiderstandsfähiges transparentes Material. Wird als Verglasung der Aussichtsplattform auf Pyramidenraumschiffen verwendet.
Arvenalium	Metallische Substanz, die das menschliche Bewusstsein speichern kann. Wurde bei Arayas Robotkörper verwendet.
Auflösungsstab	Stab mit vier spaltartigen Auslässen, durch das Auflösungsfelder zwei Millimeter weit hervortreten, und mit einer ausfahrbaren Flaumkugel an der Spitze, die den Kuss der Götter verteilt.

Begrenzer	Bei vollem Energiespeicher des ST-Generators verhindert der Begrenzer ein unkontrolliertes Eindringen des Raumers vom Normal- in den ST-Raum. Fällt im Raumschiff die Energie aus, speisen Batterien den Begrenzer.
Bolzenschleuder	Sie verschießt sich drehende Bolzen mit vier schraubenartig gewendelten scharfen Kanten.
Damant	Damant ist die Bezeichnung für ein Haus des Hochadels. Sie wird nur in geschriebenen Texten verwendet. Gesprochen wird sie: aus dem lichtdurchfluteten Haus derer von. Diesen Adelsrang können nur Myrthonen der Kernwelten erhalten.
Doodoo	Auf Myrthon beheimatetes bärenartiges Haustier in Kaninchengröße. Oft Schmusestofftier für Kinder.
Gilde der Mediker	Zusammenschluss von Medikern mit Sitz auf *Anderfa*.
Hellon	Hellon ist der Gott, an dem die Myrthonen glauben. Seine Kinder, die Licht- und Schattenfunken, begleiten ihn stets oder dessen Inkarnationen: die Lichtgestalt Imonar-Hel bzw. das Schattengespinst Myrathon-Hel.
Karrak	Karrak ist die Bezeichnung für ein Haus des mittleren Adels. Es wird nur in geschriebenen Texten verwendet. Gesprochen wird es: *aus dem schattenumwobenen Haus derer von*. Diesen Adelsrang können nur Myrthonen der Kernwelten erhalten.

Gravo-Pulsantrieb	Raumschiffe bis zum schweren Kreuzer sind mit diesem Triebwerk ausgerüstet. Es lässt sich damit eine Geschwindigkeit von 0,67 Licht erreichen. Geräte zur Massen- und Zeitkontrolle verhindern unerwünschte Effekte.
Gravo-Wellenantrieb	Schlachtkreuzer und -schiffe sind mit diesem neuartigen Triebwerk ausgerüstet. Es lässt sich damit eine Geschwindigkeit von 0,75 Licht erreichen. Geräte zur Massen- und Zeitkontrolle verhindern unerwünschte Effekte.
Kernweltmyrthonen	Sie bewohnen Systeme im Kernbereich des Sternenreichs. Adlige sowie Angehörige der *Myrthonischen Verwaltung* erhalten das Lichttränenbrot, auch Xayis genannt. Sie bekommen dadurch silberweiße Haare, Augen mit orangegoldener Iris und eine Verlängerung des Lebens.
Lichtträger	Die militärische Auszeichnung bedeutet eine enorme Erhöhung des Rangs. Es sind bis zu drei Lichtkristalle möglich.
Lichttränenbrot	Der Myrth lässt das Lichttränenbrot einmal im Lichtzyklus an den Kernweltadel und Angehörige der *Myrthonischen Verwaltung* verteilen. Wer davon isst, erhält silberweißes Haar, orangegoldene Augen und ein deutlich längeres Leben. Wer es jedoch innerhalb von zwei Lichtzyklen nicht erneut zu sich nimmt, verfällt mit einer Wahrscheinlichkeit von 66 Prozent dem Wahnsinn.

Lichtzyklus	Der Standard-Lichtzyklus auf *Myrthon* besteht aus 12 Monaten = 360 Tage mit je 26 Stunden.
Mikrorak-Werfer	Diese Waffe ist für den Kampf in Raumschiffen konzipiert. Nur einmal muss man die Innenwand damit anvisieren und danach die Ausnahmetaste drücken und keines dieser selbstlenkenden Geschosse würde diese jemals berühren. Das gilt auch für Raumanzüge des eigenen Trupps.
Monat	Der Standard-Monat auf *Myrthon* besteht aus exakt 30 Tagen mit je 26 Stunden.
MV	Abkürzung für *Myrthonische Verwaltung*.
MYRUS	Abkürzung für *Myrthons Ruhm und Stärke*. Gruppierung von Kadetten innerhalb der *Raumakademie Paluran*.
Porangschweif	Schweif eines myrthonischen Reittiers.
Randwelt-Myrthonen	Sie sind Bewohner von Systemen außerhalb des Kernbereichs.
Saffan	Togaähnliches Festtagsgewand.
Sarder	Bezeichnung für die gebürtigen Bewohner der Randwelt *Sard*. Fast neunzig Prozent der Bevölkerung färben ihr Haar golden. Das ist nicht nur eine Modeerscheinung, sondern Ausdruck von Nationalstolz, als Gegenpol zu den silberweißen Haaren der adligen Kernweltmyrthonen.

Schattenträger	Die militärische Auszeichnung bedeutet eine enorme Erhöhung des Rangs. Es sind bis zu drei Schattenkristalle möglich. Die nächste Aufstufung wäre der Lichtträger.
schelfnarbig	Die Schelfkrankheit überzieht die Haut des Befallenen mit Blasen. Wird der Betroffene geheilt, verhärten sie sich und fallen dann in sich zusammen. Zurück bleiben kraterartige Hautvertiefungen.
Schreddergewehr	Es verschießt schrottartig Kugeln, die Energie von Schirmfeldern absaugen und diese durchlässig werden lassen. Geringe Reichweite.
sME	Abkürzung für seit *Myrthons* Erschaffung.
ST	Abkürzung für Sonnentunnel.
ST-Kristalle	Einsatz: bei Gehirnwelleninduktoren, ST-Fädler, Mentalanalysatoren, Feldschirm- und Strahlwaffengeneratoren, Stoßfeldantrieb für Raumer, ST-Funk-Einspeisung in das Sonnenwurzelwerk.
ST-Netz	Kommunikationsnetz, das die Planeten über die Sonnentunnel verbindet.
STEEG	Abkürzung für Sonnentunnel-Ebenen-Einstellgrad.
Sternenhändler	Händler des Sternenreichs in einer Gilde zusammengefasst.
Stunde	Die Myrthon-Standardstunde hat 60 Minuten.

Tag	Standardtag = 26 Stunden. Entspricht dem Tag auf *Myrthon*.
Talura	Hauptstadt des Planeten *Myrthon* mit Sitz des Regierungspalasts des Myrths und dem Tempelzentrum von Hellon, Imonar-Hel und Myrathon-Hel.
Tao-Mun	Myrthonische Kampfsportart.
Temperatur	Skala entspricht der unseren in Grad Celsius.
Torma	Torma = Bezeichnung für ein Haus des unteren Adels, wird nur in geschriebenen Texten verwendet. Gesprochen wird sie: *aus dem licht- und schattenlosen Haus derer von*. Den Adelsrang erhalten nur Myrthonen der Randwelten oder die der Kernwelten, wenn deren Haus vom Myrth degradiert und in die Verbannung geschickt wurde.
VARM	Abkürzung für: *Vereinigung aller Randweltmyrthonen*. Gruppierung von Kadetten innerhalb der *Raumakademie Paluran*.
Xusar	Raupenähnliches Insekt auf dem Dschungelplaneten *Corpos*.
Yllad	Wehrhafte Kriechechse vom Planeten *Nosaver* im *Klerok-System*, die ihre Hornschuppen bei Bedarf in ein tiefes Schwarz verfärben kann.
Yunok-Platte	Eine aus Yunok-Getreide gepresste dünne Platte.
Zerker	Bewohner des Planeten *Zerk*. Sie sind zu einem Großteil in Gilden organisiert. Angehörige werden in sogenannte Funken unterteilt.

Der Autor

Harrison Shepard wurde im November 1952 in der Frankenmetropole Nürnberg geboren. Nach dem Fachabitur folgte ein Fachhochschulstudium mit dem Abschluss Ingenieur der Nachrichtentechnik. Seit 1980 arbeitete Harrison in einem großen Elektro-Unternehmen als technischer Redakteur für Kataloge der industriellen Schalttechnik. Mittlerweile ist er im Ruhestand.

In den achtziger Jahren war er fast ein Jahrzehnt lang ehrenamtlich Story-Redakteur für das Magazin »Fantasia« des EDFC (Erster deutscher Fantasy-Club).
Fantasy und Science-Fiction sind seine große Leidenschaft. Aus dem Hintergrund zu einem SF-Rollenspiel entwickelte sich schließlich der Gedanke zur Raumakademie Paluran. Das vorliegende Buch ist der zweite Band der Reihe.

Bisherige Veröffentlichungen:

- SF-Roman Raumakademie Paluran, Buch 1, https://amzn.to/33fXqxy - Amazon

- Kurzgeschichte »Ein Date der anderen Art« in der Anthologie »Osterhasen sterben nie« https://www.amazon.de/dp/B08YJ4D2SY/

- Kurzgeschichte »Kamar und das Fest der glühenden Bäume« (Eine Geschichte aus dem Myrthonischen Sternenreich) in der Anthologie »Geschichten von A-Z« https://www.amazon.de/dp/9403653663/

DANKSAGUNG

Nachdem ich nun schon den zweiten Band der Buchreihe »Raumakademie Paluran« veröffentlicht habe, wird es Zeit, mich bei all den lieben Menschen zu bedanken, die mir nicht unerheblich dabei geholfen haben.

Deswegen gilt mein besonderer Dank:

- Dieter Reich, der den Weg beider Romane von Anfang an begleitet und mich maßgeblich mit Ideen unterstützt und beraten hat.

- Manuel Schenkluhn. Er war ebenfalls von Beginn an dabei und hat die Fortschritte des Romans stets kommentiert. Er hat auch die Web-Plattform zur Verfügung gestellt, auf der ich meine ersten Seiten der Öffentlichkeit vorstellen konnte.

- den Testlesern der Bücher, wie z. B. Michael Schäfer, Rainer Dittrich und Andy Huber.

Ein Wort an die Leser

Liebe Leserinnen und Leser,

aller Anfang ist schwer. Diese Wahrheit schlägt natürlich auch dann zu, wenn man sich als Autor am deutschen Büchermarkt etablieren will.

Mit dem nun zweiten SF-Roman und je einer Kurzgeschichte in zwei Anthologien bin ich nicht mehr ganz so grün hinter den Ohren. Trotzdem mangelt es am Bekanntheitsgrad.

Wenn ihr den Roman gelesen habt, dann bitte ich euch, legt ihn nicht einfach weg, sondern bewertet ihn zuvor bei Amazon. Es ist für mich wichtig, dass ich Rückmeldungen erhalte. Sowohl Lob (was habe ich richtig gemacht) als auch Kritik (wo liegt Verbesserungspotential) sind wertvoll für mich und helfen mir dabei, beim nächsten Roman besser zu werden.

Vielen Dank für eure Aufmerksamkeit
Harrison Shepard

Printed in Poland
by Amazon Fulfillment
Poland Sp. z o.o., Wrocław

91650744R00284